Alphabet phonétique international (A.P.I.)

VOYELLES		CONSONNES	
[i]	nid	[p]	pain
[e]	fée	[b]	bain
[ɛ]	fête	[t]	toit
[ə]	fenêtre	[d]	doigt
[ɑ]	pâte	[f]	fois
[a]	patte	[v]	voix
[u]	roue	[s]	sous
[y]	rue	[z]	zoo
[o]	beau	[ʃ]	chou
[ɔ]	bol	[ʒ]	joue
[ø]	jeu	[k]	camp
[œ]	jeune	[g]	gant
[ɑ̃]	banc	[m]	main
[ɛ̃]	bain	[n]	nain
[ɔ̃]	bon	[l]	long
[œ̃]	brun	[ʀ]	rond
		[ɲ]	agneau
		[ŋ]	jogging

SEMI-CONSONNES

[j]	paille
[w]	oui
[ɥ]	nuit

Coordination éditoriale : Claire Dupuis
Correction : Nathalie Rachline
Illustrations : Ségolène Robin
Conception graphique : Frédéric Jély
Réalisation : Alinéa

Bescherelle

École

- Grammaire
- Orthographe
- Vocabulaire
- Conjugaison

 Hatier

avant-propos

■ **Un Bescherelle pour l'école primaire**

Dans *Bescherelle École*, les élèves du **CE2 au CM2** trouveront **toutes les règles de français** (plus de 500) qu'ils doivent apprendre à maîtriser. *Bescherelle École* traite le **nouveau programme** de l'école primaire (2008) en quatre grandes parties (Grammaire, Orthographe, Vocabulaire et Conjugaison).

■ **Un Bescherelle pour maîtriser la langue**

Au primaire, la priorité est donnée à l'apprentissage de l'**écriture** et de la **lecture**. Pour aider les élèves à maîtriser ces compétences, les auteurs ont structuré cet ouvrage en **séquences courtes**, qui développent chacune une seule notion. Les règles sont volontairement simples et brèves. Elles sont rédigées dans un **langage accessible** aux enfants. Les encadrés *à retenir* en début de chapitre, les tableaux et les listes aident à la mémorisation.

■ **Un Bescherelle pour donner envie de lire**

Afin d'éveiller chez l'enfant le goût de la lecture, *Bescherelle École* illustre les règles, de façon originale, par des **exemples** amusants puisés dans la **littérature** de jeunesse.

Bescherelle École « privilégie la lecture sous toutes ses formes ». L'élève se trouve ainsi confronté à deux types de lecture : la « lecture critique » et la « lecture plaisir ». Il est encouragé à développer toutes les attitudes de lecture qui lui seront demandées au collège.

Enfin, grâce à la grande variété des extraits tirés de la littérature, l'élève se familiarise avec les différents registres de langue, **augmente son capital lexical** et améliore sa compréhension de l'écrit.

■ **Bescherelle École, le premier outil de référence**

À la fin de l'école primaire, un élève doit pouvoir **consulter un ouvrage de référence** (dictionnaire, encyclopédie...). Par la **simplicité** de sa structure et de sa présentation, les utilisateurs du *Bescherelle École* **apprennent** à se servir d'un sommaire ou d'un index.

mode d'emploi

Comment utiliser Bescherelle École?

■ À partir du sommaire

Un sommaire figure au début du livre (pages 7 à 11). Le sommaire donne les **titres de tous les chapitres** du livre et les **pages** où ces chapitres se trouvent.

Exemple :

On te demande d'apprendre ou de réviser tout ce qu'il faut savoir sur le **COD**. Regarde dans le **sommaire**. Tu y verras le chapitre : *Reconnaître le complément d'objet direct (COD).*

Ouvre alors le livre à la page indiquée ; tu peux lire toute la leçon sur le COD ou seulement les paragraphes consacrés à ce que tu ne sais pas.

■ À partir de l'index

Un index figure à la fin du livre (pages 423 à 431). L'index répertorie tous les **mots** que l'on peut avoir besoin de chercher et qui sont **expliqués** dans le livre ; les numéros qui suivent chaque mot renvoient aux **numéros des paragraphes** où les mots apparaissent.

L'index est signalé par un bandeau violet.

Exemples :

▶ Tu fais tes devoirs. On te demande de souligner le **COS** dans la phrase : *Le chat apporte une souris à son maître.*
Tu ne sais plus bien ce qu'est un complément d'objet second.
Regarde dans l'**index** : tu y trouves, à la **lettre C**, le mot que tu cherches (complément d'objet second) et un **numéro** qui te renvoie aux **paragraphes** où le COS est défini.

▶ Tu ne sais plus si *appeler* prend un ou deux **p**. Tu regardes dans l'**index**, à **orthographe**, et l'index te renvoie au paragraphe où l'on t'explique quand un mot prend un ou deux **p**.

Comment se compose un chapitre de grammaire, d'orthographe grammaticale, de vocabulaire ou de conjugaison?

··· Un onglet d'une couleur différente signale chaque partie.

··· Chaque chapitre commence par un encadré illustré **À retenir** que l'on peut apprendre par cœur.

··· Une leçon est divisée en plusieurs **paragraphes**. Chaque paragraphe est numéroté et pose une question à laquelle on répond dans la règle.

··· Les **règles** sont encadrées. On les repère tout de suite.

··· Chaque règle est suivie d'un **exemple** tiré de la littérature et souvent commenté.

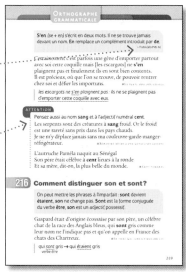

Le **renvoi** à d'autres paragraphes permet de compléter ses connaissances ou de vérifier le sens d'un mot.

Les rubriques **Attention** ou **Exception(s)** mettent en garde contre les erreurs les plus fréquentes ou signalent les exceptions à la règle donnée.

Comment se compose un chapitre d'orthographe d'usage?

Chaque chapitre commence par proposer des **listes de mots illustrés** qui comprennent les différentes manières d'écrire un son.

Le tableau des **graphies** donne les différentes manières d'écrire un son et la place des lettres. Certaines lettres en effet apparaissent seulement au début d'un mot ou à la fin...

À la découverte des mots apparaît à la fin de la plupart des chapitres de cette partie. On y trouve des **règles** d'orthographe, des remarques en liaison avec le **vocabulaire**, un peu d'histoire de la langue.

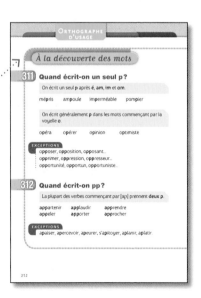

sommaire

Les numéros renvoient aux numéros des pages.
Les indications de niveau sont celles suggérées par
les Instructions officielles de 2008.

GRAMMAIRE

Reconnaître une **phrase** 14 CE1
Utiliser la **ponctuation** 17
Reconnaître les **types de phrases** 27
    La phrase déclarative 27 CE1
    La phrase interrogative 28 CE1
    La phrase impérative 35 CM1
    La phrase exclamative 36 CM2
Utiliser la **forme négative** 38 CE1
Distinguer la **nature** et la **fonction** d'un mot 42 CE1
Reconnaître un **nom** 45 CE1
Reconnaître un **verbe** 53 CE1
    L'identification du verbe 53
    Les formes du verbe 56
    Les constructions du verbe 59
Reconnaître un **adjectif qualificatif** 61 CE1
Reconnaître les **degrés de l'adjectif qualificatif** 68 CM2
Reconnaître les **déterminants** 71 CE1
    Les différents déterminants 71 CE2
    Les articles 74 CE2
    Les adjectifs non qualificatifs 78 CE2
Reconnaître les **pronoms** 81
    Le rôle des pronoms 82 CE1
    Les pronoms personnels 83 CE1
    Les pronoms possessifs 88 CM1
    Les pronoms démonstratifs 90 CM1
    Les pronoms indéfinis 92 CM2
    Les pronoms relatifs 93 CM1
    Les pronoms interrogatifs 95 CM1

sommaire

Distinguer les **prépositions** des **conjonctions de coordination** .... 96 `CM2`

Reconnaître un **adverbe** .... 104 `CE1`

    Rôle et formation des adverbes .... 104 `CM1`

    Le sens des adverbes .... 108 `CM2`

Reconnaître la **fonction sujet** .... 113 `CE1`

Reconnaître la **fonction attribut du sujet** .... 120 `CM1`

Reconnaître le complément d'objet direct (**COD**) ..... 124 `CE2`

Reconnaître le complément d'objet indirect (**COI** et **COS**) .... 131 `CM1`

Reconnaître les compléments circonstanciels (**CC**) ... 138 `CM1`

Utiliser la **voix passive** .... 147 `CM2`

Faire l'**analyse grammaticale** d'une phrase .... 153 `CE1`

· Décomposer la phrase en **propositions** .... 156 `CM2`

ORTHOGRAPHE GRAMMATICALE

Accorder le sujet et le verbe .... 166 `CE1`

Accorder le participe passé .... 171 `CM1`

Accorder les déterminants et les adjectifs qualificatifs avec le nom .... 175 `CE2`

Former le **pluriel des noms** .... 179 `CE1`

Former le **pluriel des adjectifs qualificatifs** .... 184 `CE1`

Former le **pluriel des noms composés** .... 188 `CM1`

Distinguer les **homophones** 191

    à et a .... 192 `CE2`

    ce et se .... 193 `CM1`

    ces et ses .... 194 `CM1`

    c'est et s'est .... 195 `CM1`

    c'était et s'était .... 196 `CM1`

    dans et d'en 197

    et et est .... 198 `CE2`

    la, l'a et là .... 198 `CM1`

sommaire

leur et leurs 200 CM2

même adverbe et même(s) adjectif 200

ni et n'y 201

notre et (le) nôtre 202

on et ont 202 CE2

ou et où 203 CM1

peu, peux et peut 204

plutôt et plus tôt 205

près et prêt 205

quand, quant et qu'en 206

quel, quelle et qu'elle 207 CM2

sans, sent et s'en 208 CM2

son et sont 209 CE2

si et s'y 210

votre et (le) vôtre 211

ORTHOGRAPHE D'USAGE

Écrire le son [a] 214

Écrire le son [ɛ] 217

Écrire le son [e] 223

Écrire le son [i] 227

Écrire les sons [ɔ] et [o] 231

Écrire le son [ɑ̃] 236

Écrire le son [ɛ̃] 241

Écrire le son [wa] 244

Écrire le son [j] 248

Écrire le son [p] 251

Écrire le son [t] 253

Écrire le son [k] 256 CE1

Écrire le son [g] 261

Écrire le son [f] 263

Écrire les sons [s] et [ks] 265 CE1

Écrire le son [z] 271

sommaire

Écrire le son [ʒ] 275
Écrire le son [ʀ] 278
Écrire le e muet 281
Écrire le h muet et le h aspiré 285
Écrire les **consonnes muettes** .... 287 `CE2`
   Le s muet 287
   Le t muet 288
   Le x muet 289
   Le c et le p muets 290
   Les consonnes muettes b, d, g, l 290
Écrire le **début des mots** 293
   ad- ou add-? 293
   af- ou aff-? .... 293 `CM2`
   ag- ou agg-? 294
   am- ou amm-? .... 294 `CM1`
   il- ou ill-? 294
   ir- ou irr-? 294
Écrire la **fin des mots** 295
   -ail ou -aille? 295
   -ciel ou -tiel? 295
   -cien, -tien ou -ssien? 296
   -cière ou -ssière? 296
   -é ou -ée? 297
   -eil ou -eille? 297
   -euil, -euille ou -ueil? 298
   -eur, -eure, -eurs ou -œur? 298
   -ie ou -i? 299
   -oire ou -oir? 300
   -té ou -tée? .... 300 `CM2`
   -tié ou -tier? 301
   -tion ou -(s)sion? 301
   -ule ou -ul? 302
   -ur ou -ure? 302
Mots et formes **invariables** 303

sommaire

Vocabulaire

Utiliser un **dictionnaire** .... 306 `CE1`
Reconnaître les **différents sens d'un mot** .... 313 `CE2`
Employer des **synonymes** .... 315 `CE1`
Employer des **antonymes** .... 320 `CE1`
Employer des **homonymes** .... 322 `CE2`
Employer des **paronymes** 335
Identifier les **familles de mots** .... 338 `CE2`
Reconnaître les **préfixes** et les **suffixes** .... 339 `CM1`
Reconnaître les **racines grecques et latines** 345

Conjugaison

Analyser un verbe 354
Écrire les verbes 363
Reconnaître les **terminaisons** 370
Employer les **temps** 372
Employer les **modes** 380
Lire les **tableaux de conjugaison** 385
   Les verbes avoir et être .... 386 `CE1`
   Les verbes du **1er groupe** .... 388 `CE1`
   Les verbes du **2e groupe** .... 400 `CE2`
   Les verbes du **3e groupe** .... 401 `CE2`

Tables des crédits textes et illustrations 420

Index

.... 423

GRAMMAIRE

On appelle grammaire l'ensemble des règles qu'il faut respecter pour parler et écrire correctement le français et formuler clairement ce que l'on souhaite exprimer. À l'école, l'étude de la grammaire comprend deux grandes parties :

- l'étude de la nature des éléments qui constituent la langue (noms, adjectifs, prépositions...) ;
- l'étude de leur fonction dans la phrase : un nom peut être sujet, complément...

Reconnaître une phrase

1 Qu'est-ce qu'une phrase ?

Une phrase répond aux deux questions suivantes :
– **de qui** ou **de quoi parle-t-on ?**
– **qu'est-ce qu'on en dit ?**

la truite avant d'enjamber
le pont enlève sa chemise
et plonge dans la Tamise

■ LES ANIMAUX DE TOUT LE MONDE

De quoi parle-t-on ?
De la truite.
Qu'est-ce qu'on en dit ?
On dit qu'elle *enlève sa chemise et plonge dans la Tamise.*

2 Quelles sont les deux parties de la phrase ?

Une première partie de la phrase nous dit **de quelle
personne, de quel objet** ou **de quelle idée on parle**.

L'araignée à moustaches
Porte de belles lunettes

■ L'ARAIGNÉE À MOUSTACHES

> **De quoi parle-t-on?** De l'araignée à moustaches.

La seconde partie de la phrase répond à la question:
qu'est-ce qu'on dit de la personne, de l'objet ou de l'idée
dont on parle? Elle indique **comment ils sont**,
ou **ce qu'ils font**, ou **ce qui leur arrive**.

La fourmi n'est pas prêteuse:
c'est là son moindre défaut.

■ LA CIGALE ET LA FOURMI

> **Qu'est-ce qu'on dit de la fourmi?**
> On dit comment elle est: elle *n'est pas prêteuse*.

Maître corbeau, sur un arbre perché,
Tenait en son bec un fromage.

■ LE CORBEAU ET LE RENARD

> **Qu'est-ce qu'on dit du corbeau?**
> On dit ce qu'il fait: il *tenait en son bec un fromage*.

3 Dans quelle partie de la phrase se trouve le verbe?

Le **verbe** se trouve dans la partie de la phrase qui répond
à la question: **qu'est-ce qu'on en dit?**

Une méchante fée m'avait condamné à rester sous cette
figure jusqu'à ce qu'une belle fille consentît à m'épouser,
et elle m'avait défendu de faire paraître mon esprit.

■ LA BELLE ET LA BÊTE

Une méchante fée m'avait condamné à rester sous cette figure

| De qui parle-t-on? | verbe | Qu'en dit-on? |

4 Une phrase a-t-elle toujours un verbe ?

La plupart des phrases comprennent un verbe, qui exprime une action ou un état. Mais certaines phrases peuvent être complètes **sans verbe**.

▶ **Une publicité**

Sac à dos Cheyenne 50 : la commode à bretelles de Décathlon.

De quoi parle-t-on ?   Qu'en dit-on ?

▶ **Un titre**

Pas si fous,   ces Romains !

Qu'en dit-on ?   De qui parle-t-on ?

Utiliser la ponctuation

À RETENIR

■ En parlant, la voix monte, descend, s'arrête. Lorsqu'on écrit, les **signes de ponctuation** indiquent les montées, les descentes et les **pauses** de la voix.

SIGNE	EMPLOI
le point	Marque une pause importante.
le point-virgule	Marque une pause intermédiaire.
la virgule	Marque une pause plus courte.
les deux-points	Introduisent une citation, une énumération ou une explication.
le point d'interrogation	Marque la fin d'une question.
le point d'exclamation	Termine une phrase exclamative.
les points de suspension	Indiquent qu'une phrase est inachevée.
les guillemets	Encadrent un dialogue, une citation.
le tiret	Signale, dans un dialogue, qu'un nouveau personnage prend la parole.
les parenthèses	Introduisent une indication supplémentaire.

5 À quoi sert la ponctuation?

- La ponctuation permet de lire et de comprendre un texte. Elle délimite les phrases à l'intérieur de ce texte.
- La ponctuation du dialogue indique la présence d'un discours rapporté.

▶ **Dialogue non ponctué**

Chaque soir quand il revenait de l'école son père lui demandait qu'est-ce que tu as fait aujourd'hui je suis allé à l'école petit imbécile tu avais fait tes devoirs oui papa petit crétin tu savais tes leçons oui papa petit malheureux au moins j'espère que tu t'es dissipé ben

▶ **Dialogue ponctué**

Chaque soir, quand il revenait de l'école,
son père lui demandait [:]
      deux-points

[«] Qu'est-ce que tu as fait aujourd'hui [?]
guillemets   point d'interrogation

[–] Je suis allé à l'école [.]
tiret   point

– Petit imbécile [!] Tu avais fait tes devoirs?
          point d'exclamation

– Oui [,] Papa.
    virgule

– Petit crétin! Tu savais tes leçons?

– Oui, Papa.

– Petit malheureux! Au moins j'espère que tu t'es dissipé?

– Ben [...] »
points de suspension   ■ LE GENTIL PETIT DIABLE

6 Un signe de ponctuation peut-il changer le sens d'une phrase?

Oui! En remplaçant un signe de ponctuation par un autre signe ou en changeant un signe de place, on peut **transformer** complètement **le sens d'une phrase**.

▸ **Première version**
Tu admires les fleurs de la terrasse [.]

> = Tu es en train d'admirer les fleurs qui se trouvent sur la terrasse.

▸ **Deuxième version**
Tu admires les fleurs [,] de la terrasse.

> = Tu es sur la terrasse et, de là, tu admires les fleurs, qui se trouvent ailleurs.

▸ **Troisième version**
Tu admires les fleurs de la terrasse [?]

> = On te demande si tu es en train d'admirer les fleurs.

7 À quoi sert le point?

Le point indique qu'une phrase déclarative **se termine**. Le premier mot de la phrase suivante commence par une majuscule. À l'oral, lorsqu'on rencontre un point, la **voix descend** et marque une **pause importante**.

Grenouille ne se fit pas prier [,] et bientôt tout le mil fut mangé [.] Grenouille se frotta la panse [,] s'étira [,] s'allongea sur un coude [,] bâilla [.] Bien au chaud [,] l'estomac plein [,] il ne restait plus qu'à dormir [.]

■ DIX CONTES D'AFRIQUE NOIRE

> À chaque virgule, à chaque point, la voix doit marquer une pause.

8 À quoi sert le point-virgule ?

- Le point-virgule marque une pause moins importante que le point. Il permet de **séparer des propositions indépendantes**. On ne met pas de majuscule après un point-virgule.
- Dans la plupart des cas, le point-virgule indique une **relation logique** entre deux événements.

Nous sommes allés en classe, pendant que M. Mouchabière raccompagnait Rufus chez lui. Il a de la chance, Rufus ⧠; on avait classe de grammaire. ■ LE PETIT NICOLAS ET LES COPAINS

Ici, le point-virgule introduit une explication :
Rufus *a de la chance* **parce qu'**on *avait classe de grammaire.*

9 À quoi sert la virgule ?

La virgule marque une pause plus courte que le point et le point-virgule ; elle permet de **séparer différents éléments de la phrase**.

Mais le lendemain matin tout le monde a vu ⧠, derrière les grilles ⧠, dans le jardin de la sorcière ⧠, une belle citrouille toute bleue ⧠, et tout près d'elle un gros rat rouge ⧠, assis sur son derrière ⧠, avec une belle casquette ⧠, bien coquette ⧠, posée sur sa tête ⧠. ■ CONTES DE LA FOLIE-MÉRICOURT

Virgule et énumération
- Dans une énumération, les mots séparés par une virgule sont **de même fonction**.

As-tu jamais vu un chat qui ait des besoins d'argent ?
La preuve, c'est qu'il y a des chats de toutes les couleurs ⧠,

des chats gris $\boxed{,}$ bleus $\boxed{,}$ noirs $\boxed{,}$ verts $\boxed{,}$ roux $\boxed{,}$ qu'il y a des chats à poils longs et des chats à poils courts $\boxed{,}$ des chats avec une queue et des qui n'en ont pas, mais que je te défie de trouver un chat avec des poches.

■ LE CHAT QUI PARLAIT MALGRÉ LUI

des chats de toutes les couleurs, des chats gris... roux,
des chats à poils longs et des chats à poils courts, des chats
avec une queue et des qui n'en ont pas :
les virgules séparent des GN qui sont tous sujets réels de
il y a.

des chats gris, bleus, noirs, verts, roux :
les virgules séparent des adjectifs qualificatifs qui sont tous
épithètes du nom *chat.*

● Pour introduire le dernier terme de l'énumération,
on remplace la virgule par la conjonction de coordination **et**.

La dernière bouteille de l'étagère était remplie de pilules
vert pâle : « *Pour cochons. Contre les démangeaisons, les pieds trop*
*sensibles, les queues sans tire-bouchon **et** autres cochonneries.* »

■ LA POTION MAGIQUE DE GEORGES BOUILLON

Virgule et mise en relief
La virgule permet de **faire ressortir** un groupe de mots
(souvent un complément circonstanciel) en le séparant
du reste de la phrase.

Contemplant les tortues et les fleurs $\boxed{,}$ **les yeux
levés au ciel** $\boxed{,}$ il réfléchissait à diverses questions
mystérieuses, comme celle-ci, par exemple : « Si on a
embarqué dans un bateau dix sacs de pommes de terre,
que chaque sac contient dix demi-boisseaux de pommes
de terre et qu'il y a dix pommes de terre dans chaque
demi-boisseau, comment s'appelle le timonier ? »

■ LE CHAT CHINOIS ET AUTRES CONTES

Dans la rue $\boxed{,}$ **en marchant** $\boxed{,}$ je voyais mon têtard dans le bocal, et il était très chouette : il bougeait beaucoup et j'étais sûr qu'il deviendrait une grenouille terrible, qui allait gagner toutes les courses. ▪ LES RÉCRÉS DU PETIT NICOLAS

> **Virgule et adjectif qualificatif en apposition**
> Dans la phrase, un adjectif qualificatif mis en apposition est isolé par une ou deux virgules.

Que voyait-il au fond du pré
Ce bœuf qui restait là $\boxed{,}$ **figé** $\boxed{,}$
À regarder $\boxed{,}$ **halluciné** $\boxed{,}$
Un buisson d'églantiers ? ▪ LE BŒUF

❙ Les adjectifs *figé* et *halluciné* sont au milieu de la phrase.

Grasse et onctueuse comme une méduse $\boxed{,}$ tante Éponge accourut en se dandinant pour voir ce qui se passait. ▪ JAMES ET LA GROSSE PÊCHE

❙ Les adjectifs *grasse* et *onctueuse* sont au début de la phrase.

« Comment diable peut-elle tricoter avec un si grand nombre d'aiguilles ? se demanda la fillette $\boxed{,}$ **intriguée**. Plus elle va, plus elle ressemble à un porc-épic ! » ▪ DE L'AUTRE CÔTÉ DU MIROIR

❙ L'adjectif *intriguée* est à la fin de la phrase.

10 À quoi servent les deux-points ?

> Les deux-points introduisent une **citation**, une **énumération** ou une **explication**.

▸ **Une citation**
Bientôt son regard tomba sur une petite boîte de verre placée sous la table ; elle l'ouvrit et y trouva un tout petit

gâteau sur lequel les mots ⨯:⨯ « MANGE-MOI » étaient très joliment tracés avec des raisins de Corinthe.

◼ LES AVENTURES D'ALICE AU PAYS DES MERVEILLES

▶ Une énumération

Le monstre avait des poils partout ⨯:⨯ au nez, aux pieds, au dos, aux dents, aux yeux et ailleurs.

◼ LE MONSTRE POILU

▶ Une explication

L'Enfer, ce n'est pas comme chez nous. C'est même le contraire ⨯:⨯ tout ce qui est bien chez nous est mal en Enfer; et tout ce qui est mal ici est considéré comme bien là-bas.

◼ LE GENTIL PETIT DIABLE

11 À quoi sert le point d'interrogation?

> Le point d'interrogation termine une phrase interrogative directe et indique que l'on **pose une question**.

À ce moment, Alice commença à se sentir toute somnolente, et elle se mit à répéter, comme si elle rêvait : « Est-ce que les chats mangent les chauves-souris ⨯?⨯ Est-ce que les chats mangent les chauves-souris ⨯?⨯ » et parfois : « Est-ce que les chauves-souris mangent les chats ⨯?⨯ » car, voyez-vous, comme elle était incapable de répondre à aucune des deux questions, peu importait qu'elle posât l'une ou l'autre.

◼ LES AVENTURES D'ALICE AU PAYS DES MERVEILLES

Pourquoi les crocodiles pleurent-ils ⨯?⨯
Parce qu'on tire leur queue.
La chose les horripile.

◼ DÉFENSE DES CROCODILES

12 À quoi sert le point d'exclamation?

> Le point d'exclamation termine une phrase exclamative et indique la **colère**, la **surprise**, la **joie**...

« Triple chose-chouette de double machinmuche de cinquante mille millions de trucs d'oseille $\boxed{!}$ jure le marchand en recourant aux mots les plus corsés de son répertoire. J'ai encore raté mon coup $\boxed{!}$ »

■ Contes de la Folie-Méricourt

Le point d'exclamation indique ici la colère.

13 À quoi servent les points de suspension ?

> Les points de suspension indiquent qu'une phrase est **inachevée** soit parce que quelqu'un l'interrompt, soit parce que l'on sous-entend quelque chose.

– Nous recevions une excellente éducation ; en fait, nous allions à l'école tous les jours $\boxed{...}$
– Moi aussi, dit Alice. Vous n'avez pas besoin d'être si fière pour si peu.

■ Les aventures d'Alice au pays des merveilles

Alice interrompt la Tortue et ne la laisse pas finir sa phrase : c'est ce qu'indiquent les points de suspension.

14 À quoi servent les guillemets et le tiret ?

> Les guillemets signalent le **début** et la **fin** d'un **dialogue**. Lorsqu'un nouveau personnage prend la parole, on doit **aller à la ligne** et mettre un tiret.

$\boxed{«}$ Vous voyez ce dé, a dit Maixent. À part qu'il est très gros, il est comme tous les dés...
$\boxed{–}$ Non, a dit Geoffroy, il est creux, et à l'intérieur il y a un autre dé. $\boxed{»}$
Maixent a ouvert la bouche et il a regardé Geoffroy.
$\boxed{«}$ Qu'est-ce que tu en sais ? a demandé Maixent.

⊟ Je le sais parce que j'ai la même boîte de magie à la maison, a répondu Geoffroy ; c'est mon papa qui me l'a donnée quand j'ai fait douzième en orthographe. »

■ LE PETIT NICOLAS ET LES COPAINS

On encadre par des guillemets des **paroles que l'on cite**.

Voilà le roi qui se met en colère, en colère tant et tant, qu'il était hors de lui. « Ha ! ha ! dit-il, ce joli mignon se moque de mon malheur, et il se prise plus que moi. Allons, qu'on le mette dans ma grosse tour, et qu'il y meure de faim ! »

■ LA BELLE AUX CHEVEUX D'OR

15 Comment utiliser les majuscules ?

On met une majuscule en **début de phrase**, **après un point**, un point d'interrogation ou un point d'exclamation.

Je suis la mer ! Je bats les rochers. Je m'amuse à jongler avec les bateaux. Je suis la mer, qui recouvre les trois quarts du globe, qui dit mieux ? Les vagues de dix-huit mètres de haut, c'est moi, la mer !

■ BULLE OU LA VOIX DE L'OCÉAN

16 À quoi servent les parenthèses ?

Les parenthèses introduisent une **indication complémentaire**.

Cependant, ce flacon ne portant décidément pas l'étiquette : *poison*, Alice se hasarda à en goûter le contenu ; comme il lui parut fort agréable (en fait, cela rappelait à la fois la tarte aux cerises, la crème renversée, l'ananas, la dinde rôtie, le caramel, et les rôties chaudes bien beurrées), elle l'avala jusqu'à la dernière goutte.

■ LES AVENTURES D'ALICE AU PAYS DES MERVEILLES

17 Qu'est-ce qu'un paragraphe?

Un texte est constitué de paragraphes. Un paragraphe est formé d'une ou de **plusieurs phrases** qui développent une **idée**. Pour présenter un paragraphe, on va **à la ligne** et on laisse un **blanc** devant le premier mot.

Qu'est-ce qui allait lui arriver maintenant? Dès qu'on s'apercevrait dans son entourage que Gaspard était le premier chat au monde capable de parler, il était sûr et certain qu'il n'aurait plus une minute de tranquillité.

Or Gaspard, raisonnable comme presque tous les chats, n'aimait rien davantage que d'être tranquille dans la vie.

■ LE CHAT QUI PARLAIT MALGRÉ LUI

Reconnaître les types de phrases

À RETENIR

■ Il existe **quatre types de phrases**.

– Les phrases **déclaratives** permettent de raconter un événement ou de donner une opinion. Elles se terminent par un point : **.**

– Les phrases **interrogatives** servent à poser une question à quelqu'un. Elles se terminent par un point d'interrogation : **?**

– Les phrases **impératives** servent à donner un ordre, un conseil, ou à exprimer un souhait.

– Les phrases **exclamatives** permettent d'exprimer la colère, la surprise ou la joie. Elles se terminent par un point d'exclamation : **!**

La phrase déclarative

18 À quoi sert la phrase déclarative ?

La phrase déclarative permet de **raconter un événement**.

Nous sommes montés dans la voiture et nous sommes partis. Deux fois, parce que la première, nous avons oublié la valise à la maison. ■ Les vacances du petit Nicolas

La phrase déclarative permet aussi de **donner une opinion**.

Ce qui est embêtant, quand il pleut, c'est que les grands ne savent pas nous tenir et nous on est insupportables et ça fait des histoires. ■ Le petit Nicolas et les copains

19 Comment reconnaître une phrase déclarative?

> La phrase déclarative se termine par un **point**.
> Elle comprend **un** ou **plusieurs verbes conjugués**.

Le mistouflon **était** poète à ses heures $\boxed{.}$ Bien sûr, il ne
savait pas écrire, mais dans son cœur, parfois, il **avait**
comme de grands frissons et il **se disait** que le monde **était**
beau $\boxed{.}$
■ L'ANNÉE DU MISTOUFLON

> Dans ce texte, les verbes conjugués sont en gras ;
> ils sont à la forme affirmative ou à la forme négative.

La phrase interrogative

20 À quoi sert la phrase interrogative?

> Une phrase interrogative sert à poser une question
> à quelqu'un.

La fée dit alors à Cendrillon :
« Eh bien, voilà de quoi aller au bal, **n'es-tu pas bien aise ?**
– Oui, mais **est-ce que j'irai comme cela avec mes vilains
habits ?** »
Sa marraine ne fit que la toucher avec sa baguette, et en
même temps ses habits furent changés en des habits de drap
d'or et d'argent tout chamarrés de pierreries.
■ CENDRILLON

21 Comment reconnaître une phrase interrogative directe?

> Une phrase interrogative directe se termine par un **point
> d'interrogation**.

Mais comment a-t-il fait pour cracher de l'eau par les oreilles ❓

■ L'ANNÉE DU MISTOUFLON

| On pose une question sur le moyen utilisé.

Pourquoi le tapis fait-il en tapinois des croche-pieds d'un air benoît ❓

■ LES COUPS EN DESSOUS

| On pose une question sur la raison de ce comportement.

22 Comment construire les phrases interrogatives ?

● Parfois, on ajoute simplement un **point d'interrogation** à une phrase déclarative : l'intonation suffit à se faire comprendre à l'oral.

« Ce genre de conférence est plutôt épuisant, marmonna Oscar l'éléphant. Crénom ! **Vous savez** de combien j'ai maigri ❓ De deux cents kilos ! »

■ LA CONFÉRENCE DES ANIMAUX

| <u>Vous</u>   <u>savez</u> ?
| sujet   verbe

● On peut construire une phrase interrogative en plaçant **le sujet après le verbe**.

Avez-vous remarqué à quel point les gens et les bêtes ont en commun un petit air de famille ❓

■ RÉPONSES BÊTES À DES QUESTIONS IDIOTES

| <u>Avez-</u>   <u>vous</u>   <u>remarqué</u> ?
| auxiliaire *avoir*   sujet   participe passé

Passepartout **devait-il** raconter ces choses à son maître ? **Convenait-il** de lui apprendre le rôle joué par Fix dans cette affaire ?

■ LE TOUR DU MONDE EN QUATRE-VINGTS JOURS

Parfois, le sujet est repris par un **pronom placé après le verbe**.

Comment **les poissons** lavent-**ils** leur linge ?

> *Comment les poissons lavent-ils ?*
>   sujet   pronom

● On peut enfin commencer la phrase interrogative par **est-ce que** ou par un **mot interrogatif**.

– Quelle drôle de montre ! Elle indique le jour du mois et elle n'indique pas l'heure !
– **Pourquoi** indiquerait-elle l'heure ? murmura le Chapelier. **Est-ce que** ta montre à toi t'indique l'année où l'on est ?

ATTENTION

N'oubliez pas d'**accorder le verbe avec son sujet**, même lorsque celui-ci se trouve **après le verbe**.

Mais **peut-on** me dire pourquoi
Il ne pousse pas de feuilles sur les jambes de bois ?

> Le verbe *(peut)* s'accorde à la 3ᵉ personne du singulier avec le sujet *(on)*.

– Vent ! Toi qui vas partout, **peux-tu** me dire où est le tombeau de la Cinq fois belle ?

> Le verbe *(peux)* s'accorde à la 2ᵉ personne du singulier avec le sujet *(tu)*.

23 Comment choisir parmi les trois constructions interrogatives?

> L'inversion verbe-sujet est utilisée **à l'écrit** ou à l'oral, si l'on s'adresse à quelqu'un que l'on ne connaît pas ou peu.

– Pardonnez-moi, si je vous dérange,
Monsieur le Goéland,
Mais ne **seriez-vous** pas un ange ❓ ■ LE GOÉLAND

> Les deux autres constructions sont **plus courantes à l'oral**, lorsqu'on s'adresse à quelqu'un que l'on connaît bien.

Jojo-la-Malice pâlit et frémit de la tête aux pieds.
« **Tu n'as pas** réellement l'intention d'engloutir un enfant, non ❓ s'effraya-t-il.
– Bien sûr que si, assura le Crocodile. Les vêtements et tout. C'est meilleur avec les vêtements. » ■ L'ÉNORME CROCODILE

– Pour commencer, **est-ce que** tu m'accordes qu'un chien n'est pas fou ❓
– Sans doute.
– Eh bien, vois-tu, un chien gronde lorsqu'il est en colère, et remue la queue lorsqu'il est content. Or, moi, je gronde quand je suis content, et je remue la queue quand je suis en colère. Donc, je suis fou.
■ LES AVENTURES D'ALICE AU PAYS DES MERVEILLES

– Et ce bocal? a demandé Maman, **qu'est-ce qu'**il y a dans ce bocal ❓
– C'est King, j'ai dit à Maman en lui montrant mon têtard. Il va devenir grenouille, il viendra quand je le sifflerai, il nous dira le temps qu'il fait et il va gagner des courses!
■ LES RÉCRÉS DU PETIT NICOLAS

24 Qu'appelle-t-on interrogative totale et interrogative partielle?

● Certaines phrases interrogatives permettent une réponse par **oui** ou par **non**: on les appelle **interrogatives totales**.
● D'autres phrases interrogatives ne permettent pas une réponse par *oui* ou par *non*: on les appelle **interrogatives partielles**. Elles commencent par un mot interrogatif.

QUESTION	RÉPONSE OUI OU NON	RÉPONSE AUTRE QUE OUI OU NON
– Êtes-vous déjà allés à l'étranger?	– Oui.	
– Avez-vous déjà pris l'avion?	– Non.	
– Quels pays connaissez-vous?		– Tous les pays d'Europe.
– Quand préférez-vous voyager?		– En été.
– Où aimeriez-vous partir?		– À la montagne.

25 Sur quoi porte l'interrogation partielle: sujet, COD...?

Dans une phrase interrogative partielle, l'interrogation peut porter sur le groupe occupant la fonction **sujet**, **COD**, **COI** ou **CC**. On utilise alors des mots interrogatifs: **qui? que? à qui? où? quand? pourquoi? comment?**

Que veut le rhinocéros?
Il veut **une boule en os**.

Ce n'est pas qu'il soit coquet:
c'est pour jouer au bilboquet.   ■ LA CHASSE AU RHINOCÉROS...

> On interroge sur ce que veut le rhinocéros *(que?)* et on
> répond par un complément d'objet direct *(une boule en os)*.

– Et **à quoi** cela te sert-il de posséder les étoiles?
– Ça me sert **à être riche**.
– Et **à quoi** cela te sert-il d'être riche?
– **À acheter d'autres étoiles**, si quelqu'un en trouve.

■ LE PETIT PRINCE

> On interroge sur à quoi cela sert de posséder des étoiles
> et d'être riche *(à quoi?)* et on répond par un complément
> d'objet indirect *(à être riche, À acheter d'autres étoiles)*.

Où allez-vous? **Où** allez-vous?

Nous allons pisser **dans les trèfles**
Et cracher **dans les sainfoins**.

■ BAIGNADE

> On interroge sur le lieu *(où?)* et on répond par un complément
> circonstanciel de lieu *(dans les trèfles, dans les sainfoins)*.

– **Quand** cela sera-t-il? s'informa le petit prince.
– Hem! hem! lui répondit le roi, qui consulta d'abord un
gros calendrier, hem! hem! ce sera, vers... vers... ce sera **ce
soir vers sept heures quarante**! Et tu verras comme je
suis bien obéi.

■ LE PETIT PRINCE

> On interroge sur le temps *(quand?)* et on répond par des
> compléments circonstanciels de temps *(ce soir, vers sept
> heures quarante)*.

– **Pourquoi** le tapis fait-il en tapinois des croche-pieds
d'un air benoît?
– Peut-être **parce qu'il en a assez** qu'on lui marche
dessus sans avoir essuyé ses pieds.

■ LES COUPS EN DESSOUS

> On interroge sur la cause d'une action *(pourquoi?)* et on
> répond par un complément circonstanciel de cause *(parce
> qu'il en a assez qu'on lui marche dessus)*.

26 Faut-il toujours un point d'interrogation quand on pose une question?

Non! **Seules les interrogatives directes** se terminent par un point d'interrogation.

Est-ce que le temps est beau [?]
Se demandait l'escargot
Car pour moi s'il faisait beau
C'est qu'il ferait vilain temps.

■L'ESCARGOT

Les propositions subordonnées interrogatives **indirectes** ne se terminent **pas** par un **point d'interrogation**.
Elles sont introduites par des conjonctions de subordination *(pourquoi, si, où...)*, des pronoms *(qui, lequel, laquelle)*, des adjectifs indéfinis *(quel)*, des adverbes *(comment)*.
On les trouve après des verbes comme *se demander, vouloir, savoir, dire...*

– Tu vas voir **si j'ai les mains pleines de gras**, a dit Alceste, et il les a mises sur la figure de Clotaire, et ça, ça m'a étonné, parce que d'habitude Alceste n'aime pas se battre pendant la récré: ça l'empêche de manger.

■LES RÉCRÉS DU PETIT NICOLAS

27 Où placer le sujet dans l'interrogative indirecte?

Le sujet est le plus souvent placé **avant le verbe**.

Ce matin, on ne va pas à l'école, mais ce n'est pas chouette, parce qu'on doit aller au dispensaire se faire examiner, pour voir si **on** n'<u>est</u> pas malades et si **on** n'<u>est</u> pas fous.

■LES RÉCRÉS DU PETIT NICOLAS

Le sujet *on* se trouve avant le verbe *être (est)*.

Toutes les sorcières enlevèrent leurs gants. Je guettai les mains de celles du dernier rang. Je voulais vérifier à quoi <u>ressemblaient</u> **leurs doigts**, et si **Grand-mère** <u>avait</u> raison. Mais oui ! Des griffes brunes se recourbaient au bout de leurs doigts.

■ SACRÉES SORCIÈRES

> *à quoi ressemblaient leurs doigts* : le sujet *leurs doigts* se trouve ici après le verbe *ressembler (ressemblaient)*.

> *si Grand-mère avait raison* : le sujet *Grand-mère* se trouve avant le verbe *avoir (avait)*.

La phrase impérative

28 ## À quoi sert la phrase impérative ?

Les phrases impératives cherchent à faire agir ou réagir. On peut exprimer, grâce à elles, **différentes nuances** : donner un **ordre**, un **conseil**, ou exprimer un **souhait**.

ON PEUT EXPRIMER	SENS
souhait	Faites bon voyage.
demande	Passez-moi le sel, s'il vous plaît.
invitation	Venez dîner jeudi.
ordre	Rends-moi cela immédiatement.
interdiction	Ne traversez pas la rue./ Ne pas traverser hors des clous.
prescription (médicale)	Prenez deux comprimés le matin./ Prendre deux comprimés.
conseil	Relis attentivement ton énoncé.

Les verbes de ces phrases sont à l'impératif *(traversez, prenez)* sauf lorsque l'on s'adresse à tout le monde et pas à quelqu'un en particulier : on utilise alors l'infinitif *(traverser, prendre)*.

29 Les phrases impératives ont-elles toujours un verbe?

Non! On peut trouver des **impératives sans verbe**.
Il s'agit le plus souvent d'affiches, de panneaux ou d'ordres brefs. On parle de phrases nominales.

Stationnement
interdit

Attention,
école

Silence,
hôpital

La phrase exclamative

30 À quoi sert la phrase exclamative?

Lorsqu'on veut exprimer la **colère**, la **surprise**, la **joie**,
on place à la fin des phrases impératives ou déclaratives
un point d'exclamation.

▸ **La phrase exclamative déclarative**
Sans téléphone, ces pompiers étaient aussi sans eau.
Incapables de payer leurs factures, ils avaient reçu
sept avertissements de la compagnie qui, finalement,
leur avait coupé l'eau.   ■ AUX FOUS LES POMPIERS

Pour exprimer la surprise, on pourrait ajouter un point
d'exclamation aux phrases déclaratives ci-dessus:
*Sans téléphone, ces pompiers étaient aussi sans eau ! Incapables
de payer leurs factures, ils avaient reçu sept avertissements de la
compagnie qui, finalement, leur avait coupé l'eau !*

> **La phrase exclamative impérative**

Tout le monde se bousculait pour mieux voir et mieux entendre.

– Ne poussez pas ! criait le veau ou l'âne ou le mouton ou n'importe qui. Ne poussez pas. Silence. Ne marchez donc pas sur les pieds... les plus grands derrière... Allons, desserrez-vous... Silence, on vous dit... Et si je vous flanquais une correction...

– Chut ! faisait le paon, calmons-nous un peu...

■Les contes du chat perché

Pour insister sur la colère ou l'impatience des animaux, on peut ajouter des points d'exclamation aux phrases impératives ci-dessus :

Ne poussez pas ! Ne marchez donc pas sur les pieds !...
Allons, desserrez-vous !... calmons-nous un peu !

Utiliser la forme négative

À RETENIR

- Tous les types de phrases peuvent être soit à la **forme affirmative**, soit à la **forme négative**.

- Retenez différentes **négations** composées de deux mots : *ne... pas, ne... plus, ne... jamais, ne... rien...*

- Aux **formes simples** du verbe (présent, imparfait, futur...), la négation **encadre le verbe**.

- Aux **formes composées** du verbe (passé composé, plus-que-parfait...), la négation **encadre l'auxiliaire**.

- Lorsque le verbe est à l'**impératif**, la négation **encadre le verbe**.

- Lorsque le verbe est à l'**infinitif**, la négation tout entière (*ne... pas, ne... jamais*, etc.) se place **avant le verbe**.

31 À quoi sert la négation ?

Lorsqu'on veut indiquer qu'un événement **n'a pas lieu**, ou quand on **ne partage pas l'avis** de quelqu'un, on utilise **ne... pas**, qui encadre le verbe de la phrase.

– Bonjour, dit le loup. Il **ne** <u>fait</u> **pas** chaud dehors. Ça pince, vous savez.

■ LES CONTES DU CHAT PERCHÉ

– Je peux éteindre la lumière ? je lui ai demandé.
– Éteindre la lumière ? Ça **ne** <u>va</u> **pas**, Nicolas ?
– Ben, c'est pour jouer avec la lampe, j'ai expliqué.
– Il **n'**en <u>est</u> **pas** question, a dit Papa. Et puis je **ne** <u>peux</u>
pas lire mon journal dans l'obscurité, figure-toi.

■ LE PETIT NICOLAS A DES ENNUIS

● Les locutions adverbiales **ne... jamais**, **ne... plus**, **ne... rien**,
ne... personne (ou *jamais ne...*, *personne ne...*, *rien ne...*)
servent aussi à donner une **réponse négative**.
● Devant **personne**, **jamais**, **rien**, on évite d'utiliser **pas**.

– Ah non ! disait le loup. Les parents, c'est trop
raisonnable. Ils **ne** <u>comprendraient</u> **jamais** que le loup
ait pu devenir bon. Les parents, je les connais.

■ LES CONTES DU CHAT PERCHÉ

Et en effet, dès le lendemain, le petit diable **n'**<u>alla</u> **plus** à
l'école.

■ LE GENTIL PETIT DIABLE

– Je ne veux pas de piqûre ! hurla Antoine. Si on me pique,
je **ne** <u>mangerai</u> **plus rien**.

■ LE MOUTON NOIR ET LE LOUP BLANC

– Avant tout, pour pêcher, a dit notre chef, il faut du
silence, sinon, les poissons ont peur et ils s'écartent !
Pas d'imprudences, je **ne** <u>veux voir</u> **personne** tomber
dans l'eau !

■ LES VACANCES DU PETIT NICOLAS

Malheureusement, **personne** à Lourmarin **ne** <u>possède</u>
de cage à mistouflon à cornes (ou même de cage à
mistouflon sans cornes).

■ L'ANNÉE DU MISTOUFLON

Le régal fut fort honnête :
Rien ne <u>manquait</u> au festin ;
Mais quelqu'un troubla la fête
Pendant qu'ils étaient en train.

■ LE RAT DE VILLE ET LE RAT DES CHAMPS

32 Comment construire la forme négative aux temps simples et composés?

La négation **encadre les formes simples** du verbe (présent, imparfait, futur...).

– Je **ne** <u>suis</u> **pas** un enfant, mais un mistouflon, répond ce coquin d'animal. Et si vous **ne** me <u>donnez</u> **pas** ma boisson préférée, je cracherai tout par les oreilles.

■ L'ANNÉE DU MISTOUFLON

Je ne suis pas un enfant :
la négation *ne... pas* encadre le verbe *être* au présent de l'indicatif *(suis).*

Et si vous ne me donnez pas ma boisson préférée :
la négation *ne... pas* encadre le verbe *donner* au présent de l'indicatif *(donnez).*

La négation **encadre l'auxiliaire** dans les **formes composées** du verbe (passé composé, plus-que-parfait...).

– Tu sais, maman, les choses **ne** se <u>sont</u> **pas** du tout passées comme tu crois. Le loup **n'<u>a</u> jamais** mangé la grand-mère. Tu penses bien qu'il n'allait pas se charger l'estomac juste avant de déjeuner d'une petite fille bien fraîche.

■ LES CONTES DU CHAT PERCHÉ

les choses ne se sont pas du tout passées :
le verbe *se passer* est au passé composé *(se sont passées)* ;
la négation *ne... pas* encadre l'auxiliaire *être (sont).*

Le loup n'a jamais mangé la grand-mère :
le verbe *manger* est au passé composé *(a mangé)* ;
la négation *ne... jamais* encadre l'auxiliaire *avoir (a).*

33 Comment construire les phrases impératives à la forme négative?

À l'oral, pour exprimer une **interdiction**, on utilise l'impératif. La négation **encadre** le verbe.

– Et **ne** <u>mange</u> **plus** de chocolat. Mange plutôt du chou.
– Du chou? Oh, non! protesta Georges, je n'aime pas le chou. ■LA POTION MAGIQUE DE GEORGES BOUILLON

À l'écrit, on utilise le plus souvent l'infinitif. La **négation** se place **avant le verbe**.

Attention! **ne jamais** <u>dépasser</u> cette dose, sinon le cochon sautera au plafond! ■LA POTION MAGIQUE DE GEORGES BOUILLON

34 Comment employer ni?

On peut coordonner deux mots ou deux propositions négatives par **ni**. La négation **ne... pas** est remplacée par **ne**.

– Quand on est rien que deux, on ne s'amuse pas bien. On ne peut pas jouer à la ronde.
– C'est vrai, on **ne** peut jouer **ni** à la ronde, **ni** à la paume glacée. ■LES CONTES DU CHAT PERCHÉ

35 Que signifie la locution ne... que?

ne... que a le même sens restrictif que l'adverbe **seulement**.

Les fées et les chats qui parlent, ça **n'**existe **que** dans les contes. ■LE CHAT QUI PARLAIT MALGRÉ LUI

▎ = Les fées et les chats existent **seulement** dans les contes.

Distinguer la nature et la fonction d'un mot

À RETENIR

- Un mot se définit par sa **nature** (sa classe grammaticale) et sa **fonction** dans la phrase.

- La **nature** d'un mot est sa classe grammaticale. Le dictionnaire nous indique si tel mot est un **nom**, un **verbe**, un **adjectif qualificatif**, un **pronom**, un **adverbe**... La nature d'un mot ne change jamais.

- Un mot peut occuper dans la phrase des **fonctions variées** (sujet, COD, CC...).

36 Où trouver la nature des mots?

Le dictionnaire, avant de donner le sens de chaque mot, indique sa nature. Il utilise pour cela des **abréviations** : **n.** = nom ; **v.** = verbe ; **adj.** = adjectif qualificatif ; **adv.** = adverbe ; **pron.** = pronom.

pomme : n.	écrire : v.
arbre : n.	souvent : adv.
rouge : adj.	je : pron.

37 Un mot peut-il changer de nature ?

Quelle que soit sa position dans la phrase, qu'il soit au singulier ou au pluriel, **un mot appartient toujours à la même classe grammaticale.**

Il y a des millions d'années que les **fleurs** fabriquent des épines. Il y a des millions d'années que les moutons mangent quand même les **fleurs**. [...] Ce n'est pas important la guerre des moutons et des **fleurs** ?

■ LE PETIT PRINCE

Dans ces trois phrases, le mot *fleurs* est toujours un **nom**.

Ce qui **est est**, ce qui **a été** n'**est** plus, ce qui **sera** n'**est** pas encore.

■ HISTOIRE DU PRINCE PIPO...

Dans cette phrase, le mot *être*, conjugué au présent, au passé composé et au futur, est toujours un **verbe.**

38 Un mot peut-il avoir des fonctions différentes ?

Un mot a toujours la même nature. Cependant, il peut occuper **différentes fonctions** dans la phrase.

Parfois, des crabes viennent habiter le **coquillage** vide, mais ce n'est pas très gai non plus. Un **coquillage** n'est pas né pour mener une vie de crabe.

■ BULLE OU LA VOIX DE L'OCÉAN

Dans ces phrases, le nom *coquillage* occupe deux fonctions différentes :
Des crabes viennent habiter le coquillage vide.
                                                            COD
Un coquillage n'est pas né pour mener une vie de crabe.
     sujet

39 Comment identifier la nature et la fonction d'un groupe de mots?

● Un groupe grammatical est toujours constitué de plusieurs mots qui se rassemblent autour d'un **noyau**.

● Lorsque le **noyau** du groupe est un **nom**, on appelle ce groupe **groupe nominal** (ou **GN**). La fonction du nom noyau définit la fonction du groupe tout entier.

Il était une fois <u>un joli petit **diable**, tout rouge, avec deux cornes noires et deux ailes de chauve-souris</u>.

■ LE GENTIL PETIT DIABLE

Le nom *diable* est le nom noyau ; il occupe une fonction de sujet réel de *était*. Tout le groupe nominal (souligné) qui se constitue autour du nom *diable* est sujet réel.

● Lorsque le **noyau** du groupe est un **adjectif qualificatif**, le groupe est un **groupe adjectival**. La fonction de l'adjectif détermine la fonction du groupe tout entier.

Il vécut avec la princesse plus de deux ans entiers, et en eut deux enfants, dont le premier, qui fut une fille, fut nommé l'Aurore, et le second un fils, qu'on nomma le Jour, parce qu'il paraissait <u>encore plus **beau**</u> que sa sœur.

■ LA BELLE AU BOIS DORMANT

L'adjectif qualificatif *beau* est l'adjectif noyau ; il occupe une fonction attribut du sujet *il*. Tout le groupe adjectival (souligné) qui se constitue autour de l'adjectif *beau* est attribut.

Reconnaître un nom

On appelle **nom** la nature des mots qui désignent des **personnes**, des **animaux**, des **objets** concrets ou des **idées** abstraites.

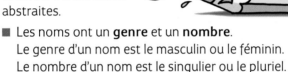

- Les noms ont un **genre** et un **nombre**.
  Le genre d'un nom est le masculin ou le féminin.
  Le nombre d'un nom est le singulier ou le pluriel.

- Les noms se répartissent en **différentes catégories**.

NOMS PROPRES	NOMS COMMUNS		
	animés	non animés	
Pierre		concrets	abstraits
Toulouse	le lapin		
les Français	le médecin	un crayon	la liberté

- Le **groupe nominal** (GN) est formé d'un nom noyau, d'adjectifs qualificatifs et de déterminants.

40) À quoi sert un nom ?

Un nom désigne une **personne** *(un enfant, une sorcière)*, un **animal** *(un chien)*, un **objet concret** *(une boîte, un vélo)* ou une **notion abstraite** *(la liberté, l'égalité)*.

Marinette ayant achevé son **portrait**, l'**âne** fut convié à le venir voir et s'empressa. Ce qu'il vit ne manqua pas de le surprendre.

– Comme on se connaît mal, dit-il avec un peu de **mélancolie**. Je n'aurais jamais cru que j'avais une **tête** de **bouledogue**.

■ LES CONTES DU CHAT PERCHÉ

> Le nom *Marinette* désigne une personne.
> Les noms *âne, bouledogue* désignent des animaux.
> Les noms *portrait, tête* désignent des objets concrets.
> Le nom *mélancolie* désigne une notion abstraite (un sentiment).

41 Qu'est-ce qu'un groupe nominal?

Un groupe nominal est constitué d'un **nom noyau** auquel se rattachent des **déterminants** et parfois des **adjectifs qualificatifs**.

Tous les dragons crachent du feu, mais comme c'était **un dragon ordinaire**, il ne parvint qu'à éternuer, comme tout le monde, et cela le mit en colère.

■ DRAGON L'ORDINAIRE

un	*dragon*	*ordinaire*
déterminant	nom noyau	adjectif qualificatif

groupe nominal

42 Qu'appelle-t-on le genre et le nombre d'un nom?

Un nom peut être de **genre masculin** *(un lit)* ou de **genre féminin** *(une maison)*. C'est le dictionnaire qui nous indique le genre d'un nom.

Je n'avais rien d'**un animal** de palais ; je n'étais ni **un cheval** de parade ni **un chat** angora, mais **une vache**, une simple vache, un vulgaire animal, laid, très laid, stupide, méprisé.

■ MÉMOIRES D'UNE VACHE

Les noms *animal, cheval, chat* sont masculins.
Le nom *vache* est féminin.

Un nom peut être utilisé au **singulier** *(le lit)* ou au **pluriel** *(les lits)* : c'est ce que l'on appelle le **nombre**. Le -*s* ou le -*x* sont la marque du pluriel des noms. ▷ PARAGRAPHE 180

En effet, être **une vache** ne m'a jamais semblé la huitième merveille du monde. Selon moi, nous, **les vaches**, nous traversons cette vie sans péril et sans gloire.

■ MÉMOIRES D'UNE VACHE

Une vache est au singulier. *Les vaches* est au pluriel.

43 Qu'est-ce qu'un nom propre ?

Les noms propres désignent des personnes, des animaux, des lieux (villes, pays, régions...).

▸ **Des personnes**
Comme le nouveau ne disait rien, la maîtresse nous a dit qu'il s'appelait **Georges Mac Intosh**. « Yes, a dit le nouveau, **Dgeorges**. »

■ LE PETIT NICOLAS

Georges est le prénom du nouvel élève. *Mac Intosh* est son nom de famille.

▸ **Des villes, des pays**
– Où habite la femelle du hamster ? En **Hollande** !
Pourquoi ? Parce que **Amsterdam**... ah ! ah !

■ RÉPONSES BÊTES À DES QUESTIONS IDIOTES

Hollande est un nom de pays. *Amsterdam* est un nom de ville.

▶ **Les habitants d'un pays**

Ces **Gaulois**, ils avaient bien inventé un genre d'écriture, mais si eux savaient la lire, nous, on ne sait pas. Ce sont des espèces de gribouillis qui racontent sûrement des histoires de **Gaulois**. ■CHICHOIS ET LA RIGOLADE

Les *Gaulois* étaient les habitants de la Gaule.

> Les noms propres commencent par une **majuscule**.

Tristram **M**ac **K**itycat, treizième duc de **G**arth (une vieille famille d'**É**cosse), avait eu le coup de foudre pour une adorable [...] chatte grise des **C**hartreux nommée **M**ouflette de **V**aneau, baronne **F**lon. ■LE CHAT QUI PARLAIT MALGRÉ LUI

ATTENTION

L'**adjectif qualificatif** correspondant à un nom propre ou à un nom commun de nationalité ne prend **pas de majuscule**.
Paris, un journal parisien
un Français, un enfant français

44 Les noms propres prennent-ils la marque du pluriel?

> Les noms propres restent au **singulier** s'ils désignent des personnes, des œuvres ou des marques.

▶ **Des personnes**

Mais **les MacParlan** avaient un fantôme qui était dans la famille depuis le roi Kenneth, et ils possédaient des papiers pour le prouver. ■HISTOIRES DE FANTÔMES ET DE REVENANTS

▶ **Des marques**

Le plus content de l'histoire, c'était Frédéric. On allait pouvoir lancer les petits suisses sur les minus du Cépé (Cours préparatoire), à la cantine, dès que la surveillante tournerait le dos. Il m'apprendrait la technique. La même chose avec les « **Vache-qui-Rit** » qu'on lance au plafond du préau, qui collent et qui retombent au moment où on s'y attend le moins.

■ TOUFDEPOIL

> Les noms propres se mettent au **pluriel** s'ils désignent des lieux ou des habitants de villes, de régions ou de pays. Dans ce cas, ils varient aussi en genre.

▸ Des lieux géographiques

Où la Seine se jetterait-elle si elle prenait sa source dans **les Pyrénées**?

■ LE PROFESSEUR FROEPPEL

> Les *Pyrénées* sont des montagnes; ce nom prend la marque du pluriel.

▸ Des habitants

Grand-mère était norvégienne, et **les Norvégiens** connaissent bien les sorcières. Avec ses sombres forêts et ses montagnes enneigées, la Norvège est le pays natal des premières sorcières.

■ SACRÉES SORCIÈRES

> Les *Norvégiens* sont les habitants de la Norvège; ce nom prend la marque du pluriel et du genre.

45 Qu'est-ce qu'un être animé?

> Certains noms désignent des êtres vivants: ce sont des êtres **animés**, humains ou animaux.

un enfant   un aviateur   un chien   un papillon

> D'autres noms désignent des objets, des phénomènes, des idées: ce sont des **non-animés**.

une table   un accident   la justice   le bonheur

46 Qu'est-ce qu'un nom composé?

> Un nom composé désigne **un seul être** ou **une seule chose**, mais il forme un **ensemble de deux ou plusieurs mots**. Ceux-ci peuvent être reliés par un trait d'union.

Je ne suis ABSOLUMENT pas **Petit-Charmant**!
Je déteste qu'on m'appelle comme ça, ça m'irrite,
ça m'énerve, ça me tortillonne les oreilles de rage
et puis ça me torturonge les orteils de fureur.
Bref, je n'aime pas ça!
Car je suis **Petit-Féroce**, le seul, l'unique, le vrai de vrai,
le terrible!

■ PETIT-FÉROCE EST UN CHAMPION

47 Un nom commun est-il toujours précédé d'un déterminant?

> Les noms communs sont **le plus souvent** précédés d'un déterminant.

Un zèbre pourtant pas très bête
s'en fut au bureau de tabac
pour acheter **des** allumettes.

■ UN ZÈBRE UN PEU BÊTE

un	*zèbre*
article indéfini	nom commun
des	*allumettes*
article indéfini	nom commun

La fée partit aussitôt, et on la vit au bout d'**une** heure arriver
dans **un** chariot tout de feu, traîné par **des** dragons.

■ LA BELLE AU BOIS DORMANT

la	*fée*	*un*	*chariot*
article défini	nom commun	article indéfini	nom commun
une	*heure*	*des*	*dragons*
article indéfini	nom commun	article indéfini	nom commun

> Certains noms communs sont souvent utilisés **sans déterminant** lorsqu'ils sont compléments circonstanciels de **manière** *(comment?)* ou compléments du nom.

Delphine regarda le loup bien en face.
– Dites donc, Loup, j'avais oublié le Petit Chaperon Rouge. Parlons-en un peu du Petit Chaperon Rouge, voulez-vous?
Le loup baissa la tête **avec humilité**. Il ne s'attendait pas à celle-là.
　　　　　　　　　　　　　　　　■ LES CONTES DU CHAT PERCHÉ

avec	*humilité*
préposition	nom commun

CC de manière

Elle mêlait des fleurs et des diamants dans ses beaux cheveux avec un art admirable; et souvent elle soupirait de n'avoir pour témoins de sa beauté que ses moutons et ses dindons, qui l'aimaient autant avec son horrible <u>peau</u> **d'âne**, dont on lui avait donné le nom dans cette ferme.
　　　　　　　　　　　　　　　　　　　■ PEAU D'ÂNE

son horrible peau d'âne
　　　　　　　complément
　　　　　　　du nom *peau*

ATTENTION

On emploie un déterminant quand ces noms sont accompagnés d'un adjectif qualificatif ou d'un complément.
– Je t'ordonne de m'interroger, se hâta de dire le roi.
– Sire... sur quoi régnez-vous?
– Sur tout, répondit le roi, **avec une grande simplicité**.
　　　　　　　　　　　　　　　　　　　■ LE PETIT PRINCE

avec	*une*	*grande*	*simplicité*
préposition	déterminant	adj. qualificatif	nom commun

CC de manière

48 Un nom propre est-il précédé d'un déterminant?

> Les noms propres désignant des **personnes** ou des **animaux** sont **rarement** précédés d'un déterminant.

Il y avait des chats qui s'appelaient **Gaston**
Et même un *cat* anglais dénommé **Sir Ronron**.

■ LE CHAT SANS NOM

> Les noms propres désignant des **pays**, des **habitants** ou des **fleuves** sont **souvent** accompagnés d'un déterminant.

Moi, j'ai demandé si **l'Atlantique** c'était loin de là où nous allions, mais Papa m'a dit que si j'étudiais un peu mieux à l'école, je ne poserais pas de questions comme ça.

■ LES VACANCES DU PETIT NICOLAS

l'	*Atlantique*
déterminant	nom propre

Reconnaître un verbe

À RETENIR

■ On appelle **verbe** une catégorie de mots qui permettent de désigner des **actions** *(courir, manger...)* ou des **états** *(être, devenir...)*.
On distingue donc les **verbes d'action** et les **verbes d'état**. Parmi les verbes d'action, il existe des verbes **transitifs** et des verbes **intransitifs**.

■ Le verbe change de forme selon le temps, la personne, le nombre.

■ Le verbe est le **noyau** de la phrase : c'est à lui que sont reliés les différents groupes de la phrase.

L'identification du verbe

49 **Qu'exprime le verbe dans la phrase ?**

Le verbe sert le plus souvent à exprimer une **action**.

Un jour, un roi **chassait** dans la forêt, et il **se perdit** entre les arbres. Il **s'approcha** par mégarde de la caverne du monstre poilu.
Deux longs bras **surgirent** d'un coin sombre pour attraper le roi.
– Ha ! **s'écria** la vilaine bête, enfin quelque chose de meilleur à manger que les souris.   ■ LE MONSTRE POILU

Les verbes *chassait, se perdit, s'approcha, surgirent, s'écria* expriment les actions racontées.

50 Le verbe désigne-t-il toujours une action?

Non! Les verbes comme *être, devenir, sembler, paraître, rester...* n'expriment pas une action; ils permettent d'**attribuer une caractéristique** (qualité ou défaut) à un être animé ou à un objet. Ces verbes sont appelés **verbes d'état**.

« C'est quoi votre appareil? [...] Il **est** vieux votre engin, a dit Geoffroy, mon papa il m'en a donné un avec parasoleil, objectif à courte focale, téléobjectif, et, bien sûr, des écrans... » Le photographe **a paru** surpris, il a cessé de sourire et il a dit à Geoffroy de retourner à sa place.　　　　　　　　　　　　　　　■ LE PETIT NICOLAS

Il	est	vieux.
pronom	verbe d'état	qualité

Le photographe	a paru	surpris.
nom	verbe d'état	qualité

51 Comment reconnaître le verbe?

Le verbe est le seul élément de la phrase qui porte les **marques de la personne**. Il **change de forme** en changeant de **personne**.

Vous me copierez deux cents fois le verbe: *Je n'écoute pas. Je bats la campagne.*

Je bats la campagne, **tu bats** la campagne, **Il bat** la campagne à coups de bâton.
　　　　　　　　■ L'ENFANT QUI BATTAIT LA CAMPAGNE

Je bats: 1re personne du singulier du verbe *battre*

Tu bats: 2e personne du singulier du verbe *battre*

Il bat: 3e personne du singulier du verbe *battre*

Le verbe est le seul élément de la phrase qui porte les **marques du temps**. Il **change de forme** aux différents temps **(présent, passé, futur)**.

Conjugaison de l'oiseau

J'écris
(à la pie)

J'écrivais
(au geai)

J'écrivis
(au courlis)   ■ CONJUGAISON DE L'OISEAU

> *J'écris* : présent de l'indicatif
>
> *J'écrivais* : imparfait de l'indicatif
>
> *J'écrivis* : passé simple de l'indicatif

Seul le verbe peut être encadré par la négation : **ne... pas**, **ne... plus**, **ne... jamais**.

Quand on est chat on n'**est** pas vache
on ne **regarde** pas passer les trains
en mâchant les pâquerettes avec entrain
on reste derrière ses moustaches   ■ LES ANIMAUX DE TOUT LE MONDE

Il regarda par la fenêtre et ne **vit** plus de neige, mais des berceaux de fleurs qui enchantaient la vue. Il entra dans la grande salle où il avait soupé la veille et vit une petite table où il y avait du chocolat.   ■ LA BELLE ET LA BÊTE

Les formes du verbe

52 Quels éléments comprend un verbe?

● Le verbe se compose de deux parties: un **radical** et une **terminaison**.
● Le **radical** porte le **sens** du verbe; la **terminaison** indique la **personne** et le **temps** auxquels il est conjugué.

je <u>cour</u>-<u>ais</u>   nous <u>chant</u>-<u>erons</u>
radical terminaison   radical terminaison

je courais: verbe *courir* à la 1re personne du singulier de l'imparfait de l'indicatif

nous chanterons: verbe *chanter* à la 1re personne du pluriel du futur de l'indicatif

53 Qu'est-ce que la conjugaison?

On appelle **conjugaison** d'un verbe l'ensemble des formes que peut prendre ce verbe. Les terminaisons varient en fonction de la personne et du temps. ▷ TABLEAUX 505 À 522

j'aime   j'aimerais
nous aimons   nous aimerions

54 Qu'est-ce que l'infinitif?

L'infinitif est la **forme non conjuguée du verbe**. C'est à l'infinitif que les verbes sont présentés dans les dictionnaires.

▶ **1er groupe**
<u>aim</u>- <u>er</u>
radical terminaison

‣ **2ᵉ groupe**

fin-   ir

radical terminaison

‣ **3ᵉ groupe**

recev-   oir

radical   terminaison

rend-   re

radical   terminaison

55 Quels sont les groupes de verbes?

Selon leurs terminaisons, les infinitifs se répartissent en **trois groupes**.
● Le **premier groupe** est constitué par des **infinitifs en -er**; ce sont les plus fréquents.

aim**er**
détach**er**
navigu**er**

● Le **deuxième groupe** est constitué par des **infinitifs en -ir**. Leur participe présent se termine par **-issant**.

fin**ir**, fin**issant**
obé**ir**, obé**issant**
grand**ir**, grand**issant**

● Le **troisième groupe** réunit les **infinitifs en -ir** dont le participe présent se termine par **-ant**, les **infinitifs en -oir** et en **-re**.

ten**ir**, ten**ant**
val**oir**, val**ant**
vend**re**, vend**ant**

56 Quand doit-on utiliser l'infinitif ?

On utilise l'infinitif **après une préposition.**

« Et les problèmes, alors ? » a demandé Agnan, qui n'avait pas l'air content, mais nous, on n'a pas fait attention et on a commencé <u>à</u> **se faire** des passes et c'est drôlement chouette <u>de</u> **jouer** entre les bancs. Quand je serai grand, je m'achèterai une classe, rien que <u>pour</u> **jouer** dedans.

■ LE PETIT NICOLAS

<u>à</u>	*se faire*
préposition	verbe à l'infinitif

<u>pour</u>	*jouer*
préposition	verbe à l'infinitif

<u>de</u>	*jouer*
préposition	verbe à l'infinitif

On utilise aussi l'infinitif **après un verbe conjugué.**

Comme **il** regardait du côté du pré, il <u>vit</u> **arriver** dans la cour une petite poule blanche.

■ LES CONTES DU CHAT PERCHÉ

il	*vit*	*arriver*
	verbe conjugué	verbe à l'infinitif

ATTENTION

Après l'auxiliaire **avoir** ou **être**, on utilise le **participe passé.**
Quand tonton Scipion <u>est</u> **entré** dans la salle à manger, elle <u>a</u> **rétréci** tellement il tenait de place.
J'<u>avais</u> **oublié** comme il était grand et bien plein.

■ CHICHOIS ET LA RIGOLADE

tonton Scipion	*est*	*entré*
	auxiliaire être	participe passé de *entrer*

elle	*a*	*rétréci*
	auxiliaire avoir	participe passé de *rétrécir*

Les constructions du verbe

57 Quel rôle le verbe joue-t-il?

Le verbe est le **noyau de la phrase verbale**; c'est à lui que sont reliés les autres mots ou groupes de mots de la phrase.

Une jeune fille de quatre-vingt-dix-ans,
En croquant des pommes,
En croquant des pommes,
Une jeune fille de quatre-vingt-dix ans,
En croquant des pommes,
S'est cassé trois dents.

Une jeune fille de quatre-vingt-dix ans	*s'est cassé*	*trois dents.*
sujet	verbe noyau	COD

58 Qu'appelle-t-on verbe transitif et verbe intransitif?

Certains verbes **refusent tout complément d'objet direct** : on les appelle **verbes intransitifs**.

arriver	mourir	tomber
défiler	partir	

Certains verbes **acceptent un complément d'objet direct** : on les appelle **verbes transitifs**.

battre	manger	rencontrer
écouter	regarder	

Certains verbes transitifs **acceptent un COD** mais ils **ne l'exigent pas**.

Alors, Alceste m'a demandé de tenir son croissant, et il a commencé à se battre avec Maixent. Et ça, ça m'a étonné, parce qu'Alceste, d'habitude, il n'aime pas se battre, surtout quand il est en train de **manger un croissant**.

■ LES RÉCRÉS DU PETIT NICOLAS

Ici, le verbe transitif *manger* a un COD *(un croissant)*.

Quand on parle de **manger**, ça donne faim à Alceste, qui est un copain qui mange tout le temps.

■ LES RÉCRÉS DU PETIT NICOLAS

Ici, le verbe transitif *manger* est employé sans COD.

> Certains verbes transitifs ne peuvent pas se construire sans COD ; ils **exigent un COD**, sinon la phrase est incomplète.

L'histoire de la pièce est très compliquée et je n'ai pas très bien compris quand la maîtresse nous l'a racontée. Je sais qu'il y a le Petit Poucet qui **cherche** <u>ses frères</u> et il **rencontre** <u>le Chat Botté</u> et il y a le marquis de Carabas et un ogre qui veut manger les frères du Petit Poucet et le Chat Botté **aide** <u>le Petit Poucet</u> et l'ogre est vaincu et il devient gentil et je crois qu'à la fin il ne mange pas les frères du Petit Poucet et tout le monde est content et ils mangent autre chose.

■ LE PETIT NICOLAS

Le verbe *chercher* a pour COD *ses frères*.
Le verbe *rencontrer* a pour COD *le Chat Botté*.
Le verbe *aider* a pour COD *le Petit Poucet*.
Ces verbes exigent un COD.

Reconnaître un adjectif qualificatif

À RETENIR

- **L'adjectif qualificatif** sert à préciser une qualité ou un défaut : *beau, laid, méchant, blanc, noir...*
- Il faut bien distinguer les adjectifs qualificatifs des adjectifs **possessifs**, **démonstratifs** ou **indéfinis**, qui font partie de la catégorie des **déterminants**.

▷ PARAGRAPHES 72, 76 À 80

- L'adjectif qualificatif peut occuper la fonction **épithète** (il fait alors partie du groupe nominal), **attribut** (il appartient au groupe verbal) ou la fonction **mis en apposition**.
- L'adjectif qualificatif **s'accorde** en genre et en nombre avec le nom qu'il qualifie.

59 À quoi servent les adjectifs qualificatifs ?

Les adjectifs qualificatifs permettent de **décrire** une personne, un animal ou un objet en précisant une ou plusieurs de ses caractéristiques. Ils **qualifient** un **nom** et précisent son sens.

Il était une fois une **petite** <u>fille</u> de village, la plus **jolie** qu'on eût su voir ; sa mère en était folle, et sa mère-grand plus folle encore. Cette bonne femme lui fit faire un **petit** <u>chaperon</u> **rouge**, qui lui seyait si bien, que partout on l'appelait le **Petit** <u>Chaperon</u> **rouge**. ■ LE PETIT CHAPERON ROUGE

Les adjectifs *petite* et *jolie* utilisés pour caractériser l'apparence de la fille sont des adjectifs qualificatifs.

De même, *petit* et *rouge* sont des adjectifs qualificatifs utilisés pour qualifier le nom *chaperon*.

L'emploi des adjectifs qualificatifs permet au lecteur de **se représenter avec plus de précision** ce qui est raconté, décrit ou expliqué.

▶ **Version 1 (sans adjectifs qualificatifs)**
Au milieu d'une forêt, dans une caverne, vivait un monstre. Il était laid ; il avait une tête directement posée sur deux pieds, ce qui l'empêchait de courir.

▶ **Version 2 (avec adjectifs qualificatifs)**
Au milieu d'une **sombre** forêt, dans une caverne **humide** et **grise**, vivait un monstre **poilu**. Il était laid ; il avait une tête **énorme**, directement posée sur deux **petits** pieds **ridicules**, ce qui l'empêchait de courir. ■ LE MONSTRE POILU

60 Peut-on supprimer l'adjectif qualificatif ?

Oui ! L'adjectif qualificatif peut être supprimé : on supprime une information mais la phrase reste grammaticalement correcte.

En me promenant au bord de l'eau, j'ai vu un **magnifique** cygne **blanc**.

→ *En me promenant au bord de l'eau, j'ai vu un cygne.*

61 Comment reconnaître l'adjectif qualificatif épithète?

Lorsque l'adjectif qualificatif se rapporte **directement** à un nom, il fait partie du **groupe nominal** auquel ce nom appartient. Il occupe la fonction **épithète**.

Qui a volé la clef des champs?
La pie **voleuse** ou le geai **bleu**?

■ LA CLEF DES CHAMPS

la pie	voleuse
nom	adj. qualificatif
noyau	épithète

groupe nominal

le geai	bleu
nom	adj. qualificatif
noyau	épithète

groupe nominal

62 Quelle est la place de l'adjectif qualificatif épithète?

La plupart des adjectifs qualificatifs en fonction épithète se placent **après le nom** qu'ils qualifient. Quelques adjectifs courts et très utilisés (grand, gros, petit, beau...) se placent normalement **avant le nom**.

J'ai vu un **gros** rat
Un **gros gros** radar
Qui courait dare-dare
Après un cobra.

■ INNOCENTINES

Lorsqu'un nom est accompagné de deux adjectifs ou plus, ceux-ci se placent **après** le nom, s'ils sont **coordonnés**.

Il y avait une fois trois petits pois vêtus de vert qui dormaient gentiment dans leur cosse. Leur visage bien rond respirait par les trous de leurs narines et l'on entendait leur ronflement **doux** et **harmonieux**.

■ CONTES ET PROPOS

Ils **encadrent** le nom, s'ils ne sont pas coordonnés.

un **petit** oiseau **gris**
avec des manchettes
chante
« miaou miaou »

■ LE POUR ET LE CONTRE

Un adjectif de **couleur** se place **après** le nom.

J'ai croisé dimanche
tout près de Saint-Leu
une souris **blanche**
portant un sac **bleu**.

■ SOURIS BLANCHE ET SOURIS BLEUE

63 Un adjectif épithète change-t-il de sens si on le change de place?

Oui ! Un même adjectif peut **changer de sens** lorsqu'on le change de **place**.

Maixent court très vite, il a des jambes très longues et toutes maigres, avec de gros genoux **sales**. ■ LE PETIT NICOLAS

| L'adjectif *sales* placé après le nom signifie « pas propres ».

Et puis, je ne mange pas TOUS les écureuils. Seulement ceux qui ont une **sale** tête. ■ JANUS, LE CHAT DES BOIS

| L'adjectif *sale* placé avant le nom signifie « antipathique ».

64 Comment reconnaître l'adjectif qualificatif attribut?

Lorsque l'adjectif qualificatif est relié au sujet de la phrase par **un verbe d'état** (*être, sembler...*), il fait partie du **groupe verbal**. Il occupe la fonction **attribut**.

que la <u>pluie</u> est **humide** et que l'eau mouille et mouille !

◼ IL PLEUT

que la pluie   *est*   *humide*
           verbe   adj. qualificatif attribut
    groupe nominal   groupe verbal

65 Comment reconnaître l'adjectif qualificatif mis en apposition?

Un adjectif qualificatif **mis en apposition** est **séparé du nom** (ou du pronom) qu'il qualifie par une **virgule**.

Il y avait une fois trois petits pois qui roulaient leur bosse sur les grands chemins. Le soir venu, **fatigués** et **las** ⬚,
<u>ils</u> s'endormaient très rapidement.

◼ CONTES ET PROPOS

Les adjectifs *fatigués* et *las* sont séparés du pronom *ils* par une virgule.
On peut les déplacer dans la phrase :
***Fatigués et las**, le soir venu, ils s'endormaient très rapidement.*
*Le soir venu, ils s'endormaient très rapidement, **fatigués et las**.*

L'apposition donne souvent une explication : c'est parce qu'ils étaient fatigués et las qu'ils s'endormaient rapidement.

66 Comment accorder l'adjectif qualificatif?

L'adjectif qualificatif, quelle que soit sa fonction, s'accorde en **genre** (masculin ou féminin) et en **nombre** (singulier ou pluriel) avec le nom qu'il qualifie.

L'enchanteur, tout **surpris**, regardait de tous côtés sans rien voir : « Je suis Oiseau Bleu », dit le roi d'une voix **faible** et **languissante**. À ces mots, l'enchanteur le trouva sans peine dans son **petit** nid.

■ L'OISEAU BLEU

l'*enchanteur* tout *surpris*

nom	adjectif
masculin	masculin
singulier	singulier

une *voix*   *faible* et *languissante*

nom	adjectif	adjectif
féminin	féminin	féminin
singulier	singulier	singulier

son *petit*   *nid*

adjectif	nom
masculin	masculin
singulier	singulier

Lorsqu'un adjectif qualifie plusieurs noms **singuliers**, il se met au **pluriel**.

Le roi et son frère, qui étaient **prisonniers**, et qui savaient que leur sœur devait arriver, s'étaient habillés de beau pour la recevoir.

■ LA PRINCESSE ROSETTE

Le *roi* et son *frère* qui étaient *prisonniers*

nom	nom	adjectif
singulier	singulier	pluriel

Lorsqu'un adjectif qualifie plusieurs noms, l'un **masculin**, l'autre **féminin**, il se met au **masculin pluriel**.

Il était une fois un <u>roi</u> et une <u>reine</u> qui étaient si **fâchés** de n'avoir point d'enfants, si fâchés qu'on ne saurait dire. Ils allèrent à toutes les eaux du monde, vœux, pèlerinages, menues dévotions, tout fut mis en œuvre, et rien n'y faisait.

■ LA BELLE AU BOIS DORMANT

un <u>roi</u> et une <u>reine</u> qui étaient si <u>fâchés</u>		
nom masculin singulier	nom féminin singulier	adjectif masculin pluriel

ATTENTION

Les noms de **fleurs** ou de **fruits** employés comme adjectifs ne s'accordent ni en genre ni en nombre, sauf *rose* et *mauve*.

▷ PARAGRAPHE 191

Elle a des taches de rousseur
Des <u>yeux</u> **pistache** et de grands pieds

■ INNOCENTINES

La pistache est un fruit de couleur verte. Employé ici comme adjectif, *pistache* ne s'accorde pas.

Tout à coup l'orage accourt
avec ses grosses <u>bottes</u> **mauves**

■ L'ORAGE

La mauve est une plante à fleurs roses. Employé ici comme adjectif, *mauve* s'accorde : c'est une exception.

Reconnaître les degrés de l'adjectif qualificatif

N'OUBLIE PAS : JE SUIS PLUS GROS QUE TOI.

À RETENIR

- Le **comparatif** et le **superlatif** d'un adjectif qualificatif permettent de **comparer** deux qualités ou deux défauts.
- Le comparatif et le superlatif suivent les règles d'accord de l'adjectif qualificatif.
- *Bon* et *mauvais* ont un comparatif et un superlatif de supériorité **irréguliers**.

67 Qu'est-ce que le comparatif ?

● Un adjectif qualificatif précise les caractéristiques, qualités ou défauts, d'un être animé ou d'un objet. Pour établir des **comparaisons** entre deux êtres animés ou deux objets possédant la **même caractéristique**, on utilise les degrés de l'adjectif.

● Le **comparatif de supériorité** indique qu'un être animé ou un objet possède **plus** une caractéristique qu'un autre.

Le cheval, qui était alors occupé de son portrait, jeta un coup d'œil sur celui du coq et fit une découverte qui l'emplit aussitôt d'amertume.

– À ce que je vois, dit-il, le coq serait **plus** <u>gros</u> **que** moi ?

■ LES CONTES DU CHAT PERCHÉ

> ● Le **comparatif d'infériorité** indique qu'un être animé ou un objet possède **moins** une caractéristique qu'un autre.

Nous sommes allés chercher des planches dans le grenier et papa a apporté ses outils. Rex, lui, il s'est mis à manger les bégonias, mais c'est **moins** <u>grave</u> **que** pour le fauteuil du salon, parce que nous avons plus de bégonias que de fauteuils.

■ LE PETIT NICOLAS

> ● Le **comparatif d'égalité** indique qu'un être animé ou un objet possède **autant** une caractéristique qu'un autre.

Alors, le professeur a jeté son sifflet par terre et il a donné des tas de coups de pied dessus. La dernière fois que j'ai vu quelqu'un d'**aussi fâché que** ça, c'est à l'école, quand Agnan, qui est le premier de la classe et le chouchou de la maîtresse, a su qu'il était second à la composition d'arithmétique.

■ LES VACANCES DU PETIT NICOLAS

68 Qu'est-ce que le superlatif?

> Pour indiquer que, parmi un ensemble d'êtres animés ou d'objets, certains possèdent **plus que tous les autres** ou **moins que tous les autres** une qualité ou un défaut, on emploie le **superlatif de supériorité** (*le plus..., la plus..., les plus...*) et le **superlatif d'infériorité** (*le moins..., la moins..., les moins...*).

Le cochon regarda le coq et l'oie avec un air peiné et soupira:
– Je comprends... oui, je comprends. Vous êtes jaloux, tous les deux. Et pourtant, est-ce qu'on a jamais rien vu de plus beau que moi? Tenez, les parents me le disaient encore tout à l'heure. Allons, soyez sincères. Dites-le, que je suis **le plus beau**.

■ LES CONTES DU CHAT PERCHÉ

Oiseau, bel oiseau joli,
Qui te prêtera sa cage ?
La plus sage,
La moins sage
Ou le roi d'Astragolie ?

■ LA POÊMERAIE

69 Qu'appelle-t-on comparatif et superlatif irréguliers ?

Les adjectifs **bon** et **mauvais** ne construisent pas leur comparatif de supériorité et leur superlatif avec le mot **plus**. Ils ont un **comparatif** et un **superlatif de supériorité irréguliers**.

	COMPARATIF DE SUPÉRIORITÉ	SUPERLATIF DE SUPÉRIORITÉ
bon	meilleur que	le meilleur
mauvais	pire que	le pire

ATTENTION

Les comparatifs d'infériorité et d'égalité de **bon** et **mauvais** sont **réguliers** : *moins bon que, moins mauvais que, aussi bon que, aussi mauvais que*. On ne doit pas dire : *moins pire que, aussi pire que*.

Reconnaître les déterminants

À RETENIR

- Le plus souvent, les noms sont **précédés** d'un **déterminant**.

- Les déterminants se répartissent en **deux** grandes **catégories**.

QUELLE MONTRE !

C'EST MA MONTRE.

ARTICLES	EXEMPLES
définis	Je vois **le** chien de mon frère.
indéfinis	Je vois **un** chien.
partitifs	Je vois **du** verglas, là-bas.

ADJECTIFS	EXEMPLES
possessifs	**ma** voiture
démonstratifs	**cette** voiture
numéraux	**deux** voitures
indéfinis	**quelques** voitures
exclamatifs	**quelle** voiture !
interrogatifs	**quelle** voiture ?

Les différents déterminants

70 **Quelle est la place du déterminant dans le groupe nominal ?**

Le déterminant se place presque toujours **devant** le nom commun. Il permet de savoir où commence le GN.

Aucune bête n'est aussi vile
Que Croquemi-Croque **le** crocodile.
Chaque samedi, il lui faut dévorer
Six petits enfants pour **son** déjeuner.

▪ SALES BÊTES

aucune	*bête*
déterminant	nom

groupe nominal

le	*crocodile*
déterminant	nom

groupe nominal

chaque	*samedi*
déterminant	nom

groupe nominal

six	*petits*	*enfants*
déterminant	adj. qualificatif	nom

groupe nominal

son	*déjeuner*
déterminant	nom

groupe nominal

71 Un nom est-il toujours précédé d'un déterminant?

● Non! Il arrive parfois que le nom ne soit pas précédé d'un déterminant. ▷ PARAGRAPHE 47
● Il n'y a pas de déterminant devant certains **noms propres** comme *Pierre*, *Paris*... Mais il y en a devant des mots comme *les* Alpes, *la* Seine... ▷ PARAGRAPHE 48
● Il n'y a pas de déterminant **après** certaines **prépositions** comme *avec, en, par*...

Il n'était pas rare de croiser sur la route, même très loin de la côte, une méduse **en promenade**, un poulpe baladeur, une sirène solitaire ou un couple d'ondins **en voyage de noces**.

▪ CONTES DE LA FOLIE-MÉRICOURT

Avec ces prépositions, le nom est précédé d'un **déterminant** s'il est accompagné d'un **complément** ou d'un **adjectif** qualificatif.

Puis Mr Wonka recommença. Cette fois les mots jaillirent à toute vitesse, **avec la** force et **la** violence <u>de boulets de canon</u>. « Zoonk-zoonk-zoonk-zoonk ! »

■ CHARLIE ET LE GRAND ASCENSEUR DE VERRE

| *de boulets de canon* : complément du nom

72 Les déterminants

Les déterminants se divisent en deux grandes catégories : les **articles** et les **adjectifs non qualificatifs**.

ARTICLES	SINGULIER	PLURIEL
définis	le, la, l'	les
indéfinis	un, une	des
partitifs	du, de la, de l'	des

ADJECTIFS NON QUALIFICATIFS	SINGULIER	PLURIEL
possessifs	mon, ton, son ma, ta, sa notre, votre, leur	mes, tes, ses nos, vos, leurs
démonstratifs	ce, cet, cette	ces
numéraux	un	deux, trois, quatre
indéfinis	aucun(e), chaque, nul(le), tout(e), quelque...	plusieurs, quelques, certains...
exclamatifs	quel, quelle	quels, quelles
interrogatifs	quel, quelle	quels, quelles

Les articles

73 ## À quoi servent les articles définis et indéfinis ?

> Les **articles indéfinis** (**un**, **une**, **des**) indiquent que l'**on ne sait rien** de la personne, de l'animal ou de l'objet dont on parle.

Le bonhomme, après avoir pris son chocolat, sortit pour aller chercher son cheval et, comme il passait sous un berceau de roses, il se souvint que la Belle lui en avait demandé, et cueillit une branche où il y en avait plusieurs. À cet instant il entendit un grand bruit et vit venir à lui **une** <u>Bête</u> si horrible qu'il fut tout prêt de s'évanouir.

■ LA BELLE ET LA BÊTE

> <u>une</u> Bête : on ne dit pas de quelle bête il s'agit.

> Les **articles définis** (**le**, **la**, **l'**, **les**) indiquent que l'**on connaît** le personnage, l'animal ou l'objet dont il est question.

Au-dessus de la vallée, sur une colline, il y avait **un** <u>bois</u>.
Dans **le** <u>bois</u>, il y avait **un** gros <u>arbre</u>.
Sous **l'**<u>arbre</u>, il y avait **un** <u>trou</u>.
Dans **le** <u>trou</u> vivaient Maître Renard, Dame Renard et leurs quatre renardeaux.

■ FANTASTIQUE MAÎTRE RENARD

> <u>un</u> bois : c'est la première fois que l'on parle de ce bois, on ne sait pas de quel bois il s'agit.
>
> <u>le</u> bois : c'est la deuxième fois que l'on en parle ; c'est le même bois que celui de la phrase précédente.

– Mais alors, de qui avais-tu fait la connaissance, si ce n'était pas d'un mistouflon ? dit un enfant qui commençait à s'impatienter.
– ... Eh bien... d'**une** <u>mistouflette</u>, avoua le mistouflon en baissant la tête.

– AHHHH ! dirent les enfants.

Puis, il se fit un grand silence.

Et on discuta, et pati et coufi… et comme le lendemain
était un mercredi, on décida d'aller chercher **la
mistouflette du mistouflon** dans le Luberon.

■ L'ANNÉE DU MISTOUFLON

> <u>une</u> mistouflette : c'est la première fois que le mistouflon en
> parle, on ne la connaît pas.
>
> <u>la</u> mistouflette du mistouflon : c'est la deuxième fois que l'on
> en parle, et elle est déterminée par un complément du nom
> (du mistouflon).

ATTENTION

Ne confondez pas *la, le, les* **articles**, qui se placent devant un
nom, et *la, le, les* **pronoms**, qui se placent devant un verbe.

La <u>contrebasse</u> est toujours contre,
elle grogne et fait sa grosse voix.
La <u>mélodie</u> qu'elle rencontre
elle **la** sermonne et **la** rudoie.

■ MUSIQUE DE CHAMBRE

<u>la</u>   <u>contrebasse</u>
déterminant   nom

<u>la</u>   <u>mélodie</u>
déterminant   nom

<u>la</u>   <u>sermonne</u>
pronom   verbe

<u>la</u>   <u>rudoie</u>
pronom   verbe

74 au, aux et du, des

> Les mots **au**, **aux**, **du** et **des** contiennent à la fois l'article défini et une préposition.

▶ **à + le → au**
Le chêne dit un jour **au** roseau :
« N'êtes-vous pas lassé d'écouter cette fable ? » ■ Fables

▶ **à + les → aux**
S'il y a des fils entre les poteaux électriques, c'est pour permettre **aux** oiseaux de disposer de plus de place.
■ Réponses bêtes à des questions idiotes

▶ **de + le → du**
Pendant qu'ils parlaient **du** cheval, le chat regardait les petites en hochant la tête, comme pour leur dire que toutes ses paroles ne servaient à rien. ■ Les contes du chat perché

▶ **de + les → des**
Bulle, bulle, jolie bulle
Où j'aperçois mon visage
Plus rond que la pleine lune.
Ah ! méfie-toi **des** branchages,
Du vent toujours capricieux,
Des oiseaux et **des** nuages !
[...] ■ Bulle de savon

75 Qu'est-ce que l'article partitif ?

> **Du**, **de la**, **de l'**, **des** sont des articles **partitifs**. On les trouve devant des noms **non dénombrables**, c'est-à-dire qu'on ne peut pas compter.

Monstre blanc, voici **du** <u>flan</u>.
Monstre noir, voici des poires. ■ Jean-Yves à qui rien n'arrive

C'est l'Horrifiant Engoulesang Casse-Moloch Écrase-Roc !
Il va m'attraper, me sucer le sang, me casser le moloch,
m'écraser le roc et me tailler en petits morceaux, et puis
il me recrachera comme **de la** fumée et c'en sera fini de
moi !

■ LES MINUSCULES

> À la forme négative, on emploie **de** à la place de **du**, **de la**
> et **de l'**.

Cette fois, cependant, il n'arrivait pas seul : il amenait
avec lui une famille parisienne qui se composait de trois
personnes : M. Barbichou, qui avait de la barbe sur les
joues ; Mme Barbichou, qui avait aussi de la barbe, mais pas
beaucoup ; et le petit Paul Barbichou, qui n'avait que dix
ans et pas **de** barbe du tout.

■ CONTES D'AILLEURS ET D'AUTRE PART

ATTENTION

Ne confondez pas *de la*, **article** partitif, et *de la*, **préposition**
+ **article** défini.

De même au ras du sol, cette chose qui passe en
soulevant **de la** poussière, cette boule rapide de plumes
frissonnantes, ce n'est pas l'autruche, c'est le vent.

■ PETITS CONTES NÈGRES POUR LES ENFANTS DES BLANCS

| *de la* poussière : article partitif *de la* + nom *poussière*

De tous les pays du monde, des friandises étonnantes
arrivaient par avion. Cerfs-volants-lunes du Japon, pâtes
fourrées d'ylang-ylang des îles Fidji, guna-pagunas frottés
de ramaro de Madagascar, petits fours glacés **de la** Terre
de Feu...

■ LA GIRAFE, LE PÉLICAN ET MOI

| *de la* Terre de Feu : préposition *de* + GN *la Terre de Feu*

Les adjectifs non qualificatifs

76 À quoi servent les adjectifs possessifs ?

L'**adjectif possessif** indique que la personne, l'animal ou l'objet dont il est question **appartient à quelqu'un**. Il marque donc une relation de **possession**.

Un escargot fumant **sa** pipe
portait **sa** maison sur **son** dos.   ■ L'ESCARGOT MATELOT

> *sa pipe, sa maison, son dos* : tout cela appartient à l'escargot.

En même temps le roi change de figure : **ses** bras se couvrent de plumes et forment des ailes ; **ses** jambes et **ses** pieds deviennent noirs et menus ; il lui croît des ongles crochus ; son corps s'apetisse, il est tout garni de longues plumes fines et mêlées de bleu céleste. **Ses** yeux s'arrondissent et brillent comme des soleils.   ■ L'OISEAU BLEU

> *ses bras, ses jambes, ses pieds, ses yeux* : tout cela appartient au roi.

77 À quoi servent les adjectifs démonstratifs ?

Les **adjectifs démonstratifs** (**ce**, **cet**, **cette**, **ces**) servent à désigner, à **montrer** une personne, un animal ou un objet.

Cas très intéressant d'hallucination : **ce** <u>ver</u> se prend pour une baguette.   ■ LE VER, CET INCONNU

Ils servent aussi à **attirer l'attention** sur quelqu'un ou quelque chose dont on a parlé.

Alors il se passa quelque chose d'étonnant : un poisson sauta hors de l'eau. Sa peau était grisâtre. **Ce** poisson retomba sur le dos de la baleine et il se mit à siffloter une petite chanson sans queue ni tête de poisson.

■ Réponses bêtes à des questions idiotes

78 Quelles sont les formes composées de l'adjectif démonstratif?

En ajoutant **-ci** ou **-là**, on peut souligner la **proximité** *(-ci)* ou **l'éloignement** *(-là)* de ce dont on parle.

– Un bain par mois c'est bien suffisant pour un enfant. C'est à **ces** moments-**là** que j'aimais le plus Grand-mère.

■ Sacrées sorcières

79 Comment utiliser les adjectifs numéraux?

Les **adjectifs numéraux** (**un**, **deux**, **trois**...) servent à indiquer le **nombre** de personnes, d'animaux ou d'objets dont on parle. On les écrit **en chiffres**, mais on doit parfois les écrire **en lettres** (pour faire un chèque, par exemple).

50 : cinquante   2 000 : deux mille

Les adjectifs numéraux sont **invariables**, sauf **vingt** et **cent**.

ATTENTION

Les nombres **inférieurs à cent** s'écrivent avec un **trait d'union** : *quatre-vingt-dix-neuf.*

80 Quels sont les adjectifs indéfinis?

Les principaux adjectifs indéfinis sont **tout** *(toute, tous, toutes)*, **quelque** *(quelques)*, **aucun** *(aucune)*, **chaque**, **plusieurs**, **certain(e)s**.

L'infante, qui avait entendu les tambours et le cri des hérauts d'armes, s'était bien doutée que sa bague faisait ce tintamarre : elle aimait le prince ; et, comme le véritable amour est craintif et n'a point de vanité, elle était dans la crainte continuelle que **quelque** dame n'eût le doigt aussi menu que le sien.

■ PEAU D'ÂNE

Reconnaître les pronoms

À RETENIR

■ On emploie un **pronom** pour **ne pas répéter** un nom ou un GN. Quel que soit le pronom utilisé, on doit être sûr que celui à qui l'on s'adresse pourra savoir de qui ou de quoi l'on parle.

■ Les pronoms **personnels** représentent les personnes qui parlent *(je, nous)*, à qui on parle *(tu, vous)* ou dont on parle *(il, elle, ils, elles).*

■ Les pronoms **possessifs** désignent un être vivant ou un objet en indiquant en même temps à qui il appartient : *le mien, le sien...*

■ Les pronoms **démonstratifs** désignent une personne ou un objet sans le nommer : *celui-ci, celle-ci...*

■ Les pronoms **indéfinis** *(chacun, tous, aucun, rien, personne, certains, les uns, les autres, quelques-uns)* permettent de désigner tous les éléments, certains des éléments ou aucun des éléments d'un groupe.

■ Les pronoms **relatifs** *(qui, que, où...)* permettent de ne pas répéter le nom antécédent qu'ils remplacent.

■ Les pronoms **interrogatifs** *(qui ? que ?...)* permettent de s'interroger sur le responsable d'une action ou sur qui la subit.

Le rôle des pronoms

81 Quand peut-on utiliser les pronoms?

On utilise un pronom lorsque l'on ne veut pas répéter un nom ou un GN. Il faut qu'on soit certain que celui à qui l'on s'adresse peut sans difficulté **savoir quelle personne**, **quel animal** ou **quel objet** ce pronom **représente**.

Et tout à coup la pendule fit tressaillir Donald. On eût dit qu'**elle** cédait à une petite crise de nerfs, mais c'était toujours ainsi quand **elle** s'apprêtait à sonner l'heure, et **elle** sonna dix heures. Donald compta les coups et ferma les yeux avant le dernier.
Un grand bruit épouvantable **le** réveilla en sursaut.
Des pieds larges et pesants marchaient autour de **lui** et le fauteuil à bascule sous **lequel il** s'était tapi fut brusquement tiré de côté. À peine eut-**il** le temps de reculer que l'oncle Fitz se laissait tomber dans le fauteuil. **Celui-ci** se mit à plonger en avant, puis en arrière comme un cheval fou, mais une minute plus tard **tout** se calmait.
Oncle Fitz et cousin Jo, assis **l'un** en face de **l'autre**, se mirent à parler très fort dans une bonne odeur de porto et de tabac.   ■ LA NUIT DES FANTÔMES

Chaque pronom en gras correspond à un personnage dont on a **déjà** parlé.

PERSONNAGES	PRONOMS
la pendule	elle, elle, elle
Donald	le, lui, il, il
le fauteuil à bascule	lequel, celui-ci
[le bruit]	tout
Oncle Fitz	l'un
cousin Jo	l'autre

Les pronoms personnels

82 À quoi servent les pronoms personnels?

> Un pronom personnel permet à celui qui parle de **désigner** une personne **sans la nommer**.

Delphine, devenue un bel ânon, était beaucoup plus petite que sa sœur, un solide percheron qui la dépassait d'une bonne encolure.
– **Tu** as un beau poil, dit-**elle** à sa sœur, et si **tu** voyais ta crinière, **je** crois que **tu** serais contente.

◼ LES CONTES DU CHAT PERCHÉ

Le pronom *tu* désigne la sœur de Delphine.

Les pronoms *elle* et *je* désignent Delphine elle-même.

83 Quels sont les pronoms personnels?

> Les pronoms personnels changent selon la **personne** qu'ils désignent.

La Belle soupa de bon appétit. **Elle** n'avait presque plus peur du monstre, mais **elle** manqua mourir de frayeur lorsqu'**il** lui dit:
«La Belle, voulez-**vous** être ma femme?»
Elle fut quelque temps sans répondre: **elle** avait peur d'exciter la colère du monstre en refusant sa proposition.
Elle lui dit enfin en tremblant:
«Non, la Bête.»

◼ LA BELLE ET LA BÊTE

Le pronom *elle* désigne la Belle, c'est un pronom féminin de 3e personne du singulier.

Le pronom *il* désigne le monstre, c'est un pronom masculin de 3e personne du singulier.

Ils varient aussi selon la **fonction** qu'ils occupent.

<u>La mer</u>, vous commencez à **la** connaître, **elle** s'occupe de tant de choses à la fois qu'**elle** ne sait plus raconter les histoires.
■ BULLE OU LA VOIX DE L'OCÉAN

> *la, elle, elle* désignent *la mer*; *la* est un pronom COD; *elle* est un pronom sujet.

Observez bien <u>un barbu</u> manger, et vous verrez que, même s'**il** ouvre grand la bouche, il **lui** est difficile d'avaler du ragoût, de la glace ou de la crème au chocolat sans en laisser des traces sur sa barbe.
■ LES DEUX GREDINS

> *il, lui* désignent *un barbu*; *il* est un pronom sujet; *lui* est un pronom COI.

Et comment <u>le gros méchant lion</u> d'Afrique de la voisine du dessus a-t-**il** pu dévorer la pauvre gazelle d'Afrique avec de grands yeux du voisin du dessous?
■ LES MEILLEURS CONTES D'ASTRAPI

> *il* désigne le lion; c'est un pronom sujet.

▶ **Les pronoms personnels**

		SUJET	COD	COI	CC DE LIEU
SINGULIER	1re pers.	je	me	me, moi	
	2e pers.	tu	te	te, toi	
	3e pers.	il, elle, on	le, la, en	lui, en, y	en, y
PLURIEL	1re pers.	nous	nous	nous	
	2e pers.	vous	vous	vous	
	3e pers.	ils, elles	les	leur, eux, en, y	en, y

84 Quelle est la forme renforcée des pronoms personnels?

Lorsqu'on veut **insister** sur la personne dont on parle, on utilise la forme renforcée des pronoms personnels : **moi**, **toi**, **lui**, **elle**, **nous**, **vous**, **eux**, **elles**.

Nous, <u>on</u> regardait partout, et le monsieur courait dans le magasin en criant : « Non, non, ne touchez pas ! Ça casse ! » **Moi**, il <u>me</u> faisait de la peine, le monsieur. Ça doit être énervant de travailler dans un magasin où tout casse.

■ L ES RÉCRÉS DU PETIT N ICOLAS

Corentin est venu, il a dit bonjour à Maman, à Papa et on s'est donné la main. Il a l'air assez chouette, pas aussi chouette que les copains de l'école, bien sûr, mais il faut dire que les <u>copains</u> de l'école, **eux**, ils sont terribles.

■ L E PETIT N ICOLAS ET LES COPAINS

85 Dans quel ordre placer les pronoms le, la, les et lui, leur employés ensemble?

Les pronoms personnels COD **le**, **la**, **les** se placent **avant** les pronoms personnels COI **lui**, **leur** *(le lui, le leur, la lui, la leur, les lui, les leur)*.

Le fauteuil s'avance au coin de la cheminée et commence son discours :
– Quand le chat Hector veut venir dormir sur mon siège, il me demande poliment la permission et me remercie quand je **la lui** donne.

■ L ES COUPS EN DESSOUS

86 Quand remplacer un nom par en?

Le pronom personnel **en** permet de remplacer un nom **non dénombrable** précédé d'un article partitif *(herbe, soupe)* en fonction **COD**.   ▷ PARAGRAPHE 75

– Attends, j'en connais une qui va te faire sécher, dit le lièvre. Qu'est-ce que je peux battre à grands coups sans laisser de trace?
– J'habite à côté et j'**en** bois, dit la tortue. C'est l'eau.

■ DIX CONTES D'AFRIQUE NOIRE

| j'<u>en</u> bois = je bois <u>de l'eau</u>
| COD   COD

Le pronom personnel **en** permet aussi de remplacer un nom (objet, animal, idée) en fonction **COI** introduit par **de**.

– Oh! je t'en prie, excuse-moi! s'écria de nouveau Alice, car, cette fois-ci, la Souris était toute hérissée, et la petite fille était sûre de l'avoir offensée gravement. Nous ne parlerons plus <u>de ma chatte</u>, puisque ça te déplaît.
– Nous n'**en** parlerons plus! s'écria la Souris qui tremblait jusqu'au bout de la queue.

■ LES AVENTURES D'ALICE AU PAYS DES MERVEILLES

| nous n'<u>en</u> parlerons plus = nous ne parlerons plus <u>de ma chatte</u>
| COI   COI

ATTENTION

On emploie **de lui** *(de moi, de toi...)* pour remplacer les noms COI qui représentent des **êtres humains**.

<u>Agnan</u> s'est mis à crier et à pleurer, il a dit que personne ne l'aimait, que c'était injuste, que tout le monde profitait **de lui**, qu'il allait mourir et se plaindre à ses parents, et tout le monde était debout, et tout le monde criait; on rigolait bien.   ■ LE PETIT NICOLAS ET LES COPAINS

| tout le monde profitait <u>de lui</u> = tout le monde profitait <u>d'Agnan</u>
| COI   COI

> Le pronom personnel **en** permet enfin de remplacer un nom (objet, animal, idée) en fonction **complément circonstanciel de lieu**.

Paul l'ours blanc prit un bain dans un <u>geyser</u> fumant. Il trouva cela horrible mais il **en** ressortit aussi blanc que la neige, et sa famille le regarda avec une grande admiration.

■ LA CONFÉRENCE DES ANIMAUX

il en ressortit = il ressortit <u>du geyser</u>
CC de lieu   CC de lieu

87   Quand remplacer un nom par y?

> Le pronom personnel **y** permet de remplacer un nom (objet ou idée) en fonction **COI** introduit par **à**.

La fermière eut beau mitonner <u>des pâtées délicieuses</u>, supplier Antoine d'**y** goûter, le jeune porc continua obstinément à réclamer des citrons pressés, des pamplemousses sans sucre, des biscottes sans sel et des yoghourts à zéro pour cent de matière grasse.

■ LE MOUTON NOIR ET LE LOUP BLANC

d'y goûter = de goûter <u>aux pâtées délicieuses</u>
COI   COI

ATTENTION

On emploie **à lui** *(à moi, à toi...)* pour remplacer les noms COI qui représentent des **êtres vivants**.

Autrefois, près du village au bord du fleuve vivait un <u>jaguar</u> très rusé. Quand un problème survenait dans la grande forêt, on faisait toujours appel **à lui**.

■ LE ROI DES PIRANHAS

on faisait toujours appel <u>à lui</u>
         COI

= on faisait toujours appel <u>au jaguar</u>
            COI

> Le pronom personnel **y** permet de remplacer un nom en fonction **complément circonstanciel de lieu**.

– J'ai traversé une <u>terre</u> jusqu'ici inconnue, révélait un jour mon ami, le professeur Rouboroubo… Il **y** faisait tellement chaud, tellement sec, que les vaches donnaient du lait en poudre.   ■ RÉPONSES BÊTES À DES QUESTIONS IDIOTES

> *Il y faisait tellement chaud*
> CC de lieu
> = il faisait tellement chaud <u>sur cette terre inconnue</u>
>   CC de lieu

Les pronoms possessifs

88 ## À quoi servent les pronoms possessifs ?

> Les pronoms possessifs permettent de remplacer un nom en indiquant **celui qui possède** l'objet ou l'être animé désigné par le nom.

La maîtresse s'est mise à crier, elle nous a donné des retenues, et Geoffroy a dit que si on ne retrouvait pas sa montre, il faudrait que la maîtresse aille parler à son <u>père</u>, et <u>Joachim</u> a dit qu'il faudrait qu'elle aille parler **au sien** aussi, pour le coup du coupe-papier.   ■ LE PETIT NICOLAS A DES ENNUIS

> *au sien* = au père de Joachim

Tout le monde le sait, un <u>visage</u> sans barbe, comme **le vôtre** ou **le mien**, se salit si on ne le lave pas régulièrement.   ■ LES DEUX GREDINS

> *le vôtre* = votre visage
> *le mien* = mon visage

89 Quels sont les pronoms possessifs ?

Les pronoms possessifs **changent de forme** selon **la** ou **les personnes qui possèdent**.

C'est moi qui possède : *le mien, la mienne, les miens, les miennes.*
C'est lui/elle qui possède : *le sien, la sienne, les siens, les siennes.*
Ce sont eux/elles qui possèdent : *le leur, la leur, les leurs.*

Les pronoms possessifs varient en **genre** et en **nombre**.
Ils prennent le genre et le nombre de **ce qui est possédé**.

mon vélo   →   le mien
masculin singulier   masculin singulier
ma bicyclette →   la mienne
féminin singulier   féminin singulier

> **Les pronoms possessifs**

	SINGULIER		PLURIEL	
	Un seul objet est possédé		Des objets sont possédés	
	Masculin	Féminin	Masculin	Féminin
c'est à moi	le mien	la mienne	les miens	les miennes
c'est à toi	le tien	la tienne	les tiens	les tiennes
c'est à lui/elle	le sien	la sienne	les siens	les siennes
c'est à nous	le nôtre	la nôtre	les nôtres	les nôtres
c'est à vous	le vôtre	la vôtre	les vôtres	les vôtres
c'est à eux/elles	le leur	la leur	les leurs	les leurs

ATTENTION

> Les pronoms **le nôtre** et **le vôtre** prennent un accent circonflexe, alors que les adjectifs **notre** et **votre** s'écrivent sans accent.
> **Leur** (au singulier) ne change pas de forme lorsqu'il est pronom : **le leur, la leur**.

Les pronoms démonstratifs

90 À quoi servent les pronoms démonstratifs?

Les pronoms démonstratifs permettent de désigner sans les nommer un objet, une personne ou un événement en les distinguant **comme si on les montrait** du doigt.

Une hirondelle en ses voyages
Avait beaucoup appris. Quiconque a beaucoup vu
Peut avoir beaucoup retenu.
Celle-ci prévoyait jusqu'aux moindres orages,
Et devant qu'ils fussent éclos,
Les annonçait aux matelots. ▪ L'HIRONDELLE ET LES PETITS OISEAUX

> *celle-ci* = l'hirondelle

« Oh ! dit le roi, je veux te donner un grand équipage.
– **Cela** n'est point nécessaire, répondit-il ; il ne me faut qu'un bon cheval, avec des lettres de votre part. »
▪ LA BELLE AUX CHEVEUX D'OR

> *cela* = me donner un grand équipage

91 Quels sont les pronoms démonstratifs?

Certains pronoms démonstratifs **changent de forme** selon le **genre** et le **nombre** du **nom qu'ils remplacent** (*celui, ceux, celle, celles, celui-ci, celle-ci...*).

As-tu déjà réuni en tas toutes les bulles de l'océan Indien pour affirmer que **celle-ci** est la plus belle ?
▪ BULLE OU LA VOIX DE L'OCÉAN

> *celle-ci*   =   cette bulle
> féminin singulier   féminin singulier

D'autres pronoms démonstratifs *(ce, ceci, cela, ça)* ne remplacent pas un nom mais représentent un événement, une opinion... Ils **ne changent pas de forme** : ils sont invariables.

– Bien. Nous allons passer au jeu suivant. Tout le monde face à la mer. Au signal, vous allez tous à l'eau ! Prêts ? Partez !
Ça, **ça** nous plaisait bien, ce qu'il y a de mieux à la plage, avec le sable, c'est la mer. ■ LES VACANCES DU PETIT NICOLAS

▶ **Les pronoms démonstratifs**

	SINGULIER		PLURIEL		INVARIABLE
	Masculin	Féminin	Masculin	Féminin	
FORMES SIMPLES	celui	celle	ceux	celles	ce/c'
FORMES COMPOSÉES	celui-ci celui-là	celle-ci celle-là	ceux-ci ceux-là	celles-ci celles-là	ceci cela, ça

92 À quoi servent les formes composées ?

Les formes composées *(celui-ci, celui-là...)* permettent de distinguer deux objets selon qu'ils sont **proches** *(celui-ci)* ou **éloignés** *(celui-là)*.

– Ce sont **ceux-là**, a dit le directeur, ceux dont je vous ai parlé.
– Ne vous inquiétez pas, Monsieur le Directeur, a dit le docteur, nous sommes habitués ; avec nous, ils marcheront droit. Tout va se passer dans le calme et le silence.
Et puis on a entendu des cris terribles ; c'était le Bouillon qui arrivait en traînant Agnan par le bras.
– Je crois, a dit le Bouillon, que vous devriez commencer par **celui-ci** ; il est un peu nerveux. ■ LE PETIT NICOLAS ET LES COPAINS

Les pronoms indéfinis

93 Qu'appelle-t-on pronom indéfini?

> Les pronoms indéfinis **aucun**, **rien**, **personne** permettent de ne considérer **aucun des éléments** d'un groupe.

Il était une fois une histoire, une très, très belle histoire, mais que **personne** n'avait jamais écrite ni racontée, parce que **personne** ne la connaissait. ■ HISTOIRE DU PRINCE PIPO...

– Eh! les gars, nous a dit Joachim en sortant de l'école, si on allait camper demain?
– C'est quoi, camper? a demandé Clotaire, qui nous fait bien rigoler chaque fois parce qu'il ne sait **rien** de rien.
■ LE PETIT NICOLAS ET LES COPAINS

> Les pronoms indéfinis **tous** (toutes, tout) et **chacun** (chacune) permettent de désigner **tous les éléments** d'un groupe.

Le Bouillon, c'est notre surveillant, et il se méfie quand il nous voit **tous** ensemble. ■ LE PETIT NICOLAS ET LES COPAINS

Cependant tout le palais s'était réveillé avec la princesse; **chacun** songeait à faire sa charge, et comme ils n'étaient pas tous amoureux, ils mouraient de faim; la dame d'honneur, pressée comme les autres, s'impatienta, et dit tout haut à la princesse que la viande était servie. Le prince aida la princesse à se lever; elle était tout habillée et fort magnifiquement. ■ LA BELLE AU BOIS DORMANT

> Les pronoms indéfinis **certains** (certaines), **les uns** (les unes), **les autres**, **quelques-uns** (quelqu'un, quelques-unes)... permettent de désigner **certains éléments** d'un groupe.

Pendant des jours, pendant des semaines, la pauvre histoire chercha en vain **quelqu'un** qui pût l'écrire ou qui voulût la raconter. [...] **Les uns** la trouvaient trop ceci et pas assez cela. **Les autres**, au contraire, lui reprochaient d'être trop cela et pas assez ceci. ■HISTOIRE DU PRINCE PIPO...

Les pronoms relatifs

94 Qu'est-ce qu'un pronom relatif?

Un pronom relatif **introduit** une **proposition relative**.

Le premier orphelin **qui** <u>monta sur l'estrade</u> était un agneau **qui** <u>fut aussitôt adopté par un gros mouton de l'assemblée</u>. Suivit un marcassin **qu'**<u>une famille de sangliers réclama</u>, et le défilé des orphelins continua ainsi sans incident jusqu'au moment où un vieux renard prétendit adopter les deux canetons **que** <u>les petites avaient rencontrés dans la matinée</u>.
■LES CONTES DU CHAT PERCHÉ

J'ai repéré un coin tranquille,
Où <u>je me rends</u>, hors de la ville.
Un endroit idéal, la clairière rêvée
Pour s'empiffrer en paix de chocolats fourrés. ■SALES BÊTES

▶ **Les pronoms relatifs**

FORMES SIMPLES	qui, que, qu', dont, où
FORMES COMPOSÉES (article + *quel*)	lequel, laquelle, lesquels, lesquelles auquel, à laquelle, auxquels, auxquelles duquel, de laquelle, desquels, desquelles

95 Qu'est-ce que l'antécédent du pronom relatif?

Le mot que le pronom relatif **remplace** s'appelle **antécédent** du pronom relatif. Il est placé **avant** le pronom relatif.

1. Gaspard aimait beaucoup flairer-mordre-mâcher-mâchouiller-manger **les herbes**.
2. **Les herbes** poussent dans le fond du jardin.

→ Gaspard aimait beaucoup flairer-mordre-mâcher-mâchouiller-manger **les herbes** qui poussent dans le fond du jardin.   ■ LE CHAT QUI PARLAIT MALGRÉ LUI

> Le pronom relatif *qui* évite de répéter le mot *herbes*. Le mot *herbes* est l'antécédent du pronom relatif *qui*.

On utilise **qui** lorsque le pronom relatif est **sujet** du verbe de la proposition relative.

J'ai acheté une voiture **qui** parle toute seule.

On utilise **que** lorsque le pronom relatif est **COD** du verbe de la proposition relative.

La voiture **que** j'ai achetée est jaune à pois verts.

On utilise **dont** lorsque le pronom relatif est **COI** du verbe de la proposition relative ou **complément du nom** de la proposition relative.

L'homme **dont** je t'ai parlé est venu dîner.

> *dont* est COI du verbe *ai parlé*

La maison **dont** le toit est vert a brûlé.

> *dont* est complément du nom *toit*

> On utilise **où** lorsque le pronom relatif est **complément circonstanciel de lieu ou de temps** du verbe de la proposition relative.

Il a adoré l'endroit **où** je l'ai amené.

| *où* est CC de lieu du verbe *ai amené*

Je me souviens du temps **où** nous vivions ensemble.

| *où* est CC de temps du verbe *vivions*

Les pronoms interrogatifs

96 ## À quoi servent les pronoms interrogatifs?

> On utilise les pronoms interrogatifs **qui** et **que** pour demander **qui fait l'action** ou **ce qui la subit**.

Un agneau se désaltérait
Dans le courant d'une onde pure.
Un loup survient à jeun, qui cherchait aventure,
Et que la faim en ces lieux attirait.
« **Qui** te rend si hardi de troubler mon breuvage ?
Dit cet animal plein de rage :
Tu seras châtié de ta témérité. »   ■ LE LOUP ET L'AGNEAU

L'inspecteur a fait un sourire et il a appuyé ses mains sur le banc. « Bien, il a dit, **que** faisiez-vous, avant que je n'arrive ? – On changeait le banc de place », a répondu Cyrille. « Ne parlons plus de ce banc ! a crié l'inspecteur, qui avait l'air d'être nerveux. Et d'abord, pourquoi changiez-vous ce banc de place ? – À cause de l'encre », a dit Joachim.   ■ LE PETIT NICOLAS

Distinguer les prépositions des conjonctions de coordination

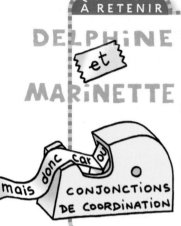

À RETENIR

- Les **conjonctions de coordination** et les **prépositions** sont des mots **invariables** qui ont dans la phrase des **rôles très différents**.

- Les prépositions relient des mots qui ont des **fonctions différentes** et **introduisent des compléments**.

- Les conjonctions de coordination relient des mots ou des propositions de **même fonction**.

97 À quoi servent les prépositions ?

Les prépositions (**avec**, **pour**, **à**, **de**...) servent à relier un nom ou un groupe nominal au reste de la phrase.

Delphine, l'aînée, et Marinette, la plus blonde, jouaient **dans** la cuisine **à** pigeon vole, **aux** osselets, **au** pendu, **à** la poupée et **à** loup-y-es-tu. ■ LES CONTES DU CHAT PERCHÉ

Une préposition peut changer le **sens** de la phrase.

– Et qu'est-ce qu'on va faire **avec** nos têtards ? a demandé Clotaire. ■ LES RÉCRÉS DU PETIT NICOLAS

| → *Et qu'est-ce qu'on va faire **sans** nos têtards ?*

Les prépositions indiquent la **fonction** que le nom ou
le groupe qu'elles introduisent occupe dans la phrase.

C'est l'anniversaire de ma maman et j'ai décidé de lui
acheter un cadeau comme toutes les années **depuis**
l'année dernière, parce qu'avant j'étais trop petit.
J'ai pris les sous qu'il y avait **dans** ma tirelire et il y en
avait beaucoup, heureusement, parce que, par hasard,
maman m'a donné de l'argent hier. ■ LE PETIT NICOLAS

Depuis indique **quand** se passe ce que Nicolas raconte, le GN
l'année dernière a pour fonction **CC de temps**; *dans* indique
où est l'argent, le GN *ma tirelire* a pour fonction **CC de lieu**.

98 Quelles sont les principales prépositions?

Les prépositions peuvent contenir un ou plusieurs mots.

à – dans – de – pour – sans   à cause de – grâce à – loin de

▸ **Les prépositions**

PRÉPOSITION	INTRODUIT DES COMPLÉMENTS EXPRIMANT
à	la fonction : *une tasse à café* la qualité : *une veste à carreaux* le lieu : *à Montpellier, au café* le temps : *à dix heures*
à cause de	la cause : *à cause du mauvais temps*
à condition de	la condition : *à condition de vouloir*
afin de	le but : *afin de vous satisfaire*
à la manière de	la comparaison : *écrire une fable à la manière de La Fontaine*
après	le temps : *après le dîner*

PRÉPOSITION	INTRODUIT DES COMPLÉMENTS EXPRIMANT
à travers	le lieu : *à travers champs* le temps : *à travers les siècles*
au-delà de	le lieu : *au-delà de la vallée* le temps : *au-delà de l'été*
au-dessous de	le lieu : *au-dessous de l'arbre*
au-dessus de	le lieu : *au-dessus du garage*
avant	le temps : *avant midi*
avec	la manière : *avec douceur* le moyen : *avec un crayon de couleur* l'accompagnement : *avec Gabriel*
chez	le lieu : *chez le coiffeur*
dans	le lieu : *dans le salon* le temps : *dans trois jours*
dans l'intention de	le but : *dans l'intention de vous plaire*
de	la cause : *vert de peur* le contenu : *une tasse de café* la manière : *de bonne humeur* la matière : *une boule de cristal* le lieu : *de la plage, du village* la possession : *le camion de papa* le temps : *de cinq à six heures*
de manière à	le but, la conséquence : *de manière à éviter les embouteillages*
depuis	le temps : *depuis un mois*
derrière	le lieu : *derrière le lit*
dès	le temps : *dès le coucher du soleil*
devant	le lieu : *devant la fenêtre*
en	la manière : *en avion* la matière : *un sol en marbre*

PRÉPOSITION	INTRODUIT DES COMPLÉMENTS EXPRIMANT
en	le lieu : *en Bretagne* le temps : *en trois secondes*
en face de	le lieu : *en face de la boulangerie*
en raison de	la cause : *en raison de la tempête*
entre	le lieu : *entre les deux fauteuils* le temps : *entre cinq et six heures*
grâce à	la cause : *grâce à ton aide*
jusqu'à	le lieu : *jusqu'à la Lune* le temps : *jusqu'à notre retour*
loin de	le lieu : *loin de toi, loin des maisons*
malgré	la concession : *malgré ce malentendu*
par	l'agent : *Il a été surpris par la pluie.* le lieu : *par là-bas* la manière : *par hasard* le moyen : *par avion*
parmi	le lieu : *parmi les enfants*
pendant	le temps : *pendant les vacances*
pour	le but : *pour courir plus vite* le temps : *pour la semaine prochaine*
près de	le lieu : *près de toi, près des maisons*
sans	l'accompagnement : *sans ses parents* la manière : *sans barbe* le moyen : *sans marteau*
sauf	l'exclusion : *sauf Gabriel*
sous	le lieu : *sous un tas de feuilles mortes*
sur	le lieu : *sur la terrasse*
vers	le lieu : *vers le carrefour* le temps : *vers le milieu de la nuit*

99 Quels éléments de la phrase les prépositions relient-elles?

> Une préposition peut relier un **nom** ou un **GN** au **verbe** de la phrase.

Si tu vas **dans** les bois,
Prends garde **au** léopard.
Il miaule à mi-voix
Et vient de nulle part. ▪ LE LÉOPARD

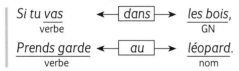

> Elle peut aussi relier un **nom** ou un **GN** à un autre **nom** ou à un **adjectif qualificatif**.

Là où on a discuté, c'est quand Agnan a demandé qu'on lui donne un sifflet. Le seul qui en avait un, c'était Rufus, dont le papa est agent **de** police.
« Je ne peux pas le prêter, mon sifflet **à** roulette, a dit Rufus, c'est un souvenir **de** famille. » ▪ LE PETIT NICOLAS

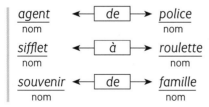

Le chat Hector se fâche et rage-nage avec sa patte dans le bocal pour faire au poisson rouge son affaire. Le poisson rouge devient blanc **de** peur. ▪ LES COUPS EN DESSOUS

blanc	←	de	→	peur
adj.				nom

Elle peut enfin relier un **verbe** à l'infinitif au **verbe** conjugué de la phrase.

– C'est un de mes amis... un Chat du comté de Chester. Permettez-moi **de** vous le présenter.
– Je n'aime pas du tout sa mine, déclara le Roi. Néanmoins, je l'autorise **à** me baiser la main, s'il le désire.

■ LES AVENTURES D'ALICE AU PAYS DES MERVEILLES

Permettez-moi ⟵ | de | ⟶ _vous le présenter._
verbe   verbe

Je l'autorise ⟵ | à | ⟶ _me baiser la main._
verbe   verbe

100 À quoi servent les conjonctions de coordination ?

Les conjonctions de coordination **mais**, **ou**, **et**, **ni** relient des **mots** qui occupent la **même fonction** (sujet, COD...).

Je voulais aller très loin, très loin, là où papa **et** maman ne me trouveraient pas, en Chine **ou** à Arcachon où nous avons passé les vacances l'année dernière et c'est drôlement loin de chez nous, il y a la mer et des huîtres.

■ LE PETIT NICOLAS

papa et maman : sujets coordonnés par _et_

en Chine ou à Arcachon : CC de lieu coordonnés par _ou_

John Bunsby avait engagé ses passagers à descendre dans la cabine ; mais dans un étroit espace, à peu près privé d'air, cet emprisonnement n'avait rien d'agréable. **Ni** Mr Fogg, **ni** Mrs Aouda, **ni** Fix lui-même ne consentirent à quitter le pont.

■ LE TOUR DU MONDE EN QUATRE-VINGTS JOURS

Ni Mr Fogg, ni Mrs Aouda, ni Fix lui-même : sujets coordonnés par _ni_

> Les conjonctions de coordination **mais**, **ou**, **et**, **donc**, **or**, **ni**, **car** servent à relier des **propositions** qui ont le même statut.

Moi, j'aime bien la pluie quand elle est très forte, parce qu'alors je ne vais pas à l'école **et** je reste à la maison **et** je joue au train électrique. **Mais** aujourd'hui, il ne pleuvait pas assez **et** j'ai dû aller en classe. ■ LE PETIT NICOLAS ET LES COPAINS

parce qu'alors je ne vais pas à l'école et je reste à la maison et je joue au train électrique :
et coordonne trois propositions subordonnées de cause.

Mais aujourd'hui, il ne pleuvait pas assez et j'ai dû aller en classe :
mais coordonne cette phrase à la phrase précédente ;
et coordonne deux propositions indépendantes.

101 Quel est le sens des conjonctions de coordination ?

CONJONCTIONS	PRINCIPAUX SENS
car	cause : *Il reste au lit ce matin **car** il est en vacances.*
donc	conséquence : *Il pleut, **donc** je ne sors pas.*
et	addition : *Paul **et** Marc sont là.*
mais	opposition : *Maxime serait bien sorti, **mais** il a la grippe.*
ni	négation : *Anne n'avait jamais été **ni** malade **ni** absente.*
ou	alternative : *Choisis le camion **ou** le train.*
or	objection : *Elles avaient dit qu'elles viendraient, **or** personne ne les a vues.*

102 Comment distinguer les prépositions et les conjonctions de coordination?

- Les prépositions relient deux mots qui ont des **fonctions différentes**.
- Les conjonctions de coordination relient deux mots ou propositions qui ont la **même fonction**.

C'est ainsi que je pus observer le terrible rire **des** crocodiles : le rire qui tue, qui tue les crocodiles. **Car** plus ils riaient et plus ils ouvraient la gueule. Ils l'ouvrirent comme ça jusqu'à la queue et chaque crocodile, au dernier éclat de rire, se sépara en deux.

■ RÉPONSES BÊTES À DES QUESTIONS IDIOTES

le terrible rire ◄── *des* ──► *crocodiles*
    nom noyau   préposition   complément
             (= de + les)   du nom

C'est ainsi que je pus observer le terrible rire des crocodiles : *le rire qui tue, qui tue les crocodiles.*
                     proposition

Car *plus ils riaient et plus ils ouvraient la gueule.*
conjonction   proposition
de coordination

Reconnaître un adverbe

À RETENIR

- Les **adverbes** sont des mots **invariables** qui permettent de préciser dans quelles **circonstances** se déroule une action. Ils sont liés à un verbe, un adjectif qualificatif ou un autre adverbe.

- Les adverbes se présentent sous la forme de mots simples *(hier)*, de groupes de mots *(tout à coup)* ou de mots terminés par *-ment (joyeusement)*.

Rôle et formation des adverbes

103 À quoi servent les adverbes ?

Les adverbes précisent les **circonstances** de lieu, de temps ou de manière dans lesquelles se déroule l'**action** présentée par le **verbe**.

[Alice] était si troublée qu'elle en oublia combien elle avait grandi pendant les quelques dernières minutes, et elle se leva d'un bond, si **brusquement** qu'elle renversa le banc des jurés avec le bas de sa jupe. Les jurés dégringolèrent sur la tête des assistants placés **au-dessous**, puis ils restèrent étalés les quatre fers en l'air, lui rappelant **beaucoup** les poissons rouges d'un bocal qu'elle avait renversé par accident huit jours **auparavant**.

■ LES AVENTURES D'ALICE AU PAYS DES MERVEILLES

> Les adverbes *brusquement, beaucoup* indiquent la manière.
> L'adverbe *au-dessous* indique le lieu.
> L'adverbe *auparavant* indique le temps.

Les adverbes indiquent le **degré** d'une **qualité** ou d'un **défaut**.

Quand une histoire est **vraiment** belle, on la retient ! Si je l'ai oubliée, c'est qu'elle n'était pas **si** belle que ça ! – Si, si, je suis **très** belle ! cria l'histoire de toutes ses forces.

■ HISTOIRE DU PRINCE PIPO...

> Les adverbes *vraiment, si, très* indiquent le degré de *belle*.

Les adverbes donnent des informations sur **ce que pense celui qui parle**.

Heureusement, je sais bien lire l'heure, pas comme l'année dernière quand j'étais petit et j'aurais été obligé tout le temps de demander aux gens quelle heure il est à ma montre, ce qui n'aurait pas été facile.

■ LES RÉCRÉS DU PETIT NICOLAS

> L'adverbe *heureusement* exprime le soulagement de celui qui parle.

104 Sur quoi portent les adverbes ?

Ils peuvent modifier le **sens** d'un verbe, d'un adjectif qualificatif, d'un autre adverbe ou d'une phrase.

– Ça va durer longtemps, votre petite conversation? a crié le professeur de gymnastique, qui ne bougeait plus les bras parce qu'il les avait croisés. Ce qui <u>bougeait</u> **drôlement**, c'était ses trous de nez, mais je ne crois pas que c'est en faisant ça qu'on aura des muscles.

■ LES VACANCES DU PETIT NICOLAS

> L'adverbe *drôlement* modifie le **verbe** *bougeait*.

– Seulement, comme personne ne m'attendait à la gare, j'ai préféré laisser ma valise à la consigne; elle est **très** <u>lourde</u>. J'ai pensé, gendre, que vous pourriez aller la chercher... Papa a regardé Mémé, et il est ressorti sans rien dire. Quand il est revenu, il avait l'air **un peu** <u>fatigué</u>. C'est que la valise de Mémé était **très** <u>lourde</u> et **très** <u>grosse</u>, et Papa devait la porter avec les deux mains.

■ LE PETIT NICOLAS A DES ENNUIS

> L'adverbe *très* modifie les **adjectifs** *lourde* et *grosse*.
> *Un peu* modifie l'**adjectif** *fatigué*.

Il n'avait jamais rencontré de sorcière de sa vie, mais il pensait que dans ce cas-là, il n'y avait que deux choses à faire : un, avoir peur; deux, s'enfuir **le plus** <u>vite</u> possible.

■ LE CHEVALIER DÉSASTREUX

> L'adverbe *le plus* modifie l'**adverbe** *vite*.

105 Sous quelles formes se présentent les adverbes?

> Les adverbes se présentent sous trois formes différentes : des mots simples, des groupes de mots, des mots terminés par -*ment*.

▸ **Des mots simples**

hier   ici   maintenant

▶ Des groupes de mots

tout à coup   ne... pas
au fur et à mesure   jusque-là

▶ Des mots terminés par -ment

décidément, heureusement, lentement

106 Comment se forment les adverbes en -ment?

La plupart des adverbes terminés par **-ment** se forment en ajoutant **-ment** au **féminin de l'adjectif qualificatif**.

claire → clair**ement**
courag**euse** → courag**eusement**
gai**e** → gai**ement**

EXCEPTIONS

joli**e** → joli**ment**   vrai**e** → vrai**ment**

Les adjectifs qualificatifs terminés par **-ent** forment leurs adverbes en **-emment**.

prud**ent** → prud**emment**
impati**ent** → impati**emment**

EXCEPTION

lent → lent**ement**

Les adjectifs qualificatifs terminés par **-ant** forment leurs adverbes en **-amment**.

brill**ant** → brill**amment**
sav**ant** → sav**amment**

Le sens des adverbes

107 ## Quels sont les différents adverbes?

ADVERBES DE LIEU	ailleurs, autour, avant, dedans, dehors, derrière, dessous, dessus, devant, ici, là, loin, partout, près
ADVERBES DE TEMPS	alors, après, après-demain, aujourd'hui, aussitôt, avant, avant-hier, bientôt, déjà, demain, depuis, encore, enfin, ensuite, hier, jamais, longtemps, maintenant, parfois, puis, quelquefois, soudain, souvent, tard, tôt, toujours
ADVERBES DE MANIÈRE	ainsi, bien, comme, debout, ensemble, exprès, gratis, mal, mieux, plutôt, vite, et les adverbes en -ment: rapidement, doucement...
ADVERBES DE QUANTITÉ	assez, aussi, autant, beaucoup, moins, peu, plus, presque, tout, très
ADVERBES D'AFFIRMATION ET DE NÉGATION	oui, si, vraiment, peut-être, ne... pas, ne... plus, ne... rien, ne... jamais, non
ADVERBES D'OPINION	décidément, finalement, heureusement, justement

108 ## Qu'est-ce qu'un adverbe de lieu?

Les adverbes comme *ici, là, là-bas, ailleurs, loin, dessus, dessous, devant, derrière...* précisent l'**endroit** où se déroule une action. Ils sont directement reliés au verbe.

Le pic-vert est très délicat.
Il frappe quatre coups de bec.

Le ver répond qu'il n'est pas **là**.
Le pic s'entête et d'un coup sec
gobe le ver qui n'est pas **là**.

■ LE PIC-VERT ET LE VER

> il n'est pas *là*
>   verbe   adverbe

Devant, à côté de la maîtresse, il y avait Agnan. C'est le
premier de la classe et le chouchou de la maîtresse.
Nous, on ne l'aime pas trop, mais on ne tape pas beaucoup
dessus à cause de ses lunettes.   ■ LES RÉCRÉS DU PETIT NICOLAS

> *Devant*, il y *avait* Agnan.   on ne *tape* pas beaucoup *dessus*
> adverbe   verbe   verbe   adverbe

ATTENTION

Devant, **derrière** sont aussi des prépositions.
Le patron du bateau n'a pas hissé les voiles, comme l'avait
demandé M. Lanternau, parce qu'il n'y avait pas de voiles
sur le bateau. Il y avait un moteur qui faisait potpotpot et
qui sentait comme l'autobus qui passe **devant** la maison,
chez nous.   ■ LES VACANCES DU PETIT NICOLAS

> l'autobus qui *passe* ←— | *devant* | —→ *la maison*
>   verbe   préposition   groupe nominal

109 Qu'est-ce qu'un adverbe de temps ?

> Les adverbes comme *hier, demain, longtemps, la veille,
> le lendemain...* précisent la **période** où se déroule une action,
> ou la **durée** de cette action.

Ce qu'elle avait de bien, ma montre, c'est qu'elle avait une
grande aiguille qui tournait plus vite que les deux autres
qu'on ne voit pas bouger à moins de regarder bien et
longtemps.   ■ LES RÉCRÉS DU PETIT NICOLAS

> *Longtemps* est un adverbe de temps : il indique la durée de
> l'action.

> **Les emplois des adverbes de temps**

ACTION DANS LE PASSÉ	ACTION DANS L'AVENIR
hier, avant-hier	demain, après-demain
la veille	le lendemain
récemment	sous peu
dernièrement	prochainement
autrefois, jadis	bientôt
jusqu'ici	dorénavant
auparavant	désormais

ACTION COURTE ET BRUTALE	ACTION QUI DURE OU SE RÉPÈTE
soudain	longtemps
tout à coup	d'habitude
brusquement	habituellement
subitement	régulièrement
aussitôt	progressivement
tout de suite	par moments

110 Qu'est-ce qu'un adverbe de manière ?

Les adverbes de manière comme *doucement, gentiment, rapidement, courageusement...* indiquent **de quelle manière** se déroule une action.

Le caniche nommé Mac Niche disait toujours :
– Un couple d'homme et de femme bien dressés dans une maison, ça réchauffe et ça tient compagnie.
Si on s'occupe un peu d'eux, si on les dresse **gentiment**, si on les récompense **régulièrement** et les élève **convenablement**, ils sont très faciles à vivre.

■ LES ANIMAUX TRÈS SAGACES

Gentiment, régulièrement et *convenablement* sont des adverbes de manière : grâce à eux, on sait comment les

animaux doivent dresser, récompenser, élever des êtres humains. Si on supprimait ces adverbes, on ne saurait pas comment les dresser, les récompenser et les élever :
→ *Si on s'occupe un peu d'eux, si on les dresse, si on les récompense et les élève, ils sont très faciles à vivre.*

111 L'adverbe *tout* est-il invariable ?

Non ! **Tout** est le seul adverbe dont la forme varie. Devant un adjectif qualificatif **féminin singulier** ou **pluriel** commençant par une **consonne**, **tout** s'écrit **toute** ou **toutes**.

Ce soir, la lune brille **toute** <u>claire</u> dans la nuit. Quand elle est grosse comme ça, Louis Bernard dit que c'est parce qu'elle a trop mangé de soupe au pistou. ◼ L'ANNÉE DU MISTOUFLON

Puis, se penchant vers les Pâquerettes qui s'apprêtaient à recommencer, elle murmura :
– Si vous ne vous taisez pas tout de suite, je vais vous cueillir !
Il y eut un silence immédiat, et plusieurs Pâquerettes roses devinrent **toutes** <u>blanches</u>. ◼ DE L'AUTRE CÔTÉ DU MIROIR

Dans les autres cas, **tout** est **invariable**.

– Tumbly, corrigea le chevalier, messire Tumbly.
– Oh, pardon, s'excusa le dragon, messire Tumbly, si ça peut vous faire plaisir ! Mais vous ressemblez si peu à un chevalier. D'habitude, ils sont **tout** <u>emballés</u>, ce qui est pratique pour la cuisine. Ils cuisent dans leur armure comme dans un four : c'est absolument délicieux.
◼ LE CHEVALIER DÉSASTREUX

ils sont **tout** <u>emballés</u>
masculin pluriel

– Il faut punir les enfants, lui dit-elle, ils ont démonté
la pendule du salon, le moulin à café de Maria, le piano
à queue, la suspension de la salle à manger, le poste de
T.S.F., et si on les laisse faire, ils vont démonter la maison
tout <u>entière</u>.

■LA MAISON QUI S'ENVOLE

> *la maison **tout** <u>entière</u>*
> féminin singulier
> commençant par une voyelle

ATTENTION

Il ne faut pas confondre **tout** quand il est **adverbe**
(= *complètement)* et **tout** quand il est **pronom indéfini**.

Nous, on regardait partout, et le monsieur courait dans
le magasin en criant : « Non, non, ne touchez pas ! Ça
casse ! » Moi, il me faisait de la peine, le monsieur. Ça doit
être énervant de travailler dans un magasin où **tout** casse.

■LES RÉCRÉS DU PETIT NICOLAS

> Ici, *tout* ne peut être remplacé par *complètement*. *Tout* est un
> pronom indéfini qui désigne les objets du magasin.

Reconnaître la fonction sujet

QUI EST-CE QUI FRAPPE ?

SUJET

- Le groupe qui exprime de qui ou de quoi l'on parle occupe la **fonction sujet**. Ce groupe répond à la question **qui est-ce qui ?** ou **qu'est-ce qui ?** Il peut être encadré par **c'est... qui**.
- La fonction sujet peut être occupée par des mots ou groupes de mots de natures différentes (nom, GN, pronom, infinitif, proposition).
- Le sujet fait varier le verbe en nombre et en personne.

112 À quoi sert la fonction sujet ?

La fonction sujet indique quelle personne, quel animal ou quel objet **accomplit une action**.

Le maître chat <u>arriva</u> enfin dans un beau château dont le maître était un ogre, le plus riche qu'on ait jamais vu.

▪ LE CHAT BOTTÉ

<u>Le maître chat</u>	<u>arriva</u>	enfin dans un beau château
sujet	verbe d'action	

La fonction sujet permet aussi d'indiquer quelle personne, quel animal ou quel objet **possède une qualité** particulière.

Le ver <u>est</u> un parfait animal domestique : plus fidèle que l'escargot, plus drôle que la limace, il ne risque pas, comme la coccinelle, de s'envoler. ▪ LE VER, CET INCONNU

<u>Le ver</u>	<u>est</u>	un parfait animal domestique.
sujet	verbe d'état	

113 Comment identifier la fonction sujet?

> La fonction sujet répond aux questions : **qui est-ce qui fait...?** ou **qui est-ce qui est...?**

Hugues <u>avance</u> en sautillant sur le chemin de l'école. **Son cartable** <u>pèse</u> très lourd : 500 grammes de mathématiques + 1 kilo de français + 700 grammes d'anglais + des crayons et des stylos pour 500 grammes, et combien ça fait tout ça ? **Hugues** <u>est</u> assez fort en additions, mais il fait beaucoup d'erreurs dans les autres opérations, même en base 10.
■ LES MEILLEURS CONTES D'ASTRAPI

Qui est-ce qui avance en sautillant ?
Hugues. *Hugues* est le sujet du verbe *avancer*.

Qu'est-ce qui pèse très lourd ?
Son cartable. *Son cartable* est le sujet du verbe *peser*.

Qui est-ce qui est assez fort en additions ?
Hugues. *Hugues* est le sujet du verbe *être*.

> On peut donc identifier le groupe sujet en le plaçant entre **c'est** et **qui**.

La **Doyenne** <u>toqua</u> à la porte du château.
– Qui est làààààààààà ? répondit une voix caverneuse qui sentait le gaz car **l'Ogre** <u>venait</u> de dévorer l'employé du gaz venu relever le compteur.
■ CONTES DE LA RUE DE BRETAGNE

C'est <u>la Doyenne</u> **qui** toqua à la porte du château.

C'était <u>l'Ogre</u> **qui** venait de dévorer l'employé du gaz.

114 Quelle est la place du sujet?

Le mot ou le groupe de mots qui occupe la fonction **sujet** se place en général **avant le verbe** de la phrase. On le distingue ainsi du complément d'objet direct qui, lui, est placé **après** le verbe.

Un merle tricotait
Une paire de bas.

■ CHOSES DRÔLES

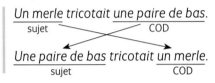

Jouer sur les fonctions des mots permet d'inventer des histoires extraordinaires!

Il était une fois un enfant qui posait des tas de questions.
Il n'avait pas tort : c'est très bien de poser des questions.
Le seul ennui c'est qu'il n'était pas facile de répondre aux questions de cet enfant.
Par exemple, il demandait : « Pourquoi les **tiroirs** ont-ils des **tables**? » [...]
Une autre fois il demandait : « Pourquoi les **queues** ont-elles des **poissons**? » Ou bien : « Pourquoi les **moustaches** ont-elles des **chats**? »
Les gens hochaient la tête et s'en allaient à leurs affaires.

■ HISTOIRES AU TÉLÉPHONE

115 Le sujet est-il toujours avant le verbe?

Non ! Le sujet est placé **après le verbe** dans une phrase **interrogative**.

– Pourquoi restez-**vous** assis tout seul sur ce mur ? demanda Alice qui ne voulait pas entamer une discussion.
– Mais, voyons, parce qu'il n'y a personne avec moi ! s'écria le Gros Coco. ■ DE L'AUTRE CÔTÉ DU MIROIR

Le sujet se trouve aussi après le verbe dans un dialogue, pour indiquer **qui parle**.

Rufus a dit qu'il ne se sentait pas bien.
– Vous l'avez dit à vos parents ? a demandé **M. Mouchabière**.
– Oui, a dit **Rufus**, je l'ai dit à ma maman ce matin.
– Et alors, a dit **M. Mouchabière**, pourquoi vous a-t-elle laissé venir à l'école, votre maman ?
– Ben, a expliqué **Rufus**, je le lui dis tous les matins, à ma maman, que je ne me sens pas bien. Alors, bien sûr, elle ne peut pas savoir. ■ LE PETIT NICOLAS ET LES COPAINS

Lorsque des adverbes comme *ainsi, peut-être, sans doute* sont placés **au début de la phrase**, le sujet se place après le verbe.

Peut-être n'était-**ce** qu'une hallucination auditive mais j'entendis à ce moment-là un loup dire à un autre :
– Alors, on la mange ou pas ? ■ MÉMOIRES D'UNE VACHE

Décidément je ne suis qu'une bête ! »
Ainsi raisonnait **l'inspecteur de police**, tandis que les heures s'écoulaient si lentement à son gré. Il ne savait que faire. ■ LE TOUR DU MONDE EN QUATRE-VINGTS JOURS

Enfin, on peut placer le sujet après le verbe pour le mettre en valeur.

Chez le plus grand chausseur <u>se fournit</u> **le mille-pattes**.
Un excellent client : cinq cents paires de souliers,
Des blancs, des bleus, des noirs, des chaussures disparates.

■ L E   M I L L E - P A T T E S

116 ❯ Y a-t-il toujours un sujet dans une phrase ?

Dans une phrase, un mot ou un groupe de mots occupe toujours la fonction sujet. **Si l'on supprimait le groupe sujet, la phrase n'aurait plus de sens.** Seules **les phrases impératives** se construisent **sans sujet.**

– Moi, a dit **Athanase**. L'été dernier, **j'**ai pêché un poisson comme ça ! et **il** a ouvert les bras autant qu'**il** a pu. Nous, **on** a rigolé parce qu'**Athanase** est très menteur.

■ L E S   V A C A N C E S   D U   P E T I T   N I C O L A S

L'été dernier,   j'   ai pêché   un poisson comme ça !
  CC de temps   sujet   verbe   COD

→ J'   ai pêché.
  sujet   verbe

Dans les expressions sur le temps qu'il fait, le sujet est **il,** même si ce pronom ne représente aucune personne, aucun animal ou objet.

Cette nuit, **il** <u>a neigé</u> sur la queue des dinosaures et le mufle des bisons ; **il** <u>fait</u> si <u>froid</u> que les cactus claquent des dents et que les champignons éternuent.

■ P E T I T - F É R O C E   E T   S E S   A M I S

117 Quels mots peuvent occuper la fonction sujet?

Le sujet est souvent un **nom** ou un **groupe nominal**.

Agnan n'<u>avait</u> pas l'air tellement content de me voir, il m'a tendu la main et c'était tout mou. ■ LE PETIT NICOLAS

> *Agnan* est le sujet du verbe *avait*.

Ce peut être un **pronom**.

J'<u>ai appelé</u> : « Monsieur Cochon, Monsieur Cochon, **vous** <u>êtes</u> là ? »
Et devinez ce qu'**il** <u>m'a répondu</u>, ce sale petit porc.
« Hors d'ici, Loup, et ne viens plus me déranger ! »
■ LA VÉRITÉ SUR L'AFFAIRE DES TROIS PETITS COCHONS

> *J'* est le sujet du verbe *ai appelé*.
> *vous* est le sujet du verbe *êtes*.
> *il* est le sujet du verbe *a répondu*.

C'est parfois un **infinitif**.

M. Pardigon a tapé sur le tableau avec son doigt au-dessus du mot « ame », juste là où il avait effacé l'accent et il a dit :
– **Enlever** à ce mot son accent qui ressemble à deux ailes c'<u>est</u> comme couper ses ailes à un oiseau.
■ CHICHOIS ET LA RIGOLADE

> *Enlever (= c')* est le sujet du verbe *est*.

C'est enfin, parfois, une **proposition**.

– Voilà la Chine, dit Marinette. C'est un pays où tout le monde a la tête jaune et les yeux bridés.
– Les canards aussi ? demanda le canard.

– Bien sûr. Le livre n'en parle pas, mais ça va de soi.

– Ah ! la géographie est quand même une belle chose...
mais **ce qui doit être plus beau encore**, c'<u>est</u> de voyager.

■ LES CONTES DU CHAT PERCHÉ

> *ce qui doit être plus beau encore (= c') est le sujet du verbe est.*

118 Le sujet détermine-t-il l'accord du verbe ?

Oui ! Il faut penser en général à écrire **s** à la fin du verbe si le sujet est à la deuxième personne du singulier et **nt** si le sujet est à la troisième personne du pluriel.

Mais le renard revint à son idée :

– Ma vie est monotone. Je chasse les poules, <u>les hommes</u> me chasse**nt**. <u>Toutes les poules</u> se ressemble**nt**, et <u>tous les hommes</u> se ressemble**nt**. Je m'ennuie donc un peu. Mais, si <u>tu</u> m'apprivoise**s**, ma vie sera comme ensoleillée.

■ LE PETIT PRINCE

EXCEPTIONS

tu peu**x**, tu veu**x**.

ATTENTION

Il faut toujours accorder le verbe avec le sujet !

▷ PARAGRAPHES 166 À 170

Reconnaître la fonction attribut du sujet

À RETENIR

■ Pour **attribuer une qualité** au sujet de la phrase, on peut employer un **verbe d'état** qui se construit avec un attribut du sujet.

■ La fonction attribut du sujet peut être occupée par un adjectif qualificatif, un nom ou un GN, un pronom personnel ou un infinitif.

119 À quoi sert l'attribut du sujet?

L'attribut du sujet permet d'indiquer dans une phrase **ce qu'est** une personne, un animal ou une chose.

– Quand je <u>serai</u> **roi**, déclara le cochon, j'enfermerai les parents dans une cage.

– Mais vous ne <u>deviendrez</u> jamais **roi**, dit le sanglier. Vous <u>êtes</u> trop **laid**.   ■ LES CONTES DU CHAT PERCHÉ

Ainsi, le cochon peut dire :
– ce qu'il sera : *je serai <u>roi</u>.*
                attribut
– ce qu'il fera : *j'enfermerai <u>les parents</u>.*
                     COD

Et, de même, le sanglier peut donner son avis sur :
– ce que sera le cochon : *vous ne deviendrez jamais <u>roi</u>.*
                                      attribut
– ce qu'il est : *Vous êtes trop <u>laid</u>.*
                    attribut

120 Avec quels verbes trouve-t-on un attribut du sujet?

L'attribut du sujet se construit toujours avec un verbe comme **être**, **devenir**, **sembler**, **paraître**, **rester**, **demeurer**. On appelle ces verbes des **verbes d'état** pour les distinguer des verbes d'action *(courir, manger...)*.

Une sorcière pose directement sa perruque sur son cuir chevelu. Le dessous d'une perruque **est** toujours rugueux. Ce qui donne une affreuse démangeaison. Les sorcières appellent cela la gratouille de la perruque. ■ SACRÉES SORCIÈRES

121 Comment distinguer l'attribut du sujet du COD?

Après un **verbe d'état**, on trouve **toujours** un **attribut** du sujet, jamais un COD.

Les rats étaient extrêmement **perplexes**.
Trottinant, remuant leur nez qu'ils ont fort long,
Sourcils en accent circonflexe,
Rats toujours inquiets de ce que l'on dira;
Ils commencèrent des controverses de rats. ■ FABLES

Les rats étaient extrêmement perplexes.
sujet   verbe d'état   attribut du sujet

Un commando de rats en pays ennemi
Découvrit **un chat endormi**.
Il avait, par erreur, lapé un somnifère. ■ FABLES

Un commando de rats découvrit un chat endormi.
sujet   verbe d'action   COD

122 Quels mots peuvent occuper la fonction attribut du sujet?

La fonction attribut du sujet peut être occupée par des mots de **nature différente**.
● C'est souvent un **adjectif qualificatif**.

Je suis né, j'étais **barbu** :
C'est la barbe ! c'est la barbe !
■ QUI SUIS-JE ?

● Ce peut être un **nom** ou un **groupe nominal**.

Émerveillé, le cochon fit un pas en avant pour voir les plumes de plus près, mais le paon fit un saut en arrière. – S'il vous plaît, dit-il, ne m'approchez pas. Je suis **une bête de luxe**. Je n'ai pas l'habitude de me frotter à n'importe qui.
■ LES CONTES DU CHAT PERCHÉ

● C'est quelquefois un **infinitif**.

Son seul désir à présent était de **dormir**.

● Et, dans certains cas, c'est un **pronom personnel**.

Pauvre Dodoche ! Elle était limace, et bien triste de **l'**être. Tellement triste qu'elle n'arrêtait pas de pleurer dans la nuit...
■ UN VILAIN PETIT LOUP

elle était bien triste de l'être = elle était bien triste d'être limace
Le pronom personnel *l'* remplace le nom *limace* : il est attribut du sujet *elle*.

123 Comment s'accorde l'attribut du sujet?

> Si l'attribut du sujet est un adjectif qualificatif, il **s'accorde** en **genre** et en **nombre** avec le sujet du verbe d'état.

Les vers sont **voraces**, ils mangent tout ce qu'ils trouvent ; celui-ci vient d'avaler une clef. ■ LE VER, CET INCONNU

<u>Les vers</u>	sont	*voraces*.
sujet		adj. attribut
masculin pluriel		masculin pluriel

Il était une fois une Tortue. Elle était très **lente** mais très fiable. Elle arrivait toujours là où elle avait décidé d'aller. Il lui fallait seulement plus longtemps qu'aux autres.

■ LE PETIT HOMME DE FROMAGE

<u>Elle</u>	était	très	*lente*.
sujet			adj. attribut
féminin singulier			féminin singulier

Reconnaître le complément d'objet direct (COD)

À RETENIR

- Le **COD** désigne l'être ou la chose sur lesquels **porte l'action** effectuée par le sujet. Le groupe COD peut être encadré par **c'est... que**.
- Le COD est relié **directement** au verbe.
- Le COD s'emploie avec des verbes **transitifs**.
- Il n'y a **jamais** de COD après des verbes d'état.

124 À quoi sert la fonction COD?

La fonction complément d'objet direct (COD) permet de désigner la personne, l'animal ou la chose qui **subit l'action** exprimée par le **verbe**.

Maintenant, mon seul espoir de redevenir prince est qu'une princesse me donne **un baiser**. L'ennui, c'est que la plupart des princesses n'embrasseraient pas **un crapaud**, même si on **les** payait pour cela.

■ QUI A VOLÉ LES TARTES ?

qu'une princesse me <u>donne</u> <u>un baiser</u>
verbe COD

la plupart des princesses n'<u>embrasseraient pas un crapaud</u>
verbe COD

même si on <u>les</u> <u>payait</u>
COD verbe

125 Comment reconnaître le COD?

Le groupe qui occupe **la fonction** COD peut être encadré par **c'est... que.**

Le chien
De l'informaticien
Programme, selon leur odeur,
Ses os dans un ordinateur.   ■ LE CHIEN DE L'INFORMATICIEN

Ce sont <u>ses os</u> **que** le chien programme :
ses os est COD du verbe *programmer (programme).*

126 Le COD se trouve-t-il toujours après le verbe?

Non ! Le COD se trouve en général après le verbe, mais on peut le placer en tête de phrase pour le **mettre en valeur.** Dans ce cas, il faut le **reprendre** par un pronom personnel (**le**, **la**, **les**, **l'**) placé avant le verbe.

Ce monstre-là rêvait de manger des gens. Tous les jours, il se postait sur le seuil de sa caverne et disait, avec des ricanements sinistres :
– <u>Le premier qui passe</u>, je **le** mange.   ■ LE MONSTRE POILU

<u>Le premier qui passe</u>, je <u>le</u> mange
      COD   COD
= Je mange <u>le premier qui passe</u>.
               COD
Le GN *le premier qui passe* est un COD déplacé en tête de phrase et repris par le pronom *le.*

127 Le COD est-il relié au verbe par une préposition?

> **Non!** On l'appelle complément d'objet **direct** justement parce qu'il est relié **directement** au verbe. Le verbe est appelé **transitif**.
> ▷ PARAGRAPHE 129

HENRIETTE. – Et puis, à quoi ça sert-il les fables?
RENÉ. – Ah bien! ça vous apprend quelque chose.
HENRIETTE. – Ah! par exemple, je voudrais bien savoir ce que nous apprend Le Corbeau et le Renard.
RENÉ. – Mais cela t'apprend qu'il ne faut pas parler <u>aux</u> gens quand on a **du fromage** <u>dans</u> la bouche. ■ FIANCÉS EN HERBE

> *Du fromage* est le COD du verbe *avoir (a)*; il n'est pas introduit par une préposition.
> *Aux gens* est un COI introduit par la préposition *à*.
> *Dans la bouche* est un CC introduit par la préposition *dans*.

128 Comment reconnaître un COD précédé d'un article partitif?

> Il faut apprendre à reconnaître un **article partitif** pour ne pas le confondre avec une **préposition**.
> ▷ PARAGRAPHE 75

Moi, j'ai proposé qu'on aille dans le terrain vague qui n'est pas loin **de la maison**.
[...] Il est chouette le terrain vague, nous y allons souvent, pour jouer. Il y a de tout, là-bas : **de l'herbe**, **de la boue**, des pavés, des vieilles caisses, des boîtes de conserve, des chats et surtout, surtout une auto! ■ LE PETIT NICOLAS

> *le terrain vague qui n'est pas loin de   la maison*
> préposition   CC de lieu
>
> *Il y a de tout, là-bas : de l'   herbe,   de la   boue*
> article partitif   COD   article partitif   COD

> Les articles partitifs **du** et **de la** déterminent des noms **non dénombrables** *(confiture, lait)*. Ces articles indiquent qu'on ne considère qu'une certaine quantité, qu'une **partie** de l'objet en question.

– Que tu aimes ou pas, peu importe, coupa Grandma. Ce qui compte, c'est ce qui est bon pour toi. À partir de maintenant, tu mangeras **du chou** trois fois par jour. Des montagnes de choux. Et tant mieux s'il y a des chenilles !

■ LA POTION MAGIQUE DE GEORGES BOUILLON

> *Du* permet d'indiquer que le sujet va manger **une partie** d'un chou entier.

129 Après quels verbes trouve-t-on un COD ?

> On doit obligatoirement utiliser un **COD après** certains verbes comme **rencontrer, apercevoir, battre**...: on rencontre quelqu'un, on aperçoit quelqu'un ou quelque chose... Ce sont des verbes **transitifs** qui exigent un COD.

J'ai rencontré **un canard vert** qui survolait **les autoroutes** se prenant pour l'hélicoptère de la police de la route.

■ L'ENFANT MODESTE

> Cette phrase n'aurait pas de sens sans les COD *un canard vert* et *les autoroutes*:
> *J'ai rencontré un canard vert qui survolait les autoroutes*.
>   verbe   COD   verbe   COD

130 Peut-on avoir un COD après un verbe d'état?

Non! **Après** des verbes comme **être**, **sembler**, **devenir**..., c'est-à-dire des **verbes d'état**, on trouve la fonction **attribut** du sujet. ▷ PARAGRAPHE 120

« Vous n'<u>êtes</u> guère **honnête**, reprit la fée, sans se mettre en colère; eh bien! puisque vous <u>êtes</u> si peu **obligeante**, je vous donne pour don qu'à chaque parole que vous direz, il vous sortira de la bouche ou un serpent ou un crapaud. » ■LES FÉES

L'**attribut** *honnête* indique ce que *vous* n'**est** pas.
L'**attribut** *obligeante* indique ce que *vous* **est** peu.
Les **COD** *un serpent* et *un crapaud* indiquent ce qu'il sortira de la bouche.

131 Le COD est-il toujours indispensable à la construction de la phrase?

Non! Cela **dépend du verbe** utilisé dans la phrase. Certains verbes transitifs ne se construisent pas obligatoirement avec un COD *(manger, lire, écouter, sonner...)*.

Dans le car, on criait tous, et le chef nous a dit qu'au lieu de crier, on ferait mieux de **chanter**. Et il nous a fait **chanter des chouettes chansons**, une où ça parle d'un chalet, là-haut sur la montagne, et l'autre où on dit qu'il y a des cailloux sur toutes les routes. Et puis après, le chef nous a dit qu'au fond il préférait qu'on se remette à crier, et nous sommes arrivés au camp. ■LES VACANCES DU PETIT NICOLAS

on ferait mieux de <u>chanter</u> :
                        verbe
on dit seulement que ce serait une bonne idée de chanter.

> *Et il nous a fait chanter des chouettes chansons :*
>   verbe   COD
>
> on précise ce que le chef veut faire chanter aux enfants.

Ils se mirent à table, et **mangèrent** d'un appétit qui faisait plaisir au père et à la mère, à qui ils racontaient la peur qu'ils avaient eue dans la forêt en parlant presque toujours tous ensemble : ces bonnes gens étaient ravis de revoir leurs enfants avec eux, et cette joie dura tant que les dix écus durèrent. ■ LE PETIT POUCET

> *Ils mangèrent d'un appétit qui faisait plaisir au père et à la mère*
>   verbe

« Hélas ! mes pauvres enfants, où êtes-vous venus ? Savez-vous bien que c'est ici la maison d'un ogre qui **mange les petits enfants** ? ■ LE PETIT POUCET

> *la maison d'un ogre qui mange les petits enfants*
>   verbe   COD

> Il n'y a **jamais** de COD avec des verbes **intransitifs** (*marcher, rire, partir…*).

Aujourd'hui, je **pars** en colonie de vacances et je suis bien content. La seule chose qui m'ennuie, c'est que Papa et Maman ont l'air un peu tristes ; c'est sûrement parce qu'ils ne sont pas habitués à rester seuls pendant les vacances. ■ LES VACANCES DU PETIT NICOLAS

132   Quels mots peuvent occuper la fonction COD ?

> Le COD est souvent un **nom** ou un **groupe nominal**.

Un hibou a **un hobby**.
Il collectionne **les nids**. ■ LE HOBBY DU HIBOU

Ce peut être un **pronom personnel** *(me, te, le...)*.

Papa est arrivé très tard à l'hôtel, il était fatigué, il n'avait pas faim et il est allé se coucher.
Le seau, il ne **l'**avait pas trouvé, mais ce n'est pas grave, parce que je me suis aperçu que je **l'**avais laissé dans ma chambre.

■ LES VACANCES DU PETIT NICOLAS

Ce peut aussi être un verbe à l'**infinitif**.

Les chats ne sont ni modestes ni orgueilleux : ils préfèrent simplement **faire** tout tranquillement ce qui leur plaît.

■ LE CHAT QUI PARLAIT MALGRÉ LUI

Après certains verbes *(vouloir, penser, dire...)*, une proposition **subordonnée** peut occuper la fonction COD.

– À ton aise, répliqua l'oncle, mais je veux, pour ta punition, **que ta tête devienne grosse comme une outre**, **que tes cheveux verdissent**, **et que tes doigts se transforment en saucisses de Francfort**.

■ LE 35 MAI

Je veux **quoi** ?

que ta tête devienne grosse comme une outre
subordonnée COD

que tes cheveux verdissent
subordonnée COD

que tes doigts se transforment en saucisses de Francfort
subordonnée COD

Reconnaître le complément d'objet indirect (COI et COS)

À RETENIR

- On appelle **complément d'objet indirect (COI)** le complément de certains verbes qui se construisent avec une préposition : penser **à** quelqu'un, rêver **de** quelque chose...
- Quand un verbe a un COD et un COI, le COI devient un **COS** (complément d'objet second) ou **complément d'attribution**.

133 À quoi sert la fonction COI ?

La fonction complément d'objet indirect (COI) permet de désigner une personne ou un animal **à qui** on pense, **de qui** on se souvient, **à qui** on parle, **de qui** on rêve, **à qui** on sourit, **de qui** on se moque...

– Je crois bien que c'était le quatorze mars, dit-il.
– Le quinze, rectifia le Lièvre de Mars.
– Le seize, ajouta le Loir.
– Notez tout cela, dit le Roi **aux jurés**. Ceux-ci écrivirent avec ardeur les trois dates sur leur ardoise, puis ils les additionnèrent, et convertirent le total en francs et en centimes. ■ LES AVENTURES D'ALICE AU PAYS DES MERVEILLES

| **À qui** le Roi parle-t-il ? | *aux jurés* |
| COI | |

La fonction COI permet aussi de préciser **de quoi** on se plaint, **de quoi** on parle, **de quoi** on s'aperçoit, **de quoi** on rêve, **de quoi** on rit...

Si vous voulez qu'un éléphant
son amitié jamais ne rompe
(si on le trompe son cœur se fend)
ne vous moquez pas, mes enfants,
de sa trompe.

■ Les bonnes manières

De quoi ne faut-il pas se moquer ? <u>de sa trompe</u>
                                              COI

134 Comment se construit le COI ?

Le COI est **relié au verbe par l'intermédiaire d'une préposition** (*à* ou *de*).

Les baleines ont des jets d'eau pour permettre
aux poissons qui n'ont pas de baignoire de prendre
au moins une douche...

■ Réponses bêtes à des questions idiotes

Le COI *aux poissons* est rattaché au verbe *permettre* par la préposition *à (aux = à + les)*.

135 Avec quels verbes trouve-t-on un COI ?

On trouve des COI avec des verbes comme *parler* (*à* ou *de*), *s'apercevoir* (*de*), *penser* (*à* ou *de*), *s'intéresser* (*à*), *se moquer* (*de*), *se souvenir* (*de*), *succéder* (*à*), *s'occuper* (*de*), *envoyer* (*à*), *écrire* (*à*), *hériter* (*de*), *discuter* (*de*), *dépendre* (*de*), *avoir envie* (*de*), *sourire* (*à*), *obéir* (*à*)...
On trouve ces constructions dans le dictionnaire.

136 À quelles questions répond le COI?

Les groupes en fonction COI répondent aux questions:
à qui?, à quoi?, de qui?, de quoi?

Cet été-là, j'ai acheté **à mon perroquet** des plantes qui montaient jusqu'au plafond et deux palmiers. J'ai remplacé la moquette par de la mousse et du gazon et, à cinq heures, tous les après-midi, je faisais tomber une averse en vidant un arrosoir du haut d'un escabeau.

■ LES MEILLEURS CONTES D'ASTRAPI

> **À qui** ai-je acheté des plantes? <u>à mon perroquet</u>
> COI

– Je voudrais voir un coucher de soleil... Faites-moi plaisir... Ordonnez **au soleil** de se coucher... ■ LE PETIT PRINCE

> **À quoi** devez-vous ordonner quelque chose? <u>au soleil</u>
> COI

Le chien faisait courir les loups et les moutons étaient bien contents d'être débarrassés **des loups**.
De temps en temps, le berger tuait un mouton en cachette des autres et comme les moutons, ils n'ont jamais su compter, ils n'y voyaient que du feu!

■ CHICHOIS ET LES HISTOIRES DE FRANCE

> **De qui** les moutons étaient bien contents d'être débarrassés?
> <u>des loups</u>
> COI

Des compagnies de brigands redoutés pour leur cruauté et surnommés les «Presse-purée», les «Coupe-gorges» et les «Rince-bouteilles» profitent **du désarroi général** pour attaquer le Quadrille des Lanciers. ■ LE PROFESSEUR FROEPPEL

> **De quoi** profitaient les brigands? <u>du désarroi général</u>
> COI

137 à et de introduisent-ils toujours des COI?

> Non! Les prépositions **à** et **de** peuvent aussi introduire des compléments **circonstanciels** de **lieu** et de **temps**.
> Les compléments circonstanciels de lieu et de temps répondent aux questions *où?* et *quand?* ▷ PARAGRAPHE 142

On a remis au plus tard possible le moment d'aller chez le dentiste. Mais un jour, il a bien fallu se décider. Maman a pris le téléphone et, en deux minutes, le dentiste et elle étaient tombés d'accord pour me torturer, vendredi, **à** quatre heures, **au** dispensaire. ■ LES MEILLEURS CONTES D'ASTRAPI

Quand le dentiste me torturera-t-il? *à quatre heures*
                                          CC de temps

Où le dentiste me torturera-t-il? *au dispensaire*
                                       CC de lieu

> Les prépositions **à** et **de** servent souvent à introduire des compléments du nom. Un complément du nom (nom, pronom, verbe à l'infinitif, adverbe) est en général placé après le nom qu'il complète.

une bouteille **de** verre
une machine **à** laver

ATTENTION

▶ Lorsque le complément du nom est une proposition relative, il est introduit par **que**:
Le petit chat **que** l'on m'a offert dort toute la journée.

▶ D'autres prépositions peuvent introduire un complément du nom:
une table **en** marbre

138 Quand le COI devient-il un complément d'objet second?

Quand une phrase comprend un COD et un COI, le COD s'appelle complément d'objet premier et le COI s'appelle **complément d'objet second (COS)** ou **complément d'attribution**.

Le ver domestique demande beaucoup de soins : il **lui** faut **une nourriture appétissante**, une résidence confortable et des exercices réguliers. ■ LE VER, CET INCONNU

Il faut **quoi?** *une nourriture appétissante*
COD

à qui? **au** ver = *lui*
COS

139 Avec quels verbes trouve-t-on un COS?

Le COS apparaît avec des verbes comme *dire quelque chose à quelqu'un*, *donner quelque chose à quelqu'un*, *envoyer quelque chose à quelqu'un*, *écrire quelque chose à quelqu'un*...

La Vache rouge menait une vie très occupée. Le matin, elle **donnait** des leçons de rumination **à** la Génisse rouge, sa fille. ■ MARY POPPINS

Elle donnait **quoi?** *des leçons de rumination*
COD

à qui? *à la Génisse rouge, sa fille*
COS

140 Quels mots peuvent occuper la fonction COI ?

Le COI est souvent un **nom** ou un **groupe nominal**.

▶ **Un nom**
– Que savez-vous de cette affaire ? demanda le Roi **à Alice**.
– Rien.
■ LES AVENTURES D'ALICE AU PAYS DES MERVEILLES

▶ **Un groupe nominal**
– Tenez, reprit l'âne, je me suis laissé dire qu'à l'école, quand un enfant ne comprend rien **aux leçons**, le maître l'envoie au coin avec un bonnet d'âne sur la tête !
■ LES CONTES DU CHAT PERCHÉ

Avec des verbes comme *penser à, oublier de, se souvenir de, essayer de...*, on peut trouver en fonction COI un **infinitif**.

Le T.G.V. est à la mode et personne ne s'arrête plus pour voir passer un escargot. On n'a d'yeux que pour la Vitesse. Et pourtant il suffirait **de fixer** deux petites roulettes de chaque côté de ce gastéropode pour lui faire accomplir des progrès remarquables en matière de locomotion.
■ RÉPONSES BÊTES À DES QUESTIONS IDIOTES

Et pourtant il suffirait **de quoi ?** de fixer...
                                      COI

« Diable ! C'est que je vais vous dire... il y a une chose qui me tracasse... c'est mon bec !
– Quel bec ?
– Mon bec de gaz que j'ai oublié **d'éteindre** et qui brûle à mon compte. Or j'ai calculé que j'en avais pour deux shillings par vingt-quatre heures, juste six pence de plus que je ne gagne... »
■ LE TOUR DU MONDE EN QUATRE-VINGTS JOURS

J'ai oublié **de quoi ?** d'éteindre (mon bec de gaz)
                          COI

Les **pronoms personnels** et les **pronoms relatifs** peuvent aussi occuper la fonction COI.

Le roi **lui** fit mille caresses, et comme les beaux habits qu'on venait de **lui** donner relevaient sa bonne mine (car il était beau, et bien fait de sa personne), la fille du roi le trouva fort à son gré. ■LE CHAT BOTTÉ

À qui le roi fit-il mille caresses ? _à lui_
                                pronom personnel COI

Il avait de nombreux compagnons de jeu avec qui il passait son temps à courir sur le sable et à barboter dans l'Océan. Bref, c'était la belle vie, la vie **dont** <u>rêvent</u> tous les petits garçons. ■JAMES ET LA GROSSE PÊCHE

De quelle vie rêvent les petits garçons ? **de** la belle vie
= _dont_
pronom relatif COI

Reconnaître les compléments circonstanciels (CC)

DANS LA SALLE DE BAINS

CE MATIN

ÉNERGIQUEMENT

À RETENIR

■ Les trois principaux **compléments circonstanciels** sont les CC de **lieu**, de **temps** et de **manière**; ils donnent des informations sur les circonstances de l'action.

141 À quoi servent les compléments circonstanciels?

Les compléments circonstanciels complètent le verbe de la phrase. Ils permettent de préciser les circonstances de l'action : **où** elle se passe, **quand** ou **pendant combien de temps**, **comment**, **pourquoi** et **dans quel but**.

Monsieur Joe errait donc, mais **en vain**. **Nulle part** il ne trouvait de princesse en détresse. **Habituellement**, elles sont enfermées **dans un donjon**, et passent leur temps à agiter un mouchoir par la fenêtre étroite. Mais **cette fois**, rien.

■ LE CHEVALIER DÉSASTREUX

Comment? *en vain*
          CC de manière

Où? *nulle part, dans un donjon*
        CC de lieu   CC de lieu

Quand? *habituellement, cette fois*
           CC de temps   CC de temps

142 Quels sont les trois principaux compléments circonstanciels?

Les compléments circonstanciels de **lieu** répondent aux questions **où?** et **d'où?**

«Que puis-je faire pour toi, petit crapaud?»
«Eh bien voilà, rétorqua le crapaud, je ne suis pas vraiment un crapaud, mais un très beau prince métamorphosé en crapaud par le maléfice d'une méchante sorcière. Et seul le baiser d'une belle princesse peut rompre ce maléfice.»
La princesse réfléchit quelques instants, puis sortit le crapaud **de l'étang** et lui donna un baiser.
«Je blaguais», dit le crapaud. Et il replongea **dans l'étang** tandis que la princesse essuyait la bave gluante qu'il avait laissée **sur ses lèvres**.   ■ LE PETIT HOMME DE FROMAGE

D'où la princesse sortit-elle le crapaud?
de l'étang
lieu d'où l'on vient: CC de lieu

Où replongea le crapaud?
dans l'étang
lieu où l'on va: CC de lieu

Où avait-il laissé sa bave gluante?
sur les lèvres de la princesse
lieu où l'on se trouve: CC de lieu

Les compléments circonstanciels de **temps** répondent aux questions **quand?** et **pendant combien de temps?**

Si les poissons savaient marcher
ils aimeraient bien aller **le jeudi** au marché.   ■ AVEC DES « SI »

Quand les poissons aimeraient-ils aller au marché? *le jeudi*
date: CC de temps

Alice fut tellement surprise qu'elle resta sans rien dire **pendant une bonne minute**, comme si cette réponse lui avait complètement coupé le souffle. ■ De l'autre côté du miroir

> **Pendant combien de temps** Alice resta-t-elle sans rien dire ?
> *pendant une bonne minute*
>   durée : CC de temps

Les compléments circonstanciels de **manière** répondent à la question **de quelle manière** ?

Tumbly se retourna. Il se retrouva nez à nez avec le lion. Celui-ci se tenait **timidement** à l'écart **en tremblant**.
– Je viens vous présenter mes excuses, dit le lion **d'une voix chevrotante**. J'ai été très mal élevé tout à l'heure. Je n'aurais pas dû vous rugir au nez **comme je l'ai fait**. C'est très mal élevé ! ■ Le chevalier désastreux

> **De quelle manière** se tenait le lion ? *timidement, en tremblant*
>   CC de manière CC de manière
>
> De quelle manière parla-t-il ? *d'une voix chevrotante*
>   CC de manière
>
> De quelle manière a-t-il rugi ? *comme je l'ai fait*
>   CC de manière

143 Existe-t-il d'autres compléments circonstanciels ?

Oui ! Il existe aussi des compléments circonstanciels de **cause**, de **but**, de **moyen**…

Même si ma tête pouvait passer, se disait la pauvre Alice, ça ne me servirait pas à grand-chose **à cause de mes épaules**. Oh ! que je voudrais pouvoir rentrer en moi-même comme une longue vue ! ■ Les aventures d'Alice au pays des merveilles

Pourquoi ça ne me servirait pas à grand-chose ?
à cause de mes épaules
    CC de cause

Toutes les dames étaient attentives à considérer sa coiffure et ses habits, **pour en avoir dès le lendemain de semblables**.
                                                                    ▣ CENDRILLON

Dans quel but les dames étaient-elles attentives à considérer sa coiffure et ses habits ?
pour en avoir dès le lendemain de semblables
        CC de but

Il était une fois une petite vieille et un petit vieux qui vivaient ensemble dans une vieille petite maison.
Ils étaient bien seuls. Alors, la petite vieille décida de confectionner un homme **à partir d'un vieux bout de fromage**.
                                    ▣ LE PETIT HOMME DE FROMAGE

Avec quoi la petite vieille confectionna-t-elle un homme ?
à partir d'un vieux bout de fromage
        CC de moyen

144 Peut-on déplacer les compléments circonstanciels dans une phrase ?

Oui ! On peut déplacer un mot ou groupe de mots complément circonstanciel sans changer sa fonction. Lorsque l'on veut **mettre en valeur** un complément circonstanciel, on le **déplace en tête de la phrase** et on le fait suivre d'une **virgule**.

Sur les bords de la Marne ⬚ ,
Un crapaud il y a,
Qui pleure à chaudes larmes
Sous un acacia.
                                    ▣ LE CRAPAUD

Il y a un crapaud *sur les bords de la Marne*
                    CC de lieu

145 Peut-on supprimer les compléments circonstanciels ?

Oui ! On peut généralement supprimer un complément circonstanciel. La phrase est toujours **correcte grammaticalement** mais on **perd une indication** sur le lieu, le temps ou la manière dont se déroule un événement.

Le chat fut si effrayé de voir un lion devant lui qu'il gagna aussitôt les gouttières, non sans peine et sans péril, à cause de ses bottes qui ne valaient rien pour marcher sur les tuiles. ■ LE CHAT BOTTÉ

→ Si l'on supprimait les compléments circonstanciels, la phrase se réduirait à :
Le chat fut si effrayé de voir un lion qu'il gagna les gouttières.

ATTENTION

Avec certains verbes, on est **obligé** d'utiliser un complément circonstanciel pour obtenir une phrase **complète**.

Alors, je suis monté dans ma chambre et je me suis amusé devant la glace ; j'ai mis la lampe **sous ma figure** et ça fait ressembler à un fantôme, et puis j'ai mis la lampe **dans ma bouche** et on a les joues toutes rouges, et j'ai mis la lampe **dans ma poche** et on voit la lumière à travers le pantalon, et j'étais en train de chercher des traces de bandits quand Maman m'a appelé pour me dire que le dîner était prêt. ■ LE PETIT NICOLAS A DES ENNUIS

Le verbe *mettre* exige ici des compléments circonstanciels. La phrase *j'ai mis la lampe* n'a pas de sens sans eux : *j'ai mis la lampe sous ma figure, dans ma bouche, dans ma poche.*

        CC de lieu   CC de lieu   CC de lieu

146 Quelle peut être la nature d'un CC de lieu?

Un complément circonstanciel de lieu est souvent un **groupe nominal** introduit par une préposition.

Un cri déchira la forêt. C'était un cri lugubre. Un peu comme si un homme coincé **dans une boîte de conserve** appelait au secours !

■ LE CHEVALIER DÉSASTREUX

Ce peut être un **adverbe**.

Le monstre lui ayant demandé si c'était de bon cœur qu'elle était venue, elle lui dit en tremblant que oui. «Vous êtes bien bonne, lui dit la Bête, et je vous suis bien obligé. Bonhomme, partez demain matin et ne vous avisez jamais de revenir **ici**. Adieu, la Belle !
– Adieu, la Bête », répondit-elle, et tout de suite le monstre se retira.

■ LA BELLE ET LA BÊTE

Les deux pronoms **en** et **y** occupent parfois la fonction CC de lieu.

– Avez-vous inventé un système pour empêcher les cheveux d'être emportés par le vent ?
– Pas encore ; mais j'ai un système pour les empêcher de tomber.
– Je voudrais bien le connaître.
– D'abord tu prends un bâton bien droit. Ensuite tu **y** fais grimper tes cheveux, comme un arbre fruitier. La raison qui fait que les cheveux tombent, c'est qu'ils tombent par en bas... Ils ne tombent jamais par en haut, vois-tu.

■ DE L'AUTRE CÔTÉ DU MIROIR

Ensuite tu y fais grimper tes cheveux
= Tu fais grimper tes cheveux **sur** un bâton bien droit.

Un tiroir de la commode s'ouvrit, la nappe **en** sortit et fit la course avec les plats pour arriver la première sur la table, mais elle arriva bonne dernière. ■Le dragon de poche

> *la nappe en sortit* : la nappe sortit **du** tiroir de la commode.

Enfin, une proposition **subordonnée relative** peut être CC de lieu.

– Bah ! a dit Maixent. Si tes parents disent que ton petit frère couche dans ta chambre, il couchera dans ta chambre, et voilà tout.
– Non, monsieur ! Non, monsieur ! a crié Joachim.
Ils le coucheront **où ils voudront**, mais pas chez moi ! Je m'enfermerai, non mais sans blague !

■Le petit Nicolas a des ennuis

147 Quelle peut être la nature d'un CC de temps ?

Un complément circonstanciel de temps est souvent un **groupe nominal** avec ou sans préposition.

Le dragon s'éveilla **avant le chant du coq**. Ce n'était d'ailleurs pas difficile puisqu'il n'y avait pas de coq au château. ■Dragon l'Ordinaire

La nuit suivante, l'Oiseau amoureux ne manqua pas d'apporter à sa belle une montre d'une grandeur raisonnable, qui était dans une perle. ■L'oiseau bleu

Ce peut être un **adverbe**.

Il était une fois un artichaut qui tombait **souvent** amoureux. ■Edgar n'aime pas les épinards

C'est parfois une **proposition subordonnée conjonctive**.

Quand le roi sut ces nouvelles, il fit rapidement bâtir une grosse tour. Il y mit sa fille et, pour qu'elle ne s'ennuyât point, le roi, la reine et les deux frères allaient la voir tous les jours. ■ LA PRINCESSE ROSETTE

ATTENTION

Il ne faut pas confondre les compléments d'objet direct et les compléments circonstanciels construits sans préposition.

Quelques jours plus tard, Ransome, Sims et Jefferies étaient en mesure d'affirmer qu'elles étaient toutes prêtes à pondre. Et, effectivement, au bout d'une semaine elles pondaient **tous les jours**. Au début, elles eurent du mal à maîtriser le moment où l'œuf venait, et elles le déposèrent n'importe où et n'importe quand, lorsque le besoin s'en faisait sentir, et même, parfois, au milieu de la cour. M. Fermier se félicitait toujours que les poules pondent ainsi **leurs premiers œufs** au petit bonheur, parce que cela lui épargnait la peine de grimper la grande échelle jusqu'aux nids. ■ LES LONGS-MUSEAUX

Quand les poules pondaient-elles ?
elles <u>pondaient</u> <u>tous les jours</u>
　　　　verbe　　　CC de temps

Que pondent les poules ?
elles <u>pondent</u> <u>leurs premiers œufs</u>
　　　　verbe　　　COD

148 Quelle peut être la nature d'un CC de manière ?

Un complément circonstanciel de manière est souvent un **groupe nominal** précédé d'une préposition.

Alors comme la fin de l'enchantement était venue, la princesse s'éveilla ; et le regardant **avec des yeux plus tendres** qu'une première vue ne semblait le permettre : « Est-ce vous, mon prince ? lui dit-elle, vous vous êtes bien fait attendre. »

■ La belle au bois dormant

Ce peut être un **adverbe**.

Un jour, le Lièvre aperçut la Tortue qui marchait, lente mais fiable, sur la route et lui dit : « Tortue, ce que tu es lente. Je me sens capable de faire pousser mon poil plus vite que tu n'avances. » « Ah ouais ? » répondit **lentement** la Tortue.

■ Le petit homme de fromage

C'est parfois une **proposition subordonnée conjonctive**.

« À l'école, on m'avait surnommé Malvenu Malfaiteur ! cria le malheureux brigand. C'est ce surnom qui m'a conduit sur la voie du crime ! Mais cachez-moi, chère Mlle Labourdette, sinon ils me captureront. » Mlle Labourdette lui colla une étiquette avec un numéro, **comme s'il avait été un livre de la bibliothèque**, et elle le plaça sur une étagère au milieu des livres dont le nom des auteurs commençait par un M.

■ L'enlèvement de la bibliothécaire

Utiliser la voix passive

À RETENIR

- La **voix active** et la **voix passive** constituent **deux façons de présenter un même événement**.

- Le verbe de la phrase à la voix passive est toujours construit avec l'auxiliaire **être** et le **participe passé** du verbe.

- Seuls les verbes **transitifs** peuvent être mis à la voix passive.

- À la voix passive, le sujet subit une action accomplie par le **complément d'agent**.

J'AI ÉTÉ MANGÉ.

149 ## Qu'est-ce qu'une phrase à la voix passive?

Une phrase est à la voix passive lorsque le **sujet** de la phrase **subit l'action** au lieu de la faire.

Beaucoup de gens, et notamment **ceux qui vont être mangés par eux**, ont remarqué que les crocodiles ne rient jamais à gorge déployée. ■ RÉPONSES BÊTES À DES QUESTIONS IDIOTES

Les gens **ne se mangent pas** eux-mêmes, ce sont les crocodiles qui **les mangent**: ils subissent l'action d'**être mangés**.

Le **verbe** de la phrase passive se construit avec l'auxiliaire **être** et le **participe passé** du verbe.

La vie de Spillers, au contraire, **était consacrée** à sa famille : ses poussins étaient tout pour elle. Elle tirait une fierté sans borne de ses couvées et, de plus, elle était très soignée de sa personne, jamais une plume de travers.

■ LES LONGS-MUSEAUX

était consacrée = auxiliaire *être* + participe passé du verbe *consacrer*

150 Les verbes conjugués avec être sont-ils toujours à la voix passive ?

Non ! Il ne faut surtout pas confondre le **passé composé** des verbes comme *tomber, venir, rentrer, monter...* qui se forme toujours avec l'auxiliaire **être** *(je suis venu)* et le **présent** des verbes à la voix passive qui se construit aussi avec l'auxiliaire *être*.

▶ **Tomber**

	VOIX ACTIVE	VOIX PASSIVE
Présent	je tombe	
Passé composé	je suis tombé	

▶ **Brûler**

	VOIX ACTIVE	VOIX PASSIVE
Présent	je brûle	je suis brûlé
Passé composé	j'ai brûlé	j'ai été brûlé

151 Tous les verbes peuvent-ils être à la voix passive ?

Non ! Seuls les verbes qui ont un complément d'objet direct, c'est-à-dire les **verbes transitifs directs**, autorisent une construction passive.

En effet, lorsque l'on passe **de l'actif au passif**, c'est le **complément d'objet direct** de la phrase active qui **devient le sujet** de la phrase passive : un verbe qui n'a pas de COD ne peut donc pas être utilisé à la voix passive.

La reine renvoya l'espionne dans la tour. ∎ L'OISEAU BLEU

Voix active

La reine renvoya l'espionne dans la tour.
  sujet   COD

Voix passive

L'espionne fut renvoyée dans la tour par la reine.
  sujet   complément d'agent
(subit l'action)   (fait l'action)

Un perce-oreille
A démoli
Les murs du métro de Paris. ∎ LE PERCE-OREILLE

Voix active

Un perce-oreille a démoli les murs du métro de Paris.
  sujet   COD

Voix passive

Les murs du métro de Paris ont été démolis par un perce-oreille.
  sujet   complément d'agent
(subit l'action)   (fait l'action)

152 Qu'est-ce que le complément d'agent?

> Dans une phrase à la voix passive, le sujet subit l'action.
> C'est le **complément d'agent**, introduit par la préposition
> **par**, qui **fait l'action**.

J'ai de sérieuses raisons de croire que la planète d'où venait le petit prince est l'astéroïde B 612. Cet astéroïde n'a été aperçu qu'une fois au télescope, en 1909, **par un astronome turc**. Il avait fait alors une grande démonstration de sa découverte à un Congrès International d'Astronomie. Mais personne ne l'avait cru à cause de son costume. Les grandes personnes sont comme ça.

■ LE PETIT PRINCE

Voix passive

Cet astéroïde a été aperçu par un astronome turc
    sujet   complément d'agent

– *astéroïde* occupe la fonction **sujet**;
– le verbe *apercevoir* est accompagné de l'auxiliaire *être*;
– *un astronome turc*, introduit par la préposition *par*, fait l'action d'*apercevoir*: c'est le **complément d'agent**.

Voix active

Un astronome turc a aperçu cet astéroïde.
      sujet   COD

153 À quoi sert la voix passive ?

La voix passive permet de **ne pas indiquer qui est responsable d'une action**, ce qui peut être utile si on ne veut pas dire qui a fait telle ou telle chose ou si on ne le sait pas.

« Où est-il donc, ce petit misérable ?
– Je vous l'ai déjà dit, répondit Grand-mère. Il est dans mon sac à main ! Et je continue à penser qu'il vaudrait mieux aller dans un endroit moins public, avant que vous découvriez son nouvel aspect.
– Cette femme est folle ! s'écria Mme Jenkins. Dis-lui de partir.
– À dire vrai, poursuivit Grand-mère, votre fils, Bruno, **a été complètement transformé** ! ■ SACRÉES SORCIÈRES

Grand-mère emploie la **voix passive sans complément d'agent** parce qu'elle **ne veut pas dire** en public qui a transformé Bruno : ce sont des sorcières qui ont transformé l'enfant et Grand-mère a peur de leur vengeance.

– Auriez-vous déniché une vraie princesse ?
– Parfaitement.
– En détresse ?
– Aucun doute là-dessus. **Elle était enfermée** tout en haut d'une tour. Elle agitait un mouchoir blanc et criait.
– Qu'est-ce qu'elle criait ? demanda Tumbly.
– Ce qu'on crie toujours dans ces cas-là. Au secours ! Sauvez-moi ! etc. ■ LE CHEVALIER DÉSASTREUX

Il n'y a pas de complément d'agent ici parce que celui qui parle **ne sait pas** qui a bien pu enfermer la princesse.

154 Comment identifier les temps du verbe à la voix passive?

À la voix passive, c'est l'auxiliaire **être** qui **indique** à quel temps est le **verbe**.

	TEMPS DE L'AUXILIAIRE *ÊTRE*	TEMPS DU VERBE À LA VOIX PASSIVE
Il <u>est</u> battu	présent	présent
Il <u>a été</u> battu	passé composé	passé composé
Il <u>était</u> battu	imparfait	imparfait
Il <u>sera</u> battu	futur	futur
Il <u>avait été</u> battu	plus-que-parfait	plus-que-parfait

Faire l'analyse grammaticale d'une phrase

À RETENIR

- Faire l'**analyse grammaticale** d'une phrase consiste à **identifier les groupes** de mots qui sont reliés au verbe pour en analyser la **nature** et la **fonction**.

- Retenez les **questions** auxquelles répondent les différents groupes de la phrase :
  - *qui est-ce qui ?* (sujet)
  - *qu'est-ce que ?* (COD)
  - *comment ?* (CC de manière)
  - *quand ?* (CC de temps)
  - *où ?* (CC de lieu)

- Après un verbe d'état, on trouve un **attribut**.

155) Quelle est la première étape ?

Il faut tout d'abord **repérer le verbe** de la phrase :
- **Où** est le verbe (Quel est son **infinitif** ?) ?
- Est-ce un verbe **d'état** *(être, sembler, paraître, rester, demeurer...)* ? Est-ce un verbe **d'action** *(manger, courir...)* ?
- À quel **temps** est-il conjugué (présent, futur, passé composé...) ? À quelle **personne** est-il conjugué ?

Marianne ⎹ marchait ⎹ à grands pas sur la route nationale.

Marcher est le verbe de la phrase, c'est un verbe d'action. Il est conjugué à la 3e personne du singulier de l'imparfait de l'indicatif.

156 Quelle est la deuxième étape?

On identifie les **groupes** qui complètent le verbe. Pour chacun de ces groupes, on indique sa **nature** et sa **fonction**.

L'homme marchait dans l'avenue.

Deux groupes sont rattachés au verbe *marcher*:
– *l'homme*: GN dont le noyau est le nom masculin singulier *homme*. Il a pour fonction sujet;
– *dans l'avenue*: GN dont le noyau est le nom féminin singulier *avenue*. Il a pour fonction CC de lieu. Cette fonction est marquée par la préposition *dans*.

La petite fille a dévoré son gâteau avec plaisir.

Trois groupes sont rattachés au verbe *dévorer*:
– *la petite fille*: GN sujet;
– *son gâteau*: GN COD;
– *avec plaisir*: GN CC de manière. Sa fonction est marquée par la préposition *avec*.

L'élève a offert des fleurs à sa maîtresse.

Trois groupes sont rattachés au verbe *offrir*:
– *l'élève*: GN sujet;
– *des fleurs*: GN COD;
– *à sa maîtresse*: GN COS.

Sur la branche d'un arbre, un rossignol célébrait le lever du soleil par une mélodie merveilleuse.

Quatre groupes sont rattachés au verbe *célébrer*:
– *sur la branche d'un arbre*: GN CC de lieu;
– *un rossignol*: GN sujet;
– *le lever du soleil*: GN COD;
– *par une mélodie merveilleuse*: GN CC de manière.

157 Quelle est la troisième étape?

On identifie le **mot noyau** de chaque groupe et on indique sa nature et sa fonction. On identifie ensuite la nature et la fonction des **mots** rattachés au noyau de chaque groupe.

Le petit homme | était | satisfait de sa découverte.

Le verbe *être* est à l'imparfait de l'indicatif, 3e personne du singulier.

Le	*petit*	*homme*
article défini masc. sing. rattaché au nom *homme*	adj. qualificatif masc. sing épithète du nom *homme*	nom masc. sing noyau du GN sujet du verbe *être*

groupe nominal sujet

satisfait	*de*	*sa*	*découverte*
adj. qualificatif attribut du sujet *homme*	préposition rattachant *découverte* à l'adj. *satisfait*	adj. possessif fém. sing. rattaché au nom *découverte*	nom fém. sing. complément de l'adj. *satisfait*

groupe adjectival attribut

Décomposer la phrase en propositions

À RETENIR

- À l'intérieur de chaque phrase, on peut avoir plusieurs **propositions**.
- Chaque **verbe conjugué** constitue, avec les groupes fonctionnels qui lui sont rattachés, une proposition.
- On distingue trois sortes de propositions : les propositions **indépendantes**, les propositions **principales** et les propositions **subordonnées**.
- La proposition subordonnée peut compléter le verbe de la principale (**conjonctive** COD, conjonctive circonstancielle) ou un nom (**relative**).

SUJET — VERBE — COD — « QUE » — SUJET — VERBE

158 Qu'est-ce qu'une proposition ?

Une proposition est constituée d'un **verbe conjugué** auquel se rattachent un ou des groupes fonctionnels : sujet, COD, COI, CC... Il peut y avoir une ou plusieurs propositions dans une phrase. Il y a **autant de propositions que de verbes conjugués**.

Il **était convaincu** que la sorcière **allait** le transformer en grenouille. Ce qui ne lui **aurait pas déplu**, à vrai dire. Il **aurait** enfin **été débarrassé** de cette épouvantable armure et de cet horrible cheval. ■LE CHEVALIER DÉSASTREUX

▎ Il y a quatre verbes conjugués, donc quatre propositions.

159 Pourquoi utiliser plusieurs propositions dans une même phrase?

On utilise plusieurs propositions dans une même phrase pour **relier** entre eux **plusieurs événements** qui se complètent au même moment.

J'étais assis là et j'ouvrais des oreilles de plus en plus grandes (chez les fantômes, c'est ainsi : <u>lorsqu</u>'elles **veulent** sérieusement écouter, les oreilles **s'agrandissent**).

■ LES TEMPS SONT DURS POUR LES FANTÔMES

Lorsqu'elles veulent sérieusement écouter,
proposition 1 = événement 1

les oreilles s'agrandissent.
proposition 2 = événement 2

L'événement 1 et l'événement 2 se complètent pour former une même histoire.

On utilise plusieurs propositions dans une même phrase pour **relier** entre eux **plusieurs événements** qui **se suivent**.

Le pélican de Jonathan,
Au matin, **pond** un œuf tout blanc
<u>Et</u> il en **sort** un pélican
Lui ressemblant étonnamment.

<u>Et</u> ce deuxième pélican
Pond, à son tour, un œuf tout blanc
<u>D'où</u> **sort**, inévitablement,
Un autre <u>qui</u> en **fait** tout autant.

■ LE PÉLICAN

Dans ce poème, cinq actions se succèdent et permettent de raconter l'histoire du pélican de Jonathan.
Événement 1 = proposition 1 = le pélican de Jonathan pond un œuf.

Événement 2 = proposition 2 = un pélican sort de l'œuf.
Événement 3 = proposition 3 = ce pélican pond un œuf.
Événement 4 = proposition 4 = un autre pélican sort de cet œuf.
Événement 5 = proposition 5 = ce dernier pélican pond un œuf...

On peut aussi utiliser une proposition pour **expliquer**
l'événement décrit par une autre proposition.

Le cheval <u>veut</u> aller au bal.
Il <u>brosse</u> avec soin sa crinière,
<u>Cire</u> ses sabots, <u>cloue</u> ses fers,
<u>Ajuste</u> sa sous-ventrière
Et <u>cavale</u>.

◼ M A R E L L E S

La première proposition *(Le cheval veut aller au bal)* explique
les cinq autres propositions :
il brosse..., cire..., cloue..., ajuste..., et cavale **parce qu'**il veut
aller au bal.

160 Qu'est-ce qu'une proposition indépendante ?

On dit qu'une proposition est indépendante lorsqu'elle n'est
pas rattachée à une autre proposition par une conjonction
de subordination *(que, quand, parce que...)* ou par un pronom
relatif. Une proposition indépendante peut donc constituer
une phrase à elle toute seule.

Je **suis** poilu,
Fauve et dentu,
J'**ai** les yeux verts.
Mes crocs pointus
Me **donnent** l'air
Patibulaire.

◼ M A R E L L E S

Je suis poilu, fauve et dentu,   *j'ai les yeux verts.*

proposition 1	proposition 2

phrase

Mes crocs pointus me donnent l'air patibulaire.

proposition indépendante = phrase

161 Peut-il y avoir plusieurs propositions indépendantes dans la même phrase?

Oui! Dans ce cas, elles peuvent être **juxtaposées** (séparées par une virgule, un point-virgule ou des deux-points) ou **coordonnées**. ▷ PARAGRAPHES 8 À 10, 100 ET 101

Un instant, le fantôme de Canterville **demeura** absolument immobile, dans un accès d'indignation bien naturelle ⟨ ; ⟩ puis, ayant lancé violemment le flacon sur le parquet poli, il **s'enfuit** le long du couloir, en poussant des gémissements sourds. ▪ LE FANTÔME DE CANTERVILLE

Cette phrase comprend **deux** verbes conjugués (*demeura* et *s'enfuit*) ; elle se compose de **deux** propositions indépendantes juxtaposées par un point-virgule.

162 Qu'appelle-t-on proposition principale et proposition subordonnée?

Lorsqu'une proposition est le **complément** d'une autre, on dit qu'elle est **subordonnée** à une proposition **principale**.

En hiver, on dit souvent : « Fermez la porte, il fait froid dehors ! » Mais quand la porte est fermée, il fait toujours aussi froid dehors. ▪ LES PENSÉES

Quand la porte est fermée, il fait toujours aussi froid dehors.

proposition subordonnée	proposition principale

163 Quelles sont les fonctions d'une proposition subordonnée ?

> La subordonnée peut avoir la fonction de **complément du nom**. Elle est introduite par un pronom relatif.

Au 84 de la rue de Bretagne demeurait une sorcière **qui n'arrivait plus à croquer d'enfants** parce que ses méthodes étaient dépassées. ■ CONTES DE LA RUE DE BRETAGNE

une sorcière	*qui n'arrivait plus à croquer d'enfants*
nom	proposition subordonnée complément du nom *sorcière*

> La subordonnée peut être **complément du verbe** de la proposition principale. Elle est introduite par une conjonction de subordination *(que, quand...)*.

Le Roi pensa que le vieux se moquait de lui et voulut essayer les lunettes. Oh ! prodige ! **Lorsqu'il eut les verres devant les yeux**, il lui sembla **qu'il retrouvait un monde perdu**. Il vit un moucheron sur la pointe d'un brin d'herbe ; il vit un pou dans la barbe du vieillard et il vit aussi la première étoile trembler sur le ciel pâlissant. ■ LES LUNETTES DU LION

Lorsqu'il eut les verres devant les yeux,
verbe
proposition subordonnée CC de temps

il lui sembla
verbe
proposition principale

qu'il retrouvait un monde perdu.
verbe
proposition subordonnée COD

164 Quels sont les différents types de subordonnées?

Les propositions subordonnées **relatives** sont compléments du nom. Ce nom est l'antécédent du pronom relatif.

« Et les loups ? Où donc sont-ils passés ? » me demandai-je à part moi. Et tandis que je me posais ces questions, **le loup qui avait tiré les poils de ma queue**, clac ! planta ses dents dans cette région un peu en retrait de mon corps. Je hurlai de douleur tout en lui lançant **une terrible ruade qu'il prit de plein fouet**. Le malheureux repartit en poussant des hurlements, remportant avec lui ses oreilles et sa queue, remportant avec lui sa bouche, mais certainement pas **les dents qu'il y avait dedans**.

◼ MÉMOIRES D'UNE VACHE

le loup   qui avait tiré les poils de ma queue
nom   subordonnée relative complément du nom *loup*

une terrible ruade   qu'il prit de plein fouet
nom   subordonnée relative complément du nom *ruade*

les dents   qu'il y avait dedans
nom   subordonnée relative complément du nom *dents*

Les propositions subordonnées **conjonctives** sont compléments du verbe de la principale.

Lorsqu'il arriva en haut de l'escalier, il reprit ses esprits, et résolut de lancer son célèbre éclat de rire démoniaque. Il l'avait, en plus d'une circonstance, trouvé extrêmement utile. On dit **que ce rire avait, en une seule nuit, fait grisonner la perruque de Lord Raker**...

◼ LE FANTÔME DE CANTERVILLE

Lorsqu'il arriva en haut de l'escalier,   *il reprit ses esprits.*
subordonnée conjonctive CC de temps du verbe *reprit*   principale

On dit   *que ce rire avait fait grisonner la perruque...*
principale   subordonnée conjonctive COD du verbe *dit*

165 Quels sont les différents types de subordonnées conjonctives?

Parmi les propositions subordonnées conjonctives, on distingue:
● les propositions subordonnées conjonctives **compléments d'objet direct** du verbe de la principale;

Maintenant, vous <u>savez</u> **que votre voisine de palier peut être une sorcière**.
Ou bien la dame aux yeux brillants, assise en face de vous dans le bus, ce matin. ■ SACRÉES SORCIÈRES

Vous <u>savez</u>   *que votre voisine de palier peut être une sorcière.*
   verbe
principale   subordonnée COD

● les propositions subordonnées conjonctives **circonstancielles** compléments du verbe de la principale.

J'<u>étais</u> dans le jardin et je ne <u>faisais</u> rien, **quand est venu Alceste** et il m'a demandé ce que je faisais et je lui ai répondu: «Rien.» ■ LE PETIT NICOLAS

J'<u>étais</u> dans le jardin et je ne <u>faisais</u> rien, quand est venu Alceste.
  verbe   verbe
principales coordonnées subordonnée CC de temps

Nous, les enfants, on ne lit jamais dans le métro **parce que le spectacle est super**. ■ LA GRANDE AVENTURE DU LIVRE

Nous, les enfants, on ne <u>lit</u> jamais dans le métro
                    verbe
principale

parce que le spectacle est super.
       subordonnée CC de cause

TABLEAU RÉCAPITULATIF

subordonnées — compléments du verbe = conjonctives — COD / CC
compléments du nom = relatives

On trouve souvent dans un même texte les différents types de propositions (subordonnées et indépendantes).

Une petite souris demande à un gros éléphant qui prend son bain dans un large fleuve d'Afrique :
– Veux-tu sortir de l'eau deux minutes ?
Le pachyderme s'exécute de mauvaise grâce et, lorsqu'il est sur la berge, la petite souris lui dit :
– Bon, tu peux te remettre à l'eau, je croyais que tu avais mis mon maillot ! ■ Encyclopédie des histoires drôles

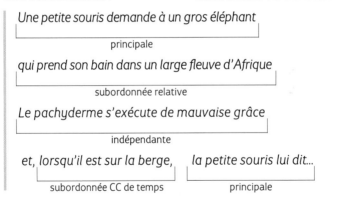

Une petite souris demande à un gros éléphant
principale

qui prend son bain dans un large fleuve d'Afrique
subordonnée relative

Le pachyderme s'exécute de mauvaise grâce
indépendante

et, lorsqu'il est sur la berge, *la petite souris lui dit...*
subordonnée CC de temps principale

ORTHOGRAPHE GRAMMATICALE

L'orthographe grammaticale est l'ensemble des règles d'orthographe qui précisent comment s'accordent les mots dans la phrase : le verbe avec son sujet, les divers éléments du groupe nominal avec le nom noyau...

Accorder le sujet et le verbe

> **À RETENIR**
>
> - Pour **accorder le verbe avec son sujet**, il faut d'abord savoir identifier le sujet puis il faut se demander si le verbe est à un **temps simple** ou à un **temps composé**.
> - Aux temps simples, le verbe s'accorde toujours avec son **sujet**.
> - Le sujet est le plus souvent placé **avant** le verbe, mais il peut se trouver **après**. Il est parfois séparé du verbe par quelques mots.
> - Lorsque le sujet est un pronom relatif, le verbe s'accorde avec l'**antécédent** du pronom relatif.

166 Avec quoi s'accorde le verbe?

Aux **temps simples** (présent, imparfait, futur...), le verbe s'accorde toujours avec son **sujet**.

TOPAZE, *il dicte en se promenant.* – «Des moutons... des moutons... étaient en sûreté... dans un parc; dans un parc. *(Il se penche sur l'épaule de l'Élève et reprend.)* Des moutons... moutonss... *(L'Élève le regarde, ahuri.)* Voyons, mon enfant, faites un effort. Je dis *moutonsse*. Étaient *(il reprend avec finesse) étai-eunnt*. C'est-à-dire qu'il n'y avait pas qu'un *moutonne*. Il y avait plusieurs *moutonsse*.» ■ TOPAZE

Plusieurs verbes peuvent avoir le même sujet; ils s'accordent **tous** avec ce sujet.

Le cochon **frappa** à la porte et **grogna** :
– Petits loups, petits loups, laissez-moi entrer !
– Non, non et non, dirent les trois petits loups. [...]
– Puisque c'est comme ça, je vais souffler, pouffer, pousser
mille bouffées, et je démolirai votre maison ! dit le cochon.
Et il **souffla**, **pouffa**, **poussa** mille bouffées, et même
plus que ça, mais la maison ne bougea pas.

■ LES TROIS PETITS LOUPS ET LE GRAND MÉCHANT COCHON

167 Où le sujet peut-il être placé ?

Le sujet se trouve le plus souvent **avant le verbe**. S'il se
trouve **après**, on parle de sujet **inversé**.

Ce n'est quand même pas ma faute si **les loups** mangent
des petites bêtes mignonnes comme les lapins, les agneaux,
les cochons !
On est fait comme ça. Si **les hamburgers** étaient mignons,
vous aussi, on vous traiterait de grands méchants.

■ LA VÉRITÉ SUR L'AFFAIRE DES TROIS PETITS COCHONS

les loups mangent des petites bêtes
 sujet   verbe

Si les hamburgers étaient mignons
    sujet   verbe

– Plaise à votre Majesté, où dois-**je** commencer ? demanda-
t-**il**.
– Commencez au commencement, dit **le roi** d'un ton
grave, et continuez jusqu'à ce que vous arriviez à la fin ;
ensuite, arrêtez-vous. ■ LES AVENTURES D'ALICE AU PAYS DES MERVEILLES

Où dois-je commencer ? demanda-t-il.
 verbe sujet   verbe sujet

Commencez au commencement, dit le roi.
                            verbe sujet

> Le sujet et le verbe peuvent être séparés par d'autres mots. Le verbe s'accorde toujours avec le **nom noyau** du groupe nominal sujet.

<u>Le monstre</u>, hors de lui, **se roulait** par terre de colère. C'était d'ailleurs très drôle à voir. Maintenant il hurlait :
– Ce ne sont pas des manières de princesse !
– Poils aux fesses ! ■ LE MONSTRE POILU

Le <u>monstre</u>, hors de lui, <u>se roulait</u> par terre de colère.
| nom noyau | verbe |
| groupe nominal |

Le verbe *se roulait* est conjugué à la 3e personne du singulier ; il s'accorde avec le nom singulier *monstre*.

Pour une vampire, elle était plutôt jolie... un petit nez retroussé, parsemé de taches de rousseur, de grands yeux bleus et des cheveux peignés avec soin. Seule sa forte <u>odeur</u> de moisi **était** quelque peu gênante. ■ LE GRAND AMOUR DU PETIT VAMPIRE

Seule sa forte <u>odeur</u> de moisi était quelque peu gênante.
| nom noyau | verbe |
| groupe nominal |

Le verbe *était* est conjugué à la 3e personne du singulier ; il s'accorde avec le nom singulier *odeur*.

Cependant <u>la reine Florine</u>, déguisée sous un habit de paysanne, avec ses cheveux épars et mêlés, qui cachaient son visage, un chapeau de paille sur la tête, un sac de toile sur son épaule, **commença** son voyage, tantôt à pied, tantôt à cheval, tantôt par mer, tantôt par terre. ■ L'OISEAU BLEU

Le verbe *commença* est conjugué à la 3e personne du singulier ; il s'accorde avec le nom singulier *reine*.

168 Comment accorder le verbe quand il a plusieurs sujets au singulier?

Un verbe peut avoir plusieurs sujets au singulier. Si les sujets sont **coordonnés** par **et**, ou **juxtaposés**, le verbe se met au **pluriel**.

Cependant <u>Delphine et Marinette</u> **avaient** couru à l'étable avertir le malheureux bœuf qui était justement en train d'étudier sa grammaire. En les voyant, il ferma les yeux et récita sans se tromper une fois la règle des participes, qui est pourtant très difficile.　　■ LES CONTES DU CHAT PERCHÉ

> Le verbe *avaient* est conjugué à la 3ᵉ personne du pluriel ; il s'accorde avec les sujets coordonnés *Delphine* et *Marinette*.

169 Comment accorder le verbe avec plusieurs pronoms personnels?

Un verbe peut avoir plusieurs sujets à des personnes différentes. Le verbe se met alors à la **première** ou à la **deuxième personne du pluriel**.

SUJET	VERBE	EXEMPLES
toi + moi (2ᵉ + 1ʳᵉ pers. du sing.)	nous (1ʳᵉ pers. du plur.)	Toi et moi sommes de vrais amis.
lui, elle + moi (3ᵉ + 1ʳᵉ pers. du sing.)	nous (1ʳᵉ pers. du plur.)	Lui, elle et moi avons fait nos études ensemble.
lui, elle + toi (3ᵉ + 2ᵉ pers. du sing.)	vous (2ᵉ pers. du plur.)	Lui, elle et toi habitez la même ville.

170 Comment accorder le verbe quand le sujet est un pronom relatif?

Pour accorder le verbe quand le sujet est un pronom relatif, il faut trouver l'**antécédent** de ce pronom relatif: c'est lui qui détermine l'accord.

La vache n'était pas moins curieuse de tout ce qu'elle apercevait derrière les vitres du buffet. Surtout, elle ne pouvait détacher son regard d'un fromage et d'un pot de lait, qui lui **firent** murmurer à plusieurs reprises: «Je comprends, maintenant, je comprends…»

■ LES CONTES DU CHAT PERCHÉ

Le pronom relatif *qui* est le sujet du verbe *firent*; il a pour antécédents *fromage* et *pot de lait* (deux noms coordonnés); le verbe *firent* est donc au pluriel.

Accorder le participe passé

À RETENIR

- Pour accorder un verbe à un **temps composé** avec son sujet, il faut identifier l'auxiliaire (**avoir** ou **être**), puis le sujet, son genre et son nombre.

- Aux temps composés, le participe passé employé avec l'auxiliaire **être** s'accorde en genre et en nombre avec le **sujet**.

- Le participe passé employé avec l'auxiliaire **avoir** ne s'accorde **jamais** avec le **sujet** du verbe.

- Si un **COD** est placé **avant** le verbe, le participe passé employé avec **avoir** **s'accorde** en genre et en nombre avec ce COD.

171 Quel est l'auxiliaire utilisé : être ou avoir ?

Aux **temps composés** (passé composé, plus-que-parfait...), les verbes sont formés d'un **auxiliaire** (*avoir* ou *être*) et d'un **participe passé**.

Tremblantes, les petites se prirent par le cou, mêlant leurs cheveux blonds et leurs chuchotements. Le loup dut convenir qu'il n'**avait** rien **vu** d'aussi joli depuis le temps qu'il courait par bois et par plaines. Il en fut tout attendri.
– Mais qu'est-ce que j'ai ? pensait-il, voilà que je flageole sur mes pattes.
À force d'y réfléchir, il comprit qu'il **était devenu** bon, tout à coup. Si bon et si doux qu'il ne pourrait plus jamais manger d'enfants.
■ LES CONTES DU CHAT PERCHÉ

il n'*avait*	rien	*vu*		il *était*	*devenu*	bon
auxiliaire *avoir*		participe passé du verbe *voir*		auxiliaire *être*	participe passé du verbe *devenir*	

172 Comment accorder le participe passé employé avec l'auxiliaire être ?

> Le participe passé employé avec l'auxiliaire **être** s'accorde en genre et en nombre avec le **sujet** du verbe.

Le roi avait couru mille risques depuis qu'il était en cage. Le clou qui l'accrochait s'était rompu ; la cage était tomb**ée**, et Sa Majestée emplumée souffrit beaucoup de cette chute.
■ L'OISEAU BLEU

la cage	était	tomb**ée**
nom féminin singulier		participe passé féminin singulier

173 Comment accorder le participe passé employé avec l'auxiliaire être, lorsqu'il y a plusieurs sujets ?

> Si **tous** les sujets (coordonnés par **et** ou juxtaposés) sont au **féminin**, le participe passé s'accorde au **féminin pluriel**.

Delphine et Marinette étaient devenues très pâles et joignaient les mains avec des yeux suppliants.
– Pas de prière qui tienne ! S'il ne pleut pas, vous irez chez la tante Mélina lui porter un pot de confiture.

■ LES CONTES DU CHAT PERCHÉ

Delphine	et	Marinette	étaient	devenues	très pâles
nom féminin singulier		nom féminin singulier		participe passé féminin pluriel	

Si **tous** les sujets sont de genre **masculin**, le participe passé s'accorde au **masculin pluriel**.

Le roi et son frère, qui étaient prisonniers, et qui savaient que leur sœur devait arriver, s'étaient habillés de beau pour la recevoir.

■ LA PRINCESSE ROSETTE

Le	roi	et	son	frère	s'étaient	habillés
	nom masculin singulier			nom masculin singulier		participe passé masculin pluriel

Si les sujets n'ont pas le même genre, le participe passé est toujours au **masculin pluriel**.

À l'entrée de la cour, le canard, le chat, le coq, les poules, les oies et le cochon guettaient l'arrivée des petites pour avoir des nouvelles de la Cornette et furent bien étonnés de les voir apparaître seules avec le chien. La nouvelle de la disparition des vaches les mit en effervescence. Les oies se lamentaient, les poules couraient en tous sens, le cochon criait...

■ LES CONTES DU CHAT PERCHÉ

Le sujet comprend des noms masculins et des noms féminins ; le participe passé *étonnés* s'accorde donc au masculin pluriel.

174 Comment accorder le participe passé employé avec l'auxiliaire avoir ?

Le participe passé employé avec l'auxiliaire **avoir** ne s'accorde **jamais** avec le **sujet**.

Tous m'ont dit qu'ils n'avaient jamais, au grand jamais, **vu** une sorcière aussi laide que moi. J'ai **eu** ma photo sur la couverture de tous les magazines de la région.

■ La grande fête de la sorcière Camomille

ils	n'	avaient	jamais vu
sujet pluriel		auxiliaire avoir	participe passé invariable

j'	ai	eu
sujet singulier	auxiliaire avoir	participe passé invariable

175 Le participe passé employé avec avoir est-il toujours invariable ?

Non ! Le participe passé employé avec l'auxiliaire *avoir* **s'accorde** en genre et en nombre **avec le COD** quand celui-ci est placé **avant le verbe**. Mais il ne s'accorde pas si le COD est placé après le verbe.

Cependant, elle ne tarda pas à comprendre qu'elle était dans la mare des larmes qu'elle avait vers**ées** quand elle avait deux mètres soixante et quinze de haut.

■ Les aventures d'Alice au pays des merveilles

des larmes	qu'elle avait	versées
antécédent féminin pluriel	pronom relatif COD	participe passé féminin pluriel

Accorder les déterminants et les adjectifs qualificatifs avec le nom

À RETENIR

■ Les déterminants et les adjectifs qualificatifs d'un groupe nominal **s'accordent en genre et en nombre** avec le nom noyau.

■ Les **adjectifs numéraux** sont **invariables**, sauf *vingt* et *cent*.

176 Qu'est-ce qu'un groupe nominal?

Le groupe nominal (GN) est un groupe de mots organisé autour d'un nom noyau. Il peut occuper différentes fonctions (sujet, COD, COI, COS, CC, attribut du sujet). ▷ PARAGRAPHE 41

HENRIETTE *(après un temps, relevant la tête).* – Ah! que c'est ennuyeux! Ça ne veut pas entrer...
RENÉ. – Moi ça commence!... Je sais jusqu'à « fromage »!, « ... tenait **dans son bec un fromage**... »
HENRIETTE. – Deux lignes!... déjà!...
RENÉ. – Oui, et toi?
HENRIETTE. – Moi, je commence un peu à savoir le titre.
RENÉ. – Oh! tu verras, ça n'est pas très difficile... c'est très bête **cette fable-là**... c'est **pour les petits enfants**... mais on la retient facilement. ■ FIANCÉS EN HERBE

tenait dans son <u>bec</u> un <u>fromage</u>
        nom noyau   nom noyau

c'est très bête cette <u>fable-là</u>... c'est pour les petits <u>enfants</u>
        nom noyau   nom noyau

177 Quels mots peut-on trouver dans le GN?

● On y trouve des **noms**. ▷ PARAGRAPHES 40 À 48

● On y trouve aussi des **déterminants: articles et adjectifs non qualificatifs**. ▷ PARAGRAPHES 70 À 80

▶ **Articles:** le, la, les, un, une, des, du, de la
▶ **Adjectifs possessifs:** mon, ma, notre, votre, leur, leurs...
▶ **Adjectifs démonstratifs:** ce, cet, cette, ces...
▶ **Adjectifs indéfinis:** certains, quelques, tout, toute, tous...
▶ **Adjectifs numéraux:** deux, vingt, cent, deuxième...

● On y trouve enfin des **adjectifs qualificatifs**.
▷ PARAGRAPHES 59 À 66

178 Comment faire l'accord dans le GN?

Les déterminants et les adjectifs qualificatifs prennent le **genre** et le **nombre** du **nom noyau**.

Ce prince trouva aisément des dames du palais qui entrèrent dans la confidence; il y en eut une qui lui assura que le soir même Florine serait à **une petite** <u>fenêtre</u> **basse** qui répondait sur le jardin, et que par là elle pourrait lui parler. ■ L'OISEAU BLEU

une	*petite*	*fenêtre*	*basse*
article indéfini	adj. qualificatif	nom noyau	adj. qualificatif
féminin singulier	féminin singulier	féminin singulier	féminin singulier

– Je te change tes trois timbres contre mon timbre, m'a dit Geoffroy.

– T'es pas un peu fou ? je lui ai demandé. Si tu veux **mes trois** timbres, donne-moi trois timbres, sans blague ! Pour un timbre je te donne un timbre. ■ LE PETIT NICOLAS ET LES COPAINS

mes	*trois*	*timbres*
adj. possessif	adj. numéral	nom noyau
masculin pluriel	masculin pluriel	masculin pluriel

Elles allèrent à l'écurie et à la basse-cour et décidèrent facilement le bœuf, la vache, le cheval, le mouton, le coq, la poule, à les suivre dans la cuisine. La plupart étaient très contents de jouer à l'Arche de Noé. Il y eut bien **quelques** grincheux, comme le dindon et le cochon, pour protester qu'ils ne voulaient pas être dérangés... ■ LES CONTES DU CHAT PERCHÉ

quelques	*grincheux*
adj. indéfini	nom noyau
masculin pluriel	masculin pluriel

La Belle ne put s'empêcher de frémir en voyant **cette horrible** figure, mais elle se rassura de son mieux et, le monstre lui ayant demandé si c'était de bon cœur qu'elle était venue, elle lui dit en tremblant que oui. ■ LA BELLE ET LA BÊTE

cette	*horrible*	*figure*
adj. démonstratif	adj. qualificatif	nom noyau
féminin singulier	féminin singulier	féminin singulier

Les adjectifs **numéraux** cardinaux *(deux, dix, trente, mille...)* sont **invariables sauf vingt** et **cent**. *Vingt* et *cent* peuvent se mettre au pluriel s'ils sont multipliés et qu'ils ne sont pas suivis d'un autre adjectif numéral.

quatre-vingt**s**, quatre-vingt-un, quatre-vingt-deux...
six cent**s**, six cent un, six cent deux, six cent trois...

179 Comment accorder un adjectif qualificatif qui se rapporte à plusieurs noms?

Lorsque les noms sont **masculins**, l'adjectif s'accorde au **masculin pluriel**.

C'était un mélange de <u>poissons, d'oiseaux et de mammifères</u> **putréfiés**. Une odeur tout à fait insoutenable. Un peu comme celle qui s'exhalerait d'une porcherie-poissonnerie-basse-cour, si cela existait.

■ Le chevalier désastreux

de <u>poissons,</u>	d'<u>oiseaux</u> et de <u>mammifères</u>	<u>putréfiés</u>
nom	nom	nom	adj. qualificatif
masculin pluriel	masculin pluriel	masculin pluriel	masculin pluriel

Lorsque les noms sont **féminins**, l'adjectif s'accorde au **féminin pluriel**.

Effrayées, <u>Delphine et Marinette</u> se mirent à pleurer. En voyant les larmes, le vieux cygne, perdant la tête, se mit à tourner en rond devant elles.

■ Les contes du chat perché

<u>Effrayées,</u>	<u>Delphine</u>	et	<u>Marinette</u>	se mirent à pleurer.
adj. qualificatif	nom féminin		nom féminin	
féminin pluriel	singulier		singulier	

Lorsque les noms ont des genres **différents**, l'adjectif s'accorde au **masculin pluriel**.

C'était un joli canard. Il avait <u>la tête et le col</u> **bleus**, le jabot couleur de rouille et les ailes rayées bleu et blanc.

■ Les contes du chat perché

la	<u>tête</u>	et	le	<u>col</u>	<u>bleus</u>
	nom féminin			nom masculin	adj. qualificatif
	singulier			singulier	masculin pluriel

Former le pluriel des noms

180 Quel est, en général, le pluriel des noms?

En général, les noms forment leur pluriel en ajoutant un **s** à la forme du singulier.

le lièvre → les lièvre**s**   un rat → des rat**s**

181 Comment se forme le pluriel des noms en -eu, -au, -eau?

La plupart des noms terminés au singulier par **-eu**, **-au**, **-eau** forment leur pluriel en ajoutant un **x**.

les chev**eux**   les tuy**aux**   les drap**eaux**

Les mots **landau**, **sarrau**, **bleu** et **pneu** forment leur pluriel en ajoutant un **s**.

les land**aus**   les sarr**aus**   les bl**eus**   les pn**eus**

182 Comment se forme le pluriel des noms en -ou?

La plupart des noms terminés par **-ou** au singulier forment leur pluriel en ajoutant un **s**.

un sou → des sou**s**

Sept mots en **-ou** prennent un **x** au pluriel : **bijou**, **caillou**, **chou**, **genou**, **hibou**, **joujou** et **pou**.

un bijou → des bijou**x**

183 Comment se forme le pluriel des noms en -s, -x ou -z?

Les noms déjà terminés au singulier par **-s**, **-x** ou **-z** ne changent pas de forme au pluriel.

le boi**s** → les boi**s**   le pri**x** → les pri**x**   le ga**z** → les ga**z**

184 Quel est le pluriel des noms en -al?

La plupart des noms terminés par **-al** forment leur pluriel en **-aux**.

un anim**al** → des anim**aux**   un chev**al** → des chev**aux**

Cinq mots en **-al** forment leur pluriel en ajoutant un **s** : **bal**, **carnaval**, **chacal**, **festival** et **régal**.

un carnav**al** → des carnav**als**

185 Quel est le pluriel des noms en -ail?

Certains mots terminés par **-ail** forment leur pluriel en ajoutant un **s** : **attirail**, **chandail**, **détail**, **épouvantail**, **gouvernail** et **portail**.

un dét**ail** → des dét**ails**   un port**ail** → des port**ails**

D'autres mots terminés par **-ail** ont un pluriel en **-aux** : **corail**, **émail**, **travail** et **vitrail**.

un cor**ail** → des cor**aux**   un ém**ail** → des ém**aux**

186 Le pluriel peut-il changer la prononciation d'un nom?

Oui ! Au pluriel, dans quelques cas, on ne prononce pas les consonnes finales.

un œuf [œf] → des œufs [ø]

ATTENTION

un œil, des yeux [zjø]

Les hiboux

Ce sont les mères des **hiboux**
Qui désiraient chercher les **poux**
De leurs enfants, leurs petits **choux**,
En les tenant sur les **genoux**.

Leurs yeux d'or valent des **bijoux**
Leur bec est dur comme **cailloux**,
Ils sont doux comme des **joujoux**,
Mais aux hiboux point de **genoux** !

■ Robert Desnos,
Chantefables et Chantefleurs © Grund 1944

Une histoire de chacals

Le propriétaire d'un zoo écrit à
un de ses fournisseurs en Afrique :
« Cher Monsieur, veuillez me faire
expédier deux *chacals*, s'il vous plaît. »
Il relit ce qu'il a écrit, se gratte la tête,
puis déchire sa lettre et en fait une autre :
« Cher Monsieur, veuillez me faire
expédier deux *chacaux*, s'il vous plaît. »
Il relit la lettre, hésite et se dit :
« Décidément, je n'en sais rien. »
Alors, il déchire la seconde lettre
et en écrit une troisième :
« Cher Monsieur, veuillez me faire
expédier un chacal, s'il vous plaît.
Post-scriptum : pendant que vous y êtes,
mettez-m'en deux... »

■ Hervé Nègre, *Dictionnaire des histoires drôles*
© Librairie Arthème Fayard 1967

Former le pluriel des adjectifs qualificatifs

GRANDS BEAUX GERBERAS

JOLIES PETITES AZALÉES

À RETENIR

■ La plupart des adjectifs qualificatifs ont un **pluriel en s** et s'accordent avec le ou les noms qu'ils qualifient. Mais il existe des exceptions que vous devez connaître.

187 Comment se forme, en général, le pluriel des adjectifs qualificatifs?

La plupart des adjectifs forment leur pluriel en ajoutant un **s**.

grand, grande → grand**s**, grande**s**
important, importante → important**s**, importante**s**
joli, jolie → joli**s**, jolie**s**

188 Comment se forme le pluriel des adjectifs qualificatifs en -s ou en -x?

Les adjectifs terminés par **-s** ou **-x** au singulier **ne changent pas** de forme au **masculin pluriel**.

un gro**s** câlin → de gro**s** câlins
un gâteau délicieu**x** → des gâteaux délicieu**x**

189 Comment se forme le pluriel des adjectifs qualificatifs en -al?

Les adjectifs terminés par **-al** forment généralement leur masculin pluriel en **-aux**.

vertic**al** → vertic**aux** (féminin pluriel : vertic**ales**)

Banal, **bancal**, **fatal**, **natal** et **naval** forment leur masculin pluriel en ajoutant un **s** à la forme du singulier.

nav**al** → nav**als**

190 Comment se forme le pluriel des adjectifs qualificatifs en -eau?

Les adjectifs terminés par **-eau** forment leur pluriel en **-eaux**.

un b**eau** parc → de b**eaux** parcs

191 Quel est le pluriel des adjectifs qualificatifs de couleur?

Lorsque la couleur est désignée par **un seul adjectif** (*blanc, jaune, vert...*), celui-ci **s'accorde** en genre et en nombre avec le nom qu'il qualifie.

des <u>murs</u>   <u>blancs</u>
   nom   adjectif
 masculin masculin
  pluriel   pluriel

des <u>maisons</u>   <u>blanches</u>
   nom   adjectif
 féminin   féminin
 pluriel   pluriel

> Lorsqu'un nom de **fruit** *(marron...)*, de **fleur** *(jonquille...)* ou de **pierre précieuse** *(émeraude...)* est employé comme adjectif de couleur, l'adjectif est **invariable**.

des <u>chapeaux</u> <u>marron</u>
      nom   adjectif
    masculin   invariable
     pluriel

des <u>mers</u> <u>turquoise</u>
   nom   adjectif
 féminin invariable
  pluriel

EXCEPTIONS

des chemises **roses**, des pulls **mauves**

> Lorsque la couleur est désignée par un **adjectif composé** (adjectif + adjectif, adjectif + nom), l'adjectif reste **invariable**.

des <u>vestes</u> <u>bleu marine</u>
   nom   adjectif
 féminin composé
  pluriel invariable

des <u>camions</u> <u>vert pomme</u>
    nom   adjectif
  masculin composé
   pluriel invariable

J'ai quatre cornes citron

J'ai quatre cornes **citron**
et trois jolis yeux **turquoise**,
une moustache **framboise**,
un gentil visage rond.

Mon ventre est **vert véronèse**,
ma poitrine **vert wagon**,
mes cheveux sentent la fraise
et parfois le macaron.

Pierre Gamarra dans J. Charpentreau,
Mon premier livre de devinettes
© Éd. ouvrières/Éd. de l'Atelier 1986

Former le pluriel des noms composés

À RETENIR

- Pour mettre un **nom composé** au pluriel, il faut d'abord identifier la **nature** des mots qui le composent.
- Dans un nom composé, seuls l'**adjectif** et le **nom** peuvent prendre la **marque du pluriel**.
- Les autres éléments (verbe, adverbe, préposition) restent **invariables**.

192 Qu'est-ce qu'un nom composé?

Un nom composé est un nom formé de **deux** ou **trois mots**.

un bateau-mouche
une pomme de terre

193 Quel est le pluriel d'un nom composé?

Le **verbe**, l'**adverbe** et la **préposition** sont **invariables** dans un nom composé. **L'adjectif s'accorde** toujours.

des **sèche**-linge   des arcs-**en**-ciel   des basse**s**-cours

● Dans un nom composé, **en général**, le **nom s'accorde**.
● Mais si le nom composé est formé d'un verbe et d'un nom, le **nom peut ne pas s'accorder**. Cela dépend du **sens** du nom composé.

des lave-vaisselle

On lave **la** vaisselle : *vaisselle* reste au singulier.

des tire-bouchons

On retire **des** bouchons : *bouchons* se met au pluriel.

194 Formation du pluriel des mots composés

MOTS COMPOSÉS	EXEMPLES
nom + nom	un chou-fleur des choux-fleurs
adjectif + nom	une longue-vue des longues-vues
nom + préposition + nom	un gardien de but des gardiens de but
verbe + nom	un tire-bouchon des tire-bouchons un lave-vaisselle des lave-vaisselle
adverbe + nom	une avant-garde des avant-gardes

La complainte du progrès

Autrefois s'il arrivait
Que l'on se querelle
L'air lugubre on s'en allait
En laissant la vaisselle
Aujourd'hui, que voulez-vous
La vie est si chère
On dit rentre chez ta mère
Et on se garde tout
Ah... Gudule... Excuse-toi...
ou je reprends tout ça

Mon frigidaire
Mon armoire à cuillers
Mon évier en fer
Et mon poêl'à mazout
Mon **cire-godasses**
Mon **repasse-limaces**
Mon tabouret à glace
Et mon **chasse-filou**
La tourniquette
À faire la vinaigrette
Le **ratatine-ordures**
Et le **coupe-friture**

■ Paroles de Boris Vian, musique d'A. Goraguer
© Héritiers Vian et Christian Bourgois éd. 1984
© Warner Chappel Music France 1956

Distinguer les homophones

À RETENIR

■ Certains mots se prononcent de la **même manière**, mais ils ont une **orthographe différente** : ce sont des **homophones**. Pour bien les écrire, il faut apprendre à les reconnaître.

195 Qu'appelle-t-on des homophones ?

Les **homophones** sont des mots qui se prononcent de façon **identique** mais **ne s'écrivent pas** de la même façon. Ils diffèrent également par le sens.

un ba**l**   une ba**lle**

Parfois, ces mots n'appartiennent pas à la même catégorie grammaticale ; on les appelle alors des homophones grammaticaux.

le **lait** : nom
laid : adjectif
bien qu'il **l'ait** : pronom personnel + verbe *avoir* à la 3e personne du singulier

un **compte** : nom
il **compte** : verbe

196 ## Comment distinguer à et a?

> On peut mettre les phrases à l'imparfait : **a** devient **avait**,
> **à** ne change pas. **A** est la forme conjuguée du verbe *avoir*,
> **à** est une préposition.

Je lui ai dit que je ne savais pas ; alors il m'**a** dit qu'avec
les dix francs, je pourrais avoir des tas de tablettes de
chocolat.
– Tu pourrais en acheter cinquante ! Cinquante tablettes,
tu te rends compte ? m'**a** dit Alceste, vingt-cinq tablettes
pour chacun !
– Et pourquoi je te donnerais vingt-cinq tablettes, j'ai
demandé ; le billet, il est **à** moi !
– Laisse-le, **a** dit Rufus **à** Alceste, c'est un radin !

■ LE PETIT NICOLAS A DES ENNUIS

> Si l'on met les phrases à l'imparfait, seul le verbe *avoir* change.
> → alors il m'_avait_ dit...
> → tu te rends compte ? m'_avait_ dit Alceste...
> → le billet, il était _à_ moi !
> → – Laisse-le, _avait_ dit Rufus _à_ Alceste...

> Devant un infinitif, on écrit toujours **à**.

Tu n'as pas l'air sotte, contrairement à la plupart des
vaches de Balanzategui qui ne pensent qu'**à** manger
et **à** dormir. Elles sont **à** vomir. ■ MÉMOIRES D'UNE VACHE

à	manger
préposition	infinitif

à	dormir
préposition	infinitif

197 Comment distinguer ce et se?

> **Se** est placé **devant un verbe**. Si l'on met la phrase à la première personne du singulier, **se** devient **me**. C'est un pronom personnel.

Rosette dormait à poings fermés, quand la méchante nourrice s'en alla quérir le batelier. Elle le fit entrer dans la chambre de la princesse ; puis ils la prirent avec son lit de plume, son matelas, ses draps, ses couvertures. Ils jetèrent le tout à la mer ; et la princesse dormait de si bon sommeil qu'elle ne **se** réveilla point. ■ La princesse Rosette

elle ne se réveilla point.
pronom personnel
→ je ne **me** réveillai point

> **Ce** peut se trouver **avant** un **nom masculin**. **Ce** devient **cette** avant un nom féminin. C'est un adjectif démonstratif.

Ce pauvre monstre voulut soupirer et il fit un sifflement si épouvantable que tout le palais en retentit. ■ La Belle et la Bête

Ce pauvre monstre
adj. démonstratif
→ Cette pauvre bête

> **Ce** (pronom démonstratif) peut se trouver **avant** un **verbe**. Dans ce cas, on ne peut pas mettre la phrase à une autre personne.

– Ce que tu dis des vaches est faux, et tu ne devrais pas te sous-estimer ainsi, dit-il.
– C'est possible, répondis-je avec une certaine prudence.
– C'est sûr, ma fille. Une vache, **ce** n'est pas n'importe quoi ! ■ Mémoires d'une vache

198 Comment distinguer ces et ses?

On peut mettre les phrases au singulier : **ces** devient **ce** ou **cette**, **ses** devient **son** ou **sa**. **Ces** est un adjectif démonstratif, **ses** est un adjectif possessif.

Courageux comme un timbre-poste
il allait son chemin
en tapant doucement dans **ses** mains
pour compter **ses** pas ■ POÈMES ET POÉSIES

> *en tapant doucement dans ses mains*
> adj. possessif
> → en tapant doucement dans sa main

Lorsqu'il vit les parents bien loin au dernier tournant du sentier, le loup fit le tour de la maison en boitant d'une patte, mais les portes étaient bien fermées. Du côté des vaches et des cochons, il n'avait rien à espérer. **Ces** espèces n'ont pas assez d'esprit pour qu'on puisse les persuader de se laisser manger. ■ LES CONTES DU CHAT PERCHÉ

> *Ces espèces n'ont pas assez d'esprit*
> adj. démonstratif
> → Cette espèce n'a pas assez d'esprit

Ses est un adjectif possessif ; il indique à qui appartient quelque chose.

Ce jour-là, vers midi, la faim réveilla le dragon.
Il chaussa **ses** pantoufles et s'essaya à cracher un peu de feu.
Juste pour voir s'il était en forme. ■ DRAGON L'ORDINAIRE

> *Il chaussa ses pantoufles* : les pantoufles du dragon.

199   Comment distinguer c'est et s'est?

> On peut mettre les phrases à la première personne du singulier, par exemple : **s'est** devient **me suis**, **c'est** ne change pas.

Alors Maixent **s'est** levé, et il **s'est** mis à pleurer, et la maîtresse a dit à Clotaire et à Maixent de conjuguer à tous les temps de l'indicatif et du subjonctif le verbe : « Je dois être attentif en classe, au lieu de me distraire en y faisant des niaiseries, car je suis à l'école pour m'instruire, et non pas pour me dissiper ou m'amuser. » ■ LE PETIT NICOLAS A DES ENNUIS

Alors Maixent   <u>s'</u>   <u>est</u> levé
              pronom   auxiliaire
              personnel   *être*
→ Alors je <u>me suis</u> levé

Moi j'étais drôlement content, parce que j'aime bien sortir avec mon Papa, et le marché, **c'est** chouette. Il y a du monde et ça crie partout, c'est comme une grande récré qui sentirait bon. ■ LE PETIT NICOLAS A DES ENNUIS

<u>C'</u>   <u>est</u> chouette.
pronom   verbe
démonstratif   *être*

> On peut aussi mettre les phrases à la forme négative : **s'est** devient **ne s'est pas**, **c'est** devient **ce n'est pas**.

Alors Maixent <u>s'est</u> levé, et il <u>s'est</u> mis à pleurer
→ Maixent <u>ne s'est pas</u> levé, et il <u>ne s'est pas</u> mis à pleurer

<u>c'est</u> chouette
→ <u>ce n'est pas</u> chouette

200 Comment distinguer c'était et s'était?

On peut mettre les phrases à la première personne du
singulier, par exemple : **s'était** (ou **s'étaient**) devient **m'étais**,
c'était (ou **c'étaient**) ne change pas.

Tous les fantômes que j'ai pu voir se bornaient à voleter
et à bavarder, comme des papillons ou des rossignols.
C'étaient de vrais gentlemen, tout à fait inutiles et pas
méchants du tout, qui semblaient s'ennuyer dans l'autre
monde comme ils **s'étaient** déjà ennuyés dans celui-ci.

■ UN MÉTIER DE FANTÔME

C'   étaient   de vrais gentlemen
pronom   verbe
démonstratif être

ils   s'   étaient ennuyés → je m'étais ennuyé
      pronom   auxiliaire
      personnel être

On peut aussi mettre les phrases à la forme négative : **s'était**
devient **ne s'était pas**, **c'était** devient **ce n'était pas**.

C'étaient de vrais gentlemen
→ Ce n'étaient pas de vrais gentlemen

ils s'étaient ennuyés
→ ils ne s'étaient pas ennuyés

201 Comment distinguer dans et d'en?

Dans introduit un nom ou un groupe nominal. **Dans** est une préposition.

– On ne peut pas discuter avec vous, soupira le bœuf, vous êtes des enfants.
Et il se replongea **dans** un chapitre de géographie, en faisant remuer sa queue pour témoigner aux petites que leur présence l'impatientait. ■ LES CONTES DU CHAT PERCHÉ

Et il se replongea *dans* un chapitre de géographie
préposition
groupe nominal CC de lieu

D'en ne se trouve jamais devant un nom. **En** remplace un complément.

Sophie avait élaboré un nouveau système d'élevage intensif de cloportes. Elle avait laissé tomber la récolte des allumettes, dont ils ne semblaient pas raffoler, et avait mis ses cloportes dans un tamis à grains pour qu'ils puissent aller et venir à leur gré. Elle les nourrissait désormais de corn-flakes; ils n'en laissaient jamais une miette, bien qu'elle n'en eût jamais vu un seul en train **d'en** manger. ■ L'ESCARGOT DE SOPHIE

en train *d'en* manger: en train de manger des corn-flakes

ATTENTION

Pensez aussi au nom féminin **dent**.
L'idée que mon père allait vraiment me traîner à proximité de ces êtres effroyables qu'étaient les hommes, et m'obliger à leur faire peur avec des Hou-hou-hou! des Ha-ha-ha!, à grincer des **dents** et à rouler de gros yeux, cette idée me plongeait dans une telle panique que j'étais bel et bien près de crever de peur. ■ LES TEMPS SONT DURS POUR LES FANTÔMES

202 ## Comment distinguer et et est?

> On peut mettre les phrases à l'imparfait : **est** (verbe *être*)
> devient **était**, **et** (conjonction de coordination) ne change pas.

Le chien du boulanger
Est maigre comme un clou,
Mais celui du boucher
Est gras **et** rond comme une pomme de terre. ■ AMOUR DE MAI

→ *Le chien du boulanger était maigre comme un clou, mais*
       verbe être
celui du boucher était gras et rond comme une pomme de terre.
       verbe être   conjonction de coordination

203 ## Comment distinguer la, l'a et là?

> **La** se trouve **devant un nom** féminin singulier. Si on met
> le nom au masculin ou au pluriel, **la** devient **le** ou **les**.
> C'est un article défini.

Quand **la** poussière s'est envolée, j'ai vu le Deuxième Petit
Cochon – mort comme une bûche. Parole de Loup.
Mais tout le monde sait que la nourriture s'abîme si on la
laisse traîner dehors. Alors j'ai fait mon devoir. J'ai redîné.
       ■ LA VÉRITÉ SUR L'AFFAIRE DES TROIS PETITS COCHONS

la poussière s'est envolée   → le petit cochon s'est envolé
article défini   → les poussières se sont envolées

> **La** se trouve **devant un verbe** et remplace un mot.
> C'est un pronom personnel.

la nourriture s'abîme si on la laisse traîner dehors
                    pronom personnel   verbe
= si on laisse la nourriture traîner dehors

> **Là** désigne un lieu. On peut le remplacer par **ici** ou par un complément de lieu. C'est un adverbe.

Et au beau milieu du tas de paille, j'ai vu le Premier Petit Cochon – mort comme une bûche. Il était **là** depuis le début. ■ LA VÉRITÉ SUR L'AFFAIRE DES TROIS PETITS COCHONS

Il était là depuis le début. = Il était sur la paille.
adverbe   CC de lieu

> **L'a** (ou **l'as**) est formé du pronom personnel **le** ou **la** et du verbe **avoir**. Pour le distinguer de **la** ou de **là**, on peut mettre les verbes à l'imparfait : **l'a** *(l'as)* devient **l'avait** *(l'avais)*, **la** et **là** ne changent pas.

– Eudes ! a crié Eudes, et M. Pierrot a enlevé les choses qu'il avait sur les oreilles.
– Pas si fort, a dit M. Kiki. C'est pour ça qu'on a inventé **la** radio ; pour se faire entendre très loin sans crier. Allez, on recommence… Comment t'appelles-tu, mon petit ?
– Ben, Eudes, je vous l'ai déjà dit, a dit Eudes.
– Mais non, a dit M. Kiki. Il ne faut pas me dire que tu me **l'as** déjà dit. Je te demande ton nom, tu me le dis, et c'est tout. ■ LE PETIT NICOLAS ET LES COPAINS

Il ne faut pas me dire que tu me l' as déjà dit.
pronom personnel   auxiliaire *avoir*
→ Il ne fallait pas me dire que tu me l'avais déjà dit.

204 Comment distinguer leur et leurs ?

> **Leur** reste invariable quand il se trouve **devant un verbe**.
> C'est un pronom possessif. **Leur** s'accorde en nombre **(leurs)**
> s'il se trouve **devant un nom** pluriel. C'est un adjectif possessif.

Le sanglier s'intéressa beaucoup à l'école et regretta de ne
pouvoir y envoyer ses marcassins. Mais il ne comprenait
pas que les parents des petites fussent aussi sévères.
– Voyez-vous que j'empêche mes marcassins de jouer pendant
tout un après-midi pour **leur** faire faire un problème ? Ils
ne m'obéiraient pas. Du reste, **leur** mère les soutiendrait
sûrement contre moi. ■ LES CONTES DU CHAT PERCHÉ

leur mère → leurs mères (au pluriel)
adj. possessif

> Si on peut remplacer **leur** par **lui**, **leur** reste invariable.

– Voyez-vous que j'empêche mes marcassins de jouer
pendant tout un après-midi pour leur faire faire un problème ?
pronom personnel
→ Voyez-vous que j'empêche mon marcassin de jouer
pendant tout un après-midi pour lui faire faire un problème ?

205 Comment distinguer même adverbe et même(s) adjectif ?

> **Même** est invariable s'il signifie : *aussi, de plus, encore plus.*
> C'est un adverbe.

Je fume souvent la pipe   parfois **même** je réussis
m'a dit le printemps   un arc-en-ciel
et je gonfle de jolis nuages   ce qui n'est pas si facile

■ POÈMES ET POÉSIES

> *parfois* <u>*même*</u> *je réussis un arc-en-ciel* = parfois <u>aussi</u>
>   adverbe

Même s'accorde en nombre avec le nom qu'il détermine si on ne peut pas le changer de place. C'est un adjectif qualificatif.

Cet autobus avait un certain goût. Curieux mais incontestable. Tous les autobus n'ont pas le **même** goût. Ça se dit, mais c'est vrai. Suffit d'en faire l'expérience. Celui-là – un S – pour ne rien cacher – avait une petite saveur de cacahouète grillée je ne vous dis que ça.

■ GUSTATIF

> On ne peut pas changer l'adjectif *même* de place.
> → les <u>mêmes</u> goûts

206 Comment distinguer ni et n'y?

Si on met la phrase à la forme affirmative, **ni** (conjonction de coordination) devient **et**, **n'y** *(ne + y)* devient **y**.

Une limace, c'est mou. C'est flasque. C'est gélatineux. Ça n'a **ni** queue **ni** tête. **Ni** tête **ni** queue. Ça finit comme ça commence et ça ne commence pas très bien !

■ UN VILAIN PETIT LOUP

> *Ça n'a* <u>*ni*</u> *queue* <u>*ni*</u> *tête.* → Ça a une queue <u>et</u> une tête.

Nous sommes partis avec nos cannes à pêche et nos vers, et nous sommes arrivés sur la jetée, tout au bout. Il **n'y** avait personne, sauf un gros monsieur avec un petit chapeau blanc qui était en train de pêcher, et qui n'a pas eu l'air tellement content de nous voir.

■ LES VACANCES DU PETIT NICOLAS

> *Il* <u>*n'*</u> <u>*y*</u> *avait personne* → Il <u>y</u> avait quelqu'un
>   négation pronom personnel

207 Comment distinguer notre et (le) nôtre?

> Au pluriel, **notre** devient **nos** et **nôtre** devient **nôtres**.
> De plus, **nôtre** n'apparaît jamais sans **le** ou **la**. **Notre** est un adjectif possessif, **le nôtre** est un pronom possessif.

– Je crains que le fantôme n'existe bel et bien, dit Lord Canterville en souriant, et qu'il puisse résister aux propositions de vos imprésarios, si entreprenants soient-ils. Il est bien connu depuis 1584, et il fait toujours son apparition avant la mort d'un membre de **notre** famille.

■ LE FANTÔME DE CANTERVILLE

> *un membre de notre famille* → un membre de nos familles
> adj. possessif

Tu te trouves tout simplement au paradis des chiens. Tous les chiens après leur mort viennent ici, où ils ne sont plus jamais malheureux et n'ont plus jamais de soucis. Le paradis des humains se trouve beaucoup plus haut. **Le nôtre** est à mi-chemin et beaucoup d'hommes qui vont au paradis passent par chez nous.

■ L'ACADÉMIE DE M. TACHEDENCRE

> *Le nôtre est à mi-chemin* → Les nôtres sont à mi-chemin
> pronom possessif

208 Comment distinguer on et ont?

> On peut mettre les phrases à l'imparfait : **ont** (forme conjuguée du verbe *avoir*) devient **avaient**, **on** (pronom personnel) ne change pas.

« En voilà une histoire ! dit le roi. Monsieur le secrétaire, regardez donc ce que dit l'Encyclopédie au sujet des vaches qui **ont** des étoiles sur les cornes. »

Le secrétaire se mit à quatre pattes et fouilla sous le trône.
Il réapparut bientôt, un grand livre dans les mains. **On** le
mettait toujours sous le trône pour le cas où le roi aurait
besoin d'un renseignement.   ■ MARY POPPINS

> *des vaches qui ont des étoiles sur les cornes*
> verbe *avoir*
> → *des vaches qui avaient des étoiles sur les cornes*
>
> *On le mettait toujours sous le trône : on ne change pas.*
> pronom personnel

209 Comment distinguer ou et où ?

On peut remplacer **ou** par **ou bien**. **Ou** est une conjonction
de coordination.

J'aimerais bien écrire une tragédie **ou** un sonnet **ou** une
ode, mais il y a les règles. Ça me gêne.   ■ MALADROIT

> *une tragédie ou un sonnet* = une tragédie ou bien un sonnet
> conjonction de coordination

Où permet de poser une question ou de ne pas répéter un
mot. Il indique le lieu. On ne peut pas le remplacer par *ou
bien*. **Où** est un pronom.

Ah ! dites, dites
Où sont passés les troglodytes ?   ■ INNOCENTINES

> *Où sont passés les troglodytes ?* On pose une question sur le lieu.
> pronom interrogatif

Alors Albert s'approcha de lui, et lui prenant la main :
« Monsieur, dit-il, nous avons découvert un endroit **où**
vous pourrez vous reposer. »   ■ L'ÎLE MYSTÉRIEUSE

> *un endroit où vous pourrez vous reposer : où remplace un endroit.*
> pronom relatif

210 Comment distinguer peu, peux et peut?

> On peut mettre les phrases à l'imparfait : **peux** devient **pouvais**, **peut** devient **pouvait**, **peu** ne change pas. On reconnaît alors les formes du verbe *pouvoir*, alors que *peu*, adverbe, ne change pas.

« Moi, ce que j'aimerais, c'est m'acheter un avion, un vrai.
– Tu ne **peux** pas, m'a dit Joachim, un vrai avion, ça coûte au moins mille francs.
– Mille francs ? a dit Geoffroy, tu rigoles ! Mon papa a dit que ça coûtait au moins trente mille francs, et un petit, encore. ■ Le petit Nicolas a des ennuis

Tu ne peux pas → Tu ne pouvais pas
verbe *pouvoir*

Une femme de 53 kilos et portant des boucles d'oreilles roses **peut**-elle soulever une moto de 192 kilos en pleine tempête ? ■ Le livre de nattes

Une femme peut-elle soulever une moto ?
verbe *pouvoir*
→ Une femme pouvait-elle soulever une moto ?

On vit **peu** d'animaux pendant cette journée, à peine quelques singes, qui fuyaient avec mille contorsions et grimaces dont s'amusait fort Passepartout.
Une pensée au milieu de bien d'autres inquiétait ce garçon. Qu'est-ce que Mr Fogg ferait de l'éléphant, quand il serait arrivé à la station d'Allahabad ? L'emmènerait-il ? Impossible ! ■ Le tour du monde en quatre-vingts jours

On vit peu d'animaux ≠ On vit beaucoup d'animaux
adverbe

211 Comment distinguer plutôt et plus tôt?

Plus tôt est le contraire de **plus tard**. **Plutôt** a le sens de **assez, de préférence**...

– Après tout, maintenant que le contrat est signé, je peux bien vous le dire... la maison est hantée !
– Hantée ? Hantée par qui ?
– Par la sorcière du placard aux balais !
– Vous ne pouviez pas le dire **plus tôt** ?

■ LA SORCIÈRE DE LA RUE MOUFFETARD

Vous ne pouviez pas le dire plus tôt ?
≠ Vous ne pouviez pas le dire plus tard ?

– Sire, répond l'agneau, que Votre Majesté
Ne se mette pas en colère ;
Mais **plutôt** qu'elle considère
Que je me vas désaltérant
Dans le courant,
Plus de vingt pas au-dessous d'elle ;

■ LE LOUP ET L'AGNEAU

Mais plutôt qu'elle considère
= Mais qu'elle considère de préférence

212 Comment distinguer près et prêt?

Près est une préposition qui introduit le lieu et demeure **invariable**. **Prêt** est un adjectif qualificatif qui **s'accorde** en genre et en nombre avec le nom qu'il qualifie.

Alice n'aimait pas du tout voir la Duchesse si **près** d'elle : d'abord, parce qu'elle était vraiment très laide.

■ LES AVENTURES D'ALICE AU PAYS DES MERVEILLES

Où est la Duchesse ? → Près d'Alice.

Sept heures sonnaient alors. On offrit à Mr Fogg de suspendre le whist afin qu'il pût faire ses préparatifs de départ.
« Je suis toujours **prêt** ! » répondit cet impassible gentleman. ■LE TOUR DU MONDE EN QUATRE-VINGTS JOURS

> « Je suis toujours _prêt_ ! » répondit cet impassible gentleman.
> → « Je suis toujours _prête_ ! » répondit cette impassible lady.

213 Comment distinguer quand, quant et qu'en ?

> **Quand** peut être remplacé par **lorsque**. **Quant (à)** peut être remplacé par **en ce qui concerne**.

– **Quant** à vous autres, et bien que la pluie ait cessé, vous ne descendrez pas dans la cour de récréation aujourd'hui. Ça vous apprendra un peu le respect de la discipline ; vous resterez en classe sous la surveillance de votre maîtresse ! Et **quand** le directeur est parti, **quand** on s'est rassis, avec Geoffroy et Maixent, à notre banc, on s'est dit que la maîtresse était vraiment chouette, et qu'elle nous aimait bien, nous qui, pourtant, la faisons quelquefois enrager. ■LE PETIT NICOLAS ET LES COPAINS

> _Quant à vous autres_ = En ce qui vous concerne, vous autres
> _Et quand le directeur est parti, quand on s'est rassis_
> = Et _lorsque_ le directeur est parti, _lorsqu'_on s'est rassis

> **Qu'en** se compose de la conjonction **que** et du pronom personnel **en**. **En** remplace un complément introduit par **de**.

Le directeur comprit qu'il avait perdu la partie.
– Puis-je suggérer un compromis ? dit-il. Je lui permets de garder ses deux souris dans sa chambre, à condition qu'elles restent dans leur cage. **Qu'en** pensez-vous ? ■SACRÉES SORCIÈRES

Qu'en pensez-vous ? = Que pensez-vous de ma proposition ?
pronom personnel

214 Comment distinguer quel, quelle et qu'elle ?

Pour distinguer **quelle(s)** et **qu'elle(s)**, on peut mettre la phrase au masculin : **qu'elle(s)** devient **qu'il(s)**.

Et d'abord, à quoi bon rester ici à faire des problèmes quand il fait si beau dehors ? Les pauvres petites seraient bien mieux à jouer.
– C'est ça. Et plus tard, quand elles auront vingt ans, **qu'elles** seront mariées, elles seront si bêtes que leurs maris se moqueront d'elles.
– Elles apprendront à leurs maris à jouer à la balle et à saute-mouton. N'est-ce pas, petites ?

■ LES CONTES DU CHAT PERCHÉ

Et plus tard, quand elles auront vingt ans,
qu'   elles seront mariées, elles seront si bêtes...
conjonction de   pronom
subordination   personnel
→ Et plus tard, quand ils auront vingt ans, qu'ils seront mariés, ils seront si bêtes...

Quel bonheur, **quelle** joie donc d'être un escargot.

■ LE PARTI PRIS DES CHOSES

Quel, quelle sont des adjectifs exclamatifs.

TOPAZE. – Élève Séguédille, voulez-vous me dire **quel** est l'état d'esprit de l'honnête homme après une journée de travail ?
ÉLÈVE SÉGUÉDILLE. – Il est fatigué.

■ TOPAZE

Quel est un adjectif interrogatif.

215 Comment distinguer sans, sent, s'en?

Sans est le contraire de **avec**.

Ne devrait-on pas prévoir, sur le dos de chaque araignée, un petit module à énergie solaire actionnant des pales d'hélicoptère? Les araignées, **sans** fil, seraient beaucoup plus libres de leurs déplacements et leur caractère y gagnerait en douceur... ■ RÉPONSES BÊTES À DES QUESTIONS IDIOTES

sans	*fil*	≠	avec un fil
préposition	nom		

« Hé! bonjour, Monsieur du Corbeau,
Que vous êtes joli! que vous me semblez beau!
Sans mentir, si votre ramage
Se rapporte à votre plumage,
Vous êtes le phénix des hôtes de ces bois. »

■ LE CORBEAU ET LE RENARD

sans	*mentir*
préposition	infinitif

ATTENTION

Souvenez-vous de cette règle simple: après **à**, **de**, **par**, **pour**, **sans**, le verbe est toujours à l'**infinitif**.

Sens et **sent** sont des formes conjuguées du verbe **sentir**.

– Je dis que je **sens** ici une odeur de cerf!
Feignant d'être réveillé en sursaut, le chat se dressa sur ses pattes, regarda le chien d'un air étonné et lui dit:
– Qu'est-ce que vous faites ici? En voilà des façons de venir renifler à la porte des gens! ■ LES CONTES DU CHAT PERCHÉ

Le pauvre radiateur
raide comme une grille
se **sent** triste et rêveur.

■ COMPLAINTE DU PAUVRE RADIATEUR

> **S'en** (se + en) s'écrit en deux mots. Il ne se trouve jamais devant un nom. **En** remplace un complément introduit par **de**.
>
> > PARAGRAPHE 86

Certainement c'est parfois une gêne d'emporter partout avec soi cette coquille mais [les escargots] ne **s'en** plaignent pas et finalement ils en sont bien contents. Il est précieux, où que l'on se trouve, de pouvoir rentrer chez soi et défier les importuns. ■ LE PARTI PRIS DES CHOSES

> *les escargots ne s'en plaignent pas* : ils ne se plaignent pas d'emporter cette coquille avec eux.

ATTENTION

Pensez aussi au nom **sang** et à l'adjectif numéral **cent**.
Les serpents sont des créatures à **sang** froid. Or le froid est une rareté sans prix dans les pays chauds.
Je ne m'y déplace jamais sans ma couleuvre-garde-manger-réfrigérateur. ■ RÉPONSES BÊTES À DES QUESTIONS IDIOTES

L'autruche Paméla naquit au Sénégal
Son père était célèbre à **cent** lieues à la ronde
Et sa mère, dit-on, la plus belle du monde. ■ CENT SONNETS

216 Comment distinguer son et sont?

> On peut mettre les phrases à l'imparfait : **sont** devient **étaient**, **son** ne change pas. **Sont** est la forme conjuguée du verbe **être**, **son** est un adjectif possessif.

Gaspard était d'origine écossaise par son père, un célèbre chat de la race des Anglais bleus, qui **sont** gris comme leur nom ne l'indique pas et qu'on appelle en France des chats des Chartreux. ■ LE CHAT QUI PARLAIT MALGRÉ LUI

> *qui sont gris* → qui étaient gris
> verbe être

Ce bœuf-là était plein de bonne volonté, mais les larmes n'étaient pas **son** fort et on ne l'avait jamais vu pleurer. Toute **son** émotion et **son** désir de bien faire ne lui humectaient pas seulement le coin des paupières.

■ LES CONTES DU CHAT PERCHÉ

son	*fort*		*son*	*émotion*		*son*	*désir*
adj. possessif	nom		adj. possessif	nom		adj. possessif	nom

ATTENTION

Pensez aussi au nom **son** qui désigne un bruit ou un aliment à base de céréales.

217 Comment distinguer si et s'y?

Si signifie **oui, à condition que, au cas où, tellement**.
S'y *(se + y)* s'écrit en deux mots. On peut mettre la phrase à la première personne du singulier, par exemple : **s'y** devient **m'y**, **si** ne change pas.

– Tes fleurs sont allées cette nuit au bal, et voilà pourquoi leurs têtes sont ainsi penchées.
– Cependant les fleurs ne savent pas danser, dit la petite Ida.
– **Si**, répondit l'étudiant. Lorsqu'il fait noir et que nous dormons, nous, elles dansent et s'en donnent à cœur joie, presque toutes les nuits.

■ CINQ CONTES

si = oui
adverbe

– **Si** jamais tu te transformes en cochon, mon chéri, déclara Alice d'un ton sérieux, je ne m'occuperai plus de toi. Fais attention à mes paroles ! [...]
Alice commençait à se dire : « Que vais-je faire de cette créature quand je l'aurai emmenée à la maison ? » lorsque

le bébé poussa un nouveau grognement, **si** fort, cette fois,
qu'elle regarda son visage non sans inquiétude. Il n'y avait
pas moyen de **s'y** tromper : c'était bel et bien un cochon,
et elle sentit qu'il serait parfaitement absurde de le porter
plus loin. ■ LES AVENTURES D'ALICE AU PAYS DES MERVEILLES

Si jamais tu te transformes en cochon
conjonction de subordination
= *Au cas où* tu te transformerais en cochon

le bébé poussa un nouveau grognement, si fort
adverbe = *tellement fort*
→ je poussai un nouveau grognement si fort

Il n'y avait pas moyen de s'y tromper
→ Je n'avais pas moyen de m'y tromper

218 Comment distinguer votre et (le) vôtre ?

Au pluriel, **votre** devient **vos** et **vôtre** devient **vôtres**.
De plus, **vôtre** n'apparaît jamais sans **le** ou **la**. **Votre** est
un adjectif possessif, **le vôtre** est un pronom possessif.

Maître Corbeau, sur **votre** arbre perché,
Vous me paraissez fort âgé !
Il est permis de penser qu'à **votre** âge
Vous vous connaissez en fromages ? ■ MARELLES

sur votre arbre perché → sur vos arbres perchés
adj. possessif

à votre âge → à vos âges
adj. possessif

Tout le monde le sait, un visage sans barbe, comme
le vôtre ou le mien, se salit si on ne le lave pas
régulièrement. ■ LES DEUX GREDINS

un visage sans barbe, comme le vôtre → comme les vôtres
pronom possessif

ORTHOGRAPHE D'USAGE

On appelle orthographe d'usage l'orthographe des mots telle qu'elle est proposée par le dictionnaire, sans considérer les modifications entraînées par les accords.

Écrire le son [a]

acteur

guitare

boa

219 Le son [a] s'écrit a   abri   bar   boa

On trouve **a** en toutes positions dans les mots.

DÉBUT : **a**bri, **a**ccès, **a**cteur, **a**ffaire.
INTÉRIEUR : b**a**r, cauchem**a**r, g**a**re, guit**a**re.
FIN : acaci**a**, bo**a**, camér**a**, ciném**a**, opér**a**, panoram**a**, tombol**a**, vérand**a**.

> **ATTENTION**
>
> On peut aussi trouver **ha** au début ou à l'intérieur des mots.
>
> **ha**bile   **ha**bitude   **ha**sard   in**ha**ler
> **ha**bitant   **ha**meçon   in**ha**bité

220 Le son [a] s'écrit â   âge   château

On ne trouve **â** qu'au début et à l'intérieur des mots.

DÉBUT : **â**ge, **â**me, **â**ne.
INTÉRIEUR : b**â**timent, b**â**ton, c**â**ble, ch**â**teau, cr**â**ne, gr**â**ce, h**â**te, inf**â**me, thé**â**tre.

> **ATTENTION**
>
> Certains mots commencent par **hâ**.
>
> **hâ**lé   **hâ**te

221 Le son [a] s'écrit à   voilà

On ne trouve **à** qu'à la fin des mots.

FIN : **à**, au-del**à**, celle-l**à**, celui-l**à**, ceux-l**à**, déj**à**, l**à**, voil**à**.

222 Le son [a] s'écrit e(mm) femme   prudemment

On trouve **-emm** dans le mot **femme** et dans les adverbes terminés par **-emment** et formés à partir d'adjectifs en **-ent**.

ADJECTIFS *(-ent)*	ADVERBES *(-emment)*
ard**ent**	ard**emm**ent
consci**ent**	consci**emm**ent
différ**ent**	différ**emm**ent
imprud**ent**	imprud**emm**ent
prud**ent**	prud**emm**ent
réc**ent**	réc**emm**ent
viol**ent**	viol**emm**ent

ATTENTION

On trouve des adverbes formés sur les adjectifs en -ant :
abond**ant** → abond**amm**ent   brill**ant** → brill**amm**ent

223 Le son [a] s'écrit as, at   lilas   climat

Le son [a] peut s'écrire **a + consonne muette** (une consonne que l'on n'entend pas) : **s** ou **t** ; **as** et **at** n'apparaissent qu'à la fin des mots.

FIN : br**as**, c**as**, frac**as**, lil**as**, matel**as**, rep**as**.
FIN : candid**at**, ch**at**, clim**at**, pl**at**, résult**at**, syndic**at**.

224 Les graphies du son [a]

	DÉBUT	INTÉRIEUR	FIN
a	atelier	guitare	opéra
ha	habitant	inhaler	
â	âge	château	
hâ	hâle		
à			déjà
as			lilas
at			chat

À la découverte des mots

225 Le vocabulaire de la médecine

Dans les mots composés du suffixe -**iatre**, qui signifie *médecin* en grec, le son [a] s'écrit **a**, sans accent.

péd**iatre**   psych**iatre**

226 Apprendre les homophones

Certains mots (les homophones) se prononcent de la même façon, mais s'écrivent différemment. L'accent circonflexe peut permettre de les distinguer.

une t**a**che (d'encre)   une t**â**che (un travail à faire)

Écrire le son [ɛ]

aigle

pièce

volet

227 Le son [ɛ] s'écrit è   crème

On ne trouve **è** qu'à l'intérieur des mots.

INTÉRIEUR : alg**è**bre, ch**è**que, client**è**le, cr**è**me, esp**è**ce, fid**è**le, mod**è**le, pi**è**ce, po**è**me, si**è**ge, syst**è**me, ti**è**de.

228 Le son [ɛ] s'écrit ès   succès

À la fin des mots, **è** peut être suivi d'une consonne que l'on n'entend pas, une consonne **muette**.

FIN : abc**ès**, acc**ès**, déc**ès**, exc**ès**, proc**ès**, succ**ès**.

229 Le son [ɛ] s'écrit ê   chêne

ê n'apparaît qu'à l'intérieur des mots.

INTÉRIEUR : anc**ê**tre, b**ê**te, ch**ê**ne, fen**ê**tre, f**ê**te, r**ê**ve.

> **EXCEPTION**
>
> Le verbe **être** commence par **ê**.

> **ATTENTION**
>
> Le nom **hêtre** commence par **hê**.

230 **Le son [ɛ] s'écrit et, êt   sujet   arrêt**

On ne trouve **et**, **êt** qu'à la fin des mots.

FIN : alphab**et**, compl**et**, eff**et**, suj**et**, vol**et**.
FIN : arr**êt**, intér**êt**.

231 **Le son [ɛ] s'écrit ei   neige**

ei n'apparaît qu'à l'intérieur des mots.

INTÉRIEUR : bal**ei**ne, n**ei**ge, p**ei**gne, r**ei**ne, tr**ei**ze.

232 **Le son [ɛ] s'écrit ai**
aigle   fontaine   balai

On trouve **ai** en toutes positions dans les mots.

DÉBUT : **ai**de, **ai**gle, **ai**le.
INTÉRIEUR : font**ai**ne, fr**ai**se, vingt**ai**ne.
FIN : bal**ai**, dél**ai**, g**ai**.

ATTENTION
Le nom **haine** commence par **hai**.

233 **Le son [ɛ] s'écrit aî   chaîne**

aî n'apparaît qu'à l'intérieur des mots.

INTÉRIEUR : ch**aî**ne, m**aî**tre, tr**aî**ne, tr**aî**tre.

EXCEPTION
Le nom **aîné** commence par **aî**.

234 Le son [ɛ] s'écrit aie, ais, ait, aix lait paix

À la fin des mots, le son [ɛ] peut s'écrire **ai + voyelle** ou **consonne muettes**: **e, s, t, x**.

FIN: b**aie**, r**aie**, dad**ais**, irland**ais**, l**ait**, p**aix**.

ATTENTION

Le nom **haie** commence par **h**.

235 Le son [ɛ] s'écrit e(ll, nn, ss, tt)e vaisselle

Le son [ɛ] peut s'écrire **e + consonne double + e muet** (une consonne qui se répète: *ll*, *nn*...) à la fin des mots.

FIN: chap**elle**, dent**elle**, vaiss**elle**.
FIN: anci**enne**, ant**enne**, parisi**enne**.
FIN: faibl**esse**, princ**esse**, sécher**esse**.
FIN: bagu**ette**, raqu**ette**, squel**ette**.

EXCEPTION

Le nom **ennemi** commence par **enn**.

236 Le son [ɛ] s'écrit e(s), e(x) escargot texte

On trouve **es**, **ex** au début et à l'intérieur des mots.

DÉBUT: **es**calier, **es**cargot, **es**clave, **es**crime, **es**pace.
DÉBUT: **ex**amen, **ex**cellent, **ex**emple, **ex**ercice.
INTÉRIEUR: ou**es**t, p**es**te, si**es**te; l**ex**ique, t**ex**te.

237 ## Le son [ɛ] s'écrit e + consonne
ciel   mer

On écrit **e** devant la plupart des autres consonnes (c, f, l, m, n, p, r, t, z), toujours à l'intérieur des mots.

INTÉRIEUR : s**e**c, ch**e**f, ci**e**l, tot**e**m, abdom**e**n, c**e**p, s**e**pt, m**e**r, conc**e**rt, m**e**rveilleux, n**e**t, Su**e**z.

ATTENTION

Certains mots commencent par **hec**, **her**.

hectare   **hec**tolitre   **her**be

238 ## Les graphies du son [ɛ]

	DÉBUT	INTÉRIEUR	FIN
è		crème	
ès			succès
ê	être	chêne	
hê	hêtre		
ai	aigle	fraise	balai
hai	haine		
ei		baleine	
et			filet
êt			forêt
aî		chaîne	
aie			baie
ais			irlandais
ait			lait
aix			paix

ell(e)			vaisselle
enn(e)	ennemi		antenne
henn	hennir		
ess(e)			princesse
ett(e)			baguette
es	escargot	peste	
ex	exercice	texte	
ec		sec	
hec	hectare		
her	herbe	désherber	

À la découverte des mots

239 Comment trouver la lettre muette à la fin des mots?

Pour savoir quelle est la consonne muette finale d'un mot, vous pouvez vous aider des mots de la même famille.

irlandaise → irlandais   laitier → lait

240 Les noms de nationalité

Souvent, les noms ou adjectifs de nationalité se terminent par -ais.

un Français, une Française
anglais, anglaise

241 Construire le féminin des mots

-enne est très utilisé pour obtenir le féminin des noms et des adjectifs en **-ien**.

anc**ien** → anc**ienne**   pharmac**ien** → pharmac**ienne**

242 L'accent sur le e

Devant une consonne double, **e** ne prend pas d'accent.

il g**è**le *mais* j'app**e**lle

243 La terminaison des verbes

Le son [ɛ] s'écrit **-ai**, **-aie**, **-ais**, **-ait**, **-aient** dans les terminaisons des verbes.

j'achet**ai**   je part**ais**   ils ri**aient**
que j'**aie** fini   il chanter**ait**

Écrire le son [e]

étoile

télévision

épée

244 Le son [e] s'écrit é   pré

On trouve **é** en toutes positions dans les mots.

DÉBUT : **é**clat, **é**lectrique, **é**quipe, **é**toile.
INTÉRIEUR : c**é**lèbre, g**é**n**é**ral, t**é**l**é**vision.
FIN (dans des noms masculins et féminins) : côt**é**, pr**é**, th**é**, beaut**é**, gaiet**é**.

> **ATTENTION**
>
> De nombreux mots commencent par **hé**.

héberger	**hé**rétique
hélas	**hé**risson
hélice	**hé**riter
hélicoptère	**hé**ros
hémisphère	**hé**siter

245 Le son [e] s'écrit ée   fée

On trouve **ée** en fin de mot.

FIN : bouch**ée**, bou**ée**, chauss**ée**, dur**ée**, ép**ée**, f**ée**, fus**ée**, id**ée**, lyc**ée**, mar**ée**, mus**ée**, pât**ée**, plong**ée**, travers**ée**.

246 Le son [e] s'écrit er
jouer étranger boulanger

À la fin des mots, le son [e] s'écrit très souvent **-er** dans les verbes à l'infinitif, les adjectifs et les noms masculins.

FIN : all**er**, boulang**er**, chant**er**, derni**er**, escali**er**, étrang**er**, jou**er**, premi**er**.

247 Le son [e] s'écrit e(ff), e(ss)
effrayer essai

Le son [e] s'écrit **e devant** une **consonne double**, au début des mots.

DÉBUT : **eff**et, **eff**icace, **eff**ort, **eff**rayer.
DÉBUT : **ess**ai, **ess**aim, **ess**ence.

248 Le son [e] s'écrit ed, ez, es
pied nez mes

On trouve **ed**, **ez**, **es** à la fin des mots.

FIN : pi**ed**.
FIN : ass**ez**, ch**ez**, n**ez**.
FIN : c**es**, d**es**, l**es**, m**es**, s**es**, t**es**.

249 Les graphies du son [e]

	DÉBUT	INTÉRIEUR	FIN
é	équipe	télévision	beauté
hé	hélicoptère		
ée			fusée, lycée
er			premier
es			mes
ez			assez
ed			pied
e(ff)	effort		
e(ss)	essai		

À la découverte des mots

250 Les noms féminins en -é et en -ée

- La plupart des noms féminins en [e] s'écrivent **-ée**.
- Mais, dans les noms féminins qui se terminent par [te], le son [e] s'écrit **-é**. ▷ PARAGRAPHE 419

la beau**té**   la bon**té**   la gaie**té**   la socié**té**

251 Les noms masculins en -ée

Quelques noms masculins se terminent par **-ée**. ▷ PARAGRAPHE 413

un lyc**ée**   un mus**ée**   un scarab**ée**

252 Les mots en -er

De nombreux mots en [e] se terminent par **-er**. Ce sont :
- des noms de métiers ;

boucher   cordonnier   plombier   policier

- tous les infinitifs du premier groupe, ainsi que le verbe **aller** ;

amuser   baisser   décider   lever   travailler

- des adjectifs numéraux ;

premier   dernier

- des adjectifs exprimant une qualité ou un défaut.

léger   grossier

ATTENTION

Le féminin de ces noms et de ces adjectifs se termine en **-ère**.

bouchère   grossière   première

Écrire le son [i]

igloo

alpiniste

fourmi

253 Le son [i] s'écrit i
idée cantine fourmi

Le son [i] peut s'écrire **i** en toutes positions dans les mots.

DÉBUT : **i**ci, **i**dée, **i**gloo, **i**tinéraire.
INTÉRIEUR : alp**i**niste, cant**i**ne, c**i**me, hum**i**de.
FIN : abr**i**, ains**i**, apprent**i**, appu**i**, ép**i**, fourm**i**, parm**i**, tr**i**.

> **ATTENTION**
>
> On écrit aussi souvent **hi**.
> **hi**bou   enva**hi**r
> **hi**rondelle   tra**hi**r

254 Le son [i] s'écrit î   île   dîner

On trouve **î** dans quelques noms.

ab**î**me   hu**î**tre
d**î**ner   **î**le
g**î**te   presqu'**î**le

255 Le son [i] s'écrit y   lycée

On trouve **y** en toutes positions dans les mots.

DÉBUT : **y**, **Y**ves.
INTÉRIEUR : abba**y**e, bic**y**clette, catacl**y**sme, l**y**cée, mart**y**r, pa**y**s, pol**y**gone, st**y**le, s**y**non**y**me.
FIN : penalt**y**, rugb**y**.

ATTENTION

Certains mots commencent par **hy**.

hydravion   **hy**giène   **hy**permarché

256 Le son [i] s'écrit ï   naïf   égoïste

On trouve **ï** après **a**, **o**, **u** et **ou**, à l'intérieur ou à la fin des mots.

INTÉRIEUR : ambigu**ï**té, égo**ï**ste, héro**ï**que, ma**ï**s, na**ï**f, ou**ï**e.
FIN : inou**ï**.

257 Le son [i] s'écrit ie, id, il, is, it, ix
pie   nid

Le son [i] peut s'écrire **i** + **e muet** à l'intérieur ou à la fin de certains mots. Il peut s'écrire aussi **i** + **consonne muette** (**d**, **l**, **s**, **t**, **x**...) à la fin des mots.

INTÉRIEUR : remerc**ie**ment.
FIN : gent**il**, n**id**, nu**it**, p**ie**, pr**ix**, pu**is**, pu**its**, tap**is**.

ATTENTION

un gr**ee**n, un j**ea**n, du tw**ee**d.

258 Les graphies du son [i]

	DÉBUT	INTÉRIEUR	FIN
i	idée	cantine	parmi
hi	hirondelle	trahir	envahi
î	île	dîner	
ï		maïs	inouï
y	Yves	cycle	rugby
hy	hypermarché		
i(d, l, s, t, x)			nid
i(e muet)		remerciement	vie
ee		tweed	
ea		jean	

À la découverte des mots

259 Comment trouver la lettre muette à l'intérieur ou à la fin des mots?

Pour ne pas oublier d'écrire une lettre qui ne s'entend pas, vous pouvez vous aider de mots de la même famille.

gentille → gentil
permission → permis
réciter → récit
remercier → remerciement
tapisser → tapis

260 Savoir écrire y dans les mots d'origine grecque

Les mots où [i] s'écrit **y** viennent presque toujours du **grec**.

bicyclette	lycée
hypermarché	sympathie

261 Le ï tréma

● On appelle tréma les deux points placés sur les voyelles **e**, **i**, **u**. Le tréma indique que l'on doit prononcer la voyelle qui précède.

● La voyelle qui précède le **ï** tréma doit être prononcée séparément.

as-té-ro-ï-de : 5 syllabes	ma-ïs : 2 syllabes
é-go-ïs-te : 4 syllabes	na-ïf : 2 syllabes

Écrire les sons [ɔ] et [o]

océan

pomme

album

autoroute

rose

judo

262 Le son [ɔ] s'écrit o   olive   pomme

On trouve **o** au début et à l'intérieur des mots.

DÉBUT : **o**céan, **o**deur, **o**live.
INTÉRIEUR : g**o**mme, p**o**mme.

EXCEPTIONS

Le son [ɔ] s'écrit **au** et **u**(m) dans quatre mots.

| P**au**l | alb**u**m |
| (hareng) s**au**r | rh**u**m |

ATTENTION

▸ De nombreux mots commencent par **ho**.

hobby	**ho**llandais	**ho**monyme	**ho**raire
hochet	**ho**mard	**ho**nnête	**ho**rizon
hockey	**ho**mme	**ho**quet	**ho**rrible

▸ Dans les adjectifs **malhonnête**, **inhospitalier**, **ho** se trouve à l'intérieur du mot.

263 Le son [o] s'écrit o   chose   lavabo

Le son [o] peut s'écrire **o** à l'intérieur et à la fin des mots.

INTÉRIEUR : ch**o**se, d**o**se, p**o**se, r**o**se.
FIN : caca**o**, carg**o**, casin**o**, domin**o**, éch**o**, jud**o**, kil**o**, lavab**o**, pian**o**, scénari**o**, tri**o**.

264 Le son [o] s'écrit au, eau aube   bateau

On trouve **au** en toutes positions dans les mots ; **au** apparaît peu à la fin des mots, **eau** apparaît surtout à la fin des mots.

▶ **au**
DÉBUT : **au**be, **au**dace, **au**près, **au**tocollant, **au**tomne, **au**toroute.
INTÉRIEUR : astron**au**te, ch**au**de, ép**au**le, f**au**ne, g**au**fre, j**au**ne, p**au**se, s**au**te, t**au**pe.
FIN (rare) : joy**au**, land**au**, sarr**au**, tuy**au**.

ATTENTION

▶ Dans le mot **automne**, on retrouve les deux sons [o] et [ɔ].
▶ Dans les mots **haut**, **hauteur**, **haussement**, **hausser**, on trouve la graphie **hau**.

▶ **eau**
INTÉRIEUR : b**eau**coup, b**eau**jolais, b**eau**té.
FIN : ann**eau**, barr**eau**, bat**eau**, cad**eau**, cerc**eau**, cis**eau**, **eau**, escab**eau**, ham**eau**, lionc**eau**, pinc**eau**, rid**eau**, s**eau**, traîn**eau**, vaiss**eau**.

265 Le son [o] s'écrit ô   clôture

On trouve **ô** à l'intérieur des mots seulement.

INTÉRIEUR : ap**ô**tre, ar**ô**me, ch**ô**mage, cl**ô**ture, contr**ô**le, c**ô**te, dr**ô**le, fant**ô**me, h**ô**te, ic**ô**ne, p**ô**le, pyl**ô**ne, r**ô**le, r**ô**ti, sympt**ô**me, t**ô**le, tr**ô**ne.

ATTENTION

Certains mots commencent par h**ô**.
hôpital
hôtel

EXCEPTION

ôter

266 Le son [o] s'écrit ôt, o(t, p, s, c) bientôt   sirop

Le son [o], en fin de mot, peut s'écrire **ôt** et **o + consonne muette** : **t, p, s, c**.

▶ **ôt**
FIN : aussit**ôt**, bient**ôt**, dép**ôt**, entrep**ôt**, imp**ôt**, plut**ôt**, sit**ôt**, tant**ôt**, t**ôt**.

▶ **o + consonne muette**
FIN : arg**ot**, chari**ot**, coquelic**ot**, escarg**ot**, goul**ot**, haric**ot**, hubl**ot**, javel**ot**, sab**ot**, tr**ot**.
FIN : gal**op**, sir**op**, tr**op**.
FIN : d**os**, rep**os**, tourned**os**.
FIN : accr**oc**, cr**oc**.

267 Le son [o] s'écrit au(d, t, x) crapaud artichaut

Le son [o] peut s'écrire **au + consonne muette (d, t, x)** en fin de mot.

FIN : bad**aud**, crap**aud**, réch**aud**.
FIN : artich**aut**, déf**aut**, s**aut**.
FIN : ch**aux**.

268 Les graphies du son [ɔ]

	DÉBUT	INTÉRIEUR	FIN
o	océan	pomme	
ho	horizon	malhonnête	
au		Paul	
u(m)		album	

Les graphies du son [o]

	DÉBUT	INTÉRIEUR	FIN
o		rose	piano
au	automne	gaufre	landau
eau	eau	beauté	rideau
ô		rôti	
o(t, p, s, c)			haricot
ô(t)			bientôt
au(d, t, x)			crapaud

À la découverte des mots

269 **Comment trouver la lettre muette à la fin des mots?**

Vous pouvez vous aider d'un mot de la même famille pour savoir quelle est la consonne muette finale d'un mot.

accrocher → accroc   galoper → galop   sauter → saut

Vous pouvez aussi vous aider du féminin des adjectifs.

chaude → chaud

270 **Apprendre les homophones**

Certains mots (les homophones) se prononcent de la même façon, mais s'écrivent différemment.

do   dos
saut   sceau   seau   sot

Écrire le son [ɑ̃]

enfant

pantalon

volcan

271 Le son [ɑ̃] s'écrit an
ange   vacances   océan

On trouve **an** en toutes positions dans les mots.

DÉBUT : **an**cien, **an**ge, **an**glais, **an**goisse, **an**tenne, **an**tique.
INTÉRIEUR : b**an**que, m**an**che, p**an**talon, tr**an**quille, vac**an**ces.
FIN : artis**an**, cadr**an**, écr**an**, océ**an**, rub**an**, volc**an**.

> **ATTENTION**
>
> Certains mots commencent par **han**.
> **han**che   **han**dball   **han**dicap   **han**gar   **han**té

272 Le son [ɑ̃] s'écrit en
encre   calendrier

On trouve **en** au début et à l'intérieur des mots.

DÉBUT : **en**chanteur, **en**cre, **en**fant, **en**jeu, **en**nui, **en**quête.
INTÉRIEUR : att**en**tion, cal**en**drier, c**en**dre, c**en**tre, t**en**dre, t**en**sion.

> **ATTENTION**
>
> Dans quelques noms propres, on trouve **en** à la fin des mots.
> Ca**en**   Rou**en**

273 **Le son [ã] s'écrit am, em**
jambe   temps

> Devant les consonnes **b**, **m**, **p**, le son [ã] ne s'écrit pas **an** ou **en**, mais **am** ou **em**.

AM : **am**biance, c**am**p, ch**am**pion, j**am**be.
EM : **em**barqué, **em**mené, **em**pêché, ens**em**ble, t**em**ps.

274 **Le son [ã] s'écrit ant, ent**
croissant   aliment

> À la fin des mots, le son [ã] s'écrit le plus souvent **ant** ou **ent**.

FIN : abs**ent**, alim**ent**, arg**ent**, bâtim**ent**, cont**ent**, d**ent**, équival**ent**, heureusem**ent**, insol**ent**, régim**ent**, sentim**ent**, supplém**ent**, urg**ent**, vêtem**ent**.
FIN : aim**ant**, carbur**ant**, croiss**ant**, vol**ant**.

275 **Le son [ã] s'écrit an(c, d, g)**
blanc   marchand

> À la fin des mots, le son [ã] s'écrit **an + consonne muette** : **c**, **d** ou **g**.

FIN : b**anc**, bl**anc**, fl**anc**.
FIN : flam**and**, goél**and**, march**and**.
FIN : ét**ang**, r**ang**, s**ang**.

ATTENTION

f**aon**, p**aon**, t**aon**.

276 **Les graphies du son [ã]**

	DÉBUT	INTÉRIEUR	FIN
an	antenne	langage	écran
han	hanter		
en	ennui	tendre	
am(b, m, p)	ambiance	jambe	camp
em(b, m, p)	embarqué	ensemble	
ant			croissant
ent			argent
and			marchand
ang			étang
anc			blanc

À la découverte des mots

277 **S'aider des familles de mots pour écrire an ou en**

Pour choisir la bonne orthographe dans les finales **-ance**, **-anse**, **-ande**, **-ante** et **-ence**, **-ense**, **-ende**, **-ente**, vous pouvez rapprocher ce mot d'un autre mot de la même famille que vous savez écrire (danseur → danse).

-ance : abond**ance**, alli**ance**, dist**ance** ;
-anse : d**anse**, p**anse** ;
-ande : comm**ande**, dem**ande**, guirl**ande** ;
-ante : épouv**ante**, soix**ante**.

-ence : abs**ence**, afflu**ence**, concurr**ence** ;
-ense : d**ense**, dép**ense**, récomp**ense** ;
-ende : am**ende**, lég**ende** ;
-ente : att**ente**, f**ente**, tr**ente**.

278 Les adverbes en -ment

Tous les adverbes formés à partir d'adjectifs se terminent
par **-ment**.   ▷ PARAGRAPHE 106

constant → constam**ment**
courageux → courageuse**ment**
évident → évidem**ment**
prudent → prudem**ment**
rapide → rapide**ment**
récent → récem**ment**

279 La terminaison -ant dans les participes présents

Au participe présent, les verbes se terminent tous par **-ant**.

INFINITIF	PARTICIPE PRÉSENT
boire	buv**ant**
dormir	dorm**ant**
écrire	écriv**ant**
finir	finiss**ant**
lire	lis**ant**
sauter	saut**ant**

280 Apprendre les homophones

Certains mots (les homophones) se prononcent de la même manière mais s'écrivent différemment.

Les am**an**des sont des fruits.
L'agent a mis une am**en**de au propriétaire du camion.

Je p**en**se que j'ai raison.
L'infirmière p**an**se un blessé.

281 Comment trouver la lettre muette à la fin d'un mot?

Connaître des mots de la même famille aide parfois à écrire correctement un mot.

ran**g**er → ran**g**
san**g**lant → san**g**

Écrire le son [ɛ̃]

imperméable

peinture

nain

282 Le son [ɛ̃] s'écrit in
international   cinq   fin

On trouve **in** en toutes positions dans les mots.

DÉBUT : **in**dividuel, **in**juste, **in**térêt, **in**ternational.
INTÉRIEUR : c**in**q, d**in**de, p**in**tade.
FIN : br**in**, f**in**, jard**in**, mat**in**.

> **ATTENTION**
>
> Le mot **hindou** commence par **hin**.

283 Le son [ɛ̃] s'écrit im(b, m, p)
timbre   impossible

Devant **b**, **m** et **p**, le son [ɛ̃] s'écrit **im**. On trouve **im** au début et à l'intérieur des mots.

DÉBUT : **im**battable, **im**mangeable, **im**pair, **im**perméable, **im**portant, **im**possible.
INTÉRIEUR : l**im**pide, s**im**ple, t**im**bre.

284 Le son [ɛ̃] s'écrit en
collégien moyen lycéen

On trouve **en** à la fin des mots, après les voyelles **i**, **y** et **é**.

APRÈS i : aér**i**en, anc**i**en, b**i**en, ch**i**en, chirurg**i**en, collég**i**en,
   comb**i**en, électric**i**en, l**i**en, mag**i**cien.
APRÈS y : cito**y**en, mo**y**en.
APRÈS é : europé**en**, lycé**en**, méditerrané**en**.

285 Le son [ɛ̃] s'écrit ain, ein terrain plein

On trouve **ain**, **ein** après une consonne à l'intérieur
et à la fin des mots.

INTÉRIEUR : cr**ain**te, m**ain**tenant, pl**ain**te ; c**ein**ture, p**ein**ture.
FIN : b**ain**, gr**ain**, m**ain**, n**ain**, p**ain**, terr**ain** ; pl**ein**, s**ein**.

286 Le son [ɛ̃] s'écrit aint, eint
plaint déteint

On trouve **aint**, **eint** après une consonne, à la fin des mots.

FIN : contr**aint**, pl**aint**, s**aint** ; dét**eint**, ét**eint**, p**eint**.

287 Le son [ɛ̃] s'écrit aim, ym, yn
faim thym lynx

On peut écrire **aim** et **ym** à la fin des mots ; **yn** ne se trouve
qu'à l'intérieur des mots.

INTÉRIEUR : l**yn**x.
FIN : d**aim**, ess**aim**, f**aim** ; th**ym**.

288 Les graphies du son [ɛ̃]

	DÉBUT	INTÉRIEUR	FIN
in	injuste	cinq	jardin
im(b, m, p)	imperméable	simple	
en			chien
ain, ein	ainsi	peinture	pain
aint, eint			saint
aim			faim
yn, ym		lynx	thym

À la découverte des mots

289 Comment trouver une lettre muette ?

Pour savoir quand écrire **aint** et **eint**, vous pouvez vous aider du féminin des mots.

sain**te** → sain**t**   étein**te** → étein**t**

290 Apprendre les homophones

Certains mots (les homophones) se prononcent de la même manière, mais s'écrivent différemment. Les exemples suivants se distinguent par la graphie du son [ɛ̃] **(ain, in, ein)** et par les consonnes muettes.

**pain   pin   peint   vain   vin   vingt   (il) vint
teint   tain   thym   (il) tint**

Écrire le son [wa]

oiseau   poisson   chamois

aboyer   aquarium

291 Le son [wa] s'écrit oi
oiseau   poignée   moi

Le son [wa] s'écrit le plus souvent **oi**, et se trouve en toutes positions dans les mots.

DÉBUT : **oi**seau, **oi**seleur, **oi**sif.
INTÉRIEUR : b**oi**sson, p**oi**gnée, p**oi**sson, s**oi**rée.
FIN : l**oi**, m**oi**, qu**oi**.

ATTENTION

Parfois, le **i** de **oi** prend un accent circonflexe.
b**oî**te
Ben**oî**t

292 ## Le son [wa] s'écrit oy
voyage   envoyer

On trouve **oy** à l'intérieur des mots.

INTÉRIEUR : ab**oy**er, env**oy**er, m**oy**en, n**oy**ade, r**oy**al, r**oy**aume, v**oy**age.

293 ## Le son [wa] s'écrit oi(e, s, t, x)
endroit

On trouve aussi **oi** + une ou deux **lettres muettes** (**e**, **s**, **t**, **x**, **d**, **ds**) à la fin des mots.

OIE : f**oie**, j**oie**, **oie**, v**oie**.
OIS : b**ois**, cham**ois**, f**ois**.
OIT : adr**oit**, endr**oit**, étr**oit**.
OIX : cr**oix**, n**oix**, v**oix**.
OID : fr**oid**.
OIDS : p**oids**.

ATTENTION

▶ Le son [wa] peut s'écrire **w** dans des mots d'origine étrangère.
waters (wc)   **w**att
▶ Le son [wa] s'écrit **oê** dans **poêle**.

294 ## Le son [wa] s'écrit ua, oua
square   douane

On trouve la graphie **ua**, **oua** dans quelques mots.

UA : aq**ua**rium, éq**ua**teur, sq**ua**re.
OUA : d**oua**ne, z**oua**ve.

295 Les graphies du son [wa]

	DÉBUT	INTÉRIEUR	FIN
oi	oiseau	soirée	moi
oy		voyage	
oi(e)			joie
oi(s)			autrefois
oi(t)			toit
oi(x)			noix
oi(d)			froid
oi(ds)			poids
oê		poêle	
oua		douane	
ua		square	
wa	waters		

À la découverte des mots

296 Apprendre les homophones

La lettre muette à la fin des mots permet de distinguer les mots qui se prononcent de la même façon.

moi	un mois		
toi	un toit		
la foi	le foie	une fois	
(je) crois	(il) croit	(il) croît	la croix
la voie	(je) vois	(il) voit	la voix

297 ## Les noms masculins en -oi

Les mots masculins en [wa] s'écrivent souvent en **-oi**.

l'effr**oi**   un env**oi**   un tourn**oi**

EXCEPTIONS

endr**oi**t, t**oi**t, b**ois**, m**ois**, ch**oix**, f**oie**, d**oig**t.

298 ## Les noms féminins en -oie

Les mots féminins en [wa] s'écrivent souvent en **-oie**.

la j**oie**   une **oie**

EXCEPTIONS

l**oi**, f**oi**, f**ois**, cr**oix**, n**oix**, v**oix**.

299 ## Les verbes en -oyer

Dans les verbes en **-oyer**, le son [wa] s'écrit de plusieurs façons. Apprenez à bien écrire toutes ces formes.

▷ PARAGRAPHE 484

j'env**oie**, tu nett**oies**, il ab**oie**, ils empl**oient**
je nett**oie**rai, vous empl**oie**rez, ils ab**oie**ront

Écrire le son [j]

yaourt

crayon

soleil

300 Le son [j] s'écrit y   yeux   voyage

On trouve **y** au début et à l'intérieur des mots.

DÉBUT : **y**aourt, **y**éti, **y**eux, **y**oga, **y**o-**y**o.
INTÉRIEUR : attra**y**ant, bru**y**ant, cra**y**on, emplo**y**eur, ennu**y**eux, essa**y**age, fra**y**eur, jo**y**eux, mo**y**en, netto**y**age, pa**y**ant, ra**y**on, vo**y**age.

ATTENTION

Le nom **hyène** commence par **h**.

301 Le son [j] s'écrit i   iode   papier

On trouve **i** au début et à l'intérieur des mots.

DÉBUT : **i**ode, **i**ota.
INTÉRIEUR : all**i**ance, antér**i**eur, bijout**i**er, commerc**i**al, conf**i**ance, extér**i**eur, glac**i**al, intér**i**eur, méf**i**ance, pap**i**er, soc**i**été, spéc**i**al, supér**i**eur, v**i**eille, v**i**eux.

ATTENTION

▸ Les mots **hier**, **hiéroglyphe** commencent par **h**.
▸ Dans le nom **cahier**, on écrit **hi**.

302 Le son [j] s'écrit ill
coquillage   famille

On trouve **ill** à l'intérieur des mots seulement.

INTÉRIEUR : coqu**ill**age, feu**ill**age, gr**ill**age, out**ill**age, p**ill**age ;
brou**ill**on, car**ill**on, échant**ill**on, ore**ill**ons, réve**ill**on.
DEVANT e FINAL : abe**ill**e, bata**ill**e, b**ill**e, chen**ill**e, fam**ill**e,
feu**ill**e, f**ill**e, grose**ill**e, ore**ill**e, ta**ill**e.

EXCEPTION

Dans **mille**, les lettres **ill** se prononcent [il].

303 Le son [j] s'écrit il
bétail   réveil   fauteuil

On trouve **il** à la fin des mots seulement.

FIN : a**il**, ba**il**, béta**il**, soupira**il** ; apparei**l**, réve**il**, orte**il**, sole**il**,
pare**il** ; chevreu**il**, fauteu**il**, seu**il**, accue**il**, cercue**il**, orgue**il**,
recue**il**.

304 Les graphies du son [j]

	DÉBUT	INTÉRIEUR	DEVANT e FINAL	FIN
y	yaourt	noyer		
hy	hyène			
i	iode	bijoutier		
hi	hier	cahier		
ill		bouillon	oreille	
il				soleil

À la découverte des mots

305 Les verbes en -ailler et -eiller

La graphie **ill** apparaît dans la conjugaison des verbes en **-ailler** et **-eiller**.

-ailler : trav**ailler**
-eiller : cons**eiller**, rév**eiller**

ATTENTION

Il ne faut pas oublier d'écrire le i de la terminaison de l'imparfait, même si, dans ces verbes, on ne l'entend pas.

nous trava**ill**ions   vous réve**ill**iez

306 il et ill dans les mots de la même famille

Dans les mots de la même famille, on écrit **il** dans les noms et **ill** dans les verbes.

accue**il**, accue**ill**ir   réve**il**, réve**ill**er   trava**il**, trava**ill**er

307 Le genre des mots en -il et -ille

À la fin des mots, on écrit **il** dans les mots masculins et **ill** dans les mots féminins devant un **e** final.

un écureu**il**	une b**ille**	un orte**il**	une abe**ille**
un fauteu**il**	une f**ille**	pare**il**	pare**ille**

Écrire le son [p]

pain

lapin

grappe

308 Le son [p] s'écrit p
page   ampoule   ketchup

Le son [p] peut s'écrire **p** en toutes positions dans les mots.

DÉBUT : **p**age, **p**ain, **p**ile, **p**oule, **p**reuve, **p**rovince, **p**ublicité.
INTÉRIEUR : am**p**oule, a**p**ogée, é**p**ée, é**p**i, la**p**in, o**p**éra.
DEVANT e FINAL : antilo**p**e, ca**p**e, cou**p**e, princi**p**e, ty**p**e.
FIN : ca**p**, ce**p**, cli**p**, handica**p**, ketchu**p**, scal**p**.

309 Le son [p] s'écrit pp
appareil   enveloppe

On écrit **pp** à l'intérieur des mots seulement.

INTÉRIEUR : a**pp**areil, a**pp**orter, a**pp**renti, a**pp**rocher, a**pp**ui,
hi**pp**ique, hi**pp**opotame, na**pp**eron, su**pp**lice.
DEVANT e FINAL : envelo**pp**e, fra**pp**e, gra**pp**e, na**pp**e, tra**pp**e.

310 Les graphies du son [p]

	DÉBUT	INTÉRIEUR	DEVANT e FINAL	FIN
p	poule	lapin	soupe	cap
pp		appui	nappe	

À la découverte des mots

311 Quand écrit-on un seul p ?

On écrit un seul **p** après **é**, **am**, **im** et **om**.

mé**p**ris   am**p**oule   im**p**erméable   pom**p**ier

On écrit généralement **p** dans les mots commençant par la voyelle **o**.

o**p**éra   o**p**érer   o**p**inion   o**p**timiste

EXCEPTIONS

o**pp**oser, o**pp**osition, o**pp**osant...
o**pp**rimer, o**pp**ression, o**pp**resseur...
o**pp**ortunité, o**pp**ortun, o**pp**ortuniste...

312 Quand écrit-on pp ?

La plupart des verbes commençant par [ap] prennent **deux p**.

appartenir	**app**laudir	**app**rendre
appeler	**app**orter	**app**rocher

EXCEPTIONS

a**p**aiser, a**p**ercevoir, a**p**eurer, s'a**p**itoyer, a**p**lanir, a**p**latir.

Écrire le son [t]

trésor

atelier

pilote

but

313 Le son [t] s'écrit t
terrain atelier pilote août

> On trouve la graphie **t** en toutes positions dans les mots.

DÉBUT : tabac, table, technique, terrain, trésor, tresse.
INTÉRIEUR : atelier, étanche, itinéraire, otage, otite.
DEVANT e FINAL : aromate, cravate, dispute, note, pilote.
FIN : août, but, correct, direct, est, granit, mazout, ouest, rapt.

314 Le son [t] s'écrit tt
attaque lettre carotte

> La graphie **tt** se trouve à l'intérieur et à la fin (rare) des mots.

INTÉRIEUR : attachant, attaque, attente, attirer, attitude,
   attribut, confetti, flatterie, flotter, lettre, lutteur, nettoyage,
   pittoresque, quitter, sottise.
DEVANT e FINAL :
-atte : chatte, natte ;
-otte : biscotte, carotte, (je, il) flotte ;
-ette : assiette, baguette, galette, omelette, toilette.
FIN : watt.

315 Le son [t] s'écrit th
thermomètre   orthographe

La graphie **th** peut se trouver au début, à l'intérieur des mots, plus rarement à la fin.

DÉBUT : **th**éâtre, **th**ermomètre, **th**orax, **th**ym.
INTÉRIEUR : ari**th**métique, ma**th**ématique, my**th**ologie, or**th**ographe, sympa**th**ie.
FIN : lu**th**, zéni**th**.

316 Les graphies du son [t]

	DÉBUT	INTÉRIEUR	DEVANT e FINAL	FIN
t	table	atelier	pilote	but
tt		lettre	carotte	watt
th	théâtre	orthographe	homéopathe	luth

À la découverte des mots

317 Quand écrit-on tt?

On trouve **tt** le plus souvent **entre deux voyelles** ou **devant r**.

attacher	attrait	natte
attirer	attribut	nette
attraction	attroupement	sottise

318 Comment trouver une lettre muette?

Le **t** ne s'entend pas dans certains mots. Pour ne pas l'oublier, pensez à un mot de la même famille ou bien au féminin du mot.

cha**tt**e → cha**t**   respec**t**able → respec**t**

319 Les lettres th dans les mots d'origine grecque

Dans les mots d'origine grecque, [t] s'écrit souvent **th**.

théâtre   a**th**lète   ma**th**ématique

Tentation

Ton
tas de riz
Tenta le rat
Le ra**t** **t**enté
Le riz **t**âta

Cl. Nadaud, « Le rat », dans J. Charpentreau,
Mon premier livre de devinettes
© Éd. ouvrières/Éd. de l'Atelier 1986

Écrire le son [k]

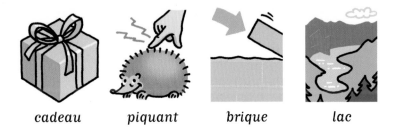

cadeau　　*piquant*　　*brique*　　*lac*

320 Le son [k] s'écrit c
cadeau vacarme lac

Le son [k] peut s'écrire **c** en toutes positions dans les mots.

DÉBUT : **c**abine, **c**adeau, **c**olère, **c**ombat, **c**ube, **c**ulotte.
INTÉRIEUR : a**c**acia, a**c**ajou, é**c**orce, sa**c**oche, va**c**arme.
FIN : ave**c**, cho**c**, la**c**, pi**c**, plasti**c**, trafi**c**.

321 Le son [k] s'écrit qu
question paquet

On trouve la graphie **qu** au début et à l'intérieur des mots.

DÉBUT : **qu**ai, **qu**and, **qu**estion, **qu**i, **qu**oi, **qu**otidien.
INTÉRIEUR : atta**qu**er, bri**qu**et, pa**qu**et, pi**qu**ant, remar**qu**able.
DEVANT e FINAL : bibliothè**qu**e, bri**qu**e, dis**qu**e, plasti**qu**e.

> **ATTENTION**
> La lettre **q** n'est pas suivie de **u** dans **cinq**, **coq**.

322 Le son [k] s'écrit cc
occasion   acclamer

On ne trouve la graphie **cc** qu'à l'intérieur des mots.

INTÉRIEUR : a**cc**abler, a**cc**lamation, a**cc**ord, o**cc**asion.

323 Le son [k] s'écrit k
kangourou   moka   look

On trouve la graphie **k** en toutes positions dans les mots.

DÉBUT : **k**aki, **k**angourou, **k**épi, **k**ermesse, **k**ilo, **k**imono, **k**iosque.
INTÉRIEUR : ka**k**i, mo**k**a.
FIN : anora**k**, loo**k**.

324 Le son [k] s'écrit ch
chorale   orchestre

On trouve la graphie **ch** au début et à l'intérieur des mots.

DÉBUT : **ch**aos, **ch**lore, **ch**oléra, **ch**orale, **ch**rome, **ch**ronomètre, **ch**rysalide.
INTÉRIEUR : é**ch**o, or**ch**estre, or**ch**idée, psy**ch**ologue.

325 Le son [k] s'écrit ck   cocker   bifteck

On trouve la graphie **ck** à l'intérieur et à la fin des mots.

INTÉRIEUR : co**ck**er, co**ck**tail, jo**ck**ey, ti**ck**et.
FIN : bifte**ck**, sto**ck**.

326 Le son [k] s'écrit cqu   grecque

On trouve la graphie **cqu** uniquement à l'intérieur des mots.

INTÉRIEUR : a**cqu**isition, a**cqu**ittement, gre**cqu**e.

327 Les graphies du son [k]

	DÉBUT	INTÉRIEUR	DEVANT e FINAL	FIN
c	cadeau	écorce		choc
q, qu	quai	paquet	disque	coq
cc		accord		
k	kilo	moka		anorak
ch	chorale	écho		
ck		jockey		bifteck
cqu		acquitter	grecque	

À la découverte des mots

328 Comment écrire le son [k] devant e et i?

Quand on entend le son [k] **devant i, e, é, è, ê**, il faut écrire **qu** ou, plus rarement, **k, ck, ch, cqu.**

qui	perro**qu**et	(ils) pi**qu**èrent	**k**ilo	or**ch**idée
que	**qu**ébécois	**qu**ête	jo**ck**ey	gre**cqu**e

On ne peut pas écrire **c**, sinon on prononcerait [s].

cerf   **ci**gale

329 La prononciation de cc

Les lettres **cc** se prononcent [k] devant **a**, **o**, **u**, **l**, **r**.

sa**cca**de   a**cco**rd   o**ccu**lte   a**ccl**amer   a**ccr**ocher

Les lettres **cc** se prononcent [k + s] devant **i**, **e**, **é**, **è**.

co**cci**nelle   a**cce**nt   a**ccè**s
va**cci**n   a**ccé**lérateur   su**ccè**s

330 Les lettres k et ch

On trouve la lettre **k** dans un petit nombre de mots, souvent d'origine étrangère.

kangourou *(australien)*   **k**ayak *(esquimau)*   **k**ung-fu *(chinois)*

La graphie **ch** transcrit le son [k] dans les mots qui viennent du grec.

chorale   or**ch**estre

Une baleine
à bicyclette

Une baleine à bicyclette
rencontre un yak dans un kayak.

Elle fait sonner sa sonnette.
C'est pour que le yak la remarque.

Elle sonne faux, ta sonnette,
dit le yak à l'accent canaque.

La baleine, la pauvre bête,
reçoit ces mots comme une claque.

Une baleine à bicyclette
qu'un yak accuse de faire des couacs !

Elle sonne juste, ma sonnette,
dit la baleine du tac au tac.

Car ma sonnette a le son net
d'une jolie cloche de Pâques.

Ne te fâche pas, baleinette,
répond le yak qui a le trac. [...]

Claude Roy, *Nouvelles Enfantasques* © Gallimard

Écrire le son [g]

gare

figure

bague

331 Le son [g] s'écrit g
garage   règle   gag

On trouve **g** en toutes positions dans les mots.

DÉBUT : **g**adget, **g**arage, **g**are, **g**lace, **g**oal, **g**oût, **g**ras, **g**rotte.
INTÉRIEUR : a**g**randissement, ba**g**arre, fi**g**ure, ra**g**oût, rè**g**le.
FIN : ga**g**, gro**g**.

332 Le son [g] s'écrit gu
guitare   baguette   langue

On trouve **gu** au début et à l'intérieur des mots.

DÉBUT : **gu**é, **gu**êpe, **gu**ère, **gu**érison, **gu**erre, **gu**eule, **gu**ide,
   guignol, **gu**itare.
INTÉRIEUR : ai**gu**ille, ba**gu**ette, fi**gu**ier.
DEVANT e FINAL : ba**gu**e, catalo**gu**e, di**gu**e, lan**gu**e, va**gu**e.

333 Le son [g] s'écrit gg   jogging

Le son [g] s'écrit très rarement **gg**, et uniquement
à l'intérieur des mots.

INTÉRIEUR : a**gg**lomération, a**gg**lutiné, a**gg**ravation, jo**gg**ing.

334 ## Les graphies du son [g]

	DÉBUT	INTÉRIEUR	DEVANT e FINAL	FIN
g	glace	figure		gag
gu	guitare	aiguille	langue	
gg		jogging		

À la découverte des mots

335 ## Comment écrire le son [g] devant e et i?

Quand on entend le son [g] devant **e**, **é**, **ê**, **i** et **y**, il faut écrire **gu**.

guetter   **gu**érir   **gu**êpe   **gu**irlande   **Gu**y

On ne peut pas écrire **g**, sinon on prononcerait [ʒ].

geste   **gi**rafe

336 ## L'emploi du tréma sur ë et ï

● Le tréma (les deux points placés sur une lettre) indique que l'on doit prononcer la voyelle qui précède.
● Pour prononcer [gy] quand **gu** est suivi de **e** ou de **i**, il faut mettre un tréma sur le **e** ou le **i**.

ai**gu** → ai**guë**   ambi**gu** → ambi**guë** → ambi**guï**té

Écrire le son [f]

fantôme

gaufre

œuf

337 Le son [f] s'écrit f
fantôme gifle girafe chef

On trouve **f** en toutes positions dans les mots.

DÉBUT : fantassin, fantôme, farine, femme, filtre, fin.
INTÉRIEUR : africain, défaite, gaufre, gifle, infâme, plafond.
DEVANT e FINAL : agrafe, carafe, girafe.
FIN : bœuf, chef, massif, neuf, œuf, relief, soif.

338 Le son [f] s'écrit ff
affection griffe bluff

On ne trouve jamais **ff** au début d'un mot.

INTÉRIEUR : affaire, affreux, chiffre, effort, souffle, suffisant.
DEVANT e FINAL : coiffe, étoffe, griffe, touffe, truffe.
FIN (rare) : bluff.

339 Le son [f] s'écrit ph
pharmacie géographie

On trouve **ph** au début et à l'intérieur des mots, ainsi que devant un **e** muet final.

DÉBUT: **ph**armacie, **ph**rase, **ph**ysique.
INTÉRIEUR: géogra**ph**ie, magnéto**ph**one, saxo**ph**one, télé**ph**one.
DEVANT e FINAL: catastro**ph**e, orthogra**ph**e, triom**ph**e.

340 Les graphies du son [f]

	DÉBUT	INTÉRIEUR	DEVANT e FINAL	FIN
f	fantôme	plafond	girafe	soif
ff		coffre	touffe	bluff
ph	phrase	saxophone	catastrophe	

À la découverte des mots

341 Former des adjectifs avec le suffixe -if/-ive

Le suffixe **-if** permet de former de nombreux adjectifs de qualité. Au féminin, le **f** se transforme en **v**: **-ive**.

finir (v.) → définit**if** (adj. masc.) → définit**ive** (adj. fém.)
fuite (n.) → fugit**if** (adj. masc.) → fugit**ive** (adj. fém.)
position (n.) → posit**if** (adj. masc.) → posit**ive** (adj. fém.)

342 Les lettres ph dans les mots grecs

La graphie **ph** se trouve dans des mots d'origine grecque.

orthogra**ph**e: ortho (droit, juste)
graphe (écrire)

Écrire les sons [s] et [ks]

statue

chanson

cactus

saxophone

boxe

343 Le son [s] s'écrit s
soleil   chanson   as

On trouve **s** en toutes positions dans les mots.

DÉBUT : **s**alade, **s**irop, **s**oleil, **s**tatue, **s**ûreté.
INTÉRIEUR : chan**s**on, ob**s**tacle.
DEVANT e FINAL : bour**s**e, cour**s**e, dépen**s**e, répon**s**e, tor**s**e.
FIN : a**s**, bu**s**, cactu**s**, maï**s**, sen**s**.

344 Le son [s] s'écrit c
cette   concert   pouce

Le son [s] ne s'écrit jamais **c** à la fin d'un mot.

DÉBUT : **c**eci, **c**éder, **c**ette, **c**igare, **c**ycle.
INTÉRIEUR : an**c**être, con**c**ert, mer**c**i, so**c**ial.
DEVANT e FINAL : auda**c**e, capri**c**e, dou**c**e, féro**c**e, pou**c**e, sau**c**e.

ATTENTION

Le son [s] ne s'écrit jamais **c** devant a, o, u.

345 **Le son [s] s'écrit ç   ça   leçon   déçu**

On n'écrit jamais **ç** à la fin d'un mot.

DÉBUT (rare) : **ç**a.
INTÉRIEUR : dé**ç**u, fa**ç**ade, le**ç**on, ma**ç**on, re**ç**u.

346 **Le son [s] s'écrit x   soixante   dix**

Le son [s] s'écrit **x** dans quelques mots.

di**x**   si**x**   soi**x**ante

347 **Le son [s] s'écrit ss
poisson   écrevisse**

On ne trouve jamais **ss** en début de mot.

INTÉRIEUR : boi**ss**on, e**ss**ai, moi**ss**on, poi**ss**on, ti**ss**u.
FIN (rare) : stre**ss**.

On trouve **ss**e ou **c**e devant un **e** final.

SSE : creva**ss**e, impa**ss**e, écrevi**ss**e, sauci**ss**e, bo**ss**e, bro**ss**e,
adre**ss**e, gentille**ss**e, brou**ss**e, secou**ss**e, ru**ss**e, fau**ss**e.
CE : effica**c**e, ra**c**e, bénéfi**c**e, capri**c**e, atro**c**e, féro**c**e, Grè**c**e, niè**c**e,
dou**c**e, pou**c**e, astu**c**e, pu**c**e, sau**c**e.

348 **Le son [s] s'écrit sc   science   piscine**

On trouve **sc** au début et à l'intérieur des mots devant les
voyelles **e, é, è, i, y**.

DÉBUT : **sc**énario, **sc**ène, **sc**eptre, **sc**ie, **sc**ience, **sc**ientifique.

INTÉRIEUR : adole**sc**ent, con**sc**ient, di**sc**ipline, pi**sc**ine.

349 Le son [s] s'écrit t(ie)   démocratie

Le son [s] peut s'écrire **t** dans des mots terminés par **-tie**.

acroba**tie**	démocra**tie**	minu**tie**
aristocra**tie**	idio**tie**	péripé**tie**

350 Le son [ks] s'écrit cc, x, xc vaccin   galaxie   excellent

Les consonnes **cc, x, xc** se trouvent presque toujours à l'intérieur des mots. Elles correspondent au son composé [ks].

cc : ac**cc**ès, suc**cc**ès, va**cc**in.

x : bo**x**e, e**x**près, gala**x**ie, inde**x**, sa**x**ophone, se**x**e, ve**x**ant.

xc : e**xc**ellent, e**xc**ès, e**xc**itation.

351 Les graphies du son [s]

	DÉBUT	INTÉRIEUR	DEVANT e FINAL	FIN
s	soleil	chanson	réponse	cactus
c	cendre	concert	pouce	
ç	ça	maçon		
ss		boisson	adresse	stress
sc	scène	piscine		
t(ie)		démocratie		

352 Les graphies du son [ks]

	DÉBUT	INTÉRIEUR	DEVANT e FINAL	FIN
cc		accès		
x		galaxie	axe	index
xc		excellent		

À la découverte des mots

353 Comment expliquer la prononciation de mots comme parasol?

Si l'on écrit **s** entre deux voyelles, on entend le son [z]. Mais dans **certains mots** composés d'un **radical** et d'un **préfixe**, **s** entre deux voyelles se prononce [s]. ▷ PARAGRAPHES 358 ET 457

contre**se**ns (préfixe: *contre* + radical: *sens*)
par**aso**l (préfixe: *para* + radical: *sol*)

354 Qu'est-ce que la cédille?

La cédille est un signe que l'on place uniquement sous la lettre **c**, devant **a**, **o**, **u**, pour représenter le son [s].

ça   le**ç**on   dé**ç**u
je pla**ç**ais   nous pla**ç**ons

355 Les mots en -sse ou -ce

Vous pouvez vous aider des mots de la même famille que vous savez écrire pour choisir entre **-sse** et **-ce**.

pa**s** → impa**sse**   gre**c** → Grè**ce**

356 Les mots en -tie

Pour ne pas vous tromper, pensez aux mots de la même famille.

acroba**te** → acroba**tie**
aristocra**te** → aristocra**tie**
démocra**te** → démocra**tie**

Poème en x
pour le lynx

Dans les Rocheuses vit le lynx
à l'œil brillant comme un silex
couleur de porcelaine de Saxe
énigmatique plus qu'un sphinx

parfois grondant en son larynx
il miaule et quoique loin de Sfax
fauche la chèvre qui fait « bêex »
au berger qui joue du syrinx

Pour fêter ça il boit sans toux
de la blanquette de Limoux
dans les Rocheuses c'est du luxe

puis ronronnant et les yeux fixes
regarde à sa télé Tom Mix
dans un western couleur « de Luxe »

Jacques Roubaud, *Les Animaux
de tout le monde* © Seghers 1990

Écrire le son [z]

zoo

musée

gaz

357 Le son [z] s'écrit z
zèbre horizon onze gaz

On trouve la graphie **z** en toutes positions dans les mots.

DÉBUT : **z**èbre, **z**éro, **z**one, **z**oo.
INTÉRIEUR : a**z**ur, ba**z**ar, bi**z**arre, di**z**aine, ga**z**elle, ga**z**on, hori**z**on, ri**z**ière.
DEVANT e FINAL : bron**z**e, dou**z**e, ga**z**e, on**z**e, quator**z**e, quin**z**e, sei**z**e, trei**z**e.
FIN : ga**z**.

358 Le son [z] s'écrit s   paysage   ruse

Le son [z] s'écrit **s** uniquement entre deux voyelles.

INTÉRIEUR : cou**s**in, mu**s**ée, pay**s**age, poi**s**on, sai**s**on, vi**s**age.
DEVANT e FINAL : bi**s**e, ru**s**e.

359 Le son [z] s'écrit x   dixième

Le son [z] s'écrit **x** dans les adjectifs numéraux.

INTÉRIEUR : deu**x**ième, di**x**ième, si**x**ième, di**x**-huit, di**x**-neuf.

360 Le son [z] s'écrit zz   jazz

Il est très rare de trouver le son [z] écrit **zz**.

INTÉRIEUR : gri**zz**li.
FIN : ja**zz**.

361 Les graphies du son [z]

	DÉBUT	INTÉRIEUR	DEVANT e FINAL	FIN
z	zéro	lézard	onze	gaz
s		paysage	chanteuse	
x		dixième		dix (ans)
zz		grizzli		jazz

À la découverte des mots

362 Comment former le féminin des adjectifs en -eur et en -eux ?

La finale **-euse** permet de former le féminin des noms et des adjectifs en **-eur** et **-eux**.

chant**eur** → chant**euse**
vend**eur** → vend**euse**

moqu**eur** → moqu**euse**
audaci**eux** → audaci**euse**

363 Comment prononcer s entre deux voyelles?

La lettre **s** se prononce [z] entre deux voyelles, sauf dans certains noms composés.

ro**s**e
vi**s**age
mais para**s**ol (**s** se prononce [s])

364 Comment prononcer x en fin de mot?

Devant une voyelle ou un **h** muet, **x** en fin de mot
se prononce [z] en faisant la liaison avec le mot suivant.

di**x** ans
si**x** hommes

La complainte du Z

Un Z, à genoux, se mit à pleurer.

« Quoi, s'écria-t-il, encore rien pour moi ?
J'ai une femme, plusieurs enfants, et pas de
travail ! Je suis toujours au chômage ! »
Alice se sentit très émue par le sort du Z.

Elle chercha ce qu'elle pourrait dire pour
le consoler, mais elle ne trouva rien.
Cependant, le Z continuait d'une voix
changée :
« Il n'y a pas assez d'assez
Pas assez de vous voyez
De vous mangez, de vous buvez
Pas assez de zèbres, de zébus
De zozos, de zazous, de zéthus
De Z il n'y en a pas assez
De Z il y en a zéro. »
Alice trouva le poème du Z joli, mais
un peu compliqué.

Roland Topor, *Alice au pays des lettres*
© Éd. du Seuil 1991

Écrire le son [ʒ]

jeu

bijou

neige

365 Le son [ʒ] s'écrit j   jambon   bijou

On ne rencontre jamais **j** à la fin des mots.

DÉBUT : **j**adis, **j**aloux, **j**ambon, **j**aponais, **j**eu, **j**eune, **j**ockey, **j**oie, **j**uste.

INTÉRIEUR : ad**j**ectif, ad**j**oint, bi**j**ou, con**j**onction, in**j**ure, ob**j**et, su**j**et.

366 Le son [ʒ] s'écrit g
gendarme   aubergine

On trouve **g** devant les voyelles **e**, **é**, **è**, **ê** et **i**.

DÉBUT : **g**éant, **g**endarme, **g**entil, **g**ibier, **g**igot.

INTÉRIEUR : an**g**ine, auber**g**ine, indi**g**ène, ori**g**ine, oxy**g**ène, sans-**g**êne.

DEVANT e FINAL : baga**g**e, collè**g**e, dépanna**g**e, gara**g**e, manè**g**e, mar**g**e, maria**g**e, ména**g**e, nei**g**e, piè**g**e, siè**g**e.

367 Le son [ʒ] s'écrit ge   geai   pigeon

On trouve **ge** devant les voyelles **a** et **o**.

DÉBUT : **ge**ai, **ge**ôle.

INTÉRIEUR : bou**ge**oir, bour**ge**on, oran**ge**ade, pi**ge**on, plon**ge**on.

368 Les graphies du son [ʒ]

	DÉBUT	INTÉRIEUR	DEVANT e FINAL	FIN
j	jouet	objet		
g	girafe	origine	manège	
ge	geai	plongeon		

À la découverte des mots

369 Quand peut-on écrire j, g ou ge?

On peut écrire **j devant toutes les voyelles**. Mais on n'écrit **ji** que dans quelques mots d'origine étrangère.

Japon   jeudi   joyeux   justice   moujik (paysan russe)

On peut aussi écrire **g devant** les voyelles **e** (é, è, ê) et **i** (y).

danger   gilet

On peut aussi écrire **ge devant** les voyelles **a** et **o**.

orangeade   pigeon

370 Les verbes en -ger

Les verbes terminés par **-ger** présentent de nombreuses formes comprenant la graphie **ge**.   ▷ PARAGRAPHE 480

nager : je nageais, je nageai, nous nageons...

Le plus beau vers de la langue française

« Le **ge**ai **gé**latineux **gei**gnait dans le **ja**smin »
Voici, mes zinfints
Sans en avoir l'air
Le plus beau vers
De la langue française.

Ai, eu, ai, in
Le **ge**ai **gé**latineux **gei**gnait dans le **ja**smin...

Le poite aurait pu dire
Tout à son aise :
« Le **ge**ai volumineux picorait des pois fins »
Eh bien ! non, mes zinfints.
Le poite qui a du **gé**nie
Jusque dans son délire
D'une main moite
A écrit :

« C'était l'heure divine où, sous le ciel gamin,
LE **GE**AI **GÉ**LATINEUX **GE**IGNAIT DANS
LE **JA**SMIN. »

René de Obaldia, *Innocentines* © Grasset & Fasquelle 2002

Écrire le son [R]

rail

souris

tambour

371 Le son [R] s'écrit r
récolte   parole   heure   car

On trouve **r** en toutes positions dans les mots.

DÉBUT : racine, radio, rail, récit, récolte, rivage, roue, rue.
INTÉRIEUR : carotte, direct, féroce, intéresser, parole, souris.
DEVANT e FINAL : avare, bordure, empire, heure.
FIN : bar, car, nénuphar, cher, hiver, ver, désir, plaisir, tir, éclair,
    impair, castor, trésor, futur, mur, sur, four, tambour.

372 Le son [R] s'écrit rr   torrent   bagarre

On ne trouve **rr** qu'à l'intérieur des mots.

INTÉRIEUR : arranger, arrière, arrosoir, correct, débarrasser,
    derrière, erreur, fourrure, horrible, terrible, torrent, verrou.
DEVANT e FINAL : bagarre, bizarre, serre.

373 Le son [R] s'écrit r(d, s, t)
canard   alors   concert

On trouve **r + consonne muette (d, s, t)** à la fin de
nombreux mots.

FIN (rd) : accord, bord, brouillard, canard, lourd, record.
FIN (rs) : alors, concours, discours, divers, velours, vers.
FIN (rt) : art, concert, confort, départ, effort, tort, vert.

ATTENTION

On trouve rh dans **rhinocéros**, **rhume**, **enrhumé**.

374 Les graphies du son [R]

	DÉBUT	INTÉRIEUR	DEVANT e FINAL	FIN
r	rue	parole	heure	décor
rr		torrent	bagarre	
r(d, s, t)				départ

À la découverte des mots

375 Comment trouver la lettre muette à la fin des mots ?

Pour savoir s'il faut écrire une lettre muette à la fin d'un mot, vous pouvez vous aider des mots de la même famille, ou du féminin des adjectifs.

confortable → confort
lourde → lourd
verte → vert

376 Apprendre les homophones

Certains mots (les homophones) se prononcent de la même manière, mais s'écrivent différemment.

v**ers** *(préposition)*
v**ert** *(adjectif)*
un v**er** *(de terre)*
un v**erre** *(de lait)*
le v**air** *(une pantoufle de vair)*

377 rr dans les verbes

Certains verbes s'écrivent avec **rr** au futur de l'indicatif et au conditionnel présent.

je cou**rr**ai   vous enve**rr**iez   tu pou**rr**ais   ils ve**rr**aient

Écrire le e muet

oie

bougie

378 Qu'appelle-t-on une lettre muette?

Dans certains mots, on ne prononce pas toutes les lettres.
Ces lettres que l'on **n'entend pas** sont des lettres muettes.
▷ PARAGRAPHES 379 À 402

oi**e**, crai**e**, jou**e** (on n'entend pas le **e**)
haut, **h**orloge, **h**uile (on n'entend pas le **h**)
bra**s**, li**t**, pie**d** (on n'entend pas le **s**, le **t**, le **d**)

379 Quand y a-t-il un e muet à l'intérieur des mots?

On trouve un **e** muet à l'intérieur de noms formés sur des
verbes en **-ier, -yer, -uer, -ouer**.

balbut**ier** → balbut**ie**ment
remerc**ier** → remerc**ie**ment

abo**yer** → abo**ie**ment
pa**yer** → pa**ie**ment

étern**uer** → étern**ue**ment
t**uer** → t**ue**rie

dén**ouer** → dén**oue**ment
dév**ouer** → dév**oue**ment

380 Quels noms féminins se terminent par un e muet?

La plupart des noms féminins terminés par le son [i] s'écrivent en **-ie**.

bougie   librairie   pharmacie
écurie   modestie   prairie

EXCEPTIONS

fourmi, brebis, souris, nuit, perdrix.

La plupart des noms féminins terminés par le son [wa] s'écrivent en **-oie**.

joie   oie   proie   soie   voie

EXCEPTIONS

foi, loi, fois, croix, noix, voix.

Les noms féminins terminés par le son [y] s'écrivent en **-ue**.

avenue   bienvenue   étendue   rue   tenue

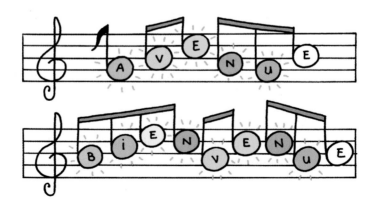

Les noms féminins désignant un contenu se terminent par
-**ée**, ainsi que dict**ée** et jet**ée**.

cuiller**ée**   port**ée**

ATTENTION

Certains noms masculins se terminent aussi par -ée.
lyc**ée**   pygm**ée**

Les autres noms féminins qui ne se terminent pas par une
consonne ont souvent un **e** muet final.

AIE : b**aie**, cr**aie**, monn**aie**, pl**aie**, r**aie**.
OUE : j**oue**, m**oue**, r**oue**.
EUE : banli**eue**, li**eue**, qu**eue**.

381 Quelle est la nature des mots qui se terminent par -re?

On trouve aussi le **e** muet dans les mots qui se terminent par
-**re**. Ces mots peuvent être des **noms** masculins ou féminins
ou des **adjectifs**.

NOMS MASCULINS : audit**oire**, laborat**oire**, territ**oire** ;
anniver**saire**, estu**aire**, sal**aire** ; murm**ure** ; folkl**ore** ; emp**ire**,
nav**ire**, **rire**, sou**rire** ; ph**are** ; dinos**aure**.
NOMS FÉMININS : baign**oire**, balanç**oire**, hist**oire** ; mol**aire** ;
capt**ure**, coiff**ure**, mes**ure**, ord**ure**, pel**ure** ; fl**ore** ; tirel**ire** ;
fanf**are**, g**are**, guit**are**, m**are**.
ADJECTIFS (masculins ou féminins) : illus**oire**, mérit**oire**,
provis**oire**, respirat**oire** ; aliment**aire**, nucl**éaire**, pol**aire**,
sol**aire**, volont**aire** ; carniv**ore**, incol**ore**, omniv**ore** ; p**ire** ; r**are**.

382 La place du e muet

	DÉBUT	INTÉRIEUR	FIN
(i)e		remerciement	librairie
(ai)e		paiement	monnaie
(u)e		éternuement	avenue
(ou)e		dévouement	roue
(oi)e		aboiement	joie
(eu)e			queue
(oir)e			laboratoire
(air)e			anniversaire
(ur)e		pureté	coiffure
(or)e			carnivore
(ir)e		tirelire	empire
(ar)e			mare
(aur)e			dinosaure

Écrire le h muet et le h aspiré

habit

hérisson

383 Quand trouve-t-on un h muet au début d'un mot?

On peut trouver un **h** muet devant toutes les voyelles.

habit	**h**eure	**h**orizon	**h**umide
habitude	**h**eureuse	**h**orrible	**h**ypermarché
héroïque	**h**iver	**h**ôtel	**h**ypocrite

384 Dans quels types de mots trouve-t-on un h muet après une consonne?

On trouve un **h** muet après une consonne dans des mots formés de deux éléments.

gentil**h**omme : gentil (adjectif) + homme (nom)

bon**h**eur	in**h**abituel	mal**h**eur
in**h**abité	in**h**umain	mal**h**onnête

On trouve un **h** muet après une consonne dans des mots d'origine grecque.

bibliot**h**èque	r**h**inocéros	sympat**h**ique
épit**h**ète	r**h**ume	t**h**éâtre

385 Qu'est-ce que le h aspiré?

Le **h** aspiré permet de prononcer séparément deux voyelles ou de ne pas faire la liaison avec le mot précédent.

un **h**angar   un **h**érisson   la pré**h**istoire
une maison **h**aute   un **h**éros

386 La place du h muet et du h aspiré

	DÉBUT	INTÉRIEUR	FIN
h muet	hiver	menhir	maharadjah
h aspiré	haricot	préhistoire	

À la découverte des mots

387 Apprendre les homophones

Parfois, seul le **h** permet de faire la différence entre deux mots.

ton (nom ou adjectif possessif)   le t**h**on (le poisson)

Écrire les consonnes muettes

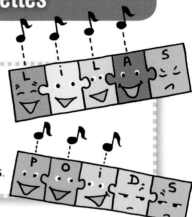

À RETENIR

■ Les consonnes que l'on n'entend pas sont appelées **consonnes muettes**. Elles se trouvent le plus souvent **à la fin des mots**.

388 Où se trouve le s muet?

Le **s** muet se trouve à la fin des mots.

FIN: bra**s**, lila**s**, matela**s**, repa**s**; autrefoi**s**, bourgeoi**s**, foi**s**, moi**s**, quelquefoi**s**; avi**s**, brebi**s**, coli**s**, pui**s**, souri**s**; anglai**s**, jamai**s**, mai**s**, marai**s**; do**s**, enclo**s**, héro**s**, repo**s**; ju**s**, refu**s**.

Le **s** muet peut apparaître après une autre consonne.

cor**ps**
poi**ds**
tem**ps**
volontie**rs**

ATTENTION

N'oubliez pas le **s** muet à la fin des verbes:

tu chante**s**, tu chantai**s**, nous chanton**s**, nous chanteron**s**...

389 Quel est le genre des noms terminés par un s muet?

La plupart des noms terminés par un **s** muet sont masculins.

un avi**s**   un succè**s**

EXCEPTIONS

la brebi**s**, une foi**s**, la souri**s**.

390 Quel est le pluriel des noms terminés par s?

Les mots terminés par **s** au singulier sont invariables.

la brebi**s** → les brebi**s**   le repa**s** → les repa**s**

391 Comment savoir s'il faut écrire un s muet?

On peut s'aider d'un mot de la même famille.

confu**s**e → confu**s**   repo**s**er → repo**s**

392 Où se trouve le t muet?

On trouve le **t** muet à la fin d'un mot.

APRÈS VOYELLE: acha**t**, clima**t**, pla**t**, résulta**t**; appéti**t**, circui**t**, frui**t**, li**t**, nui**t**; escargo**t**, robo**t**, sabo**t**, trico**t**; artichau**t**, défau**t**, sau**t**, sursau**t**; adroi**t**, détroi**t**, endroi**t**, exploi**t**, toi**t**; débu**t**; bou**t**.

APRÈS **r** : a**rt**, dépa**rt**, éca**rt**, rempa**rt** ; conce**rt**, dése**rt**, desse**rt**, transfe**rt** ; confo**rt**, effo**rt**, suppo**rt**, to**rt**.
APRÈS **c**, **p** : aspe**ct**, respe**ct**, suspe**ct** ; prom**pt**.

ATTENTION

N'oubliez pas le **t** muet à la fin des verbes :
ils/elles chantaien**t**, il/elle ba**t**, ils/elles viendron**t**...

393 Comment savoir s'il faut écrire un t muet?

On peut s'aider d'un mot de la même famille ou bien du féminin.

tricoter → tricot   toute → tout   complète → complet

394 Où se trouve le x muet?

On trouve un **x** muet à la fin d'un mot.

FIN : choi**x**, croi**x**, deu**x**, dou**x**, épou**x**, fau**x**, hou**x**, jalou**x**, noi**x**, pai**x**, perdri**x**, pri**x**, tou**x**, voi**x**.

On trouve aussi un **x** muet dans la terminaison de certains verbes.

pouvoir : je peu**x**, tu peu**x**   vouloir : je veu**x**, tu veu**x**

395 Quel est le pluriel des noms terminés par x?

Les noms terminés par **x** au singulier sont invariables.

la noi**x**, les noi**x**   le pri**x**, les pri**x**

396 ## Où trouve-t-on le c et le p muets?

Le **c** et le **p** muets se trouvent à l'intérieur et à la fin des mots.

INTÉRIEUR : aspe**c**t, respe**c**t ; prom**p**t, (il) rom**p**t.
FIN : ban**c**, blan**c**, flan**c**, fran**c** ; beaucou**p**, cham**p**, cou**p**, dra**p**, lou**p**, siro**p**, tro**p**.

397 ## Comment savoir s'il faut écrire c ou p?

On peut s'aider de mots de la même famille.

cham**p**être → cham**p**   respe**c**ter → respe**c**t

398 ## Où trouve-t-on les consonnes muettes b, d, g, l?

On les trouve à la fin des mots.

B : aplom**b**, plom**b**.
D : crapau**d**, ni**d**, nœu**d**, pie**d**, bon**d** ; accor**d**, bor**d**, recor**d**, brouillar**d**, canar**d**, épinar**d**, hasar**d**, lézar**d**, lour**d**, sour**d**.
G : étan**g**, lon**g**, poin**g**.
L : fusi**l**, genti**l**, outi**l**.

399 ## Comment savoir s'il faut écrire b, d, g, l?

On peut s'aider de mots de la même famille ou bien du féminin.

bondir → bon**d**   longue → lon**g**   plombier → plom**b**

400 La place des consonnes muettes

	DÉBUT	INTÉRIEUR	FIN
voyelle + **s**			repa**s**
consonne + **s**			velour**s**
voyelle + **t**			clima**t**
consonne + **t**			respe**ct**
x			noi**x**
d			pie**d**
p			dra**p**
c			ban**c**
g			étan**g**
b			plom**b**
l			outi**l**

À la découverte des mots

401 D'où viennent les lettres muettes?

La plupart des mots français viennent du latin ; les lettres muettes sont des lettres qui se trouvaient déjà dans le mot latin. On les a gardées en français, mais on ne les prononce plus.

Le mot latin *vinum* a donné en français le mot *vin*.
Le mot latin *viginti* a donné en français le mot *vingt*.
Vingt se prononce comme **vin**, mais il a gardé les lettres **g** et **t** qui existaient en latin.

Le mot latin *cursus* a donné le mot français *cours*.

Le mot latin *curtus* a donné le mot français *court*.

Cours et **court** se prononcent de la même manière, mais on continue à les écrire avec les lettres **s** et **t** qui existaient en latin.

402 Apprendre les homophones

la b**oue**	le b**out**
le c**ou**	le c**oup**
le l**ait**	l**aid** (adj.)
une r**oue**	r**oux** (adj.)

Écrire le début des mots

affiche

$$104 + 50 = 154$$

addition

403 Comment choisir entre ad- ou add-?

On écrit le plus souvent **ad-**.

adieu **ad**orable **ad**ulte

EXCEPTION
Le nom **addition** s'écrit avec **dd**.

404 Comment choisir entre af- ou aff-?

On écrit le plus souvent **aff-**.

affaire **aff**iche
affection **aff**irmation

EXCEPTIONS
a**f**in, a**f**ricain, A**f**rique.

ATTENTION
Les mots qui commencent par **eff-** ou **off-** s'écrivent toujours avec **ff**.
e**ff**icace o**ff**ense
e**ff**ort o**ff**icier
e**ff**rayant o**ff**rir

405 Comment choisir entre ag- ou agg-?

On écrit le plus souvent **ag-**.

agrafe **ag**randir **ag**réable **ag**ressif **ag**riculture

EXCEPTIONS

agglomération, **agg**lutiner, **agg**raver.

406 Comment choisir entre am- ou amm-?

On écrit presque toujours **am-**.

amarre **am**ateur **am**i **am**ont **am**our **am**user

407 Comment choisir entre il- ou ill-?

On écrit le plus souvent **ill-**.

illisible **ill**uminé **ill**usion **ill**ustrer

EXCEPTIONS

il, **î**le.

408 Comment choisir entre ir- ou irr-?

On écrit le plus souvent **irr-**.

irréalisable **irr**emplaçable **irr**espirable **irr**igation
irréductible **irr**éparable **irr**esponsable **irr**iter

EXCEPTIONS

iranien, **ir**is, **ir**onie.

Écrire la fin des mots

épouvantail

magicien

409 Comment choisir entre -ail ou -aille ?

On écrit **-ail** à la fin des noms masculins.

un épouvant**ail**
un gouvern**ail**
un trav**ail**

On écrit toujours **-aille** à la fin des noms féminins.

une m**aille** (de tricot)
la p**aille**

410 Comment choisir entre -ciel ou -tiel ?

On écrit **-ciel** après **i** et **an**.

APRÈS **i** : logi**ciel**, superfi**ciel**
APRÈS **an** : circonstan**ciel**

On écrit **-tiel** après **en**.

essen**tiel**

411 Comment choisir entre -cien, -tien ou -ssien?

On écrit souvent **-cien** dans des noms de métiers.

électri**cien**   magi**cien**   pharma**cien**

On écrit **-tien** quand le mot est formé à partir de noms propres contenant un **t** dans la dernière syllabe.

Cape**t** → capé**tien**
Égyp**te** → égyp**tien**
Haï**ti** → haï**tien**
Tahi**ti** → tahi**tien**

Dans quelques mots, on écrit aussi **-sien** et **-ssien**.

le **sien**   paroi**ssien** (paroisse)   pru**ssien** (Prusse)

412 Comment choisir entre -cière ou -ssière?

Les noms et les adjectifs féminins s'écrivent **-cière** ou **-ssière**.

-cière: poli**cière**, sor**cière**
-ssière: pâti**ssière**, pou**ssière**

Les noms et adjectifs masculins terminés par **-cier** et **-ssier** forment leur féminin en **-cière** et **-ssière**.

épicier → épi**cière**
caissier → cai**ssière**

413 ## Comment choisir entre -é ou -ée?

Tous les noms de genre féminin, terminés par [e] et non par [te] ou [tje], s'écrivent **-ée**.

ann**ée**   pens**ée**
matin**ée**   rentr**ée**

EXCEPTION
la cl**é**

On trouve souvent la finale **-ée** dans des mots qui désignent des contenus.

bouche → une bouch**ée**   gorge → une gorg**ée**
bras → une brass**ée**   pince → une pinc**ée**
cuiller → une cuiller**ée**   poing → une poign**ée**
four → une four**née**   rang → une rang**ée**

Il existe quelques noms masculins en **-ée**.

un apog**ée**   un pygm**ée**
un lyc**ée**   un scarab**ée**

414 ## Comment choisir entre -eil ou -eille?

On écrit **-eil** à la fin des noms masculins.

le sol**eil**

On écrit **-eille** à la fin des noms féminins.

une ab**eille**

415 Comment choisir entre -euil, -euille ou -ueil?

On écrit toujours **-euille** à la fin des noms féminins.

une f**euille**

On écrit le plus souvent **-euil** à la fin des noms masculins.

un faut**euil**

ATTENTION

Les noms masculins formés sur **feuille** s'écrivent **-euille**, sauf **cerfeuil**.

du chèvre**feuille**   un mille-**feuille**   un porte**feuille**

EXCEPTION

un **œil**

Après les consonnes **c** et **g**, on doit écrire **-ueil**.

un acc**ueil**   un cerc**ueil**   un rec**ueil**   l'org**ueil**

ATTENTION

Le verbe **cueillir** et ses composés : je cueille, nous accueillons...

416 Comment choisir entre -eur, -eure, -eurs ou -œur?

On écrit le plus souvent **-eur** à la fin des noms.

le bonh**eur**   la p**eur**
le malh**eur**   la terr**eur**

EXCEPTIONS

le b**eur**re, la dem**eure**, une h**eure**

La finale **-eur** permet de former des noms.

blanc → la blanch**eur**   mince → la minc**eur**
dessiner → le dessinat**eur**   profond → la profond**eur**
explorer → l'explorat**eur**   voyager → le voyag**eur**

Certains mots invariables se terminent par **-eurs**.

aill**eurs**   d'aill**eurs**   plusi**eurs**

Certains noms se terminent par **-œur**.

c**œur**   ranc**œur**
ch**œur**   s**œur**

417   Comment choisir entre -ie ou -i?

Tous les noms féminins terminés par le son [i] s'écrivent **-ie**.

boug**ie**   librair**ie**   modest**ie**   pharmac**ie**
écur**ie**   loter**ie**   nostalg**ie**   plu**ie**
jalous**ie**   mair**ie**   ort**ie**   prair**ie**

EXCEPTIONS

la fourm**i**, la breb**is**, la sour**is**, la nu**it**, la perdr**ix**.

À la fin des noms masculins, on écrit **-i**, **-is**, **-id** ou **-ix**.

un abr**i**   un tap**is**   un pr**ix**
un part**i**   un n**id**

418 Comment choisir entre -oire ou -oir?

On écrit **-oire** à la fin des noms féminins.

une balanç**oire**   une hist**oire**   une nage**oire**
une f**oire**   la mém**oire**

On écrit **-oir** à la fin de la plupart des noms masculins.

un compt**oir**   un coul**oir**   un esp**oir**   un réserv**oir**

EXCEPTIONS

Certains noms masculins se terminent par **-oire**.
un conservat**oire**   un laborat**oire**   un réfect**oire**
un interrogat**oire**   un pourb**oire**   un territ**oire**

On écrit **-oire** à la fin des adjectifs, au masculin comme au féminin.

un exercice obligat**oire**   la sieste obligat**oire**

EXCEPTION

noir : un pantalon **noir**   une chemise **noire**

419 Comment choisir entre -té ou -tée?

Presque tous les noms terminés par [te] s'écrivent **-té**.

l'Antiqui**té**   la ci**té**   l'originali**té**   la quali**té**   la spéciali**té**

EXCEPTIONS

▶ Les noms indiquant un contenu : une pelle**tée**...
▶ Les cinq noms suivants : la dic**tée**, la je**tée**, la mon**tée**, la pâ**tée**, la por**tée**.

Les noms terminés par **-té** sont presque tous féminins.

EXCEPTIONS

un côté, un doigté, un été, un traité.

La finale **-té** permet de former des noms désignant des qualités ou des défauts à partir d'adjectifs.

ADJECTIFS	NOMS	ADJECTIFS	NOMS
beau	beau**té**	méchant	méchance**té**
clair	clar**té**	rapide	rapidi**té**
généreux	générosi**té**	timide	timidi**té**

420 Comment choisir entre -tié ou -tier?

Les noms de genre féminin s'écrivent **-tié**.

l'ami**tié**   une moi**tié**

Les noms de genre masculin s'écrivent **-tier**.

un bijou**tier**   un chan**tier**   un coco**tier**   un quar**tier**
un boî**tier**   un charcu**tier**   un po**tier**   un sen**tier**

421 Comment choisir entre -tion ou -(s)sion?

Après les consonnes **c** et **p**, on écrit toujours **-tion**.

ac**tion**   sec**tion**   inscrip**tion**

Après la voyelle **a**, on trouve le plus souvent **-tion**.

aliment**ation**   éduc**ation**   explic**ation**

EXCEPTIONS

p**assion**, comp**assion**.

Après la consonne **l**, on écrit toujours **-sion**.

expul**sion**

422 Comment choisir entre -ule ou -ul ?

Presque tous les noms, masculins ou féminins, terminés par le son [yl] s'écrivent **-ule**.

NOMS MASCULINS : crépus**cule**, glob**ule**, scrup**ule**, véhi**cule**.
NOMS FÉMININS : bas**cule**, cell**ule**, libell**ule**, pil**ule**, rot**ule**.

EXCEPTIONS

▶ Les trois mots **calcul**, **consul** et **recul** s'écrivent **-ul**.
▶ Une **bulle** et le **tulle** s'écrivent **-ulle**.
▶ Un **pull**, mot d'origine anglaise, s'écrit avec deux **l**.

423 Comment choisir entre -ur ou -ure ?

Presque tous les noms, masculins ou féminins, terminés par le son [yr] s'écrivent **ure** (ou, rarement, **ûre**).

NOMS MASCULINS : mer**cure**, murm**ure**.
NOMS FÉMININS : avent**ure**, brûl**ure**, nourrit**ure**, piq**ûre**.

EXCEPTIONS

az**ur**, fém**ur**, fut**ur**, m**ur**.

Mots et formes invariables

424 Liste des mots les plus courants

afin	demain
ailleurs	depuis, **puis**, puisque
ainsi	**dès**, dès que
alors, dès lors, **lors**, lorsque	désormais, jamais, **mais**
après, auprès, exprès, **près**, presque	donc
	durant
arrière, derrière	entre
assez	envers, par devers, à travers, **vers**
au-dessous, dessous, **sous**	
au-dessus, dessus, par-dessus, **sus**	environ
	gré, malgré
aujourd'hui	**guère**, naguère
auparavant, **avant**, devant, davantage, dorénavant	hier
	hormis
aussi	ici
aussitôt, bientôt, plutôt, sitôt, tantôt, **tôt**	jadis
	jusque
autant, pourtant, **tant**, tant pis	loin
	longtemps
autrefois, **fois**, parfois, quelquefois, toutefois	mieux, tant mieux
	moins, néanmoins
avec	parmi
beaucoup	partout
cependant, **pendant**	**plus**, plusieurs
certes	quand
chez	sans
comme, comment	selon
d'abord	surtout
dans, dedans	tandis que
debout	toujours
dehors, **hors**	trop
déjà	volontiers

Vocabulaire

La langue française comprend un grand
nombre de mots (noms, adjectifs, verbes…) :
leur ensemble forme
le vocabulaire
français.

Utiliser un dictionnaire

ENCHANTÉ !

À RETENIR

■ Le dictionnaire vous permet de connaître les **définitions** précises des mots.

■ Il donne de nombreux **renseignements sur les mots** (nature, genre, sens, synonymes, contraires, homonymes) et sur leur histoire.

■ Pour bien l'utiliser, il faut connaître l'**alphabet** et les **abréviations** les plus courantes.

425 Qu'est-ce que l'alphabet?

C'est l'ensemble des **lettres** de la langue.
Parmi les **26** lettres de l'alphabet, on distingue:
– 6 **voyelles**: a, e, i, o, u, y;
– 20 **consonnes**: b, c, d, f, g, h, j, k, l, m, n, p, q, r, s, t, v, w, x, z.

426 À quoi sert l'alphabet?

Connaître l'alphabet permet de chercher un mot dans un dictionnaire car les mots y sont classés par ordre alphabétique.

427 Quelles formes peut avoir une lettre?

On peut écrire les lettres en **minuscules**.

a, b, c, d, e, f, g, h, i, j, k, l, m, n, o, p, q, r, s, t, u, v, w, x, y, z.

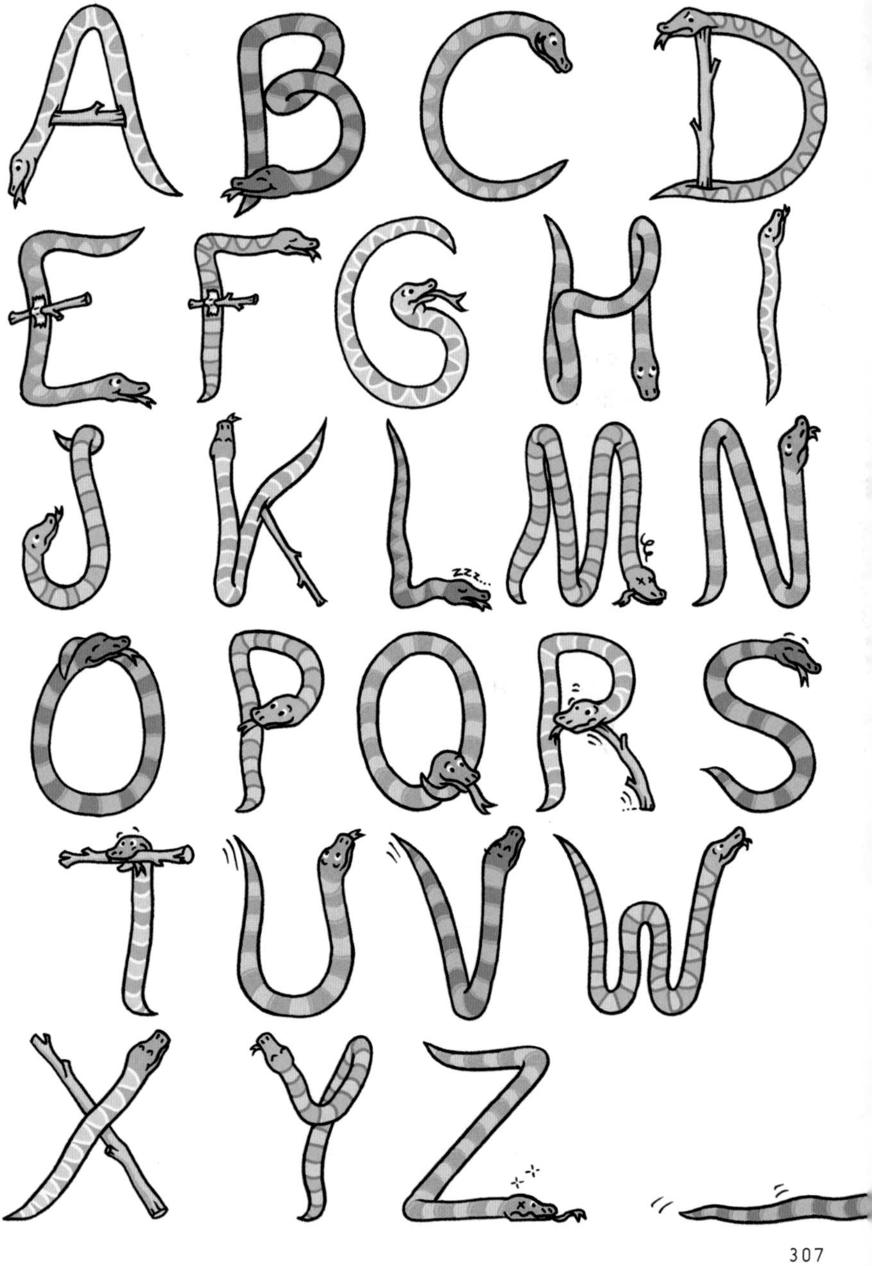
A B C D
E F G H I
J K L M N
O P Q R S
T U V W
X Y Z
zzz...

On peut aussi les écrire en **majuscules**.

A, B, C, D, E, F, G, H, I, J, K, L, M, N, O, P, Q, R, S, T, U, V, W, X, Y, Z.

On peut aussi employer d'autres écritures.

a, b, c, d, e, f, g, h, i, j, k, l, m, n, o, p, q, r, s, t, u, v, w, x, y, z.

a, b, c, d, e, f, g, h, i, j, k, l, m, n, o, p, q, r, s, t, u, v, w, x, y, z.

𝒜, ℬ, 𝒞, 𝒟, ℰ, ℱ, 𝒢, ℋ, ℐ, 𝒥, 𝒦, ℒ, ℳ, 𝒩, 𝒪, 𝒫, 𝒬, ℛ, 𝒮, 𝒯, 𝒰, 𝒱, 𝒲, 𝒳, 𝒴, 𝒵.

428 Qu'est-ce qu'un dictionnaire?

C'est un recueil de mots classés par ordre alphabétique. Chaque mot est suivi d'une définition ou de sa traduction dans une autre langue.

▶ **Dans un dictionnaire de langue**

orang-outan [ɔʀãutã] **n. m.** (→ ÉTYM.) Grand singe d'Asie, à longs poils d'un brun roux et aux bras très longs. *Les orangs-outans vivent dans les arbres.*

▶ On écrit aussi *orang-outang*.

■ LE ROBERT JUNIOR 2012

▶ **Dans un dictionnaire encyclopédique**

AYMÉ (Marcel), *Joigny 1902 - Paris 1967*, écrivain français. Il est l'auteur de nouvelles *(le Passe-Muraille)* et de romans où la fantaisie et la satire se mêlent au fantastique *(la Jument verte)*, de pièces de théâtre *(Clérambard)* et de contes *(*Contes du chat perché)*.

■ LE PETIT LAROUSSE ILLUSTRÉ

▶ **Dans un dictionnaire bilingue**

calepin [kalpɛ̃], *s.m.* note-book, memorandum-book ; *F :* **mettez ça sur votre c. !** let this be a lesson to you !

■ HARRAP'S NEW STANDARD DICTIONNAIRE FRANÇAIS-ANGLAIS

429 Comment chercher les mots dans le dictionnaire?

Pour trouver un mot dans un dictionnaire, il faut chercher d'abord la **première lettre du mot**.

Antenne: le son [ã] peut s'écrire **an** ou **en**. On commence par chercher à la lettre **a**..., puis **an**..., enfin **ant**...

Si vous ne trouvez pas le mot que vous cherchez, c'est que vous lui attribuez une mauvaise orthographe.

Horaire: pensez aux mots de la même famille (une *heure*, une *horloge*). Le mot commence par **ho**.

430 Comment trouver rapidement un mot?

Il est important de connaître l'alphabet dans les deux sens.

▶ **Un petit jeu**
Choisissez une lettre et indiquez le plus vite possible:
– la lettre qui la **précède** (celle qui vient **avant**);
– la lettre qui lui **succède** (celle qui vient **après**).
T: S, U ou encore: **G**: F, H

● La plupart des dictionnaires sont divisés en quatre parties:
– le **1er quart** contient A, B, C, D;
– le **2e quart** contient E, F, G, H, I, J, K;
– le **3e quart** contient L, M, N, O, P, Q;
– le **4e quart** contient R, S, T, U, V, W, X, Y, Z.
● Si vous cherchez un mot commençant par **M**, il est inutile d'ouvrir votre dictionnaire au début et de le feuilleter de **A** à **M**. Ouvrez-le plutôt vers le milieu.

431 — Que nous apprend un dictionnaire?

Une entrée de dictionnaire nous donne trois informations: la **nature** (ou **classe grammaticale**), le **genre** et le **sens** du mot.

continent **n. m.** Grande étendue de terre comprise entre deux océans. *L'Europe, l'Asie, l'Afrique, l'Amérique, l'Océanie et l'Antarctique sont les six continents.*

■LE ROBERT JUNIOR 2012

La lettre **n.** indique que le mot *continent* est un **nom**.
La lettre **m.** indique qu'il s'agit d'un nom **masculin**.
Le dictionnaire donne ensuite le **sens** du mot,
puis des **exemples**.

432 — Quelles sont les différentes abréviations du dictionnaire?

Certaines abréviations (n., v., etc.) nous renseignent sur la nature du mot.

n.: nom	art.: article
v.: verbe	pron.: pronom
adj.: adjectif	prép.: préposition
adv.: adverbe	conj.: conjonction

Les abréviations **m.** et **f.** donnent le genre du mot.

m.: masculin
f.: féminin

Des numéros indiquent les différents sens du mot.

pomme n. f. **1.** Fruit du pommier, rond et contenant des pépins. → planche **Fruits.** *Julie croque une pomme.* – Familier. *Tomber dans les pommes,* s'évanouir. **2.** *La pomme de pin,* c'est le fruit du pin. **3.** *Une pomme d'arrosoir,* c'est le bout percé de trous qui s'adapte au bec d'un arrosoir. **4.** *La pomme d'Adam,* c'est la petite bosse que les hommes ont à l'avant du cou. ■ LE ROBERT JUNIOR 2012

Le sens **1** est le **sens propre** du mot. Les autres sens (2, 3, 4) sont souvent des **sens figurés**. ▷ PARAGRAPHES 437 ET 438

L'abréviation **syn.** (synonyme) désigne les mots de **sens voisins**. ▷ PARAGRAPHES 439 À 444

drôle adj. **1** Qui fait rire. *Mon cousin nous raconte souvent des histoires drôles. C'est un garçon très drôle* (**SYN.** amusant, comique). **2** Qui étonne, surprend. *C'est drôle, je ne retrouve pas le livre que je viens de poser sur la table* (**SYN.** bizarre, étrange, curieux). ■ DICTIONNAIRE LAROUSSE SUPER MAJOR CM1-6ᵉ

Contraire(s) (parfois **contr.**) désigne les mots de **sens contraires**. ▷ PARAGRAPHES 445 À 448

gratuit, gratuite adj. **1.** Que l'on a sans payer. *Un journal gratuit.* ■ contraire : **payant.** **2.** Qui est fait sans preuves. *Une accusation purement gratuite.* ■ contraire : **fondé.** ■ LE ROBERT JUNIOR 2012

Les **homonymes** (parfois **hom.**) sont les mots qui se prononcent de la même manière. ▷ PARAGRAPHES 449 À 452

seau n. m. **1.** Récipient plus haut que large, muni d'une anse. *Un seau d'eau. Des seaux en plastique.* **2.** *Il pleut à seaux,* très fort. → **à verse.** ■ homonymes : **saut, sceau, sot.** ■ LE ROBERT JUNIOR 2012

433 Qu'est-ce que l'étymologie?

L'**étymologie** est l'origine des mots. Les mots français viennent le plus souvent du latin et du grec.

Le mot *temps* vient du mot latin *tempus*.
Le mot *vingt* vient du mot latin *viginti*.

434 Pourquoi l'étymologie est-elle importante?

L'étymologie renseigne sur l'**orthographe** des mots. Ainsi, les mots qui viennent du grec contiennent souvent les groupes de consonnes **ph**, **th**, **ch** et la lettre **y**.

pharmacie   **th**éâtre   **ch**ronomètre   l**y**cée

Elle permet aussi de trouver le **sens** d'un mot.

Chronomètre vient du grec *chronos* (le temps) et *metron* (la mesure). C'est donc un instrument qui sert à mesurer le temps.

Reconnaître les différents sens d'un mot

MOI AUSSI, JE PEUX VOLER !

- Le dictionnaire donne très souvent **plusieurs significations** pour un mot.
- La plupart des mots sont **polysémiques** : ils peuvent avoir plusieurs sens.
- Le **sens propre** d'un mot est son sens le plus habituel. Le **sens figuré** est un sens imagé du sens propre.

435 Un mot peut-il avoir plusieurs sens ?

Oui ! Le plus souvent, un même mot a plusieurs sens.
On dit qu'il est **polysémique**.

un chemin **droit** = une route rectiligne
le côté **droit** = par opposition au côté gauche

436 Comment déterminer le sens d'un mot ?

Le **contexte**, c'est-à-dire les mots ou les phrases qui se trouvent autour d'un mot, peut vous aider à comprendre le sens de celui-ci.

Le surveillant, on l'appelle le Bouillon, quand il n'est pas là, bien sûr. On l'appelle comme ça, parce qu'il dit tout le temps : « Regardez-moi dans les **yeux** », et dans le bouillon il y a des **yeux**. Moi non plus je n'avais pas compris tout de suite, c'est des grands qui me l'ont expliqué.

■ LE PETIT NICOLAS

Regardez-moi dans les yeux : le verbe *regarder* indique que le mot *yeux* désigne l'organe de la vue.

dans le bouillon il y a des yeux : le complément circonstanciel *dans le bouillon* indique que le mot *yeux* désigne les petits ronds de graisse qui se forment dans la soupe.

437 Qu'est-ce que le sens propre d'un mot ?

Les différents sens d'un mot polysémique ont toujours un point commun : c'est le sens **propre**, le **premier** sens du mot.

montagne (sens propre) : importante élévation de terrain. *Les Pyrénées sont des montagnes.*

438 Qu'est-ce que le sens figuré d'un mot ?

Le sens **figuré** d'un mot est dérivé de son sens propre.

montagne (sens figuré) : importante quantité d'objets. *Il y a une montagne de jouets par terre.*

Ce sens figuré est obtenu par comparaison avec le sens propre : il y a tellement de jouets par terre qu'ils ressemblent à une montagne, qu'ils ont la hauteur d'une montagne.

Employer des synonymes

À RETENIR

- Certains mots ont presque le même sens : ce sont des **synonymes**.
- Les synonymes ont plus ou moins le même sens, mais on ne peut pas les utiliser dans toutes les situations : il faut tenir compte des **nuances de sens** et des **registres de langue**.

439 Qu'est-ce qu'un synonyme ?

On appelle synonymes des **mots de même nature** qui ont le **même sens** ou des **sens très voisins**.

▸ **Noms**
une maison = une villa = un pavillon = une résidence
un rêve = un songe = une illusion

▸ **Adjectifs qualificatifs**
beau = joli = mignon
hardi = intrépide = téméraire

▸ **Verbes**
trouver = découvrir = rencontrer
écarter = éloigner = isoler

▸ **Adverbes**
aussi = également

440 Des synonymes ont-ils toujours le même sens?

Non! On ne peut pas toujours remplacer un mot par son synonyme.

Un chat **saute** ou **bondit** sur sa balle.
Un enfant **saute** à la corde (il ne bondit pas).

441 Un mot a-t-il toujours le même synonyme?

Non! Un mot peut avoir **plusieurs synonymes**. Selon le contexte, il ne pourra être remplacé que par l'un de ses synonymes.

donner un cadeau = offrir un cadeau
donner une punition = infliger une punition

une fourrure **douce** = une fourrure agréable au toucher
une personne **douce** = une personne gentille
de l'eau **douce** = de l'eau non salée

442 Quels sont les registres de langue?

● Certains mots ont exactement le même sens, mais ils appartiennent à des registres de langue **différents** (soutenu, courant, familier).
● On emploie les différents registres de langue selon la situation où l'on se trouve (à l'écrit ou à l'oral, avec quelqu'un que l'on connaît bien ou peu ou pas du tout).

▶ **Registre soutenu**
se divertir

▶ **Registre courant**

s'amuser

▶ **Registre familier**

s'éclater

443 Quels sont les synonymes du verbe faire?

Le verbe **faire** est très souvent employé.
Connaître quelques-uns de ses synonymes permet de
s'exprimer avec plus de précision.

faire un mètre de haut	→	**mesurer** un mètre de haut
faire cinquante kilos	→	**peser** cinquante kilos
faire trente litres	→	**contenir** trente litres
faire cent euros	→	**coûter** cent euros
faire des photos	→	**prendre** des photos
faire un sport	→	**pratiquer** un sport
faire un château	→	**construire** un château
faire un gâteau	→	**préparer** un gâteau
faire un tableau	→	**peindre** un tableau
faire un dessin	→	**dessiner**
faire un livre	→	**écrire** un livre
faire un travail	→	**effectuer, exécuter** un travail
faire son devoir	→	**accomplir** son devoir
faire un métier	→	**exercer** un métier
faire des études	→	**étudier**
faire une erreur	→	**commettre** une erreur
faire des dégâts	→	**occasionner** des dégâts
faire de la peine	→	**peiner, affliger**
faire le bonheur de quelqu'un	→	**rendre heureux**

444 Quels sont les synonymes du verbe mettre?

Le verbe **mettre** a lui aussi de très nombreux sens.
Voici quelques-uns de ses synonymes.

mettre un vase sur la table → **placer** un vase sur la table

mettre le vase ailleurs → **déplacer** le vase

mettre ses jouets dans un placard → **ranger** ses jouets dans un placard

mettre de l'eau dans une bouteille → **verser** de l'eau dans une bouteille

mettre une chaise près de la table → **approcher** une chaise de la table

mettre un pull → **enfiler** un pull

se mettre en colère → **se fâcher**

se mettre à → **commencer à**

se mettre à rire → **éclater** de rire

Complainte de l'homme exigeant

Au milieu de la nuit
il **demandait** le soleil
il **voulait** le soleil
il **réclamait** le soleil.
Au milieu au plein milieu
de la nuit (voyez-vous ça ?)
le soleil ! (il criait)
le soleil ! (il **exigeait**)
le soleil ! le soleil ! [...]

Jean Tardieu, *Monsieur Monsieur*,
dans *Le Fleuve caché* © Gallimard

Employer des antonymes

MÉCHANT

GENTIL

> **À RETENIR**
>
> ■ Les **antonymes** sont des mots (adjectifs, noms, verbes, adverbes) qui **s'opposent par le sens**.
> ■ Un mot peut avoir plusieurs antonymes.

445 Qu'est-ce qu'un antonyme?

Lorsque deux mots de même nature ont des **sens contraires**, on dit qu'ils sont antonymes.

▸ Noms
un ami ≠ un ennemi

▸ Adjectifs qualificatifs
ancien ≠ moderne   gentil ≠ méchant
beau ≠ laid   propre ≠ sale
courageux ≠ lâche   vrai ≠ faux

▸ Verbes
accepter ≠ refuser   monter ≠ descendre

▸ Adverbes
lentement ≠ rapidement

446 Comment trouver des antonymes?

Les **dictionnaires** donnent un ou plusieurs antonymes à la fin de chaque entrée. Presque tous les adjectifs qualificatifs ont des antonymes.

447 Un mot peut-il avoir plusieurs antonymes?

Oui! Un mot peut avoir plusieurs sens: il peut donc avoir un antonyme différent pour chacun de ses sens.

doux = sucré ≠ **amer**
doux = satiné ≠ **rugueux**
doux = gentil ≠ **méchant**
doux = faible ≠ **fort**

doucement = lentement ≠ **rapidement**
doucement = légèrement ≠ **violemment**

448 Comment se forment les antonymes?

Les antonymes peuvent avoir des formes complètement différentes *(grand ≠ petit)*, mais ils peuvent aussi être formés à partir d'un **mot commun** et des préfixes **in-** et **dé-**.

> PARAGRAPHES 457 ET 458

soumis ≠ **in**soumis
monter ≠ **dé**monter

Employer des homonymes

NOUS VENONS
OUVRIR UN CONTE.

À RETENIR

- Les **homonymes** sont des mots qui se prononcent ou s'écrivent de la même manière ; mais ils ont des sens différents, qu'il faut connaître.

449 Qu'est-ce qu'un homonyme ?

Lorsque des mots ont la **même forme**, écrite ou orale, mais des **sens différents**, on dit qu'ils sont homonymes.

un **comte** et une comtesse   un **compte** en banque
le **conte** du *Petit Poucet*

> Les mots *comte, conte* et *compte* **se prononcent** de la même manière, mais ont des sens différents.

un **compte** en banque   il **compte** son argent.

> Le mot *compte* se prononce et **s'écrit** de la même manière, mais a des sens différents.

450 Qu'est-ce qu'un homophone ?

Les homophones sont des homonymes qui se prononcent de la même façon, mais ont une **orthographe différente**.

une **chaîne** de vélo   les feuilles du **chêne**

451 Comment trouver l'orthographe d'un homonyme?

C'est le **contexte** qui permet de comprendre le sens d'un homonyme, et donc de l'écrire correctement. On peut aussi s'aider de **synonymes**.

J'écoute un **chant** mélodieux.

> Contexte : Peut-on écouter un *champ* ? Non.
> Synonyme : J'écoute une *chanson* mélodieuse.

Elle traversa un **champ**.

> Contexte : Peut-on traverser un *chant* ? Non.
> Synonyme : Elle traversa un *pré*.

452 Quelques homonymes

a

air	→	au grand air
aire	→	l'aire du carré (= mesure de sa surface)
ère	→	l'ère tertiaire
amande	→	manger une amande
amende	→	payer une amende
ancre	→	l'ancre du bateau
encre	→	une tache d'encre
aussi tôt	→	Je ne t'attendais pas aussi tôt.
aussitôt	→	Aussitôt après, l'orage éclata.
autel	→	l'autel de la cathédrale
hôtel	→	l'hôtel de la plage
auteur	→	l'auteur de cette poésie
hauteur	→	le saut en hauteur

b

bal	→	le bal du village
balle	→	une balle en tissu
balade	→	une balade en montagne
ballade	→	chanter une ballade
balai	→	donner un coup de balai
ballet	→	danser un ballet
bar	→	le comptoir du bar
barre	→	une barre de fer
bien tôt	→	L'école a fermé bien tôt aujourd'hui. (= très tôt)
bientôt	→	Le match va bientôt commencer.
boue	→	la boue du chemin
bout	→	un bout de pain
but	→	marquer un but
butte	→	monter sur une butte

c

camp	→	le camp romain
quand	→	quand il fera jour
quant	→	quant à toi
qu'en	→	il ne viendra qu'en avril
cane	→	la cane et ses canetons
canne	→	la canne du vieillard
canot	→	un canot de sauvetage
canaux	→	les canaux hollandais
cap	→	franchir un nouveau cap
cape	→	la cape de Zorro

car	→	Je me couvre, car il fait froid.
quart	→	un quart d'heure
cent	→	cent mètres
sang	→	une goutte de sang
sans	→	sans peur
cep	→	le cep de la vigne
cèpe	→	cueillir des cèpes (= champignons)
cerf	→	chasser le cerf
serf	→	Le serf obéissait au seigneur.
chaîne	→	une chaîne stéréo
chêne	→	les grands chênes de la forêt
chair	→	la chair de poule
cher	→	cher oncle
chère	→	chère cousine
chaud	→	Il fait chaud.
show	→	un show télévisé
cœur	→	les battements du cœur
chœur	→	les chœurs de l'opéra
coin	→	rester dans son coin
coing	→	de la confiture de coings
col	→	un col de montagne
	→	un col de chemise
colle	→	un tube de colle
comte	→	le comte et la comtesse
compte	→	un compte en banque
	→	Il compte sur ses doigts.
conte	→	un conte de fées
coq	→	la poule et le coq
coque	→	La coque du navire ne prend pas l'eau.

cor	→	sonner du cor
corps	→	un corps musclé
cou	→	un foulard autour du cou
coud	→	Le couturier coud.
coup	→	éviter un coup
coût	→	le coût d'une maison
cour	→	la cour de récréation
cours	→	le cours de musique
court	→	le chemin le plus court
crin	→	un crin de cheval
crains	→	Je crains la chaleur.

d

danse	→	La valse est une danse.
dense	→	un brouillard très dense
dent	→	perdre une dent
dans	→	dans le brouillard
do	→	la note do en musique
dos	→	un mal de dos

e

elle	→	elle et lui
aile	→	l'aile de l'oiseau
étain	→	un plat en étain
éteint	→	un feu éteint
être	→	un être humain
	→	le verbe être
hêtre	→	une forêt de hêtres
eux	→	Je pense à eux.
œufs	→	une douzaine d'œufs

f

faim	→	avoir très faim
fin	→	la fin du film
	→	un tissu fin
fausse	→	une fausse note
fosse	→	la fosse aux lions
fête	→	la fête de la musique
faite	→	une rédaction bien faite
fil	→	un fil de laine
file	→	une file d'attente
flan	→	un flan aux œufs et à la vanille
flanc	→	le flanc de la colline
foi	→	la foi des croyants
foie	→	un foie de veau
fois	→	une fois de plus

g

gaz	→	le gaz de la cuisinière
gaze	→	de la gaze pour un pansement
goal	→	le goal de l'équipe
gaule	→	la gaule du pêcheur (= longue perche)
Gaule	→	la Gaule
golf	→	jouer au golf
golfe	→	le golfe de Gascogne
grasse	→	30 % de matière grasse
grâce	→	la grâce d'une danseuse
guère	→	Il n'a guère de succès.
guerre	→	la guerre et la paix

h

hockey	→	le hockey sur glace
hoquet	→	avoir le hoquet
O.K.	→	C'est O.K. !
hutte	→	une hutte de trappeur
ut	→	*ut* en musique *(= do)*

j

j'ai	→	j'ai aperçu
geai	→	le chant du geai
jet	→	un jet d'eau

l

lac	→	les bords du lac
laque	→	la laque des meubles
laid	→	un dessin très laid
lait	→	le lait de vache

m

ma	→	ma tante
m'a	→	il m'a plu
mas	→	un mas provençal
mai	→	le 1er mai
mais	→	Mais que fais-tu ?
mets	→	un mets délicieux
maître	→	le maître d'escrime
mètre	→	un mètre de tissu
mettre	→	mettre la charrue avant les bœufs
mal	→	mal au ventre
malle	→	une vieille malle
mâle	→	le mâle et la femelle

mère	→	la mère et l'enfant
maire	→	le maire du village
mer	→	le bord de mer
mi	→	la note *mi* en musique
mie	→	de la mie de pain
mis	→	Où l'as-tu mis ?
moi	→	toi et moi
mois	→	le mois de juillet
mon	→	mon frère
mont	→	un mont dans le Jura
mot	→	apprendre de nouveaux mots
maux	→	des maux de tête
mur	→	un mur élevé
mûr	→	un fruit mûr
mûre	→	cueillir des mûres

n

ni	→	ni queue, ni tête
nid	→	un nid d'aigle
n'y	→	Je n'y peux rien.

o

or	→	un bracelet en or
hors	→	Le joueur est hors jeu.
os	→	les os du crâne
eau	→	une eau pure
haut	→	là-haut
au	→	aller au bal
ou	→	la mer ou la montagne
où	→	Où allez-vous ?
août	→	au mois d'août
houx	→	une branche de houx

oui → Il a dit « oui ».
ouïe → avoir l'ouïe fine

p

pain → une tranche de pain
pin → une pomme de pin
peint → des murs peints
→ Il peint un tableau.

pan → un pan de chemise
paon → les belles plumes du paon

par → Passe par ici.
part → une part de gâteau
→ Elle part demain.

parti → un parti politique
partie → une partie de cartes

pâte → une pâte à tarte
patte → la patte du chat

peau → une peau de renard
pot → un pot de fleurs

père → un bon père de famille
pair → *Deux* est un nombre pair.
paire → une paire de chaussures

pie → La pie jacasse.
pis → le pis de la vache
π [pi] → Le nombre π est proche de 3,14.

piton → un piton rocheux
python → le serpent python

plaine → une plaine fertile
pleine → une journée pleine de surprises

plutôt	→	plutôt froid que chaud
plus tôt	→	Le soleil se couche plus tôt en hiver.
poids	→	un poids lourd
pois	→	écosser des petits pois
poil	→	le poil du chien
poêle	→	une poêle à frire
	→	un poêle à mazout
poing	→	un coup de poing
point	→	le point, le point-virgule, les deux-points
porc	→	une grillade de porc
port	→	un petit port de pêche
pou	→	vexé comme un pou
pouls	→	prendre le pouls d'un malade
poux	→	une lotion contre les poux
puits	→	tirer l'eau du puits
puis	→	ajouter l'eau, puis la farine

q

quel que	→	Quel que soit le jour de son arrivée, nous irons la chercher.
quelle que	→	Quelle que soit votre décision, je la respecterai.
quelque	→	Cette ville fut construite il y a quelque deux cents ans. (= environ)
quelques	→	Prête-moi quelques livres.

r

ras	→	un animal à poils ras
rat	→	un rat et une souris
raz	→	un raz-de-marée

reine	→	la reine et le roi
renne	→	les rennes du Père Noël
rêne	→	tenir les rênes de la diligence
roc	→	solide comme un roc
rock	→	danser le rock
roue	→	les roues d'une voiture
roux	→	des enfants roux, blonds, bruns

s

sain	→	sain et sauf
sein	→	le sein de la mère
saint	→	un saint homme
sale	→	une chemise sale
salle	→	une salle à manger
saut	→	le saut en hauteur
seau	→	un seau d'eau
sot	→	Tu n'es qu'un sot !
sceau	→	le sceau du roi (= sa signature)
selle	→	la selle du cheval
celle	→	Cette maison est celle que je préfère.
sel	→	le sel et le poivre
serre	→	des plantes de serre
serres	→	les serres de l'aigle
sert	→	il me sert un verre de limonade
si	→	Si tu veux !
six	→	six euros
scie	→	une scie à bois
s'y	→	s'y baigner
ci	→	celui-ci
signe	→	un signe de reconnaissance
cygne	→	les cygnes et les canards

si tôt	→	Il est si tôt que le soleil n'est pas encore levé.
sitôt	→	Sitôt son travail terminé, il allait jouer sur la plage.
soi	→	ne penser qu'à soi
soie	→	un foulard en soie
soit	→	quoi qu'il en soit
sol	→	le carrelage du sol
	→	la note *sol* en musique
sole	→	une sole au beurre blanc
sou	→	sans le sou
sous	→	sous la table
saoul, soûl	→	être saoul (= être ivre)
statue	→	une statue en marbre
statut	→	Il a un statut élevé. (= une belle situation)
sur	→	sur la table
sûr	→	Il est sûr de lui.

t

ta	→	ta sœur
t'a	→	Il t'a écrit.
tas	→	un tas de feuilles
tache	→	une tache d'encre
tâche	→	confier une tâche difficile à quelqu'un
tant	→	tant pis
temps	→	le beau temps
taon	→	la piqûre du taon (= grosse mouche)
t'en	→	Tu t'en vas.
tante	→	l'oncle et la tante
tente	→	une tente de camping

teint	→	un tissu teint en jaune
thym	→	du thym et du laurier
toi	→	toi et moi
toit	→	un toit d'ardoises
tribu	→	une tribu indienne
tribut	→	payer un lourd tribut
trop	→	un vêtement trop petit
trot	→	le trot du cheval

V

vain	→	attendre en vain
vingt	→	vingt siècles
vin	→	du vin rouge
vaine	→	une tentative vaine (= sans résultat)
veine	→	le sang des veines
ver	→	un ver de terre
verre	→	un verre d'orangeade
vers	→	le vers d'un poème
	→	vers la gare
vert	→	un maillot vert
vair	→	la pantoufle de vair de Cendrillon (= fourrure)
voie	→	une route à trois voies
voit	→	Il voit très bien.
voix	→	la voix du chanteur
vos	→	vos yeux
veau	→	une vache et son veau

Employer des paronymes

453 Qu'est-ce qu'un paronyme ?

Lorsque deux mots **se prononcent presque de la même façon** mais possèdent des sens différents, on dit qu'ils sont paronymes. Ces mots se confondent facilement et il faut les connaître pour les employer correctement.

454 Quelques paronymes

affluence	→	l'affluence des touristes en été
influence	→	avoir de l'influence sur quelqu'un
altitude	→	L'altitude du Mont-Blanc est de 4 808 m.
attitude	→	Juliette a une attitude rêveuse.
apporter	→	Nos invités apporteront le dessert.
emporter	→	Tu peux emporter ce livre chez toi.
bise	→	Une bise glaciale souffle en hiver.
brise	→	La brise marine est douce et agréable.

désinfecter	→	Il faut désinfecter cette plaie.
désaffecter	→	Ce hangar ne sert plus ; il a été désaffecté.
effraction	→	Le voleur est entré dans une maison par effraction : on a retrouvé deux vitres brisées.
infraction	→	une infraction au code de la route
émigrer	→	En hiver, les hirondelles émigrent vers l'Afrique.
immigrer	→	Il a quitté l'Australie pour la France : il a immigré en France.
éruption	→	l'éruption des volcans
irruption	→	l'irruption des élèves dans la cour
évasion	→	L'évasion de ce prisonnier a échoué.
invasion	→	l'invasion de la Gaule par les Romains
excès	→	L'automobiliste a commis un excès de vitesse.
accès	→	L'accès du parc est interdit aux animaux.
gourmand	→	Le gourmand aime la bonne cuisine et en mange souvent.
gourmet	→	Le gourmet apprécie et savoure les mets particulièrement raffinés.
infecter	→	Cette blessure est infectée : elle doit être nettoyée.
infester	→	Cette région est infestée de mouches.
justice	→	La justice veut que le coupable soit puni.
justesse	→	Ils ont eu leur train de justesse : les portes se fermaient quand ils sont arrivés.
location	→	une voiture de location
locution	→	*Parce que* est une locution conjonctive.
passager	→	Cet orage est passager : il ne durera pas.
passant	→	une rue passante, très fréquentée

portion   →   un morceau de nourriture ou de territoire

potion   →   un remède, un médicament qui se boit

préposition   →   À, *de, pour, sans* sont des prépositions.

proposition   →   Il y a des propositions indépendantes, des propositions principales et des propositions subordonnées.

vénéneux   →   un champignon vénéneux

venimeux   →   un serpent venimeux

Identifier les familles de mots

À RETENIR

- Les mots peuvent se regrouper en **familles de mots**.
- Une famille de mots comprend tous les mots formés à partir d'un même radical.

455 Qu'est-ce qu'une famille de mots ?

Tous les mots formés à partir d'un même mot constituent la **famille** de ce mot.

La famille du mot *terre*
at**terr**ir, en**terr**er, **terr**ain, **terr**asse, **terr**estre, **terr**itoire...

456 Qu'est-ce qu'un radical ?

Le **radical** est le mot ou la partie du mot qui se retrouve dans tous les mots de la même famille.

Le radical du mot *terre* est **terr-** : en**terr**er, **terr**ain...

Reconnaître les préfixes et les suffixes

- Les préfixes et les suffixes, ajoutés au radical, servent à **former des mots**.
- Ils permettent de former des mots nouveaux à partir d'un radical commun.
- Les préfixes modifient le sens du radical qu'ils précèdent. Les suffixes modifient le sens et très souvent la nature du radical qu'ils suivent.

457 Qu'est-ce qu'un préfixe et un suffixe ?

Ce sont des éléments de quelques lettres que l'on ajoute au radical d'un mot.

Les **préfixes** sont placés **avant le radical**, les **suffixes après** le radical.

Ils permettent de former de nouveaux mots et de constituer des familles de mots.

parasol = préfixe **para-** + radical **-sol**
craint**if** = radical **craint-** + suffixe **-if**
fleur**iste** = radical **fleur-** + suffixe **-iste**
défavor**able** = préfixe **dé-** + radical **-favor-** + suffixe **-able**
imbatt**able** = préfixe **im-** + radical **-batt-** + suffixe **-able**

458 Quel est le sens des préfixes?

Tous les préfixes n'ont pas un sens précis. Mais certains permettent de **modifier le sens du radical**. Connaître le sens de ces préfixes peut aider à comprendre le sens d'un mot.

PRÉFIXE	SENS	EXEMPLES
Parfois, la consonne change sous l'influence du radical : **ad-** devient *ac-*, *af-*, *ag-* ou *al-*, **dé-** devient *dés-*, **in-** devient *il-*, *im-* ou *ir-*.		
ad-	indiquent que l'action est en train de se réaliser	**ad**joindre
ac-		**ac**courir
af-		**af**faiblir
ag-		**ag**glomérer, **ag**graver
al-		**al**longer
archi-	indique le superlatif	**archi**plein
dé-	indiquent le contraire	**dé**faire
dés-		**dés**ordre, **dés**obéissant
extra-	signifie *qui sort de, extérieur à*	**extra**ordinaire, **extra**terrestre
in-	indiquent le contraire	**in**correct, **in**oubliable
il-		**il**lisible, **il**légal
im-		**im**battable, **im**pair, **im**patient, **im**possible
ir-		**ir**responsable, **ir**réel
mal-	indique le contraire	**mal**heureux, **mal**chance
para-	indique l'action de protéger (contre)	**para**pluie, **para**sol
pré-	indique que l'action s'est passée avant	**pré**histoire, **pré**venir
re-	indique que l'action se produit à nouveau	**re**commencer, **re**lire

459 Quel est le rôle des suffixes?

Un suffixe **modifie la nature et le sens d'un mot** : il sert à créer de nouveaux mots, ayant un sens différent et appartenant à une autre catégorie grammaticale.

▷ PARAGRAPHES 36 ET 37

mang**er** : verbe qui signifie *se nourrir*
mange**able** : adjectif qui signifie *qui peut être mangé*

Les suffixes peuvent former des adjectifs qualificatifs, des noms, des verbes ou des adverbes de manière.

❱ **Des adjectifs qualificatifs**
vérit**able**
illis**ible**
poss**ible**

❱ **Des noms**
gliss**ade**
orange**ade**
feuill**age**
Paris**ien**

❱ **Des verbes**
mang**er**
noirc**ir**
chat**ouiller**
vol**eter**

❱ **Des adverbes de manière**
facile**ment**
courageuse**ment**

460 Quel est le sens des suffixes?

Certains suffixes ont un sens précis. Le connaître peut aider à deviner le sens d'un mot.

SUFFIXES DES ADJECTIFS	SENS	EXEMPLES
-able	marquent la possibilité	lav**able**
-ible		lis**ible**
-ard	indique un aspect désagréable	vant**ard**, chauff**ard**
-âtre	indique la ressemblance, tout en marquant un aspect désagréable	verd**âtre**, roug**eâtre**
-elet	sert à former des diminutifs	aigr**elet**
-elette		maigr**elette**
-eux	indique une qualité ou un défaut	courag**eux**
-euse		orgueill**euse**
-if	indique un défaut ou une qualité	craint**if**, plaint**if**, défonit**if**, impérat**if**
-ive		tard**ive**
-ot	sert à former des diminutifs	pâl**ot**
-otte		vieill**otte**
-u	indique une qualité ou un défaut	feuill**u**, poil**u**

SUFFIXE DES ADVERBES	SENS	EXEMPLES
-ment	d'une façon...	courageuse**ment** lente**ment**

SUFFIXES DES NOMS	SENS	EXEMPLES
-ade	indique une action ou un ensemble d'objets	fusillade, colonnade
-age	indique un ensemble d'objets, une action ou son résultat	feuillage, dérapage, plaquage
-aie	indique une plantation	châtaigneraie, chênaie, futaie
-ail	indique des noms d'instruments	épouvantail, éventail
-ais -ois	servent à former les noms d'habitants	Lyonnais Lillois
-aison -ison	indiquent une action ou son résultat	inclinaison guérison, trahison,
-ance	indique une action ou son résultat	insistance, puissance
-ée	indique le contenu, la durée	pincée, poignée, journée
-et	sert à former des diminutifs	garçonnet, jouet
-ette		sucette
-eur -euse	désigne celui ou celle qui agit	imprimeur maquilleuse
-ie	indique une qualité ou une région	modestie, Normandie
-ure	indique une action ou un résultat	brûlure, morsure

461 Qu'est-ce qu'une nominalisation?

À partir de verbes, on peut former des noms servant à exprimer une action ou son résultat.
On appelle ces mots des nominalisations.

-tion	diminuer	→	diminution
-ation	augmenter	→	augmentation
	admirer	→	admiration
-ction	détruire	→	destruction
	construire	→	construction

Ces noms sont souvent utilisés dans les titres de journaux.

Construction du nouveau théâtre : la satisfaction des habitants
Réduction des impôts, augmentation des salaires

Reconnaître les racines grecques et latines

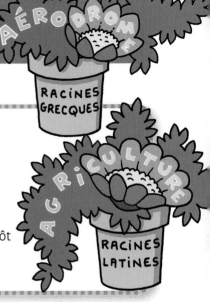

À RETENIR

- Les racines **suivies d'un tiret** apparaissent généralement **au début des mots**:
  archéo- → **archéo**logie.
- Celles qui sont **précédées d'un tiret** se trouvent plutôt **à la fin des mots**:
  -cratie → démo**cratie**.

462 Quelques racines utiles à connaître

RACINE	LANGUE	SENS	MOTS
aéro-	grec	air	aérodrome, aéronaute
-agogie	grec	guide	pédagogie
-agogue			démagogue
agri-	latin	champ	agriculture
anthropo-	grec	être humain	anthropologue, anthropophage
aqu-	latin	eau	aquatique, aqueduc
archéo-	grec	ancien	archéologie, archéologue
-archie	grec	commandement	anarchie
-arque			monarque

RACINE	LANGUE	SENS	MOTS
auto-	grec	lui-même, soi-même	automobile, autonome
biblio-	grec	livre	bibliothèque
carni-	latin	viande	carnivore
-chrome	grec	couleur, nuance	polychrome, monochrome
chrono-	grec	temps	chronomètre
cinéma-	grec	mouvement	cinéma(tographe)
-cratie	grec	puissance, pouvoir	démocratie
crypto-	grec	caché	cryptogame
-cyclo-	grec	cercle	bicyclette, cyclique
démo-	grec	peuple	démocratie
-drome	grec	champ	aérodrome, hippodrome
-èdre	grec	face	polyèdre, tétraèdre
équi-	latin	égal	équilatéral
géo-	grec	terre	géographie, géologue
-gone	grec	angle	polygone, hexagone
-gramme-	grec	lettre	grammaire, télégramme, anagramme
-graph-	grec	écrire	orthographe, graphologue
gyné-	grec	femme	gynécologue
hémo-	grec	sang	hémophile, hématome
hétéro-	grec	autre	hétérogène, hétérosexuel
hippo-	grec	cheval	hippodrome, hippopotame

RACINE	LANGUE	SENS	MOTS
homo-	grec	semblable	homologue, homosexuel
hydro-	grec	liquide, eau	hydravion, hydraulique
hypno-	grec	sommeil	hypnose, hypnotiser
-iatre	grec	qui soigne	pédiatre, psychiatre
iso-	grec	égal	isocèle, isotherme
-latér(e)	latin	côté	équilatéral, quadrilatère
-litho-	grec	pierre	lithographie, néolithique
-logo-	grec	discours, parole	dialogue, monologue
macro-	grec	grand	macro(photographie), macroscopique
méga-	grec	grand	mégalithique
métro-	grec	mesure	métronome
-mètre			kilomètre, millimètre
micro-	grec	petit	microscope, micro(phone)
-mobile	latin	qui se déplace	automobile
mono-	grec	un seul	monarchie
multi-	latin	plusieurs, nombreux	multicolore
mytho-	grec	légende, récit	mythologie
-naut-	grec	pilote, marin	nautique, cosmonaute
néo-	grec	nouveau	néolithique, néologie
-nome	grec	loi, règle	agronome
-nomie			astronomie

RACINE	LANGUE	SENS	MOTS
omni-	latin	tout	omnivore, omnisports
-onyme	grec	nom	synonyme, homonyme, antonyme
ornitho-	grec	oiseau	ornithologue
ortho-	grec	droit, exact	orthographe, orthophonie
patho-	grec	souffrance	pathologie
-pathie			sympathie
patr-	latin	père	patriarche, patronyme, patrie
péd-	grec	enfant	pédagogie, pédiatre
pédi-	latin	pied	pédicure, pédestre
phago-	grec	manger	phagocyter
-phage			anthropophage
-philo-	grec	qui aime	philosophie, philanthrope, hémophile
-phobe	grec	qui craint	xénophobe
-phone-	grec	son, voix	phonétique, téléphone, magnétophone
photo-	grec	lumière	photographie, photocopie
phyllo-	grec	feuille	phylloxera
-phylle			chlorophylle
phyto-	grec	plante	phytothérapie
pisci-	latin	poisson, qui nage	piscine, pisciculture

RACINE	LANGUE	SENS	MOTS
pneum(a)-	grec	souffle, poumon	pneu(matique), pneumonie
poli- -pole	grec	cité, ville	politique métropole
poly-	grec	plusieurs	polygone, polyculture
-potam	grec	fleuve	hippopotame
psych-	grec	âme, esprit	psychiatre, psychologue
ptéro- -ptère	grec	aile	ptérodactyle hélicoptère
pyro-	grec	feu	pyrogravure, pyromane
rhino-	grec	nez	rhinocéros
-scope	grec	examiner, regarder	microscope, télescope
thalasso-	grec	mer	thalassothérapie
-thé- théo-	grec	dieu	athée, monothéiste théologie
-thèque	grec	lieu de rangement	bibliothèque
-thérap-	grec	soigner	thérapeutique, phytothérapie
-vore-	latin	manger	vorace, omnivore, carnivore
zoo-	grec	animal	zoologie

463 Quelques préfixes utiles à connaître

PRÉFIXE	LANGUE	SENS	MOTS
a- **an-**	grec	marque la privation	anormal analphabète
anté-	latin	avant, devant	antérieur, antécédent
anti-	grec	contre	antigel, antivol
dia-	grec	à travers	diagonale, diapositive
ex-	latin	hors de	expulser, extérieur
extra-	latin	au-delà	extraordinaire, extraterrestre
hyper-	grec	sur, plus	hypermarché, hypertension
hypo-	grec	sous	hypothèse, hypotension
inter-	latin	entre	international, internaute
para-	grec	contre	parapluie, parasol
per-	latin	à travers	perforer, perméable
péri-	grec	autour	périphérique, périscope
pré-	latin	avant	préfixe, préhistoire
pro-	latin	pour, à la place de	pronom
r(é)-	latin	répétition, retour	recommencer, renvoyer
super-	latin	sur, au-dessus	supermarché
syn-	grec	avec	synonyme, sympathie
télé-	grec	au loin	téléphone, télescope
trans-	latin	à travers	transparent, transporter

464 Quelques préfixes servant à l'expression des quantités

FRANÇAIS	LATIN		GREC	
demi	semi-	semi-automatique	hémi-	hémisphère
un	uni-	unique	mono-	monologue
deux	bi-	bicyclette	di-	diptère
trois	tri-	tricolore	tri-	triathlon
quatre	quadri-	quadrilatère	tétra-	tétraèdre
cinq	quinqu-	quinquennal	penta-	pentagone
dix	déci-	décimètre	déca-	décathlon
cent	centi-	centimètre	hecto-	hectolitre
mille	mill-	millimètre	kilo-	kilomètre

465 Comment retrouver le sens d'un mot à partir d'un préfixe, d'un radical et d'un suffixe?

▶ **Un monologue**

Le tableau ci-dessus des quantités en latin et en grec nous indique que le préfixe **mono-** vient du grec et signifie *un seul*.
La liste des racines, p. 345-349, nous donne la deuxième partie du mot: **-logue (-logo)**, grec, discours, parole.
→ Un **monologue** est un discours tenu par une seule personne.

▶ **Orthographe**

La liste des racines nous fournit les indications suivantes:
ortho-, grec, correct, droit; **-graphe**, grec, écrire.
→ L'**orthographe** est la façon correcte d'écrire les mots.
Il est donc inutile de parler de l'*orthographe correcte* d'un mot, puisque le mot *orthographe* contient déjà la notion *correcte*!

CONJUGAISON

On appelle conjugaison d'un verbe
l'ensemble des formes que peut
prendre ce verbe.

Analyser un verbe

466 Qu'est-ce qu'un verbe ?

Les verbes permettent de désigner des **actions** *(demander, courir...)* ou des **états** *(être, devenir...).*

Il alla accommoder une biche, que la reine **mangea** à son souper, avec le même appétit que si c'eût été la jeune reine. Elle **était** bien contente de sa cruauté, et elle **se préparait** à dire au roi, à son retour, que les loups enragés avaient mangé sa femme la reine et ses deux enfants.

■ LA BELLE AU BOIS DORMANT

la reine	*mangea*	*à son souper*
sujet	verbe d'action	

Elle	*était*	*bien contente*
sujet	verbe d'état	qualité

elle	*se préparait*	*à dire au roi*
sujet	verbe d'action	

467 Comment reconnaître un verbe ?

Le verbe est le seul élément de la phrase qui porte les **marques** de la **personne** et du **temps**.

> **Les marques de la personne**

1ʳᵉ PERSONNE DU SINGULIER	je chant**e**
1ʳᵉ PERSONNE DU PLURIEL	nous chant**ons**

> **Les marques du temps**

PRÉSENT DE L'INDICATIF	je chant**e**
IMPARFAIT DE L'INDICATIF	je chant**ais**

468 De quels éléments se compose le verbe?

Le verbe se compose de deux parties : un **radical** et une **terminaison**.

> **Infinitif**

chant   *er*
radical   terminaison

> **Imparfait de l'indicatif**

je   *chant*   *ais*
      radical   terminaison

Le radical indique le **sens** du verbe. La terminaison indique la **personne** et le **temps** auxquels un verbe est conjugué.

469 Qu'est-ce que la voix active?

Un verbe est à la **voix active** quand le sujet **fait l'action** exprimée par le verbe.

Les Égyptiens   ont construit   ces pyramides.
sujet   verbe   objet

| Le sujet fait l'action : le verbe est à la voix active.

470 Qu'est-ce que la voix passive?

Un verbe est à la **voix passive** quand le sujet **subit l'action** exprimée par le verbe.

<u>Ces pyramides</u>   <u>ont été construites</u>   <u>par les Égyptiens.</u>
   sujet   verbe   complément du verbe
               passif (agent)

> Le sujet subit l'action : le verbe est à la voix passive.

471 Qu'est-ce que la voix pronominale?

Un verbe est à la **voix pronominale** quand le sujet **exerce l'action sur lui-même**.

Hier, on a eu un nouveau professeur de gymnastique.
– **Je m'appelle** Hector Duval, il nous a dit, et vous?
– Nous pas, a répondu Fabrice, et ça, ça nous a fait drôlement rigoler.

■ LES VACANCES DU PETIT NICOLAS

Je   *m'appelle*   *Hector Duval.*
sujet   verbe à la voix
         pronominale

472 Quels sont les modes du verbe?

Les modes **qui se conjuguent** sont l'**indicatif**, le **subjonctif**, le **conditionnel** et l'**impératif**.

(Sur le pas de la porte, avec bonhomie.)
Comment ça **va** sur la terre?
– Ça **va** ça **va**, ça **va** bien.

Les petits chiens **sont**-ils prospères?
– Mon Dieu oui merci bien.

Et les nuages?
– Ça **flotte**.

Et les volcans?
– Ça **mijote**.   ■ CONVERSATION

| Les verbes *va, sont, flotte* et *mijote* sont au mode indicatif.

– Moi, j'aime mieux téléphoner, j'ai dit. Parce que c'est vrai, écrire, c'est embêtant, mais téléphoner c'est rigolo, et à la maison on ne me laisse jamais téléphoner, sauf quand c'est Mémé qui appelle et qui veut que je **vienne** lui faire des baisers.   ■ LE PETIT NICOLAS A DES ENNUIS

| Le verbe *vienne* est au mode subjonctif.

Il est venu un jardin cette nuit
qui n'avait plus d'adresse
Un peu triste   il tenait poliment
ses racines à la main
Pourriez-vous me donner
un jardin où j'**aurais**
le droit d'être jardin?   ■ LE JARDIN PERDU

| Les verbes *Pourriez* et *aurais* sont au mode conditionnel.

Retenez-vous de rire
dans le petit matin!

N'**écoutez** pas les arbres
qui gardent les chemins!

Ne **dites** votre nom
à la terre endormie
qu'après minuit sonné!

À la neige, à la pluie
ne **tendez** pas la main!   ■ CONSEILS DONNÉS PAR UNE SORCIÈRE

| *Retenez, écoutez, dites* et *tendez* sont au mode impératif.

Les deux modes **qui ne se conjuguent pas** sont l'**infinitif** et le **participe**. C'est à l'infinitif que l'on trouve les verbes dans le dictionnaire.

Avez-vous essayé quelquefois
de **regarder** une araignée
les yeux dans les yeux ?

■ LE REGARD DES BÊTES

Le verbe *regarder* est au mode infinitif.

Odile, **assise** au bord d'une île,
Croque en riant un crocodile
Qui flottait, **dormant** sur le Nil.

■ ODILE ET LE CROCODILE

Assise est au mode participe passé.
Dormant est au mode participe présent.

473 Quels sont les temps simples du verbe ?

● Il existe des **temps simples** et des **temps composés**.
● Les temps simples du mode indicatif sont le présent, l'imparfait, le passé simple et le futur.
● Le mode subjonctif comprend deux temps simples seulement : le présent et l'imparfait.

▶ **Présent de l'indicatif**
– Tu **as** un timbre qui me **manque**, a dit Rufus à Clotaire, je te le **change**.
– D'accord, a dit Clotaire. Je te **change** mon timbre contre deux timbres.
– Et pourquoi je te donnerais deux timbres pour ton timbre, je vous **prie** ? a demandé Rufus. Pour un timbre, je te **donne** un timbre.

■ LE PETIT NICOLAS ET LES COPAINS

▸ Imparfait de l'indicatif

C'**était** un beau matin de mai et les oiseaux **chantaient** délicieusement dans quatre arbres. Les uns **chantaient** en celte (en irlandais, en scottish-gaélique, en gallois, cornique ou breton), les autres en langue romane (en oïl, en oc, en si, en catalan, espagnol ou gallego-portugais). Aucun ne **chantait** en *chien*. ■ LA PRINCESSE HOPPY

▸ Passé simple de l'indicatif

Le Roi **pensa** que le vieux se moquait de lui et **voulut** essayer les lunettes. Oh! prodige! Lorsqu'il **eut** les verres devant les yeux, il lui **sembla** qu'il retrouvait un monde perdu. Il **vit** un moucheron sur la pointe d'un brin d'herbe; il **vit** un pou dans la barbe du vieillard et il **vit** aussi la première étoile trembler sur le ciel pâlissant. ■ LES LUNETTES DU LION

▸ Futur de l'indicatif

Maman et papa vont avoir beaucoup de peine, je **reviendrai** plus tard, quand ils **seront** très vieux, comme mémé, et je **serai** riche, j'**aurai** un grand avion, une grande auto et un tapis à moi, où je **pourrai** renverser de l'encre et ils **seront** drôlement contents de me revoir. ■ LE PETIT NICOLAS

474 Quels sont les temps composés du verbe?

> Les temps composés de l'indicatif sont le passé composé, le plus-que-parfait, le futur antérieur et le passé antérieur. On les appelle ainsi parce qu'ils sont constitués de l'auxiliaire **avoir** ou **être** et du **participe passé**.

Je **suis monté** dans ma chambre, j'**ai fermé** les persiennes pour qu'il fasse bien noir et puis je **me suis amusé** à envoyer le rond de lumière partout: sur les murs, au plafond, sous les meubles et sous mon lit, où, tout au fond, j'**ai trouvé** une bille que je cherchais depuis longtemps et que je n'aurais jamais retrouvée si je n'**avais** pas **eu** ma chouette lampe de poche. ■ LE PETIT NICOLAS A DES ENNUIS

Je <u>suis</u>   <u>monté</u>
　 auxiliaire participe
　　 être　　 passé
　　 └────────┘
　 passé composé

<u>j'ai</u>　　　 <u>fermé</u>
　 auxiliaire participe
　　 avoir　　 passé
　 └────────┘
　 passé composé

je n'<u>avais</u>　 pas　 <u>eu</u>
　　 auxiliaire　　 participe
　　　 avoir　　　 passé
　　 └──────────────┘
　　 plus-que-parfait

Une partie de ma matinée **s'était passée** à conjuguer un nouveau temps du verbe *être* – car on venait d'inventer un nouveau temps du verbe *être*. ■ CLAIR DE TERRE

Une partie de ma matinée s'<u>était</u>　 <u>passée</u> à conjuguer
　　　　　 auxiliaire participe
　　　　　　 être　　 passé
　　　　 └────────┘
　　　 plus-que-parfait

475 Qu'est-ce que le premier groupe?

● Le **premier groupe** rassemble les verbes dont l'**infinitif** est en **-er**. Ce groupe est le plus important. Il comprend plus de 10 000 verbes.

● Quand on a besoin de créer un verbe nouveau, c'est sur le modèle de ce groupe qu'on le bâtit : *téléviser, informatiser, faxer...*

chanter　 laver　　 nager
jouer　　 manger　 rouler

476 Qu'est-ce que le deuxième groupe?

Le **deuxième groupe** rassemble les verbes dont l'**infinitif** est en **-ir** et le **participe présent** en **-issant**. Ce groupe est beaucoup plus réduit que le premier (300 verbes environ).

finir (finissant)   jaillir (jaillissant)
désobéir (désobéissant)   haïr (haïssant)

477 Qu'est-ce que le troisième groupe?

Le **troisième groupe** rassemble tous les autres verbes (environ 300). Ces verbes sont appelés **verbes irréguliers**, car la forme de leur radical change en cours de conjugaison.

▶ **Verbes en** -oir
apercevoir   pouvoir   valoir
devoir   recevoir   voir
pleuvoir   savoir   vouloir

▶ **Verbes en** -oire
boire   croire

▶ **Verbes en** -re
craindre   dire   sourire
entendre   écrire   mettre
prendre   lire   suivre

▶ **Verbes en** -ir (participe présent en -ant)
dormir (dormant)   sortir (sortant)
sentir (sentant)   tenir (tenant)

ATTENTION

Le verbe **aller**, malgré son infinitif en **-er**, fait partie du 3e groupe.

478 Qu'est-ce qu'un auxiliaire?

On appelle **auxiliaires** les verbes **être** et **avoir** quand ils servent à conjuguer un verbe aux temps composés.

j'ai   *aimé*
auxiliaire   participe
passé

j'avais   *aimé*
auxiliaire   participe
passé

je suis   *parti*
auxiliaire   participe
passé

j'étais   *parti*
auxiliaire   participe
passé

Écrire les verbes

▷ TABLEAUX 505 À 538

479 Comment écrire les verbes en -cer?

Les verbes du premier groupe comme **placer** prennent une **cédille** sous le **c** devant les voyelles **a** et **o**.   ▷ PARAGRAPHE 354

je pla**c**e
je pla**ç**ais   nous pla**ç**ons

▶ **Verbes du type *placer***

annoncer	commencer	glacer
avancer	divorcer	grincer
balancer	effacer	lancer
bercer	enfoncer	prononcer

▷ TABLEAU 514

480 Comment écrire les verbes en -ger?

Les verbes du premier groupe comme **manger** prennent un **e** après le **g** devant les voyelles **a** et **o**.   ▷ PARAGRAPHE 370

je man**g**e
tu man**ge**ais   nous man**ge**ons

▸ Verbes du type *manger*

allonger	encourager	loger	prolonger
arranger	engager	mélanger	ranger
changer	exiger	nager	rédiger
charger	figer	neiger	ronger
corriger	interroger	partager	venger
diriger	juger	plonger	voyager

▷ TABLEAU 513

481 Comment écrire les verbes en é + consonne + er?

Le **é** des verbes comme **céder** se change en **è** (accent grave) au singulier et à la 3ᵉ personne du pluriel, au **présent** de l'**indicatif** et du **subjonctif**.

PRÉSENT DE L'INDICATIF	PRÉSENT DU SUBJONCTIF
je cède	que je cède
tu cèdes	que tu cèdes
il cède	qu'il cède
nous cédons	que nous cédions
vous cédez	que vous cédiez
ils cèdent	qu'ils cèdent

▸ Verbes du type *céder*

accélérer	ébrécher	opérer	protéger
célébrer	espérer	pécher	régler
compléter	lécher	pénétrer	répéter
digérer	libérer	préférer	sécher

482 Comment écrire les verbes en e + consonne + er?

Les verbes du premier groupe comme **semer** changent le **e** du radical en **è** (accent grave) quand la consonne est suivie d'un **e** muet.

PRÉSENT DE L'INDICATIF
je s**è**me
tu s**è**mes
il s**è**me
nous semons
vous semez
ils s**è**ment

FUTUR DE L'INDICATIF
je s**è**merai
tu s**è**meras
il s**è**mera
nous s**è**merons
vous s**è**merez
ils s**è**meront

▸ **Verbes du type *semer***

ach**e**ver	cr**e**ver	enl**e**ver	p**e**ser
am**e**ner	emm**e**ner	l**e**ver	prom**e**ner

483 Comment écrire les verbes en -eter et -eler?

Les verbes du premier groupe comme **jeter** et **appeler** doublent leur consonne **t** ou **l** devant un **e** muet.

PRÉSENT DE L'INDICATIF
je je**tt**e
tu je**tt**es
il je**tt**e
nous jetons
vous jetez
ils je**tt**ent

PRÉSENT DE L'INDICATIF
j'appe**ll**e
tu appe**ll**es
il appe**ll**e
nous appelons
vous appelez
ils appe**ll**ent

▸ **Verbes du type *jeter* et *appeler***

atteler	chanceler	ensorceler	voleter

Les verbes du premier groupe comme **acheter** et **peler** s'écrivent avec **è** quand la consonne est suivie d'un **e** muet.

PRÉSENT DE L'INDICATIF
j'ach**è**te
tu ach**è**tes
il ach**è**te
nous achetons
vous achetez
ils ach**è**tent

PRÉSENT DE L'INDICATIF
je p**è**le
tu p**è**les
il p**è**le
nous pelons
vous pelez
ils p**è**lent

▶ **Verbes du type** *acheter* **et** *peler*
déceler   geler   haleter   harceler

484 Comment écrire les verbes en -uyer et -oyer?

Les verbes du premier groupe comme **nettoyer** et **essuyer** changent le **y** du radical en **i** devant un **e** muet. ▷ PARAGRAPHE 379

PRÉSENT DE L'INDICATIF
j'essu**i**e
tu essu**i**es
il essu**i**e
nous essu**y**ons
vous essu**y**ez
ils essu**i**ent

FUTUR DE L'INDICATIF
j'essu**i**erai
tu essu**i**eras
il essu**i**era
nous essu**i**erons
vous essu**i**erez
ils essu**i**eront

▶ **Verbes du type** *essuyer* **et** *nettoyer*

aboyer	employer	noyer
appuyer	ennuyer	tutoyer

Les verbes **envoyer** et **renvoyer** forment leur futur et leur conditionnel en **-err-**.

FUTUR DE L'INDICATIF	CONDITIONNEL PRÉSENT
j'enverrai	j'enverrais
tu enverras	tu enverrais
il enverra	il enverrait
nous enverrons	nous enverrions
vous enverrez	vous enverriez
ils enverront	ils enverraient

485 Comment écrire les verbes en -dre?

Au singulier du présent de l'indicatif, les verbes du troisième groupe comme **entendre** et **répondre** se terminent par **ds**, **ds**, **d**. Ils conservent le **d** de l'infinitif.

j'entends	je réponds
tu entends	tu réponds
il entend	il répond

▶ **Verbes du type** *entendre* **et** *répondre*

apprendre	perdre
confondre	pondre
correspondre	tendre
descendre	tordre
mordre	vendre

▷ TABLEAU 304

Au singulier du présent de l'indicatif, les verbes comme **craindre** et **peindre** ne conservent pas le **d** de l'infinitif. Mais ils le gardent au futur et au conditionnel.

PRÉSENT DE L'INDICATIF	FUTUR DE L'INDICATIF	CONDITIONNEL PRÉSENT
je crains	je craindrai	je craindrais
tu crains	tu craindras	tu craindrais
il craint	il craindra	il craindrait

PRÉSENT DE L'INDICATIF	FUTUR DE L'INDICATIF	CONDITIONNEL PRÉSENT
je peins	je peindrai	je peindrais
tu peins	tu peindras	tu peindrais
il peint	il peindra	il peindrait

▸ **Verbes du type *craindre* et *peindre***

atteindre	éteindre	joindre	rejoindre
contraindre	étreindre	plaindre	teindre

486 Comment écrire les verbes en -ttre?

Aux trois premières personnes du singulier du présent de l'indicatif, les verbes du troisième groupe comme **battre** et **mettre** s'écrivent avec **un seul t**.

je bats	je mets
tu bats	tu mets
il bat	il met

Aux autres personnes du présent et à tous les autres temps, ces verbes s'écrivent avec **deux t**.

PRÉSENT DE L'INDICATIF		IMPARFAIT DE L'INDICATIF	FUTUR DE L'INDICATIF
nous battons	nous mettons	je battais	je mettrai
vous battez	vous mettez	tu battais	tu mettras
ils battent	ils mettent	il battait	il mettra

▸ **Verbes du type *battre* et *mettre***

admettre	commettre	promettre	soumettre
combattre	permettre	rabattre	transmettre

487 Comment écrire les verbes en -aître ?

Les verbes du troisième groupe comme **connaître** prennent un accent circonflexe sur le **i** du radical s'il est suivi d'un **t**.

PRÉSENT DE L'INDICATIF	FUTUR DE L'INDICATIF
je connais	je connaîtrai
tu connais	tu connaîtras
il connaît	il connaîtra

▶ **Verbes du type** *connaître*

apparaître	naître	paraître
disparaître	paître	reconnaître

Reconnaître les terminaisons

488 Comment écrire les terminaisons de l'imparfait et du passé simple?

À la première personne du singulier de l'imparfait et du passé simple, les terminaisons des verbes du premier groupe **se prononcent de la même façon**, mais **s'écrivent différemment**.

PASSÉ SIMPLE	IMPARFAIT
j'arriv**ai**	j'arriv**ais**

▶ **Un conseil!**

Pour savoir si le verbe est à l'imparfait ou au passé simple, conjuguez-le à une personne différente.

	PASSÉ SIMPLE	IMPARFAIT
1re personne	j'arrivai	j'arrivais
3e personne	il arriv**a**	il arriv**ait**

489 Comment écrire les terminaisons du futur et du conditionnel?

Les terminaisons du futur et du conditionnel **se prononcent de la même façon** à la première personne du singulier, mais **s'écrivent différemment.**

	1er GROUPE	2e GROUPE	3e GROUPE
FUTUR	je saute**rai**	je fini**rai**	je dormi**rai**
CONDITIONNEL	je saute**rais**	je fini**rais**	je dormi**rais**

▸ Un conseil!
Pour savoir si le verbe est au futur ou au conditionnel, conjuguez-le à une personne différente.

	FUTUR	CONDITIONNEL
1re personne	je sauterai	je sauterais
2e personne	tu saute**ras**	tu saute**rais**

490 Comment écrire la terminaison de l'impératif?

VERBES	TERMINAISON DE LA 2e PERSONNE DU SINGULIER	EXEMPLES
1er groupe	e	marche! chante! joue! nettoie!
2e groupe	s	finis! atterris! applaudis!
3e groupe	s	dors! tiens! cours! fuis! couds!
	Exceptions: cueillir, aller, savoir	cueille! va! sache!

Employer les temps

UN OEUF A ÉTÉ PONDU. **PASSÉ**

UN OISEAU EST DANS LE NID. **PRÉSENT**

L'OISEAU S'ENVOLERA. **FUTUR**

491 À quoi servent les temps du verbe?

● Les temps du verbe permettent d'indiquer si les événements ont lieu **avant, pendant ou après le moment où on les raconte**.

● Le verbe permet aussi de **situer dans le temps** les actions, les pensées **les unes par rapport aux autres**. Ces actions ou pensées peuvent se dérouler au même instant (elles sont simultanées) ou avoir lieu les unes après les autres (elles sont successives).

Le lendemain, le Grand Méchant Cochon **vint** rôder dans les parages et **découvrit** la maison en briques que les petits loups venaient de se construire.
Les trois petits loups jouaient gentiment au croquet dans le jardin. Quand ils **aperçurent** le Grand Méchant Cochon, ils **coururent** s'enfermer dans la maison.

■ LES TROIS PETITS LOUPS ET LE GRAND MÉCHANT COCHON

492 Quand emploie-t-on le présent?

Lorsqu'un événement se déroule **au moment où** l'on parle, on le situe dans le **présent**.

«Dans ma précipitation... mon trouble... j'ai oublié... d'éteindre le bec de gaz de ma chambre!
– Eh bien, mon garçon, répondit froidement Mr Fogg, il **brûle** à votre compte!»

■ LE TOUR DU MONDE EN QUATRE-VINGTS JOURS

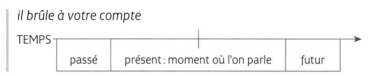

il brûle à votre compte

493 Quand emploie-t-on le passé?

Lorsqu'un événement s'est déroulé **avant** le moment où l'on parle, on le situe dans le **passé**.

Et d'ailleurs il m'est arrivé si rarement de tuer un ours, que le lecteur m'excusera de m'étendre longuement peut-être sur cet exploit. Notre rencontre **fut** inattendue de part et d'autre. Je ne **chassais** pas l'ours, et je n'ai aucune raison de supposer que l'ours me **cherchait**. La vérité est que nous **cueillions** des mûres, chacun de notre côté, et que nous nous **rencontrâmes** par hasard, ce qui arrive souvent.

■ COMMENT J'AI TUÉ UN OURS

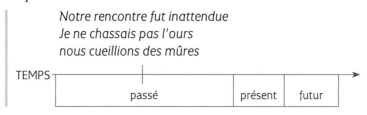

Notre rencontre fut inattendue
Je ne chassais pas l'ours
nous cueillions des mûres

494 Quand emploie-t-on le futur?

Lorsque l'on pense qu'un événement se déroulera **après** le moment où l'on parle, on le situe dans le **futur**.

– Plus tard, m'a dit Marie-Edwige, je **serai** une grande danseuse, j'**aurai** une robe blanche avec un tutu, tu sais? et des tas de bijoux dans les cheveux, et je **danserai** dans des théâtres partout dans le monde, à Paris, en Amérique, à Arcachon, et dans les théâtres, il y **aura** plein de rois et de présidents, et tout le monde **sera** avec des uniformes et des costumes noirs, et il y **aura** des dames avec des robes de satin, tu sais? Mais moi je **serai** la plus belle de toutes et tout le monde **sera** debout en train de faire bravo.

■ HISTOIRES INÉDITES DU PETIT NICOLAS

je serai
j'aurai
je danserai
il y aura
tout le monde sera

TEMPS

passé	présent	futur

495 Seul le verbe peut-il situer des actions dans le temps?

Non! Les **compléments circonstanciels de temps** et les **adverbes** comme *hier, aujourd'hui, demain...* indiquent aussi à quel moment a lieu un événement.

De temps en temps, je m'arrêtais, me regardais, levais la tête le plus haut possible et beuglais:
– Je suis une vache!

■ MÉMOIRES D'UNE VACHE

Enfin, **au repas du soir**, le canard fut admis à manger à table entre les deux petites et s'y comporta aussi bien qu'une personne. ◾ LES CONTES DU CHAT PERCHÉ

496 Qu'exprime le présent de l'indicatif?

Le **présent** peut exprimer une action qui se déroule **au moment où l'on parle** (sous les yeux de celui qui parle).

C'est un poème qui **appelle**
mais j'**entends** mal ce qu'il me **dit**

Nous ne **sommes** pas seuls sur la ligne
La voix du poème **est** lointaine

Raccrochez je vous **rappelle**
donnez-moi votre numéro

Je vous **appelle** d'une cabine
dit le poème qui **s'éloigne** ◾ ALLÔ ALLÔ C'EST UN POÈME

Le présent peut aussi évoquer une action qui ne se déroule pas sous les yeux de celui qui parle mais qui est **habituelle**, qui se répète de façon régulière.

C'est papa qui m'a emmené à l'école aujourd'hui, après le déjeuner. Moi, j'aime bien quand papa m'**accompagne**, parce qu'il me **donne** souvent des sous pour acheter des choses. ◾ LES RÉCRÉS DU PETIT NICOLAS

On peut enfin utiliser le présent pour parler de **faits considérés comme vrais** quel que soit le moment où l'on se situe dans le temps.

▶ Les vérités scientifiques

Les têtards, ce sont des petites bêtes qui **grandissent** et qui **deviennent** des grenouilles ; c'est à l'école qu'on nous a appris ça. ■ Les récrés du petit Nicolas

> Tous les têtards grandissent et deviennent des grenouilles : c'est une vérité scientifique.

▶ Les maximes et les proverbes

Rien ne **sert** de courir ; il **faut** partir à point.
■ Le lièvre et la tortue

Qui **va** à la chasse **perd** sa place.

Qui **veut** voyager loin **ménage** sa monture.

497 Qu'exprime le passé composé ?

Lorsque l'on constate les résultats d'un événement qui s'est déroulé **juste avant** que l'on prenne la parole, on utilise toujours le **passé composé**, jamais le passé simple.

L'escargot de Sophie prit le départ. Il était petit, mais il avait de la suite dans les idées. Allongée dans l'herbe au bord de l'allée, Sophie le regarda avancer, bon pied bon œil. Au bout d'une demi-heure, le petit escargot atteignit le poteau d'arrivée. Sophie sauta de joie.
– C'est mon escargot qui **a gagné** ! ■ L'escargot de Sophie

> Sophie constate que son escargot vient de gagner la course.

Et puis la cloche a sonné et nous **sommes allés** nous mettre en rang. ■ Histoires inédites du petit Nicolas

> Nicolas constate qu'ils sont allés se mettre en rang lorsque la cloche a sonné.

Lorsque l'on **raconte une histoire**, si on évoque un événement passé, on peut utiliser le passé composé.

Le chef nous **a montré** comment il fallait faire pour mettre un ver au bout de l'hameçon. « Et surtout, il nous a dit, faites bien attention de ne pas vous faire de mal avec les hameçons ! » On **a** tous **essayé** de faire comme le chef, mais ce n'est pas facile, et le chef nous **a aidés**, surtout Paulin qui avait peur des vers et qui **a demandé** s'ils mordaient. Dès qu'il **a eu** un ver à son hameçon, Paulin, vite, vite, il **a jeté** la ligne à l'eau, pour éloigner le ver le plus possible.

■ LES VACANCES DU PETIT NICOLAS

498 Qu'exprime le passé simple ?

On emploie le **passé simple** lorsqu'on écrit un **conte**, ou lorsqu'on raconte des **événements historiques**.

La poule brune **tendit** le cou et **becqueta** la potion. Une pleine becquée de potion.
L'effet **fut** électrique.
– *Ouiche !* **caqueta** la poule, en bondissant droit dans le ciel comme une fusée.

■ LA POTION MAGIQUE DE GEORGES BOUILLON

499 Comment employer le passé simple et l'imparfait ?

L'imparfait et le passé simple servent tous les deux à exprimer des événements situés dans le passé. L'imparfait présente des actions qui donnent l'impression de **se prolonger**. Il peut aussi **dresser un décor** qui sert de fond aux actions exprimées par le passé simple.

Le bruit des sabots **décrut** dans le lointain. Ils **laissaient** derrière eux, ces sabots, une scène de désolation : les devoirs **étaient** éparpillés sur le sol ; les canards **pleuraient** de grosses larmes ; la princesse **restait** muette de saisissement ; le chien **aboyait** courageusement sous la table.

■ LA PRINCESSE HOPPY

> Le verbe *décrut* est au passé simple.
> Les verbes *laissaient, étaient, pleuraient, restait, aboyait* sont à l'imparfait et permettent de décrire la scène.

500 Comment employer le plus-que-parfait avec les autres temps du passé ?

> Le **plus-que-parfait** sert à exprimer des faits qui se sont produits dans le passé **avant** ceux qui sont évoqués par l'imparfait, le passé simple ou le passé composé.

Après déjeuner, nous sommes sortis dans la cour, et Eudes et moi nous avons joué aux billes. J'en **avais** déjà **gagné** trois quand les copains **sont revenus** de chez eux.

■ HISTOIRES INÉDITES DU PETIT NICOLAS

	J'avais déjà gagné trois billes	les copains sont revenus de chez eux
TEMPS →	plus-que-parfait (l'action est terminée)	passé composé (suite de l'action)

501 Comment exprimer le futur ?

> On emploie la tournure **aller + infinitif** lorsqu'on veut dire qu'un événement est **sur le point de** se produire, ou que l'on va immédiatement se mettre à faire quelque chose.

– Petits loups poltrons, tremblotants du menton, laissez-moi entrer, voyons !

– Non, non et non, répondirent les petits loups. Par les poils de notre barbiche-barbichette-et-barbichou, tu n'entreras pas chez nous, pas pour toutes les feuilles de thé de notre plus belle théière de Chine !

– Puisque c'est ça, je **vais souffler**, **pouffer**, **pousser mille bouffées**, et je démolirai votre maison !

dit le cochon. ■ LES TROIS PETITS LOUPS ET LE GRAND MÉCHANT COCHON

Lorsque l'on veut parler de ses projets ou faire des prévisions, on utilise soit la tournure **aller + infinitif**, soit le **futur**.

C'était un cadeau de Mémé. Un cadeau terrible et vous ne devinerez jamais ce que c'était : une montre-bracelet ! Ma mémé et ma montre sont drôlement chouettes, et les copains **vont faire** une drôle de tête.

■ LES RÉCRÉS DU PETIT NICOLAS

Devenez deux statues, mais conservez toute votre raison sous la pierre qui vous **enveloppera**. Vous **demeurerez** à la porte du palais de votre sœur, et je ne vous impose point d'autre peine que d'être témoins de son bonheur. Vous ne **pourrez** revenir dans votre premier état qu'au moment où vous **reconnaîtrez** vos fautes.

■ LA BELLE ET LA BÊTE

Employer les modes

502 Quand utilise-t-on le subjonctif?

On est obligé d'utiliser le **subjonctif** après les **verbes** qui expriment ce que quelqu'un **ressent, veut** ou **pense** à propos d'une action : *il faut que, il est possible que, aimer que, exiger que, avoir envie que, rêver que, souhaiter que, vouloir que...*

– Supposons que tu **veuilles** élever des vaches. As-tu pensé à ce que coûte un grand troupeau ?
– Je ne tiens pas à avoir un grand troupeau de vaches, déclara Sophie.
– Combien en auras-tu ? demanda Marc.
– Une seule. Je l'appellerai Fleur. ■ L'ESCARGOT DE SOPHIE

> *Supposons que tu veuilles élever des vaches.*
> subjonctif présent

On est obligé d'employer le subjonctif **après** les **conjonctions** de subordination de **temps** *(avant que, jusqu'à ce que, en attendant que)*, de **concession** *(bien que, quoique)*, de **but** *(afin que, pour que)*, de **condition** *(à condition que)*.

▶ Le temps

– Ce matin pourtant, le toast de mon petit déjeuner était grignoté sur les bords ! continua Grand-mère, impitoyable. Et pire, il avait un sale goût de rat ! Si vous ne faites pas attention, les fonctionnaires de la santé publique ordonneront la fermeture de votre hôtel avant que quelqu'un n'**attrape** la fièvre typhoïde !

▪ SACRÉES SORCIÈRES

> *avant que quelqu'un n'<u>attrape</u> la fièvre typhoïde*
> subjonctif présent

▶ La concession

Bien qu'il s'y **appliquât** de tout son cœur, le pauvre bœuf n'arrivait pas à pleurer.

▪ LES CONTES DU CHAT PERCHÉ

> *Bien qu'il s'y <u>appliquât</u> de tout son cœur*
> subjonctif imparfait

▶ Le but

Je connais un truc que j'ai vu dans un film, où des bandits envoyaient des messages, et pour qu'on ne **reconnaisse** pas leur écriture, ils écrivaient les messages avec des lettres découpées dans des journaux et collées sur des feuilles de papier, et personne ne les découvrait jusqu'à la fin du film !

▪ LE PETIT NICOLAS A DES ENNUIS

> *pour qu'on ne <u>reconnaisse</u> pas leur écriture*
> subjonctif présent

▶ La condition

Blanche-Neige nous sourit avec gentillesse :
« Votre ballon a cassé quelques-uns de mes jouets ; je veux bien vous le rendre quand même, mais à condition que vous **appreniez** la géographie à mes nains. »

▪ L'ACADÉMIE DE M. TACHEDENCRE

> *à condition que vous <u>appreniez</u> la géographie à mes nains*
> subjonctif présent

Avec **après que** on doit employer l'**indicatif**.

– Tu sais bien que les sirènes, cela n'existe pas.

– Je te demande pardon, dit le prince, mais moi, j'en connais une. Tous les matins, je me baigne avec elle.

Le roi ne répondit pas, mais après qu'il **eut pris** le café il s'en alla trouver l'aumônier de la Cour :

– Dites-moi, Père, est-ce vrai que ça existe, les sirènes ?

■ Le Gentil petit diable

après qu'il eut pris le café
passé antérieur de l'indicatif

On peut rencontrer le subjonctif dans des propositions **indépendantes** exprimant le **souhait**, l'**ordre**, la **prière**.

▶ **Le souhait**

Passepartout causait toujours : « Surtout, dit-il, que je **prenne** bien garde de ne pas manquer le bateau !

– Vous avez le temps, répondit Fix, il n'est encore que midi ! »

■ Le tour du monde en quatre-vingts jours

▶ **L'ordre, la nécessité**

« J'ai manqué le départ du *Carnatic*, et il faut que je **sois** le 14, au plus tard, à Yokohama, pour prendre le paquebot de San Francisco.

– Je le regrette, répondit le pilote, mais c'est impossible. »

■ Le tour du monde en quatre-vingts jours

Le subjonctif est aussi utilisé dans des propositions indépendantes pour exprimer une **supposition**, par exemple dans des énoncés de mathématiques.

Soient trois rois parmi nous quatre : le premier roi, le deuxième roi, le troisième roi. Le premier roi est n'importe quel roi, le deuxième roi est n'importe quel roi, le troisième roi est n'importe quel roi.

■ La princesse Hoppy

503 Comment utiliser le conditionnel dans une proposition subordonnée?

> Le **conditionnel** marque une action qui ne se réalisera que si une **condition** est **d'abord remplie**. Cette condition est introduite par la conjonction **si** et exprimée par un verbe à l'**imparfait** de l'indicatif.

Maman a eu l'air très étonnée, et puis elle a pris mon album et elle l'a mis sur le buffet. Alors, moi j'ai dit que puisque c'était comme ça, je ne mangerais pas les escalopes, et maman m'a dit que si je ne mangeais pas les escalopes, je **n'aurais** pas de dessert. Alors, j'ai mangé mon escalope mais c'est pas juste. Et puis je me suis dépêché pour aller à l'école, parce que cet après-midi c'est gymnastique, et c'est très chouette.

■ Histoires inédites du petit Nicolas

504 Qu'exprime le conditionnel quand il ne dépend pas d'une condition?

> Le conditionnel présent permet d'exprimer des actions que l'on **imagine**, que l'on **souhaite** ou auxquelles on **rêve**.

Elle pensa que [le brontosaure] **serait** très facile à domestiquer et **ferait** un délicieux animal familier. J'eus beau lui dire qu'un animal familier haut de sept mètres et long de trente **serait** un peu encombrant, si on voulait le prendre sur les genoux pour le caresser, et que, d'ailleurs, avec les meilleures intentions du monde, il **risquerait** à chaque instant d'écraser notre maison sous son pied, car il avait l'air plutôt distrait...

■ Le journal d'Ève

> Les verbes *serait, ferait* et *risquerait* permettent d'exprimer ce qu'«elle» souhaite et ce que, moi, j'imagine.

Le conditionnel présent donne aussi des **informations que l'on n'a pas pu vérifier, dont on n'est pas sûr.**

– Quelle est votre date de naissance ?
– Le lundi 31 octobre 1693.
– Mais c'est impossible ! Cela vous **ferait** cent quatre-vingts ans d'âge. Comment expliquez-vous cela ?
– Je ne l'explique pas du tout.

■ UNE INTERVIEW

Enfin, le conditionnel présent permet de formuler **avec politesse** une demande, un conseil ou un reproche.

▶ **Une demande**
– Je ne crains rien des tigres, mais j'ai horreur des courants d'air. Vous n'**auriez** pas un paravent ?
« Horreur des courants d'air… ce n'est pas de chance, pour une plante, avait remarqué le petit prince. Cette fleur est bien compliquée… »

■ LE PETIT PRINCE

▶ **Un conseil**
– Eh bien, a dit Rufus, je crois que pour la rédaction, tu **ferais** mieux de te trouver autre chose, parce que comme détective, tu es minable.
– Ouais, si tous les détectives sont comme ça, je me fais bandit tout de suite ! a dit Clotaire.

■ HISTOIRES INÉDITES DU PETIT NICOLAS

Lire les tableaux de conjugaison

Les numéros renvoient aux numéros des pages.

avoir	→	386	attendre	→	403
être	→	387	croire	→	404
aimer	→	388	devoir	→	405
aimer	→	389	dire	→	406
aimer	→	390	dormir	→	407
aimer	→	391	faire	→	408
s'amuser	→	392	mettre	→	409
créer	→	393	partir	→	410
manger	→	394	prendre	→	411
placer	→	395	pouvoir	→	412
ennuyer	→	396	produire	→	413
envoyer	→	397	répondre	→	414
jeter	→	398	savoir	→	415
modeler	→	399	sortir	→	416
finir	→	400	venir	→	417
aller	→	401	voir	→	418
apprendre	→	402	vouloir	→	419

505 Avoir

INFINITIF

PRÉSENT
avoir

PARTICIPE

PRÉSENT
ayant

PASSÉ
eu, eue, eus, eues

INDICATIF

Temps simples

PRÉSENT

j'	ai
tu	as
il/elle	a
nous	avons
vous	avez
ils/elles	ont

FUTUR SIMPLE

j'	aurai
tu	auras
il/elle	aura
nous	aurons
vous	aurez
ils/elles	auront

IMPARFAIT

j'	avais
tu	avais
il/elle	avait
nous	avions
vous	aviez
ils/elles	avaient

PASSÉ SIMPLE

j'	eus
tu	eus
il/elle	eut
nous	eûmes
vous	eûtes
ils/elles	eurent

Temps composés

PASSÉ COMPOSÉ

j'	ai	eu
tu	as	eu
il/elle	a	eu
nous	avons	eu
vous	avez	eu
ils/elles	ont	eu

PLUS-QUE-PARFAIT

j'	avais	eu
tu	avais	eu
il/elle	avait	eu
nous	avions	eu
vous	aviez	eu
ils/elles	avaient	eu

SUBJONCTIF

PRÉSENT

que j'	aie
que tu	aies
qu'il/qu'elle	ait
que nous	ayons
que vous	ayez
qu'ils/qu'elles	aient

CONDITIONNEL

PRÉSENT

j'	aurais
tu	aurais
il/elle	aurait
nous	aurions
vous	auriez
ils/elles	auraient

IMPÉRATIF

PRÉSENT

aie
ayons
ayez

506 Être

INFINITIF

PRÉSENT
être

PARTICIPE

PRÉSENT
étant

PASSÉ
été

INDICATIF

Temps simples

PRÉSENT

je	suis
tu	es
il/elle	est
nous	sommes
vous	êtes
ils/elles	sont

FUTUR SIMPLE

je	serai
tu	seras
il/elle	sera
nous	serons
vous	serez
ils/elles	seront

IMPARFAIT

j'	étais
tu	étais
il/elle	était
nous	étions
vous	étiez
ils/elles	étaient

PASSÉ SIMPLE

je	fus
tu	fus
il/elle	fut
nous	fûmes
vous	fûtes
ils/elles	furent

Temps composés

PASSÉ COMPOSÉ

j'	ai	été
tu	as	été
il/elle	a	été
nous	avons	été
vous	avez	été
ils/elles	ont	été

PLUS-QUE-PARFAIT

j'	avais	été
tu	avais	été
il/elle	avait	été
nous	avions	été
vous	aviez	été
ils/elles	avaient	été

SUBJONCTIF

PRÉSENT

que je	sois
que tu	sois
qu'il/qu'elle	soit
que nous	soyons
que vous	soyez
qu'ils/qu'elles	soient

CONDITIONNEL

PRÉSENT

je	serais
tu	serais
il/elle	serait
nous	serions
vous	seriez
ils/elles	seraient

IMPÉRATIF

PRÉSENT

sois
soyons
soyez

507 Aimer

1er GROUPE

VOIX ACTIVE ◆ FORME AFFIRMATIVE

INFINITIF	PARTICIPE	
PRÉSENT	PRÉSENT	PASSÉ
aimer	aimant	aimé, aimée, aimés, aimées

INDICATIF

Temps simples

PRÉSENT		FUTUR SIMPLE	
j'	aime	j'	aimerai
tu	aimes	tu	aimeras
il/elle	aime	il/elle	aimera
nous	aimons	nous	aimerons
vous	aimez	vous	aimerez
ils/elles	aiment	ils/elles	aimeront

IMPARFAIT		PASSÉ SIMPLE	
j'	aimais	j'	aimai
tu	aimais	tu	aimas
il/elle	aimait	il/elle	aima
nous	aimions	nous	aimâmes
vous	aimiez	vous	aimâtes
ils/elles	aimaient	ils/elles	aimèrent

Temps composés

PASSÉ COMPOSÉ			PLUS-QUE-PARFAIT		
j'	ai	aimé	j'	avais	aimé
tu	as	aimé	tu	avais	aimé
il/elle	a	aimé	il/elle	avait	aimé
nous	avons	aimé	nous	avions	aimé
vous	avez	aimé	vous	aviez	aimé
ils/elles	ont	aimé	ils/elles	avaient	aimé

SUBJONCTIF

PRÉSENT	
que j'	aime
que tu	aimes
qu'il/qu'elle	aime
que nous	aimions
que vous	aimiez
qu'ils/qu'elles	aiment

CONDITIONNEL

PRÉSENT	
j'	aimerais
tu	aimerais
il/elle	aimerait
nous	aimerions
vous	aimeriez
ils/elles	aimeraient

IMPÉRATIF

PRÉSENT
aime
aimons
aimez

508 Aimer

1er GROUPE

VOIX ACTIVE ◆ FORME NÉGATIVE

INFINITIF

PRÉSENT

ne pas aimer

PARTICIPE

PRÉSENT

n'aimant pas

PASSÉ

n'ayant pas aimé

INDICATIF

Temps simples

PRÉSENT

je	n'aime pas
tu	n'aimes pas
il/elle	n'aime pas
nous	n'aimons pas
vous	n'aimez pas
ils/elles	n'aiment pas

FUTUR SIMPLE

je	n'aimerai pas
tu	n'aimeras pas
il/elle	n'aimera pas
nous	n'aimerons pas
vous	n'aimerez pas
ils/elles	n'aimeront pas

IMPARFAIT

je	n'aimais pas
tu	n'aimais pas
il/elle	n'aimait pas
nous	n'aimions pas
vous	n'aimiez pas
ils/elles	n'aimaient pas

PASSÉ SIMPLE

je	n'aimai pas
tu	n'aimas pas
il/elle	n'aima pas
nous	n'aimâmes pas
vous	n'aimâtes pas
ils/elles	n'aimèrent pas

Temps composés

PASSÉ COMPOSÉ

je	n'ai pas	aimé
tu	n'as pas	aimé
il/elle	n'a pas	aimé
nous	n'avons pas	aimé
vous	n'avez pas	aimé
ils/elles	n'ont pas	aimé

PLUS-QUE-PARFAIT

je	n'avais pas	aimé
tu	n'avais pas	aimé
il/elle	n'avait pas	aimé
nous	n'avions pas	aimé
vous	n'aviez pas	aimé
ils/elles	n'avaient pas	aimé

SUBJONCTIF

PRÉSENT

que je	n'aime pas
que tu	n'aimes pas
qu'il/qu'elle	n'aime pas
que nous	n'aimions pas
que vous	n'aimiez pas
qu'ils/qu'elles	n'aiment pas

CONDITIONNEL

PRÉSENT

je	n'aimerais pas
tu	n'aimerais pas
il/elle	n'aimerait pas
nous	n'aimerions pas
vous	n'aimeriez pas
ils/elles	n'aimeraient pas

IMPÉRATIF

PRÉSENT

n'aime pas
n'aimons pas
n'aimez pas

509 Aimer — 1er GROUPE

VOIX ACTIVE ♦ FORME INTERROGATIVE

INDICATIF

Temps simples

PRÉSENT
aimé-je?
aimes-tu?
aime-t-il/elle?
aimons-nous?
aimez-vous?
aiment-ils/elles?

FUTUR SIMPLE
aimerai-je?
aimeras-tu?
aimera-t-il/elle?
aimerons-nous?
aimerez-vous?
aimeront-ils/elles?

IMPARFAIT
aimais-je?
aimais-tu?
aimait-il/elle?
aimions-nous?
aimiez-vous?
aimaient-ils/elles?

PASSÉ SIMPLE
aimai-je?
aimas-tu?
aima-t-il/elle?
aimâmes-nous?
aimâtes-vous?
aimèrent-ils/elles?

CONDITIONNEL

PRÉSENT
aimerais-je?
aimerais-tu?
aimerait-il/elle?
aimerions-nous?
aimeriez-vous?
aimeraient-ils/elles?

Temps composés

PASSÉ COMPOSÉ		PLUS-QUE-PARFAIT	
ai-je	aimé?	avais-je	aimé?
as-tu	aimé?	avais-tu	aimé?
a-t-il/elle	aimé?	avait-il/elle	aimé?
avons-nous	aimé?	avions-nous	aimé?
avez-vous	aimé?	aviez-vous	aimé?
ont-ils/elles	aimé?	avaient-ils/elles	aimé?

510 Aimer

1er GROUPE

VOIX PASSIVE

INFINITIF

PRÉSENT
être aimé

PARTICIPE

PRÉSENT
étant aimé

PASSÉ
ayant été aimé, aimée, aimés, aimées

INDICATIF

Temps simples

PRÉSENT

je	suis	aimé(e)
tu	es	aimé(e)
il/elle	est	aimé(e)
nous	sommes	aimé(e)s
vous	êtes	aimé(e)s
ils/elles	sont	aimé(e)s

FUTUR SIMPLE

je	serai	aimé(e)
tu	seras	aimé(e)
il/elle	sera	aimé(e)
nous	serons	aimé(e)s
vous	serez	aimé(e)s
ils/elles	seront	aimé(e)s

IMPARFAIT

j'	étais	aimé(e)
tu	étais	aimé(e)
il/elle	était	aimé(e)
nous	étions	aimé(e)s
vous	étiez	aimé(e)s
ils/elles	étaient	aimé(e)s

PASSÉ SIMPLE

je	fus	aimé(e)
tu	fus	aimé(e)
il/elle	fut	aimé(e)
nous	fûmes	aimé(e)s
vous	fûtes	aimé(e)s
ils/elles	furent	aimé(e)s

Temps composés

PASSÉ COMPOSÉ

j'	ai	été aimé(e)
tu	as	été aimé(e)
il/elle	a	été aimé(e)
nous	avons	été aimé(e)s
vous	avez	été aimé(e)s
ils/elles	ont	été aimé(e)s

PLUS-QUE-PARFAIT

j'	avais	été aimé(e)
tu	avais	été aimé(e)
il/elle	avait	été aimé(e)
nous	avions	été aimé(e)s
vous	aviez	été aimé(e)s
ils/elles	avaient	été aimé(e)s

SUBJONCTIF

PRÉSENT

que je	sois	aimé(e)
que tu	sois	aimé(e)
qu'il/qu'elle	soit	aimé(e)
que nous	soyons	aimé(e)s
que vous	soyez	aimé(e)s
qu'ils/qu'elles	soient	aimé(e)s

CONDITIONNEL

PRÉSENT

je	serais	aimé(e)
tu	serais	aimé(e)
il/elle	serait	aimé(e)
nous	serions	aimé(e)s
vous	seriez	aimé(e)s
ils/elles	seraient	aimé(e)s

IMPÉRATIF

PRÉSENT

sois aimé(e)
soyons aimé(e)s
soyez aimé(e)s

511 S'amuser

1er GROUPE

VOIX PRONOMINALE

INFINITIF	PARTICIPE	
PRÉSENT	PRÉSENT	PASSÉ
s'amuser	s'amusant	s'étant amusé(e)(s)

INDICATIF

Temps simples

PRÉSENT

je m'	amuse
tu t'	amuses
il/elle s'	amuse
nous nous	amusons
vous vous	amusez
ils/elles s'	amusent

FUTUR SIMPLE

je m'	amuserai
tu t'	amuseras
il/elle s'	amusera
nous nous	amuserons
vous vous	amuserez
ils/elles s'	amuseront

IMPARFAIT

je m'	amusais
tu t'	amusais
il/elle s'	amusait
nous nous	amusions
vous vous	amusiez
ils/elles s'	amusaient

PASSÉ SIMPLE

je m'	amusai
tu t'	amusas
il/elle s'	amusa
nous nous	amusâmes
vous vous	amusâtes
ils/elles s'	amusèrent

Temps composés

PASSÉ COMPOSÉ

je me	suis	amusé(e)
tu t'	es	amusé(e)
il/elle s'	est	amusé(e)
nous nous	sommes	amusé(e)s
vous vous	êtes	amusé(e)s
ils/elles se	sont	amusé(e)s

PLUS-QUE-PARFAIT

je m'	étais	amusé(e)
tu t'	étais	amusé(e)
il/elle s'	était	amusé(e)
nous nous	étions	amusé(e)s
vous vous	étiez	amusé(e)s
ils/elles	s'étaient	amusé(e)s

SUBJONCTIF

PRÉSENT

que je m'	amuse
que tu t'	amuses
qu'il/qu'elle s'	amuse
que nous nous	amusions
que vous vous	amusiez
qu'ils/qu'elles s'	amusent

CONDITIONNEL

PRÉSENT

je m'	amuserais
tu t'	amuserais
il/elle s'	amuserait
nous nous	amuserions
vous vous	amuseriez
ils/elles s'	amuseraient

IMPÉRATIF

PRÉSENT

amuse-toi
amusons-nous
amusez-vous

512 Créer

1er GROUPE

INFINITIF

PRÉSENT

créer

PARTICIPE

PRÉSENT

créant

PASSÉ

créé, créée, créés, créées

INDICATIF

Temps simples

PRÉSENT		FUTUR SIMPLE	
je	crée	je	créerai
tu	crées	tu	créeras
il/elle	crée	il/elle	créera
nous	créons	nous	créerons
vous	créez	vous	créerez
ils/elles	créent	ils/elles	créeront

IMPARFAIT		PASSÉ SIMPLE	
je	créais	je	créai
tu	créais	tu	créas
il/elle	créait	il/elle	créa
nous	créions	nous	créâmes
vous	créiez	vous	créâtes
ils/elles	créaient	ils/elles	créèrent

Temps composés

PASSÉ COMPOSÉ			PLUS-QUE-PARFAIT		
j'	ai	créé	j'	avais	créé
tu	as	créé	tu	avais	créé
il/elle	a	créé	il/elle	avait	créé
nous	avons	créé	nous	avions	créé
vous	avez	créé	vous	aviez	créé
ils/elles	ont	créé	ils/elles	avaient	créé

SUBJONCTIF

PRÉSENT

que je	crée
que tu	crées
qu'il/qu'elle	crée
que nous	créions
que vous	créiez
qu'ils/qu'elles	créent

CONDITIONNEL

PRÉSENT

je	créerais
tu	créerais
il/elle	créerait
nous	créerions
vous	créeriez
ils/elles	créeraient

IMPÉRATIF

PRÉSENT

crée
créons
créez

513 Manger — 1er GROUPE

INFINITIF

PRÉSENT
manger

PARTICIPE

PRÉSENT
mangeant

PASSÉ
mangé, mangée, mangés, mangées

INDICATIF

Temps simples

PRÉSENT		FUTUR SIMPLE	
je	mange	je	mangerai
tu	manges	tu	mangeras
il/elle	mange	il/elle	mangera
nous	mangeons	nous	mangerons
vous	mangez	vous	mangerez
ils/elles	mangent	ils/elles	mangeront

IMPARFAIT		PASSÉ SIMPLE	
je	mangeais	je	mangeai
tu	mangeais	tu	mangeas
il/elle	mangeait	il/elle	mangea
nous	mangions	nous	mangeâmes
vous	mangiez	vous	mangeâtes
ils/elles	mangeaient	ils/elles	mangèrent

Temps composés

PASSÉ COMPOSÉ			PLUS-QUE-PARFAIT		
j'	ai	mangé	j'	avais	mangé
tu	as	mangé	tu	avais	mangé
il/elle	a	mangé	il/elle	avait	mangé
nous	avons	mangé	nous	avions	mangé
vous	avez	mangé	vous	aviez	mangé
ils/elles	ont	mangé	ils/elles	avaient	mangé

SUBJONCTIF

PRÉSENT

que je	mange
que tu	manges
qu'il/qu'elle	mange
que nous	mangions
que vous	mangiez
qu'ils/qu'elles	mangent

CONDITIONNEL

PRÉSENT

je	mangerais
tu	mangerais
il/elle	mangerait
nous	mangerions
vous	mangeriez
ils/elles	mangeraient

IMPÉRATIF

PRÉSENT

mange
mangeons
mangez

514 Placer

1er GROUPE

INFINITIF

PRÉSENT

placer

PARTICIPE

PRÉSENT

plaçant

PASSÉ

placé, placée, placés, placées

INDICATIF

Temps simples

PRÉSENT

je	place
tu	places
il/elle	place
nous	plaçons
vous	placez
ils/elles	placent

FUTUR SIMPLE

je	placerai
tu	placeras
il/elle	placera
nous	placerons
vous	placerez
ils/elles	placeront

IMPARFAIT

je	plaçais
tu	plaçais
il/elle	plaçait
nous	placions
vous	placiez
ils/elles	plaçaient

PASSÉ SIMPLE

je	plaçai
tu	plaças
il/elle	plaça
nous	plaçâmes
vous	plaçâtes
ils/elles	placèrent

Temps composés

PASSÉ COMPOSÉ

j'	ai	placé
tu	as	placé
il/elle	a	placé
nous	avons	placé
vous	avez	placé
ils/elles	ont	placé

PLUS-QUE-PARFAIT

j'	avais	placé
tu	avais	placé
il/elle	avait	placé
nous	avions	placé
vous	aviez	placé
ils/elles	avaient	placé

SUBJONCTIF

PRÉSENT

que je	place
que tu	places
qu'il/qu'elle	place
que nous	placions
que vous	placiez
qu'ils/qu'elles	placent

CONDITIONNEL

PRÉSENT

je	placerais
tu	placerais
il/elle	placerait
nous	placerions
vous	placeriez
ils/elles	placeraient

IMPÉRATIF

PRÉSENT

place
plaçons
placez

515 Ennuyer   1er GROUPE

INFINITIF	PARTICIPE	

PRÉSENT	PRÉSENT	PASSÉ
ennuyer	ennuyant	ennuyé, ennuyée, ennuyés, ennuyées

INDICATIF

Temps simples

PRÉSENT		FUTUR SIMPLE	
j'	ennuie	j'	ennuierai
tu	ennuies	tu	ennuieras
il/elle	ennuie	il/elle	ennuiera
nous	ennuyons	nous	ennuierons
vous	ennuyez	vous	ennuierez
ils/elles	ennuient	ils/elles	ennuieront

IMPARFAIT		PASSÉ SIMPLE	
j'	ennuyais	j'	ennuyai
tu	ennuyais	tu	ennuyas
il/elle	ennuyait	il/elle	ennuya
nous	ennuyions	nous	ennuyâmes
vous	ennuyiez	vous	ennuyâtes
ils/elles	ennuyaient	ils/elles	ennuyèrent

Temps composés

PASSÉ COMPOSÉ			PLUS-QUE-PARFAIT		
j'	ai	ennuyé	j'	avais	ennuyé
tu	as	ennuyé	tu	avais	ennuyé
il/elle	a	ennuyé	il/elle	avait	ennuyé
nous	avons	ennuyé	nous	avions	ennuyé
vous	avez	ennuyé	vous	aviez	ennuyé
ils/elles	ont	ennuyé	ils/elles	avaient	ennuyé

SUBJONCTIF

PRÉSENT

que j'	ennuie
que tu	ennuies
qu'il/qu'elle	ennuie
que nous	ennuyions
que vous	ennuyiez
qu'ils/qu'elles	ennuient

CONDITIONNEL

PRÉSENT

j'	ennuierais
tu	ennuierais
il/elle	ennuierait
nous	ennuierions
vous	ennuieriez
ils/elles	ennuieraient

IMPÉRATIF

PRÉSENT

ennuie
ennuyons
ennuyez

516 Envoyer 1er GROUPE

INFINITIF

PARTICIPE

PRÉSENT	PRÉSENT	PASSÉ
envoyer	envoyant	envoyé, envoyée, envoyés, envoyées

INDICATIF

Temps simples

PRÉSENT		FUTUR SIMPLE	
j'	envoie	j'	enverrai
tu	envoies	tu	enverras
il/elle	envoie	il/elle	enverra
nous	envoyons	nous	enverrons
vous	envoyez	vous	enverrez
ils/elles	envoient	ils/elles	enverront

IMPARFAIT		PASSÉ SIMPLE	
j'	envoyais	j'	envoyai
tu	envoyais	tu	envoyas
il/elle	envoyait	il/elle	envoya
nous	envoyions	nous	envoyâmes
vous	envoyiez	vous	envoyâtes
ils/elles	envoyaient	ils/elles	envoyèrent

Temps composés

PASSÉ COMPOSÉ			PLUS-QUE-PARFAIT		
j'	ai	envoyé	j'	avais	envoyé
tu	as	envoyé	tu	avais	envoyé
il/elle	a	envoyé	il/elle	avait	envoyé
nous	avons	envoyé	nous	avions	envoyé
vous	avez	envoyé	vous	aviez	envoyé
ils/elles	ont	envoyé	ils/elles	avaient	envoyé

SUBJONCTIF

PRÉSENT	
que j'	envoie
que tu	envoies
qu'il/qu'elle	envoie
que nous	envoyions
que vous	envoyiez
qu'ils/qu'elles	envoient

CONDITIONNEL

PRÉSENT	
j'	enverrais
tu	enverrais
il/elle	enverrait
nous	enverrions
vous	enverriez
ils/elles	enverraient

IMPÉRATIF

PRÉSENT
envoie
envoyons
envoyez

517 Jeter

1er GROUPE

INFINITIF

PARTICIPE

PRÉSENT

jeter

PRÉSENT

jetant

PASSÉ

jeté, jetée, jetés, jetées

INDICATIF

Temps simples

PRÉSENT		FUTUR SIMPLE	
je	jette	je	jetterai
tu	jettes	tu	jetteras
il/elle	jette	il/elle	jettera
nous	jetons	nous	jetterons
vous	jetez	vous	jetterez
ils/elles	jettent	ils/elles	jetteront

IMPARFAIT		PASSÉ SIMPLE	
je	jetais	je	jetai
tu	jetais	tu	jetas
il/elle	jetait	il/elle	jeta
nous	jetions	nous	jetâmes
vous	jetiez	vous	jetâtes
ils/elles	jetaient	ils/elles	jetèrent

Temps composés

PASSÉ COMPOSÉ			PLUS-QUE-PARFAIT		
j'	ai	jeté	j'	avais	jeté
tu	as	jeté	tu	avais	jeté
il/elle	a	jeté	il/elle	avait	jeté
nous	avons	jeté	nous	avions	jeté
vous	avez	jeté	vous	aviez	jeté
ils/elles	ont	jeté	ils/elles	avaient	jeté

SUBJONCTIF

PRÉSENT

que je	jette
que tu	jettes
qu'il/qu'elle	jette
que nous	jetions
que vous	jetiez
qu'ils/qu'elles	jettent

CONDITIONNEL

PRÉSENT

je	jetterais
tu	jetterais
il/elle	jetterait
nous	jetterions
vous	jetteriez
ils/elles	jetteraient

IMPÉRATIF

PRÉSENT

jette
jetons
jetez

Le verbe *appeler* se conjugue sur le même modèle.

518 Modeler   1er GROUPE

INFINITIF

PRÉSENT
modeler

PARTICIPE

PRÉSENT
modelant

PASSÉ
modelé, modelée, modelés, modelées

INDICATIF

Temps simples

PRÉSENT		FUTUR SIMPLE	
je	modèle	je	modèlerai
tu	modèles	tu	modèleras
il/elle	modèle	il/elle	modèlera
nous	modelons	nous	modèlerons
vous	modelez	vous	modèlerez
ils/elles	modèlent	ils/elles	modèleront

IMPARFAIT		PASSÉ SIMPLE	
je	modelais	je	modelai
tu	modelais	tu	modelas
il/elle	modelait	il/elle	modela
nous	modelions	nous	modelâmes
vous	modeliez	vous	modelâtes
ils/elles	modelaient	ils/elles	modelèrent

Temps composés

PASSÉ COMPOSÉ			PLUS-QUE-PARFAIT		
j'	ai	modelé	j'	avais	modelé
tu	as	modelé	tu	avais	modelé
il/elle	a	modelé	il/elle	avait	modelé
nous	avons	modelé	nous	avions	modelé
vous	avez	modelé	vous	aviez	modelé
ils/elles	ont	modelé	ils/elles	avaient	modelé

SUBJONCTIF

PRÉSENT

que je	modèle
que tu	modèles
qu'il/qu'elle	modèle
que nous	modelions
que vous	modeliez
qu'ils/qu'elles	modèlent

CONDITIONNEL

PRÉSENT

je	modèlerais
tu	modèlerais
il/elle	modèlerait
nous	modèlerions
vous	modèleriez
ils/elles	modèleraient

IMPÉRATIF

PRÉSENT

modèle
modelons
modelez

Le verbe *acheter* se conjugue sur le même modèle.

519 Finir

2e GROUPE

INFINITIF

PRÉSENT

finir

PARTICIPE

PRÉSENT

finissant

PASSÉ

fini, finie, finis, finies

INDICATIF

Temps simples

PRÉSENT

je	finis
tu	finis
il/elle	finit
nous	finissons
vous	finissez
ils/elles	finissent

FUTUR SIMPLE

je	finirai
tu	finiras
il/elle	finira
nous	finirons
vous	finirez
ils/elles	finiront

IMPARFAIT

je	finissais
tu	finissais
il/elle	finissait
nous	finissions
vous	finissiez
ils/elles	finissaient

PASSÉ SIMPLE

je	finis
tu	finis
il/elle	finit
nous	finîmes
vous	finîtes
ils/elles	finirent

Temps composés

PASSÉ COMPOSÉ

j'	ai	fini
tu	as	fini
il/elle	a	fini
nous	avons	fini
vous	avez	fini
ils/elles	ont	fini

PLUS-QUE-PARFAIT

j'	avais	fini
tu	avais	fini
il/elle	avait	fini
nous	avions	fini
vous	aviez	fini
ils/elles	avaient	fini

SUBJONCTIF

PRÉSENT

que je	finisse
que tu	finisses
qu'il/qu'elle	finisse
que nous	finissions
que vous	finissiez
qu'ils/qu'elles	finissent

CONDITIONNEL

PRÉSENT

je	finirais
tu	finirais
il/elle	finirait
nous	finirions
vous	finiriez
ils/elles	finiraient

IMPÉRATIF

PRÉSENT

finis
finissons
finissez

520 Aller   3ᵉ GROUPE

INFINITIF	PARTICIPE	
PRÉSENT	PRÉSENT	PASSÉ
aller	allant	allé, allée, allés, allées

INDICATIF

Temps simples

PRÉSENT		FUTUR SIMPLE	
je	vais	j'	irai
tu	vas	tu	iras
il/elle	va	il/elle	ira
nous	allons	nous	irons
vous	allez	vous	irez
ils/elles	vont	ils/elles	iront

IMPARFAIT		PASSÉ SIMPLE	
j'	allais	j'	allai
tu	allais	tu	allas
il/elle	allait	il/elle	alla
nous	allions	nous	allâmes
vous	alliez	vous	allâtes
ils/elles	allaient	ils/elles	allèrent

Temps composés

PASSÉ COMPOSÉ			PLUS-QUE-PARFAIT		
je	suis	allé(e)	j'	étais	allé(e)
tu	es	allé(e)	tu	étais	allé(e)
il/elle	est	allé(e)	il/elle	était	allé(e)
nous	sommes	allé(e)s	nous	étions	allé(e)s
vous	êtes	allé(e)s	vous	étiez	allé(e)s
ils/elles	sont	allé(e)s	ils/elles	étaient	allé(e)s

SUBJONCTIF

PRÉSENT	
que j'	aille
que tu	ailles
qu'il/qu'elle	aille
que nous	allions
que vous	alliez
qu'ils/qu'elles	aillent

CONDITIONNEL

PRÉSENT	
j'	irais
tu	irais
il/elle	irait
nous	irions
vous	iriez
ils/elles	iraient

IMPÉRATIF

PRÉSENT
va
allons
allez

521 Apprendre

3ᵉ GROUPE

INFINITIF

PRÉSENT

apprendre

PARTICIPE

PRÉSENT

apprenant

PASSÉ

appris, apprise, appris, apprises

INDICATIF

Temps simples

PRÉSENT		FUTUR SIMPLE	
j'	apprends	j'	apprendrai
tu	apprends	tu	apprendras
il/elle	apprend	il/elle	apprendra
nous	apprenons	nous	apprendrons
vous	apprenez	vous	apprendrez
ils/elles	apprennent	ils/elles	apprendront

IMPARFAIT		PASSÉ SIMPLE	
j'	apprenais	j'	appris
tu	apprenais	tu	appris
il/elle	apprenait	il/elle	apprit
nous	apprenions	nous	apprîmes
vous	appreniez	vous	apprîtes
ils/elles	apprenaient	ils/elles	apprirent

Temps composés

PASSÉ COMPOSÉ			PLUS-QUE-PARFAIT		
j'	ai	appris	j'	avais	appris
tu	as	appris	tu	avais	appris
il/elle	a	appris	il/elle	avait	appris
nous	avons	appris	nous	avions	appris
vous	avez	appris	vous	aviez	appris
ils/elles	ont	appris	ils/elles	avaient	appris

SUBJONCTIF

PRÉSENT

que j'	apprenne
que tu	apprennes
qu'il/qu'elle	apprenne
que nous	apprenions
que vous	appreniez
qu'ils/qu'elles	apprennent

CONDITIONNEL

PRÉSENT

j'	apprendrais
tu	apprendrais
il/elle	apprendrait
nous	apprendrions
vous	apprendriez
ils/elles	apprendraient

IMPÉRATIF

PRÉSENT

apprends
apprenons
apprenez

522 Attendre

3e GROUPE

INFINITIF

PRÉSENT

attendre

PARTICIPE

PRÉSENT

attendant

PASSÉ

attendu, attendue, attendus, attendues

INDICATIF

Temps simples

PRÉSENT

j'	attends
tu	attends
il/elle	attend
nous	attendons
vous	attendez
ils/elles	attendent

FUTUR SIMPLE

j'	attendrai
tu	attendras
il/elle	attendra
nous	attendrons
vous	attendrez
ils/elles	attendront

IMPARFAIT

j'	attendais
tu	attendais
il/elle	attendait
nous	attendions
vous	attendiez
ils/elles	attendaient

PASSÉ SIMPLE

j'	attendis
tu	attendis
il/elle	attendit
nous	attendîmes
vous	attendîtes
ils/elles	attendirent

Temps composés

PASSÉ COMPOSÉ

j'	ai	attendu
tu	as	attendu
il/elle	a	attendu
nous	avons	attendu
vous	avez	attendu
ils/elles	ont	attendu

PLUS-QUE-PARFAIT

j'	avais	attendu
tu	avais	attendu
il/elle	avait	attendu
nous	avions	attendu
vous	aviez	attendu
ils/elles	avaient	attendu

SUBJONCTIF

PRÉSENT

que j'	attende
que tu	attendes
qu'il/qu'elle	attende
que nous	attendions
que vous	attendiez
qu'ils/qu'elles	attendent

CONDITIONNEL

PRÉSENT

j'	attendrais
tu	attendrais
il/elle	attendrait
nous	attendrions
vous	attendriez
ils/elles	attendraient

IMPÉRATIF

PRÉSENT

attends
attendons
attendez

523 Croire

3ᵉ GROUPE

INFINITIF	PARTICIPE	
PRÉSENT	PRÉSENT	PASSÉ
croire	croyant	cru, crue, crus, crues

INDICATIF

Temps simples

PRÉSENT		FUTUR SIMPLE	
je	crois	je	croirai
tu	crois	tu	croiras
il/elle	croit	il/elle	croira
nous	croyons	nous	croirons
vous	croyez	vous	croirez
ils/elles	croient	ils/elles	croiront

IMPARFAIT		PASSÉ SIMPLE	
je	croyais	je	crus
tu	croyais	tu	crus
il/elle	croyait	il/elle	crut
nous	croyions	nous	crûmes
vous	croyiez	vous	crûtes
ils/elles	croyaient	ils/elles	crurent

Temps composés

PASSÉ COMPOSÉ			PLUS-QUE-PARFAIT		
j'	ai	cru	j'	avais	cru
tu	as	cru	tu	avais	cru
il/elle	a	cru	il/elle	avait	cru
nous	avons	cru	nous	avions	cru
vous	avez	cru	vous	aviez	cru
ils/elles	ont	cru	ils/elles	avaient	cru

SUBJONCTIF

PRÉSENT

que je	croie
que tu	croies
qu'il/qu'elle	croie
que nous	croyions
que vous	croyiez
qu'ils/qu'elles	croient

CONDITIONNEL

PRÉSENT

je	croirais
tu	croirais
il/elle	croirait
nous	croirions
vous	croiriez
ils/elles	croiraient

IMPÉRATIF

PRÉSENT

crois
croyons
croyez

524 Devoir 3e GROUPE

INFINITIF

PRÉSENT

devoir

PARTICIPE

PRÉSENT

devant

PASSÉ

dû, due, dus, dues

INDICATIF

Temps simples

PRÉSENT

je	dois
tu	dois
il/elle	doit
nous	devons
vous	devez
ils/elles	doivent

FUTUR SIMPLE

je	devrai
tu	devras
il/elle	devra
nous	devrons
vous	devrez
ils/elles	devront

IMPARFAIT

je	devais
tu	devais
il/elle	devait
nous	devions
vous	deviez
ils/elles	devaient

PASSÉ SIMPLE

je	dus
tu	dus
il/elle	dut
nous	dûmes
vous	dûtes
ils/elles	durent

Temps composés

PASSÉ COMPOSÉ

j'	ai	dû
tu	as	dû
il/elle	a	dû
nous	avons	dû
vous	avez	dû
ils/elles	ont	dû

PLUS-QUE-PARFAIT

j'	avais	dû
tu	avais	dû
il/elle	avait	dû
nous	avions	dû
vous	aviez	dû
ils/elles	avaient	dû

SUBJONCTIF

PRÉSENT

que je	doive
que tu	doives
qu'il/qu'elle	doive
que nous	devions
que vous	deviez
qu'ils/qu'elles	doivent

CONDITIONNEL

PRÉSENT

je	devrais
tu	devrais
il/elle	devrait
nous	devrions
vous	devriez
ils/elles	devraient

IMPÉRATIF

PRÉSENT

dois
devons
devez

525 Dire — 3e GROUPE

INFINITIF

PRÉSENT
dire

PARTICIPE

PRÉSENT
disant

PASSÉ
dit, dite, dits, dites

INDICATIF

Temps simples

PRÉSENT

je	dis
tu	dis
il/elle	dit
nous	disons
vous	dites
ils/elles	disent

FUTUR SIMPLE

je	dirai
tu	diras
il/elle	dira
nous	dirons
vous	direz
ils/elles	diront

IMPARFAIT

je	disais
tu	disais
il/elle	disait
nous	disions
vous	disiez
ils/elles	disaient

PASSÉ SIMPLE

je	dis
tu	dis
il/elle	dit
nous	dîmes
vous	dîtes
ils/elles	dirent

Temps composés

PASSÉ COMPOSÉ

j'	ai	dit
tu	as	dit
il/elle	a	dit
nous	avons	dit
vous	avez	dit
ils/elles	ont	dit

PLUS-QUE-PARFAIT

j'	avais	dit
tu	avais	dit
il/elle	avait	dit
nous	avions	dit
vous	aviez	dit
ils/elles	avaient	dit

SUBJONCTIF

PRÉSENT

que je	dise
que tu	dises
qu'il/qu'elle	dise
que nous	disions
que vous	disiez
qu'ils/qu'elles	disent

CONDITIONNEL

PRÉSENT

je	dirais
tu	dirais
il/elle	dirait
nous	dirions
vous	diriez
ils/elles	diraient

IMPÉRATIF

PRÉSENT
dis
disons
dites

526 Dormir — 3e GROUPE

INFINITIF

PRÉSENT
dormir

PARTICIPE

PRÉSENT
dormant

PASSÉ
dormi

INDICATIF

Temps simples

PRÉSENT

je	dors
tu	dors
il/elle	dort
nous	dormons
vous	dormez
ils/elles	dorment

FUTUR SIMPLE

je	dormirai
tu	dormiras
il/elle	dormira
nous	dormirons
vous	dormirez
ils/elles	dormiront

IMPARFAIT

je	dormais
tu	dormais
il/elle	dormait
nous	dormions
vous	dormiez
ils/elles	dormaient

PASSÉ SIMPLE

je	dormis
tu	dormis
il/elle	dormit
nous	dormîmes
vous	dormîtes
ils/elles	dormirent

Temps composés

PASSÉ COMPOSÉ

j'	ai	dormi
tu	as	dormi
il/elle	a	dormi
nous	avons	dormi
vous	avez	dormi
ils/elles	ont	dormi

PLUS-QUE-PARFAIT

j'	avais	dormi
tu	avais	dormi
il/elle	avait	dormi
nous	avions	dormi
vous	aviez	dormi
ils/elles	avaient	dormi

SUBJONCTIF

PRÉSENT

que je	dorme
que tu	dormes
qu'il/qu'elle	dorme
que nous	dormions
que vous	dormiez
qu'ils/qu'elles	dorment

CONDITIONNEL

PRÉSENT

je	dormirais
tu	dormirais
il/elle	dormirait
nous	dormirions
vous	dormiriez
ils/elles	dormiraient

IMPÉRATIF

PRÉSENT
dors
dormons
dormez

527 Faire   3e GROUPE

INFINITIF   PARTICIPE

PRÉSENT   **PRÉSENT**   **PASSÉ**

faire   faisant   fait, faite, faits, faites

INDICATIF   ### SUBJONCTIF

Temps simples   **PRÉSENT**

PRÉSENT		**FUTUR SIMPLE**		que je	fasse
je	fais	je	ferai	que tu	fasses
tu	fais	tu	feras	qu'il/qu'elle	fasse
il/elle	fait	il/elle	fera	que nous	fassions
nous	faisons	nous	ferons	que vous	fassiez
vous	faites	vous	ferez	qu'ils/qu'elles	fassent
ils/elles	font	ils/elles	feront		

IMPARFAIT   **PASSÉ SIMPLE**   ### CONDITIONNEL

je	faisais	je	fis	**PRÉSENT**	
tu	faisais	tu	fis	je	ferais
il/elle	faisait	il/elle	fit	tu	ferais
nous	faisions	nous	fîmes	il/elle	ferait
vous	faisiez	vous	fîtes	nous	ferions
ils/elles	faisaient	ils/elles	firent	vous	feriez
				ils/elles	feraient

Temps composés

PASSÉ COMPOSÉ			**PLUS-QUE-PARFAIT**			### IMPÉRATIF
j'	ai	fait	j'	avais	fait	**PRÉSENT**
tu	as	fait	tu	avais	fait	fais
il/elle	a	fait	il/elle	avait	fait	faisons
nous	avons	fait	nous	avions	fait	faites
vous	avez	fait	vous	aviez	fait	
ils/elles	ont	fait	ils/elles	avaient	fait	

528 Mettre

3e GROUPE

INFINITIF

PRÉSENT

mettre

PARTICIPE

PRÉSENT

mettant

PASSÉ

mis, mise, mis, mises

INDICATIF

Temps simples

PRÉSENT		FUTUR SIMPLE	
je	mets	je	mettrai
tu	mets	tu	mettras
il/elle	met	il/elle	mettra
nous	mettons	nous	mettrons
vous	mettez	vous	mettrez
ils/elles	mettent	ils/elles	mettront

IMPARFAIT		PASSÉ SIMPLE	
je	mettais	je	mis
tu	mettais	tu	mis
il/elle	mettait	il/elle	mit
nous	mettions	nous	mîmes
vous	mettiez	vous	mîtes
ils/elles	mettaient	ils/elles	mirent

Temps composés

PASSÉ COMPOSÉ			PLUS-QUE-PARFAIT		
j'	ai	mis	j'	avais	mis
tu	as	mis	tu	avais	mis
il/elle	a	mis	il/elle	avait	mis
nous	avons	mis	nous	avions	mis
vous	avez	mis	vous	aviez	mis
ils/elles	ont	mis	ils/elles	avaient	mis

SUBJONCTIF

PRÉSENT

que je	mette
que tu	mettes
qu'il/qu'elle	mette
que nous	mettions
que vous	mettiez
qu'ils/qu'elles	mettent

CONDITIONNEL

PRÉSENT

je	mettrais
tu	mettrais
il/elle	mettrait
nous	mettrions
vous	mettriez
ils/elles	mettraient

IMPÉRATIF

PRÉSENT

mets
mettons
mettez

529 Partir

3ᵉ GROUPE

INFINITIF

PRÉSENT

partir

PARTICIPE

PRÉSENT

partant

PASSÉ

parti, partie, partis, parties

INDICATIF

Temps simples

PRÉSENT		FUTUR SIMPLE	
je	pars	je	partirai
tu	pars	tu	partiras
il/elle	part	il/elle	partira
nous	partons	nous	partirons
vous	partez	vous	partirez
ils/elles	partent	ils/elles	partiront

IMPARFAIT		PASSÉ SIMPLE	
je	partais	je	partis
tu	partais	tu	partis
il/elle	partait	il/elle	partit
nous	partions	nous	partîmes
vous	partiez	vous	partîtes
ils/elles	partaient	ils/elles	partirent

Temps composés

PASSÉ COMPOSÉ			PLUS-QUE-PARFAIT		
je	suis	parti(e)	j'	étais	parti(e)
tu	es	parti(e)	tu	étais	parti(e)
il/elle	est	parti(e)	il/elle	était	parti(e)
nous	sommes	parti(e)s	nous	étions	parti(e)s
vous	êtes	parti(e)s	vous	étiez	parti(e)s
ils/elles	sont	parti(e)s	ils/elles	étaient	parti(e)s

SUBJONCTIF

PRÉSENT

que je	parte
que tu	partes
qu'il/qu'elle	parte
que nous	partions
que vous	partiez
qu'ils/qu'elles	partent

CONDITIONNEL

PRÉSENT

je	partirais
tu	partirais
il/elle	partirait
nous	partirions
vous	partiriez
ils/elles	partiraient

IMPÉRATIF

PRÉSENT

pars
partons
partez

530 Prendre 3ᵉ GROUPE

INFINITIF

PRÉSENT

prendre

PARTICIPE

PRÉSENT

prenant

PASSÉ

pris, prise, pris, prises

INDICATIF

Temps simples

PRÉSENT		FUTUR SIMPLE	
je	prends	je	prendrai
tu	prends	tu	prendras
il/elle	prend	il/elle	prendra
nous	prenons	nous	prendrons
vous	prenez	vous	prendrez
ils/elles	prennent	ils/elles	prendront

IMPARFAIT		PASSÉ SIMPLE	
je	prenais	je	pris
tu	prenais	tu	pris
il/elle	prenait	il/elle	prit
nous	prenions	nous	prîmes
vous	preniez	vous	prîtes
ils/elles	prenaient	ils/elles	prirent

Temps composés

PASSÉ COMPOSÉ			PLUS-QUE-PARFAIT		
j'	ai	pris	j'	avais	pris
tu	as	pris	tu	avais	pris
il/elle	a	pris	il/elle	avait	pris
nous	avons	pris	nous	avions	pris
vous	avez	pris	vous	aviez	pris
ils/elles	ont	pris	ils/elles	avaient	pris

SUBJONCTIF

PRÉSENT

que je	prenne
que tu	prennes
qu'il/qu'elle	prenne
que nous	prenions
que vous	preniez
qu'ils/qu'elles	prennent

CONDITIONNEL

PRÉSENT

je	prendrais
tu	prendrais
il/elle	prendrait
nous	prendrions
vous	prendriez
ils/elles	prendraient

IMPÉRATIF

PRÉSENT

prends
prenons
prenez

531 Pouvoir 3ᵉ GROUPE

INFINITIF

PRÉSENT

pouvoir

PARTICIPE

PRÉSENT

pouvant

PASSÉ

pu

INDICATIF

Temps simples

PRÉSENT

je	peux
tu	peux
il/elle	peut
nous	pouvons
vous	pouvez
ils/elles	peuvent

FUTUR SIMPLE

je	pourrai
tu	pourras
il/elle	pourra
nous	pourrons
vous	pourrez
ils/elles	pourront

IMPARFAIT

je	pouvais
tu	pouvais
il/elle	pouvait
nous	pouvions
vous	pouviez
ils/elles	pouvaient

PASSÉ SIMPLE

je	pus
tu	pus
il/elle	put
nous	pûmes
vous	pûtes
ils/elles	purent

Temps composés

PASSÉ COMPOSÉ

j'	ai	pu
tu	as	pu
il/elle	a	pu
nous	avons	pu
vous	avez	pu
ils/elles	ont	pu

PLUS-QUE-PARFAIT

j'	avais	pu
tu	avais	pu
il/elle	avait	pu
nous	avions	pu
vous	aviez	pu
ils/elles	avaient	pu

SUBJONCTIF

PRÉSENT

que je	puisse
que tu	puisses
qu'il/qu'elle	puisse
que nous	puissions
que vous	puissiez
qu'ils/qu'elles	puissent

CONDITIONNEL

PRÉSENT

je	pourrais
tu	pourrais
il/elle	pourrait
nous	pourrions
vous	pourriez
ils/elles	pourraient

IMPÉRATIF

PRÉSENT

pas d'impératif

532 Produire

3e GROUPE

INFINITIF

PRÉSENT
produire

PARTICIPE

PRÉSENT
produisant

PASSÉ
produit, produite, produits, produites

INDICATIF

Temps simples

PRÉSENT		FUTUR SIMPLE	
je	produis	je	produirai
tu	produis	tu	produiras
il/elle	produit	il/elle	produira
nous	produisons	nous	produirons
vous	produisez	vous	produirez
ils/elles	produisent	ils/elles	produiront

IMPARFAIT		PASSÉ SIMPLE	
je	produisais	je	produisis
tu	produisais	tu	produisis
il/elle	produisait	il/elle	produisit
nous	produisions	nous	produisîmes
vous	produisiez	vous	produisîtes
ils/elles	produisaient	ils/elles	produisirent

Temps composés

PASSÉ COMPOSÉ			PLUS-QUE-PARFAIT		
j'	ai	produit	j'	avais	produit
tu	as	produit	tu	avais	produit
il/elle	a	produit	il/elle	avait	produit
nous	avons	produit	nous	avions	produit
vous	avez	produit	vous	aviez	produit
ils/elles	ont	produit	ils/elles	avaient	produit

SUBJONCTIF

PRÉSENT

que je	produise
que tu	produises
qu'il/qu'elle	produise
que nous	produisions
que vous	produisiez
qu'ils/qu'elles	produisent

CONDITIONNEL

PRÉSENT

je	produirais
tu	produirais
il/elle	produirait
nous	produirions
vous	produiriez
ils/elles	produiraient

IMPÉRATIF

PRÉSENT

produis
produisons
produisez

533 Répondre — 3ᵉ GROUPE

INFINITIF

PRÉSENT
répondre

PARTICIPE

PRÉSENT
répondant

PASSÉ
répondu, répondue, répondus, répondues

INDICATIF

Temps simples

PRÉSENT

je	réponds
tu	réponds
il/elle	répond
nous	répondons
vous	répondez
ils/elles	répondent

FUTUR SIMPLE

je	répondrai
tu	répondras
il/elle	répondra
nous	répondrons
vous	répondrez
ils/elles	répondront

IMPARFAIT

je	répondais
tu	répondais
il/elle	répondait
nous	répondions
vous	répondiez
ils/elles	répondaient

PASSÉ SIMPLE

je	répondis
tu	répondis
il/elle	répondit
nous	répondîmes
vous	répondîtes
ils/elles	répondirent

Temps composés

PASSÉ COMPOSÉ

j'	ai	répondu
tu	as	répondu
il/elle	a	répondu
nous	avons	répondu
vous	avez	répondu
ils/elles	ont	répondu

PLUS-QUE-PARFAIT

j'	avais	répondu
tu	avais	répondu
il/elle	avait	répondu
nous	avions	répondu
vous	aviez	répondu
ils/elles	avaient	répondu

SUBJONCTIF

PRÉSENT

que je	réponde
que tu	répondes
qu'il/qu'elle	réponde
que nous	répondions
que vous	répondiez
qu'ils/qu'elles	répondent

CONDITIONNEL

PRÉSENT

je	répondrais
tu	répondrais
il/elle	répondrait
nous	répondrions
vous	répondriez
ils/elles	répondraient

IMPÉRATIF

PRÉSENT
réponds
répondons
répondez

534 Savoir 3ᵉ GROUPE

INFINITIF

PRÉSENT

savoir

PARTICIPE

PRÉSENT

sachant

PASSÉ

su, sue, sus, sues

INDICATIF

Temps simples

PRÉSENT		FUTUR SIMPLE	
je	sais	je	saurai
tu	sais	tu	sauras
il/elle	sait	il/elle	saura
nous	savons	nous	saurons
vous	savez	vous	saurez
ils/elles	savent	ils/elles	sauront

IMPARFAIT		PASSÉ SIMPLE	
je	savais	je	sus
tu	savais	tu	sus
il/elle	savait	il/elle	sut
nous	savions	nous	sûmes
vous	saviez	vous	sûtes
ils/elles	savaient	ils/elles	surent

Temps composés

PASSÉ COMPOSÉ			PLUS-QUE-PARFAIT		
j'	ai	su	j'	avais	su
tu	as	su	tu	avais	su
il/elle	a	su	il/elle	avait	su
nous	avons	su	nous	avions	su
vous	avez	su	vous	aviez	su
ils/elles	ont	su	ils/elles	avaient	su

SUBJONCTIF

PRÉSENT

que je	sache
que tu	saches
qu'il/qu'elle	sache
que nous	sachions
que vous	sachiez
qu'ils/qu'elles	sachent

CONDITIONNEL

PRÉSENT

je	saurais
tu	saurais
il/elle	saurait
nous	saurions
vous	sauriez
ils/elles	sauraient

IMPÉRATIF

PRÉSENT

sache
sachons
sachez

535 Sortir

3e GROUPE

INFINITIF

PRÉSENT

sortir

PARTICIPE

PRÉSENT

sortant

PASSÉ

sorti, sortie, sortis, sorties

INDICATIF

Temps simples

PRÉSENT

je	sors
tu	sors
il/elle	sort
nous	sortons
vous	sortez
ils/elles	sortent

FUTUR SIMPLE

je	sortirai
tu	sortiras
il/elle	sortira
nous	sortirons
vous	sortirez
ils/elles	sortiront

IMPARFAIT

je	sortais
tu	sortais
il/elle	sortait
nous	sortions
vous	sortiez
ils/elles	sortaient

PASSÉ SIMPLE

je	sortis
tu	sortis
il/elle	sortit
nous	sortîmes
vous	sortîtes
ils/elles	sortirent

Temps composés

PASSÉ COMPOSÉ

je	suis	sorti(e)
tu	es	sorti(e)
il/elle	est	sorti(e)
nous	sommes	sorti(e)s
vous	êtes	sorti(e)s
ils/elles	sont	sorti(e)s

PLUS-QUE-PARFAIT

j'	étais	sorti(e)
tu	étais	sorti(e)
il/elle	était	sorti(e)
nous	étions	sorti(e)s
vous	étiez	sorti(e)s
ils/elles	étaient	sorti(e)s

SUBJONCTIF

PRÉSENT

que je	sorte
que tu	sortes
qu'il/qu'elle	sorte
que nous	sortions
que vous	sortiez
qu'ils/qu'elles	sortent

CONDITIONNEL

PRÉSENT

je	sortirais
tu	sortirais
il/elle	sortirait
nous	sortirions
vous	sortiriez
ils/elles	sortiraient

IMPÉRATIF

PRÉSENT

sors
sortons
sortez

536 Venir

3e GROUPE

INFINITIF

PRÉSENT

venir

PARTICIPE

PRÉSENT

venant

PASSÉ

venu, venue, venus, venues

INDICATIF

Temps simples

PRÉSENT		FUTUR SIMPLE	
je	viens	je	viendrai
tu	viens	tu	viendras
il/elle	vient	il/elle	viendra
nous	venons	nous	viendrons
vous	venez	vous	viendrez
ils/elles	viennent	ils/elles	viendront

IMPARFAIT		PASSÉ SIMPLE	
je	venais	je	vins
tu	venais	tu	vins
il/elle	venait	il/elle	vint
nous	venions	nous	vînmes
vous	veniez	vous	vîntes
ils/elles	venaient	ils/elles	vinrent

Temps composés

PASSÉ COMPOSÉ			PLUS-QUE-PARFAIT		
je	suis	venu(e)	j'	étais	venu(e)
tu	es	venu(e)	tu	étais	venu(e)
il/elle	est	venu(e)	il/elle	était	venu(e)
nous	sommes	venu(e)s	nous	étions	venu(e)s
vous	êtes	venu(e)s	vous	étiez	venu(e)s
ils/elles	sont	venu(e)s	ils/elles	étaient	venu(e)s

SUBJONCTIF

PRÉSENT

que je	vienne
que tu	viennes
qu'il/qu'elle	vienne
que nous	venions
que vous	veniez
qu'ils/qu'elles	viennent

CONDITIONNEL

PRÉSENT

je	viendrais
tu	viendrais
il/elle	viendrait
nous	viendrions
vous	viendriez
ils/elles	viendraient

IMPÉRATIF

PRÉSENT

viens
venons
venez

537 Voir

INFINITIF

PRÉSENT

voir

PARTICIPE

PRÉSENT

voyant

PASSÉ

vu, vue, vus, vues

INDICATIF

Temps simples

PRÉSENT		FUTUR SIMPLE	
je	vois	je	verrai
tu	vois	tu	verras
il/elle	voit	il/elle	verra
nous	voyons	nous	verrons
vous	voyez	vous	verrez
ils/elles	voient	ils/elles	verront

IMPARFAIT		PASSÉ SIMPLE	
je	voyais	je	vis
tu	voyais	tu	vis
il/elle	voyait	il/elle	vit
nous	voyions	nous	vîmes
vous	voyiez	vous	vîtes
ils/elles	voyaient	ils/elles	virent

Temps composés

PASSÉ COMPOSÉ			PLUS-QUE-PARFAIT		
j'	ai	vu	j'	avais	vu
tu	as	vu	tu	avais	vu
il/elle	a	vu	il/elle	avait	vu
nous	avons	vu	nous	avions	vu
vous	avez	vu	vous	aviez	vu
ils/elles	ont	vu	ils/elles	avaient	vu

SUBJONCTIF

PRÉSENT

que je	voie
que tu	voies
qu'il/qu'elle	voie
que nous	voyions
que vous	voyiez
qu'ils/qu'elles	voient

CONDITIONNEL

PRÉSENT

je	verrais
tu	verrais
il/elle	verrait
nous	verrions
vous	verriez
ils/elles	verraient

IMPÉRATIF

PRÉSENT

vois
voyons
voyez

538 Vouloir 3ᵉ GROUPE

INFINITIF

PRÉSENT
vouloir

PARTICIPE

PRÉSENT
voulant

PASSÉ
voulu, voulue, voulus, voulues

INDICATIF

Temps simples

PRÉSENT

je	veux
tu	veux
il/elle	veut
nous	voulons
vous	voulez
ils/elles	veulent

FUTUR SIMPLE

je	voudrai
tu	voudras
il/elle	voudra
nous	voudrons
vous	voudrez
ils/elles	voudront

IMPARFAIT

je	voulais
tu	voulais
il/elle	voulait
nous	voulions
vous	vouliez
ils/elles	voulaient

PASSÉ SIMPLE

je	voulus
tu	voulus
il/elle	voulut
nous	voulûmes
vous	voulûtes
ils/elles	voulurent

Temps composés

PASSÉ COMPOSÉ

j'	ai	voulu
tu	as	voulu
il/elle	a	voulu
nous	avons	voulu
vous	avez	voulu
ils/elles	ont	voulu

PLUS-QUE-PARFAIT

j'	avais	voulu
tu	avais	voulu
il/elle	avait	voulu
nous	avions	voulu
vous	aviez	voulu
ils/elles	avaient	voulu

SUBJONCTIF

PRÉSENT

que je	veuille
que tu	veuilles
qu'il/qu'elle	veuille
que nous	voulions
que vous	vouliez
qu'ils/qu'elles	veuillent

CONDITIONNEL

PRÉSENT

je	voudrais
tu	voudrais
il/elle	voudrait
nous	voudrions
vous	voudriez
ils/elles	voudraient

IMPÉRATIF

PRÉSENT

veux (veuille)
voulons
voulez (veuillez)

Table des crédits textes

Les numéros renvoient aux numéros des paragraphes.

A

- *L'Académie de M. Tachedencre*, J. Brzechwa © D.R. 1995 : 207, 502
- « Allô allô c'est un poème » (extrait), *À la lisière du temps*, Cl. Roy © Gallimard 1984 : 496
- « Amour de mai » (extrait), M. Fombeure, *À dos d'oiseau* © Gallimard 1945 : 202
- *Les Animaux de tout le monde*, J. Roubaud © Seghers 1990 : 1, 51
- *Les Animaux très sagaces*, Cl. Roy © Gallimard 1983 : 110
- *L'Année du mistouflon*, A.-M. Chapouton © Flammarion 1982 : 19, 21, 31, 32, 73, 111
- « L'araignée à moustaches » (extrait), *Destinée arbitraire*, R. Desnos © Gallimard : 2
- *Aux fous les pompiers*, Pef, Folio Benjamin © Gallimard Jeunesse 1995 : 30
- « Avec des "si" » (extrait), *Enfantasques*, Cl. Roy © Gallimard 1993 : 142
- *Les Aventures d'Alice au pays des merveilles*, L. Carroll © Pauvert, département de la Librairie Arthème Fayard 1961, 2000 pour la trad. française : 10, 11, 13, 16, 22, 23, 86, 99, 103, 133, 140, 143, 167, 175, 212, 217

B

- « Baignade » (extrait), *Fortunes*, R. Desnos © Gallimard : 25
- « La Belle au bois dormant », *Contes*, Ch. Perrault : 39, 47, 66, 93, 148, 466
- « La Belle aux cheveux d'or », Mme d'Aulnoy : 14, 90
- « La Belle et la Bête », Mme de Beaumont : 3, 51, 73, 83, 146, 178, 197, 501
- « Le bœuf » (extrait), *Au clair de la lune*, Maurice Carême © Fondation M. Carême, tous droits réservés : 9
- « Les bonnes manières » (extrait), *Nouvelles Enfantasques*, Cl. Roy © Gallimard : 133
- *Bulle ou la voix de l'océan*, R. Fallet © Denoël 1970 : 15, 38, 83, 91
- « Bulle de savon » (extrait), *Au clair de la lune*, Maurice Carême © Fondation M. Carême, tous droits réservés : 74

C

- « Cendrillon ou la petite pantoufle de verre », *Contes*, Ch. Perrault : 20, 143
- *Cent sonnets*, B. Vian © Christian Bourgois et cohérie Boris Vian 1984 © Librairie Arthème Fayard 1999 pour l'édition en œuvres complètes : 215
- *Charlie et le grand ascenseur de verre*, R. Dahl © R. Dahl Nominee Ltd 1973, trad. M.-R. Farré © Gallimard 1978 : 71
- « La chasse au rhinocéros dans les montagnes du Haut-Tyrol » (extrait), *Enfantasques*, Cl. Roy © Gallimard 1993 : 25
- *Le Chat chinois et autres contes*, M. Waltari © Nathan 1991 : 9
- *Le chat qui parlait malgré lui*, Cl. Roy © Gallimard 1994 : 9, 17, 35, 43, 95, 132, 216
- « Le chat sans nom » (extrait), *Nouvelles Enfantasques*, Cl. Roy © Gallimard : 48
- *Le Chevalier désastreux*, D. King-Smith © Random House Group D.R. : 104, 111, 141, 142, 146, 153, 158, 179
- *Chichois et la rigolade*, N. Ciravégna © Autres-temps : 43, 56, 117
- *Chichois et les histoires de France*, N. Ciravégna © Autres-temps : 136
- « Le chien de l'informaticien », *Jaffabules*, P. Coran © Le Livre de Poche Jeunesse 2010 : 125
- « Choses drôles » (extrait), *Au clair de la lune*, Maurice Carême © Fondation M. Carême, tous droits réservés : 114
- « La cigale et la fourmi », *Fables*, J. de La Fontaine : 2
- *Cinq contes*, Ch. Andersen © Hatier 1988 : 217
- *Clair de terre*, A. Breton © Gallimard 1966 : 474
- « La clef des champs » (extrait), *Enfantasques*, Cl. Roy © Gallimard 1993 : 61
- « Comment j'ai tué un ours », *Contes humoristiques*, M. Twain, trad. F. de Gaïl © Mercure de France, 1989 : 493
- « Complainte du pauvre radiateur » (extrait), *Nouvelles Enfantasques*, Cl. Roy © Gallimard : 215
- *La Conférence des animaux*, E. Kästner, trad. D. Ebnöther © éd. Dialog : 22, 86
- « Conjugaison de l'oiseau », Luc Bérimont *La poésie comme elle s'écrit*, J. Charpentreau © Éd. ouvrières/Éd. de l'Atelier, 1979 : 51
- « Conseils donnés par une sorcière » (extrait), *Monsieur Monsieur*, dans *Le Fleuve caché*, J. Tardieu © Gallimard 1968 : 472
- *Contes d'ailleurs et d'autre part*, P. Gripari © Grasset & Fasquelle 1993 : 75
- *Contes de la Folie-Méricourt*, P. Gripari © Grasset & Fasquelle 1991 : 9, 12, 22, 71
- *Contes de la rue de Bretagne* © Y. Rivais/www.polygraphe.fr
- *Les Contes du chat perché*, M. Aymé © Gallimard 1963 : 30, 31, 32, 34, 40, 47, 56, 67, 68, 74, 82, 94, 97, 117, 119, 122, 140, 168, 170, 171, 173, 178, 179, 198, 201, 204, 214, 215, 216, 495, 502
- *Contes et Propos*, R. Queneau © Gallimard : 62, 65
- « Le corbeau et le renard », *Fables*, J. de La Fontaine : 2, 215
- « Conversation », *Monsieur Monsieur*, dans *Le Fleuve caché*, J. Tardieu © Gallimard 1968 : 472
- *Les Coups en dessous*, Cl. Roy © Gallimard 1987 : 21, 25, 85, 99
- « Le crapaud », R. Desnos, *Chantefables et Chantefleurs* © Gründ 1944 : 144

D

- « Défense des crocodiles » (extrait), *Enfantasques*, Cl. Roy © Gallimard 1993 : 11
- *De l'autre côté du miroir*, L. Carroll © Pauvert, département de la Librairie Arthème Fayard 1961, 2000 pour la trad. française : 9, 111, 115, 142, 146
- *Les Deux Gredins*, R. Dahl © R. Dahl Nominee Ltd 1980, trad. M.-R. Farré © Gallimard 1980 : 83, 88, 218
- *Dix contes d'Afrique noire*, A. Bryan © A. Bryan 1980 © Castor Poche Flammarion pour la trad. française 1987 : 7, 86
- *Le Dragon de poche*, C. Byrne © D.R. : 146
- *Dragon l'ordinaire*, X. Armange © Flammarion 1985 : 41, 147, 198

E

- *Edgar n'aime pas les épinards*, F. David © Rageot : 147
- *Encyclopédie des histoires drôles, réunies et présentées par R. Lessang* : 165
- « L'enfant modeste » (extrait), *Nouvelles Enfantasques*, Cl. Roy © Gallimard : 129

- « L'enfant qui battait la campagne » (extrait), *Enfantasques*, Cl.Roy © Gallimard 1993: 51
- *L'Enlèvement de la bibliothécaire*, M.Mahy, trad. M.-R. Farré © Gallimard 1983: 148
- *L'Énorme crocodile*, R.Dahl © R.Dahl Nominee Ltd 1978, trad. O.George et P.Jusserand © Gallimard 1980: 23
- « L'escargot », *Chantefables et Chantefleurs*, R.Desnos © Gründ 1944: 26
- *L'Escargot de Sophie*, D.King-Smith, trad. P.Jusforges © Gallimard 1991: 201, 497, 502
- « L'escargot matelot », Cl.Roy © D. R.: 76

F

- *Fables*, J.Anouilh © éd. de La Table Ronde 1962: 74, 121
- *Fantastique maître Renard*, R.Dahl © R.Dahl Nominee Ltd 1970, trad. M.-R. Farré © Gallimard 1979: 73
- *Le Fantôme de Canterville*, O.Wilde, trad. J. Castier © Le Livre de Poche Jeunesse 2008: 161, 164, 207
- « Les fées », *Contes*, Ch. Perrault: 130
- *Fiancés en herbe*, dans *Théâtre complet*, G.Feydeau © Garnier 1988: 127, 176

G

- « Le gentil petit diable », Pierre Gripari, *Contes de la rue Broca* © éd. de La Table Ronde 1967: 5, 10, 31, 39, 502
- *La Girafe, le pélican et moi*, R.Dahl © R.Dahl Nominee Ltd 1985, trad. M.-R. Farré © Gallimard 1995: 75
- « Le goéland » (extrait), *À cloche-pied*, Maurice Carême © Fondation M.Carême, tous droits réservés: 23
- *Le Grand Amour du petit vampire*, A.Sommer-Bodenburg: 167
- *La Grande Aventure du livre*, Pef © Gallimard 1984: 165
- *La Grande Fête de la sorcière Camomille*, E. Larreula © Éd. du Seuil: 174
- « Gustatif », R.Queneau, *Exercices de style* © Gallimard 1947: 205

H

- *Harrap's New Standard dictionnaire français-anglais* © Harrap: 428
- « L'hirondelle et les petits oiseaux », *Fables*, J.de La Fontaine: 90
- *Histoire du prince Pipo, de Pipo le cheval et de la princesse Popi*, P.Gripari © Grasset & Fasquelle 1992: 37, 93, 103
- *Histoires au téléphone*, G.Rodari © La Joie de lire 2006: 114
- *Histoires de fantômes et de revenants* © G.P. 1988: 44
- *Histoires inédites du petit Nicolas*, R.Goscinny et J.-J.Sempé, vol. I © IMAV éditions/Goscinny-Sempé 2004: 494, 497, 500, 503, 504
- « Le hobby du hibou », *Jaffabules*, P.Coran © Le Livre de Poche Jeunesse 2010: 132

I

- *L'Île mystérieuse*, J.Verne: 209
- « Il pleut » (extrait), R.Queneau, *Les Ziaux* © Gallimard: 64
- *Innocentines*, R.de Obaldia © Grasset & Fasquelle 2002: 22, 62, 66, 209

- Une interview », *Contes humoristiques*, M.Twain, trad. G.de Lautrec © Mercure de France 1988: 504

J

- *James et la grosse pêche*, R.Dahl © R. Dahl Nominee Ltd 1961, trad. M.Orange © Gallimard 1988: 9, 140
- *Janus, le chat des bois*, A.-M. Chapouton © Flammarion-Père Castor 1988: 63
- « Le jardin perdu » (extrait), *À la lisière du temps*, Cl.Roy © Gallimard 1984: 472
- *Jean-Yves à qui rien n'arrive*, P.Gripari © Grasset & Fasquelle 1991: 75
- « Le journal d'Eve », *Contes humoristiques*, M.Twain, trad. G.de Lautrec © Mercure de France 1988: 504

L

- *Larousse Super Major CMI-6e* © Larousse 2006: 432
- « Le léopard », *Chantefables et Chantefleurs*, R.Desnos © Gründ 1944: 99
- « Le lièvre et la tortue », *Fables*, J.de la Fontaine: 496
- *Le Livre de nattes*, Pef © Gallimard 1986: 210
- *Les Longs-Museaux*, D.King-Smith, trad. P. de Laubier © Gallimard Jeunesse 1993: 147, 149
- « Le loup et l'agneau », *Fables*, J.de La Fontaine: 96, 211
- *Les Lunettes du lion*, Ch. Vildrac © D.R: 163, 473

M

- *La maison qui s'envole*, Cl.Roy © Gallimard 1977: 111
- « Le Maître chat ou le chat botté », *Contes*, Ch. Perrault: 112, 140, 145
- « Maladroit », *Exercices de style*, R. Queneau © Gallimard 1947: 209
- *Marelles*, P.Gripari © L'Âge d'Homme 1988: 159, 160, 218
- *Mary Poppins*, P.-L. Travers, trad. V. Volkoff © Le Livre de Poche Jeunesse 2008: 139, 208
- *Les Meilleurs Contes d'Astrapi* © Bayard 1990: 83, 113, 136, 137
- *Mémoires d'une vache*, B.Atxaga, trad. A.Gabastou, Lecture Junior © Gallimard Jeunesse 1992: 42, 115, 164, 196, 197, 495
- *Un métier de fantôme*, H.Monteilhet: 200
- « Le mille-pattes », J.Charpentreau, *La Poésie dans tous ses états*, © Éd. ouvrières/Éd. de l'Atelier, 1984: 115
- *Les Minuscules*, R.Dahl © R.Dahl Nominee Ltd 1991, trad. M.-R. Farré © Gallimard 1993: 75
- *Le Monstre poilu*, H.Bichonnier © Gallimard 1982: 10, 49, 59, 126, 167
- *Le Mouton noir et le loup blanc*, B.Clavel © Flammarion 1993: 31, 87
- « Musique de chambre » (extrait), *Enfantasques*, Cl.Roy © Gallimard 1993: 73

N

- *La Nuit des fantômes*, J.Green © Éd. du Seuil 1990: 81

O

- « Odile et le crocodile » (extrait), *Au clair de la lune*, Maurice Carême © Fondation M.Carême, tous droits réservés: 472
- « L'oiseau bleu », Mme d'Aulnoy: 66, 76, 147, 151, 167, 172, 178

- «L'orage» (extrait), *Battre la campagne*, R.Queneau © Gallimard: 66

P

- *Le Parti pris des choses*, F.Ponge © Gallimard 1994: 214, 215
- «Peau d'Âne», *Contes*, Ch. Perrault: 47, 80
- «Le pélican», *Chantefables et Chantefleurs*, R.Desnos © Gründ 1944: 159
- *Les Pensées*, P.Dac © Cherche midi éditeur 1992: 162
- «Le perce-oreille», *Jaffabules*, P.Coran © Le Livre de Poche Jeunesse 2010: 151
- «Le Petit Chaperon rouge», *Contes*, Ch. Perrault: 59
- *Petits Contes nègres pour les enfants des Blancs*, B.Cendrars, *Anthologie nègre* © Denoël 1960, 2005: 75
- *Petit-Féroce est un champion*, P.Thiès © Rageot: 46
- *Petit-Féroce et ses amis*, P.Thiès © Rageot: 116
- *Le Petit Homme de fromage et autres contes trop faits*, J.Scieszka, L.Smith © Éd. du Seuil 1995: 123, 142, 143, 148
- *Le Petit Larousse illustré*, 2007 © Larousse 2006: 428
- *Le Petit Nicolas*, R.Goscinny et J.-J.Sempé © Denoël 1960, 2002: 43, 50, 56, 58, 63, 67, 96, 97, 99, 100, 117, 128, 165, 436, 473
- *Le petit Nicolas a des ennuis*, R.Goscinny et J.-J.Sempé © Denoël 1964, 2004: 31, 88, 104, 145, 146, 196, 199, 210, 472, 474, 502
- *Le Petit Nicolas et les copains*, R.Goscinny et J.-J.Sempé © Denoël 1963, 2004: 8, 14, 18, 84, 86, 92, 93, 100, 115, 178, 203, 213, 473
- «Le petit Poucet», *Contes*, Ch. Perrault: 131
- *Le Petit Prince*, A.de Saint-Exupéry © Gallimard 1946: 25, 37, 47, 118, 136, 152, 504
- «Le pic-vert et le ver» (extrait), *Nouvelles Enfantasques*, Cl.Roy © Gallimard: 108
- *La Poèmeraie. Poésies modernes choisies pour les enfants*, A.Got et Ch.Vildrac © Armand Colin 1980: 68
- *Poèmes et Poésies*, Ph.Soupault © Ph.Soupault 1973: 198, 205
- *La Potion magique de Georges Bouillon*, R.Dahl © R.Dahl Nominee Ltd, trad. M.-R.Farré © Gallimard 1982: 9, 33, 128, 498
- «Le pour et le contre» (extrait), *Le Chien à la mandoline*, R.Queneau © Gallimard: 62
- *La Princesse Hoppy*, J.Roubaud, Hatier, 1990: 473, 499, 502
- *Le Professeur Froeppel*, J.Tardieu © Gallimard: 44, 136
- «La princesse Rosette», Mme d'Aulnoy: 66, 147, 173, 197

Q

- *Qui a volé les tartes?*, J.et A.Ahlberg, trad. M.-R.Farré © Gallimard, 1990: 124
- «Qui suis-je?», J.-L.Moreau, dans *Mon premier livre de devinettes*, J.Charpentreau © Éd. ouvrières/Éd. de l'Atelier 1986: 122

R

- «Le rat de ville et le rat des champs», *Fables*, J.de la Fontaine: 31
- *Les Récrés du petit Nicolas*, R.Goscinny et J.-J.Sempé © Denoël 1961, 2002: 9, 23, 26, 27, 58, 84, 97, 103, 108, 109, 111, 496, 501

- «Le regard des bêtes», *À la lisière du temps*, Cl.Roy © Gallimard 1984: 472
- *Réponses bêtes à des questions idiotes*, Pef © Gallimard 1983: 22, 43, 74, 77, 87, 102, 134, 140, 149, 215
- *Le Robert Junior 2012* © Le Robert: 428, 431, 432
- *Le Roi des piranhas*, Y.-M.Clément © Rageot 1993: 87

S

- *Sacrées Sorcières*, R.Dahl © R.Dahl Nominee Ltd 1983, trad. M.-R.Farré © Gallimard 1990: 27, 44, 78, 120, 153, 165, 213, 502
- *Sales Bêtes*, R.Dahl © R.Dahl Nominee Ltd, trad. J.Ladoix © Gallimard 1984: 70, 94
- «*La sorcière de la rue Mouffetard*», Pierre Gripari, *Contes de la rue Broca* © Éd. de la Table Ronde 1967: 211
- «Souris blanche et Souris bleue» (extrait), *Enfantasques*, Cl.Roy © Gallimard 1993: 62

T

- *Les temps sont durs pour les fantômes !*, W.J.M. Wippersberg, trad. J.Étoré © Gallimard 1985: 159, 201
- *Topaze*, M.Pagnol, 1976 (www.marcel-pagnol.com), éd. Bernard de Fallois © M.Pagnol 2004 : 166, 214
- *Toufdepoil*, C.Gutman © 1998, éd. Pocket Jeunesse, département de Univers Poche: 44
- *Le Tour du monde en quatre-vingts jours*, J.Verne: 22, 100, 115, 140, 210, 212, 492, 502
- *Le 35 mai*, E.Kastner, trad. M. Kahn © Le Livre de Poche Jeunesse 2010: 132
- *Les Trois Petits Loups et le grand méchant cochon*, E.Trivizas © Bayard: 166, 491, 501

V

- *Les Vacances du petit Nicolas*, R. Goscinny et J.-J. Sempé © Denoël 1962, 2003: 18, 31, 48, 67, 91, 104, 108, 116, 131, 132, 206, 471, 497
- *Le Ver, cet inconnu*, J.et A.Ahlberg, trad. P.Jusserand © Gallimard 1980: 77, 112, 123, 138
- *La Vérité sur l'affaire des trois petits cochons*, J.Scieszka © Nathan: 117, 167, 203
- *Un vilain petit loup*, N. de Hisching © Rageot: 122, 206

Z

- «Un zèbre un peu bête» (extrait), *Nouvelles Enfantasques*, Cl.Roy © Gallimard: 47

Table des illustrations

p.78, 123	Janet et Allan Ahlberg, *Le Ver, cet inconnu*, coll. «Folio Benjamin», Gallimard Jeunesse, ©Gallimard, 1980
p.150	Antoine de Saint-Exupéry, *Le Petit Prince*, © Gallimard, 1946
p.199	Jean-Jacques Sempé et René Goscinny, *Le Petit Nicolas et les copains* © Denoël 1963, 2004

index

L'index recense la plupart des mots qui sont expliqués dans le livre. Les numéros renvoient aux numéros des paragraphes. La couleur du numéro signale la partie dans laquelle se trouve le paragraphe (**Grammaire**, Orthographe, **Vocabulaire**, **Conjugaison**).

A

à/a: 196

à: 97, 98; ▷PRÉPOSITION

abréviations: 36

accent: circonflexe, 226; sur le e, 242

accord:
- DANS LE GROUPE NOMINAL, 176 à 179; des déterminants, 178; des adjectifs, 178, 179; des adjectifs de couleur, 191
- DANS LE GROUPE VERBAL: de l'attribut du sujet, 123; du verbe et du sujet, 118, 166, 168, 169, 170; du participe passé: avec *avoir*, 174, 175; avec *être*, 172, 173

acheter: orthographe, 483

active: ▷VOIX ACTIVE

adjectif démonstratif: tableau, 72; rôle, 77; formes composées, 78; accord dans le GN, 178

adjectif indéfini: tableau, 72; définition, 80; accord dans le GN, 178

adjectif numéral: tableau, 72; définition, 79; accord dans le GN, 178

adjectif possessif: tableau, 72; rôle, 76; accord dans le GN, 178

adjectif qualificatif:
- DÉFINITIONS: rôle, 59; adjectif noyau, 39; comparatif, 67, 69; superlatif, 68, 69; groupe adjectival, 39
- FORMES: avec suffixe *-if (-ive)*, 341; en *-eur, -eux*, 362; féminin, 241

- FONCTIONS: attribut, 64; épithète, 61, 62; place de l'épithète, 62, 63; mis en apposition, 65
- ACCORD DANS LE GN, 66, 178, 179; pluriel, 187 à 190; pluriel des adjectifs de couleur, 191

adverbe:
- formes, 105; adverbes en *-ment*, 106, 278; tableau récapitulatif, 107
- *devant, derrière*, 108; *tout*, 111
- rôle, 103; emploi, 104; adverbe de lieu, 108; de temps, 109; de manière, 110

agent: ▷COMPLÉMENT D'AGENT

aimer: conjugaison, 507 à 510

aller: conjugaison, 520

alphabet: définition, 425; voyelles, 425, 427; consonnes, 425, 427; rôle, 426

analyse: de la phrase, 155 à 157; des propositions, 158 à 165

animé: nom animé, 45

antécédent: définition, 95; accord du verbe avec l'antécédent, 170

antonyme: définition, 445, 446; emploi, 447; formation, 448

appeler: orthographe, 483

apposition: adjectif mis en apposition, 65; ponctuation, 9

apprendre: orthographe, 485; conjugaison, 521

article: défini, 72, 73; indéfini, 72, 73; partitif, 75, 128; ▷DÉTERMINANT

attendre : orthographe, **485** ; conjugaison, **522**

attribut du sujet : définition, **64** ; rôle, **119** ; construction, **120** ; différence avec le COD, **121** ; accord, **123** ; nature des mots employés comme attributs du sujet, **122**

auxiliaire : définition, **171**, **478** ; *être*, **150** ; *avoir*, **478** ; accord du participe passé, **171** à **175**

avoir : conjugaison, **505** ; ▷AUXILIAIRE, ACCORD

battre : orthographe, **486**

but : ▷COMPLÉMENTS CIRCONSTANCIELS

cause : ▷COMPLÉMENTS CIRCONSTANCIELS

c'est/s'est : 199

c'était/s'était : 200

ce/se : 197

céder : orthographe, **481**

cédille : 354, **479**

cent : accord, 178

ces/ses : 198

chez : 98 ; ▷PRÉPOSITION

comparatif : définition, **67** ; comparatif irrégulier, **69**

compléments circonstanciels (CC) : rôle, **141** ; place, **144** ; suppression, **145** ; complément de lieu, **142** ; nature des mots employés comme CC de lieu, **146** ; complément de temps, **142** ; nature des mots

employés comme CC de temps, **147** ; complément de manière, **142** ; nature des mots employés comme CC de manière, **148** ; complément de cause, **143** ; complément de but, **143** ; complément de moyen, **143** ; construction sans préposition, **147**

complément d'agent : **152**

complément d'attribution : ▷COMPLÉMENT D'OBJET SECOND (COS)

complément d'objet direct (COD) : rôle, **124**, **125** ; place, **126** ; construction, **127**, **129** à **131** ; verbe transitif, **58**, **131** ; verbe intransitif, **131** ; différence avec l'attribut du sujet, **121**, **130** ; nature des mots employés comme COD, **132** ; COD précédé d'un article partitif, **128** ; accord du participe passé, 175

complément d'objet indirect (COI) : rôle, **133**, **136** ; construction, **134**, **135** ; verbe transitif indirect, **135** ; emploi des prépositions, **137** ; *au*, *aux*, **74** ; *du*, *des*, **74** ; nature des mots employés comme COI, **140** ; *en*, **86** ; *y*, **87**

complément d'objet second (COS) ou complément d'attribution : définition, **138** ; construction, **139**

complément du nom : **163**, **164**

composé : ▷NOM COMPOSÉ

conditionnel : définition, **472** ; emplois, **503**, **504** ; terminaisons, **489**

conjonctions de coordination : rôle, **100** ; tableau récapitulatif, **101** ; différence avec les prépositions, **102**

conjugaison : définition, **53** ; ▷TABLEAUX DE CONJUGAISON

connaître : orthographe, **487**

consonne : 425, 427

consonne double : *pp*, 309, 312 ; *tt*, 314, 317 ; *rr*, 372, 377

consonne muette : ▷LETTRE MUETTE

contexte : définition, 436 ; rôle, 436, 451

contraire : ▷ANTONYME

coordonnée : ▷PROPOSITION

craindre : orthographe, 485

créer : conjugaison, 512

croire : conjugaison, 523

dans/d'en : 201

déclarative (phrase) : définition, 19 ; rôle, 18

défini/indéfini : ▷ARTICLE

démonstratif : ▷ADJECTIF DÉMONSTRATIF, PRONOM DÉMONSTRATIF

derrière : 98, 108

déterminant :
■ tableau récapitulatif, 72 ; emploi avec un nom commun, 47, 71 ; emploi avec un nom propre, 48, 71 ; emploi avec une préposition, 71 ; place, 70 ; accord, 178
■ article défini, 73 ; article indéfini, 73 ; article partitif, 75 ; adjectif démonstratif, 77, 78 ; adjectif indéfini, 80 ; adjectif numéral, 79 ; adjectif possessif, 76

devant : 98, 108

devenir : verbe d'état, 50, 120

devoir : conjugaison, 524

dictionnaire : définition, 428 ;

utilisation, 429 à 431 ; abréviations, 36, 432

dire : conjugaison, 525

dormir : conjugaison, 526

ë : emploi, 336

e muet : ▷LETTRE MUETTE

en : pronom COD, COI, 86 ; complément de lieu, 86

ennuyer : orthographe, 484 ; conjugaison, 515

entendre : orthographe, 485

envoyer : orthographe, 484 ; conjugaison, 516

énumération : 9

épithète (adjectif) : définition, 61 ; place, 62, 63

essuyer : orthographe, 484

et/est : 202

être : auxiliaire, 150, 171 ; verbe d'état, 50, 120 ; conjugaison, 506

étymologie : définition, 433 ; rôle, 434

exclamative (phrase) : rôle, 30

expansion du nom : ▷PROPOSITION SUBORDONNÉE RELATIVE, ADJECTIF QUALIFICATIF ÉPITHÈTE ET MIS EN APPOSITION

faire : synonymes, 443 ; conjugaison, 527

famille de mots : définition, 455 ; emploi, 239, 277, 318 ; *-il* et *-ill* dans les mots d'une même famille (*accueil, accueillir*), 306

féminin : ▷GENRE

figuré : ▷SENS

finir : conjugaison, **519**

fonction : définition, 38
■ D'UN MOT : apposition, **65** ; épithète, **61** ; sujet, **112** à **118** ; attribut du sujet, **64**, **119** à **123** ; COD, **124** à **132** ; COI, **133** à **137**, **140** ; COS, **138**, **139** ; CC, **141** à **148**
■ D'UNE PROPOSITION : **163** à **165**

forme négative : ▷NÉGATIVE

futur : temps simples, **473** ; emploi, **494** ; formes, **501** ; terminaison, **489**

genre : donné par le dictionnaire, **431** ; d'un adjectif qualificatif, 66, 241 ; d'un nom, 42, 241, 297, 298 ; des noms en -é et -ée, 250, 251 ; des noms en s, 389

groupe adjectival : 39

groupe nominal (GN) : définition, 39, 176, 177 ; l'adjectif épithète dans le GN, 61 ; place de l'adjectif qualificatif dans le GN, 62 ; place du déterminant, 70 ; accord dans le GN, 178, 179

groupe verbal (GV) : premier groupe, deuxième groupe, troisième groupe, 55, 475 à 477

h : ▷LETTRE MUETTE

homonyme : définition, **449** ; orthographe, **451** ; liste, **452**

homophone : définition, 195, 450 ; quelques exemples, 226, 270, 280, 290, 296, 376, 387, 402 ; liste d'homophones grammaticaux, 196 à 218

ï : emploi, 261, 336

imparfait : temps simples, **473** ; terminaison, **488** ; emploi avec le passé simple, **499**

impératif : définition, **472** ; terminaison, **490**

impérative (phrase) : rôle, **28** ; construction, **29**

indéfini : ▷ADJECTIF INDÉFINI, PRONOM INDÉFINI

indicatif : définition, **472**

infinitif : définition, **54**, **472** ; emploi, **56** ; infinitif en -er, **54**, **55** ; infinitif en -ir, **54**, **55** ; infinitif en -oir et -re, **54**, **55**

interrogative (phrase) : définition, **21** ; construction, **22** ; emploi, **20**, **23** ; interrogative directe, **21** à **25** ; interrogative indirecte, **26**, **27** ; interrogative partielle, **24**, **25** ; interrogative totale, **24** ; place du sujet, **22**, **27** ; inversion du sujet, **22** ; accord du verbe, **22**

intransitif : ▷VERBE

invariables (mots) : 98, 101, 107, 424

jeter : orthographe, **483** ; conjugaison, **517**

juxtaposée : ▷PROPOSITION

la/l'a/là : 203

lettre : de l'alphabet, **427**

lettre muette : définition, 378 ;
origine, 401 ; à la fin des mots, 239,
259, 269, 281, 289, 318, 375 ;
à l'intérieur des mots, 259 ; e muet,
379 à 382 ; h muet, 383, 384, 386 ;
consonnes muettes : s, 388 à 391 ;
t, 392, 393 ; x, 394, 395 ; c, p, 396,
397 ; b, d, g, l, 398, 399 ; tableau
récapitulatif, 400

leur/leurs : 204

lieu : ▷ADVERBE, COMPLÉMENTS CIRCONSTANCIELS

majuscule : lettre majuscule, **427** ;
emploi, 15, 43

manger : orthographe, **480** ;
conjugaison, **513**

manière : ▷ADVERBE, COMPLÉMENTS
CIRCONSTANCIELS

masculin : ▷GENRE

meilleur : 69

même/même(s) : 205

mettre : orthographe, **486** ;
conjugaison, **528** ; synonymes, **444**

mille : 79

minuscule : 427

mise en relief : 9

mode : définition, **472** ; emploi
du subjonctif, **502** ; emploi du
conditionnel, **503, 504**

modeler : orthographe, **483** ;
conjugaison, **518**

mots et formes invariables :
424

nature (des mots) : donnée par le
dictionnaire, **431** ; définition, 36, 37 ;
modifiée par un suffixe, **459** ; groupe
adjectival : 39 ; groupe nominal : 39

ne… jamais : 31, 51

ne… pas : 31, 51

ne… personne : 31

ne… plus : 31, 51

ne… que : 35

ne… rien : 31

négative (forme) : rôle, 31 ; place
de la négation aux temps simples et
composés, 32 ; place de la négation
dans une phrase à l'impératif, 33 ;
à l'infinitif, 33

nettoyer : orthographe, **484**

ni : 34

ni/n'y : 206

niveau de langue : ▷REGISTRE DE LANGUE

nom :
▪ rôle, 40 ; nom noyau : 39, 41 ; genre,
42, 241 ; pluriel, 180 à 186 ; groupe
nominal : 39, 41
▪ commun, 40, 42, 47, 71 ; propre,
43, 44, 48, 71 ; de nationalité, 240 ;
abstrait : 40 ; concret, 40 ; animé, 45 ;
non animé, 45 ; composé, 46 ; non
dénombrable, 75
▪ orthographe des noms en -é et -ée,
250, 251 ; en -er, 252 ; en -il, -ille, 307 ;
en -oi, 297 ; en -oie, 298

index

nom composé: définition, **46**, **192**; pluriel, **193**, **194**

nombre: d'un adjectif qualificatif, **66**; d'un nom commun, **42**; d'un nom propre, **44**

nominalisation: 461

non animé: 45

notre/nôtre: 207

numéral: ▷ADJECTIF NUMÉRAL

on/ont: 208

orthographe:
■ TABLEAUX RÉCAPITULATIFS: [a], **224**; [ɛ], **238**; [e], **249**; [i], **258**; [ɑ̃], **276**; [ɔ] et [o], **268**; [ɛ̃], **288**; [wa], **295**; [j], **304**; [p], **310**; [t], **316**; [k], **327**; [g], **334**; [f], **340**; [s] et [ks], **351**, **352**; [z], **361**; [ʒ], **368**; [ʀ], **374**; e muet, **382**; h muet et h aspiré, **386**; consonnes muettes, **400**
■ LE DÉBUT DES MOTS: mots qui commencent par ad- ou add-, **403**; par af- ou aff-, **404**; par ag- ou agg-, **405**; par am- ou amm-, **406**; par il- ou ill-, **407**; par ir- ou irr-, **408**; par eff- ou off-, **404**
■ LA FIN DES MOTS: en -ail ou -aille, **409**; en -ailler, -eiller, **305**; en -ais, **240**; en -ance, -anse, -ande, -ante, -ence, -ense, -ende, -ente, **277**; en -ant, **279**; en -ce, -sse, **355**; en -ciel ou -tiel, **410**; en -cien, -tien ou -ssien, **411**; en -cière ou -ssière, **412**; en -é, **250**, **413**; en -ée, **250**, **251**, **413**; en -eil ou -eille, **414**; en -euil, -euille ou -ueil, **415**; en -er, **252**; en -eur, -eure, -eurs ou -œur, **416**; en -eur, -eux, **362**; en -ger, **370**; en -iatre, **225**; en -ie ou -i, **417**; en -if (-ive), **341**; en -il, -ille, **307**; en -oi, **297**; en -oie, **298**; en -oir ou -oire, **418**; en -té ou -tée, **419**; en -tie, **356**; en -tié ou -tier, **420**; en -tion, -sion ou -ssion, **421**; en -ul ou -ule, **422**; en -ur ou -ure, **423**; terminés par une lettre muette, **239**, **259**, **269**, **281**, **289**, **318**, **375**
■ ÉCRIRE: ch, k, **330**; gui, gue, **335**; h, **383 à 385**; qui, que, **328**; j, g ou ge, **369**; p ou pp, **311**, **312**; ph, **342**; rr, **377**; th, **319**; tt, **317**; y, **260**
■ L'ORTHOGRAPHE DES VERBES: radical, **52**, **468**; terminaison, **52**, **243**, **468**, **488 à 490**; les verbes comme céder, **481**; comme semer, **482**; comme acheter, appeler, jeter et peler, **483**; les verbes en -aître, **487**; en -cer, **479**; en -dre, **485**; en -ger, **480**; en -oyer et -uyer, **299**, **484**; en -ttre, **486**

ou/où: 209

paragraphe: définition, **17**

paraître: verbe d'état, **50**, **120**

parenthèses: rôle, **16**

paronyme: définition, **453**; liste, **454**

participe passé: définition, **472**; ▷ACCORD

participe présent: définition, **472**; en -ant, **55**; en -issant, **55**; orthographe, **279**

partitif (article): **72**, **75**

partir: conjugaison, **529**

passé: emploi, **493**

passé composé: temps composés, **474**; valeur, **497**

passé simple : temps simples, **473** ; terminaison, **488** ; valeur, **498** ; passé simple et imparfait, **499**

passive : ▷VOIX PASSIVE

peindre : orthographe, **485**

peler : 483

peu/peut/peux : 210

phrase : définition, **1** ; les deux parties de la phrase, **2**, **3** ; déclarative, **18**, **19** ; interrogative, **20 à 27** ; impérative, **28**, **29** ; exclamative, **30** ; négative, **31 à 34** ; nominale, **4** ; à la voix passive, **149** à **154** ; analyse grammaticale, **155** à **157**

pire : 69

placer : orthographe, **479** ; conjugaison, **514**

pluriel : définition, **42**

■ DES NOMS, **180** ; des noms composés, **193**, **194** ; des noms en -*ail*, **185** ; des noms en -*al*, **184** ; des noms en -*eu*, -*au*, -*eau*, **181** ; des noms en -*ou*, **182** ; des noms en -*s*, -*x* ou -*z*, **183**, **390**, **395** ; des noms propres, **44**

■ DES ADJECTIFS, **187** ; des adjectifs de couleur, **191** ; des adjectifs en -*al*, **189** ; des adjectifs en -*s* ou -*x*, **188** ;

plus-que-parfait : **474** ; emploi, **500**

plutôt/plus tôt : 211, 452

point : rôle, **7** ; dans la phrase déclarative, **19**

point d'exclamation : rôle, **12** ; dans la phrase exclamative, **30**

point d'interrogation : rôle, **11** ; dans la phrase interrogative, **21**, **22**, **26**

points de suspension : rôle, **13**

point-virgule : rôle, **8**

polysémie : 435

ponctuation : rôle **5**, **6** ; point, **7** ; virgule, **9** ; point-virgule, **8** ; deux-points, **10** ; parenthèses, **16** ; point d'interrogation, **11** ; point d'exclamation, **12** ; points de suspension, **13** ; guillemets, **14** ; tiret, **14** ; majuscules, **15**

possessif : ▷ADJECTIF POSSESSIF, PRONOM POSSESSIF

pouvoir : conjugaison, **531**

préfixe : définition, **457** ; sens, **458** ; tableau récapitulatif, **458** ; dans la formation d'antonymes, **448** ; d'origine latine ou grecque, **463**, **464**

premier (sens) : ▷SENS PROPRE

prendre : conjugaison, **530**

préposition : tableau récapitulatif, **98** ; rôle, **97**, **99** ; différence avec les conjonctions de coordination, **102** ; emploi avec infinitif, **56**, **215** ; introduisant un COI, **137**

près/prêt : 212

présent : temps simples, **473** ; emploi, **492** ; valeur, **496**

produire : conjugaison, **532**

pronom : rôle, **81**

pronom démonstratif : rôle, **90** ; tableau récapitulatif, **91** ; forme composée, **92**

pronom indéfini : définition, **93**

pronom personnel : tableau récapitulatif, **83** ; rôle, **82**, **83** ; place, **85** ; forme renforcée, **84** ; *en*, **86** ; *y*, **87**

pronom possessif : tableau récapitulatif, **89** ; rôle, **88**

pronom relatif : tableau

récapitulatif, **94**; définition, **94**; antécédent, **95**; accord, **170**

prononciation: de cc, **329**; de s dans un mot composé d'un préfixe et d'un radical, **353**; de s entre deux voyelles, **363**; de x, **364**; les paronymes, **453**

proposition: définition, **158**; rôle, **159**; fonctions, **163**; juxtaposée, **161**; coordonnée, **161**; indépendante, **8**, **160**, **161**; principale, **162**; subordonnée, **162**, **163**; subordonnée relative, **164**; subordonnée conjonctive, **164**; subordonnée conjonctive COD, **165**; subordonnée conjonctive circonstancielle, **165**

proposition relative: définition, **164**; antécédent, **95**; pronom relatif, **94**

quand/quant/qu'en: **213**
quel/quelle/qu'elle: **214**

racines latines et grecques: **462**

radical:
■ D'UN NOM: définition; **456**; accompagné d'un préfixe ou d'un suffixe, **458**, **465**
■ D'UN VERBE: **468**

registre de langue: définition, **442**; emploi, **442**

répondre: orthographe, **485**;

conjugaison, **533**

rester: verbe d'état, **50**, **120**

s'amuser: conjugaison, **511**
sans/s'en/sent: **215**
savoir: conjugaison, **534**
sembler: verbe d'état, **50**, **120**
semer: orthographe, **482**
sens: trouver le sens d'un mot dans un dictionnaire, **431**; par le contexte, **436**; mot polysémique, **435**; sens propre, **437**; sens figuré, **438**; mot de sens voisins, **439**; mot de sens contraires, **445**; sens des préfixes, **458**; sens des suffixes, **460**
si/s'y: **217**
singulier: ▷NOMBRE
son/sont: **216**
son: ▷ORTHOGRAPHE
sortir: conjugaison, **535**
subjonctif: définition, **472**; emploi, **502**
subordonnée: ▷PROPOSITION
suffixe: définition, **457**; rôle, **459**; sens, **460**; tableaux récapitulatifs des suffixes des adjectifs, des adverbes et des noms, **460**; -if/-ive, **341**
sujet: rôle, **112**, **113**, **116**; place, **114**, **115**, **167**; place dans l'interrogative, **22**, **27**; sujet inversé, **167**; nature des mots employés comme sujet, **117**; accord avec le verbe, **118**, **166**, **168** à **170**; accord du participe passé, **172** à **174**
superlatif (de l'adjectif): définition,

68; superlatif irrégulier, **69**

synonyme: définition, **439**; emploi, **440** à **442**; du verbe *faire*, **443**; du verbe *mettre*, **444**; rôle, **451**

tableaux de conjugaison: *aimer*, **507**; *aimer* à la forme négative, **508**; *aimer* à la forme interrogative, **509**; *aimer* à la voix passive, **510**; *aller*, **520**; *avoir*, **505**; *dormir*, **526**; *être*, **506**; *faire*, **527**; *finir*, **519** *s'amuser*, **511**; *manger*, **513**; *placer*, **512**; *pouvoir*, **531**; *prendre*, **530**; *venir*, **536**; *voir*, **537**; *vouloir*, **538**

temps: rôle, **491**, **495**; temps simples, **473**; temps composés, **474**; emploi du présent, **492**; valeur du présent, **496**; emploi du passé, **493**; valeur du passé composé, **497**; valeur du passé simple, **498**; passé simple et imparfait, **499**; emploi du plus-que-parfait, **500**; emploi du futur, **494**; les deux formes du futur, **501**; adverbe de temps, **109**; complément de temps, **142**

terminaison: définition, **52**; de l'imparfait et du passé simple, **488**; du futur et du conditionnel, **489**; de l'impératif, **490**

tout: **111**

trait d'union: **79**

transitif: ▷VERBE

tréma: définition, **261**; emploi, **336**

type (de phrase): déclarative, **18**, **19**; interrogative, **de 20 à 27**; impérative, **28**, **29**; exclamative, **30**

venir: conjugaison, **536**

verbe:
■ DÉFINITION, **51**, **466**, **467**; rôle, **49**, **50**, **57**; groupes, **55**, **475 à 477**; auxiliaire, **150**, **478**; verbe d'état, **50**, **64**, **120**; verbe d'action, **49**; transitif, **58**, **131**, **151**; intransitif, **58**, **131**; voix active, **469**; voix passive, **150**, **151**, **154**, **470**; voix pronominale, **471**; forme négative, **51**; valeur des modes, **502 à 504**; valeur des temps, **491** à **501**
■ ACCORD avec le sujet, **166**, **168 à 170**, **172 à 174**; accord avec le COD, **175**
■ ORTHOGRAPHE DES VERBES:
▷ORTHOGRAPHE, TABLEAUX DE CONJUGAISON

vingt: **178**

virgule: rôle, **9**, **65**

voir: conjugaison, **537**

voix active: définition, **469**

voix passive: définition, **149**, **470**; rôle, **153**; construction, **150**, **151**; temps des verbes, **154**; complément d'agent, **152**

voix pronominale: définition, **471**

votre/(le) vôtre: **218**

vouloir: conjugaison, **538**

voyelle: **425**, **427**

y: COI, **87**; complément de lieu, **87**; dans les mots d'origine grecque, **260**

Heidi Stephens has spent her career working in advertising and marketing; some of her early writing work includes instruction manuals for vacuum cleaners, saucepans and sex toys. Since 2008 she has also freelanced as a journalist, liveblogging *Strictly Come Dancing* for the *Guardian*. Now, in May, Heidi can be found somewhere around the world, liveblogging *Eurovision*. Her debut novel, *Two Metres From You*, won the 2022 Katie Fforde Debut Romantic Novel Award. She lives in Wiltshire with her partner and her Labrador, Mabel.

By Heidi Stephens

Two Metres From You
Never Gonna Happen
The Only Way Is Up
Game, Set, Match
Same Time Next Year

HEIDI
STEPHENS

SAME TIME
NEXT YEAR

ACCENT

First published in 2024 by Headline Accent
An imprint of HEADLINE PUBLISHING GROUP

1

Cataloguing in Publication Data is available from the British Library

ISBN 978 1 0354 1352 2

Typeset in 11.6/15pt Bembo Std by Jouve (UK), Milton Keynes

Printed and bound in Great Britain by Clays Ltd, Elcograf S.p.A.

HEADLINE PUBLISHING GROUP
An Hachette UK Company
Carmelite House
50 Victoria Embankment
London EC4Y 0DZ

www.headline.co.uk
www.hachette.co.uk

To Ange
With love and thanks for being my favourite sister

PART ONE

CHAPTER ONE

February

The turnout for Lily Grey's wake was higher than Bel had expected, considering how much the canal boat community moved around. The bar at the Black Swan was three deep with mourners, mostly sporting weathered skin, faded dungarees and knitwear that reeked of woodsmoke and weed. Nobody had bothered to tell Bel about the cheerful dress code, so she looked like a black-clad teacher in a sea of rainbow toddlers. When Marie finally graced them all with her presence, she would almost certainly be wearing neon glittery tights, but that was just a normal day on Planet Marie.

Bel took a few calming breaths and inspected the buffet with a trained eye. It definitely wasn't winning any Michelin stars – a couple of foil trays of dry sandwiches, a selection of miniature pork pies and vegan sausage rolls, a plate of shrivelled cocktail sausages, some kind of aubergine dip that looked like a phlegmy sneeze in a bowl. On the bar were two big dishes of crisps that a group of feral-looking children kept plunging their grubby hands into. Bel surreptitiously checked her fingernails, an instinct born from years of trying to fit in with habitually clean people. They were grime-free and tidy, with a coating of pale pink polish.

Someone else had organised the food; presumably Lily's friend Celeste, who had made the call to tell Bel that Lily was dead. *We'll deal with everything, Bluebell, we know what kind of send-off your mother would like.* Celeste hadn't even asked for a contribution to the cost, which explained the shitty buffet. But Bel had been too rattled to question it at the time, and her sister Marie had been abroad until yesterday. Volunteering in a dog shelter in Crete or Corfu; Bel couldn't remember which. Either way, somewhere considerably warmer than this frigid pub.

Today Lily had been cremated, but in line with her wishes there had been no service or gathering at the crematorium, just this bullshit excuse for a wake. The actual funeral would follow on the vernal equinox next month, when Lily's ashes would be scattered next to her narrowboat, the *Fleur De Lys*. Bel had attended several of these events as a child and was already dreading the inevitable singing of folk songs and terrible poetry.

Lily had died of a ruptured brain aneurysm, Celeste had said, quick and painless. Since Lily had been alone on her boat at the time, Bel couldn't see how Celeste could possibly have known that. The following morning Celeste had noticed that there was no smoke coming from the chimney of Lily's wood stove, and Bel knew that nobody lived on a narrowboat in England in winter without keeping a fire in twenty-four hours a day. If your chimney was cold, you were almost certainly dead.

She looked around the room, thinking about the moment two weeks ago when she'd taken that phone call. For a moment her world had stopped turning and all the air had been squeezed out of her lungs, and then a hollow

4

feeling of emptiness had settled into the pit of her stomach. Bel had been to funerals before, but this was her first experience of a family death. If this was grief, it felt a lot like being hungry all the time.

The door opened with a blast of icy wind, and Marie slid into the pub, quickly shrugging off her orange coat. Bel clocked the oversized green jumper and purple sequinned tights – Marie was thirty-three years old, so why did she insist on dressing like a children's television presenter? She watched her sister weave her way to the buffet table and consider the options for a moment, before selecting a sausage roll from the vegan platter and sidling over to Bel.

'Thanks for coming,' Marie said quietly.

Bel pressed her lips together as she looked Marie up and down, the first time she'd been in the same room as her sister for over two years. Marie had put on a few pounds, but annoyingly it suited her – she looked soft and pretty, like a teddy bear. They both had the same red hair, but Bel's was longer and naturally straighter, like a soft curtain that fell to her shoulder blades. Marie's was a shaggy mess that barely covered her ears, and at some point she'd dyed it blue so the ends clashed horribly with an inch of red roots.

'That's rich, considering you're late,' hissed Bel through gritted teeth. 'And it's our mother's funeral. Why wouldn't I come?'

Marie pulled a face as she peeled the corners of the pastry apart to inspect the filling. 'You're historically unpredictable. Why didn't you do the catering?'

'Nobody asked,' replied Bel, realising for the first time that she was actually quite upset about that. 'Anyway, I couldn't have done it – Valentine's Day is one of my busiest times.' This was true – for the past week she'd been preparing gourmet dinners and heart-shaped desserts that were delivered in foil trays so they could be cooked and plated up with a flourish. She curated the whole package – food, champagne, chocolates, candles, heart-shaped confetti to scatter over the dinner table – all for considerably less than the cost of a fancy night out and without the need for a babysitter and a taxi home. She'd had a decent number of orders, but nothing like last year. Several other local caterers had started offering something similar, but with lower overheads and more choice.

So yes, she had been busy, but obviously knocking out a few plates of canapés for her mother's wake wouldn't have been a problem. She considered the possibility that Lily's friends had known her daughter ran a party catering business and decided they didn't trust her to do a good job. Or even worse, that Lily had never mentioned it.

'How is the world of private catering, anyway?' asked Marie, casting her gaze around the room rather than making eye contact – an annoying habit she clearly hadn't shed. In fact pretty much everything about Marie annoyed her – the spangly tights, the battered Doc Martens, the swampy hair, the nose piercing, the way she skipped through life giving no fucks about anything at all. Marie had always been like this, and it had been making Bel's teeth grind since they were children.

'Do you actually care? Or are you just making polite conversation?' Bel replied, not bothering to hide the edge in her voice. They were away from the main groups of mourners by the bar and the buffet table, so nobody could hear them. And anyway, what did it matter? Other than the ashes ceremony, she would almost certainly never see these people again.

'Hmm. Good question,' said Marie, her brow furrowing thoughtfully. She was silent for a moment, then turned to face her sister and smiled sweetly. 'I'm just making polite conversation,' she said, popping the rest of the sausage roll into her mouth. 'I couldn't give a shit.'

Eventually all the mourners had paid their respects to Bel and Marie and drifted back to their boats, leaving only three other people in the pub – the barman, an older woman in a hand-knitted mustard cardigan and unseasonal leather sandals, who Bel recognised as her mother's friend Celeste, and a man in his late thirties with a beard and a manbun. Bel had found her eyes drawn to him several times over the course of the afternoon, mostly because he was a good six foot three, had cheekbones like razors, and was the only man in the room with a proper shirt on. He was currently ferrying empty plates and glasses to the bar, so maybe he worked here.

'Bluebell, Marigold,' said Celeste, clutching their hands in her rough, leathery fingers. 'How wonderful to see you.'

'We prefer Bel and Marie,' said Bel instinctively, just as she had the day their mother had shuffled them into the local primary school for the first time, aged seven. Bel had been born in September and Marie the following August, an eleventh-month gap that put them in the same class – and for a few weeks at the start of each school year, made them the same age.

Until that point their education had been largely boat-based – both girls could build a fire, clean out weeds from a propeller and calculate the exact turning angle and speed required to navigate a six-foot-wide narrowboat through a seven-foot-wide bridge on a bend without crashing. They could tie complex knots and polish brass to a high shine, but formal education had been somewhat sporadic. Eventually Lily had secured a permanent mooring just outside Bradford-on-Avon and enrolled her two girls at the local school.

Bel could still remember the burning mortification as the other children laughed at their strange clothes and unconventional names, but Marie was a natural storyteller. Within days, she'd weaved a tale that transformed them from Bluebell and Marigold, the strange sisters who had never been to a proper school, to Bel and Marie, the colourful, adventurous sisters who lived on a canal boat like Rosie and Jim, the rag dolls on kids' TV.

'Thank you for organising this, Celeste,' said Marie. 'I'm sorry I wasn't around to help.'

Bel's temper flared at what was surely a dig from Marie. *At least I was on time.*

'It's the least I could do,' said Celeste. 'Your mother was the best friend I could have wished for.'

Bel wondered idly if Lily and Celeste had been sleeping together, but decided the reek of incense and roll-ups would have given her mother a permanent headache. Then she remembered how Lily had died and felt a brief flicker of guilt. They said their goodbyes at the door and watched Celeste climb onto an ancient bicycle and head off down the towpath, her head bowed into the wind.

'Hello,' said a voice behind them, and the two sisters turned to see the bearded man standing a few feet away.

'Hi,' said Bel with a smile, giving him another swift glance from his blue eyes to his brown leather hiking boots. Not bad at all, although Bel had never met a guy with a manbun who wasn't too deep and spiritual for casual sex.

'I'm Martin. I'm your mother's solicitor. Well, I was. I'm very sorry for your loss.'

'Our mother had a solicitor?' asked Marie, just as Bel was about to ask the same question. Lily had been a canal folk artist who didn't own so much as a mobile phone. What did she need with a lawyer?

'Yes, well, kind of,' said Martin, wringing his hands. 'I'm more of a neighbour, I live four boats down from Lily's and work for a firm in town. Family law mostly, but I also do pro-bono work for some of the canal community. I helped your mother write her will.'

'When?' she asked, before Marie's mouth could open.

Martin thought for a moment. 'I suppose it was eighteen months ago, a little while after your grandmother died. Lily's mother.'

Bel shook her head in confusion and glanced at Marie, who looked none the wiser. 'Our grandparents died before we were born,' said Bel. 'We never met them.'

'No,' said Martin, his brow furrowed. 'Your grandmother died two years ago. I helped Lily sort out some legal stuff.' He paused and shuffled awkwardly as the news sank in. 'I'm sorry, I didn't realise you didn't know. How odd.'

Bel immediately looked back to Marie, half-expecting to see a guilty expression that betrayed her having known all along, but she looked equally shocked and confused. Bel pulled the sleeves of her dress down over her fists; the room felt suddenly cold now it wasn't full of people. 'We're an odd family,' she said, determined not to let Martin see how thrown she was. 'But just so I'm clear, we've lost a mother, gained a grandmother, then lost her too. Do you know of any other relatives? Living or dead?'

'Bel,' whispered Marie, clearly mortified. Bel closed her eyes and breathed through her nose for a moment, trying to stop the buzzing noise in her head, as Martin pressed the palms of his hands together, looking mildly panicked. Bel noticed his fingernails were spotless and decided to upgrade him again; right now, deep and spiritual sex might not be a bad thing.

'Anyway,' he said, 'today obviously isn't the time for us to get into the details of Lily's will, but it would be good to speak to both of you soon.'

'We'll be on the boat tomorrow, sorting out all her stuff,' said Marie.

'Fine,' said Martin, looking relieved and keen to leave. 'I'll pop over, shall I?'

'Sure,' said Bel, pushing aside the chaotic thoughts for a moment and giving him her best come-hither smile. 'We'll look forward to it.'

'Ugh,' said Marie as Bel waved Martin off from the pub doorway.

Bel spun to face her. 'What's your problem?'

'You, as usual,' replied Marie, folding her arms. 'You're going to try to shag him, aren't you?'

Bel gave a hooting laugh, watching the barman briefly raise his eyebrows as he loaded glasses into the dishwasher. 'Jesus, Mar. Why would you say that?'

Marie folded her arms and faced her sister, her stance

combative. 'Because when you're feeling upset and vulnerable you drink too much and have sex with strangers.'

Bel drained her wine glass and dumped it on the table. 'Seriously, don't hold back.'

'Did you know?' asked Marie quietly, and Bel momentarily saw the scared, seven-year-old girl who had clung to her coat on the first day at school. She'd been her sister's protector then, but in no time Marie had forged her own path and Bel had started to feel increasingly like a fish out of water. Or actually the opposite – a girl forced to live in a cramped, watery world when all she wanted was a normal life with normal people. Like Ariel the Little Mermaid, but without the crabby best friend or the handsome prince to save her.

'No,' said Bel. 'Did you?'

'No,' said Marie. 'I have no idea what just happened. Look, the next few days are going to be bad enough,' she added, turning her palms to face upwards. 'It would be nice to have some . . . stability.'

'From me, you mean,' said Bel, wondering if the barman would give her a bottle of wine to take back to Bristol so she didn't have to stop at Tesco Express on the way to the train station. In the absence of a deep and spiritual coupling with Manbun Martin, wine would do.

'Yes,' said Marie. 'No boozing, no getting high, no shagging strangers because you're wasted and miserable. Then we can go our separate ways again and you can do whatever you like.'

Bel considered the request for a moment. It had been years since she'd last chased any kind of illegal high, but there was no reason why Marie would know that. 'Fine,'

11

she said. 'But in exchange I'd like you to promise not to be an uptight, preachy bitch about everything.'

'Is that what you think of me?' asked Marie, pulling her coat off the hook and shoving her arms into the sleeves.

'Maybe on a good day,' said Bel with a sarcastic smile, 'when I'm drunk and high. The rest of the time I don't think of you at all.'

Marie rolled her eyes. 'Christ, Bel. You're an awful person, do you know that?'

'So I've been told,' said Bel airily. 'Look, I'm already bored of this conversation, so let's just agree to get through the next couple of days without killing each other.'

'Fine. I'll see you tomorrow.' Marie stomped out of the pub and let the door slam shut behind her.

Bel stood for a second in silence, then grabbed her coat from the peg and put her wine glass on the bar.

The barman nodded his thanks. 'Not much love between the sisters, then?' he remarked with a smile. He had an accent from somewhere in eastern Europe, not that it mattered.

Bel considered him for a second. Not as tall as Martin, but nice lips and kind eyes. 'No, not much.' She put her elbows on the bar and rested her chin in her hands, watching his eyes flicker to her newly boosted cleavage. 'Which seems such a waste, when I have so much love to give.'

The barman looked at Bel, and Bel looked at the barman. He wasn't much, but she'd definitely had worse.

CHAPTER TWO

Bel had done a few walks of shame in her time, but never on a bicycle borrowed from a Slovenian barman after a one-night stand, down a wet canal towpath in a pair of heeled boots and a black wool dress that threatened to get tangled in the spokes at every turn. It was eight miles to Lily's boat, and by the time she arrived she was covered in mud and in serious need of coffee. To make things worse, Marie was already waiting for her, sitting on the roof of the *Fleur De Lys* with her legs dangling over the port side.

'Didn't make it home last night, then,' said Marie with a sly smile as Bel propped the bike against the side of the boat. She tried to wipe the mud off her dress, but somehow just made it worse.

'Fuck off, Mar,' she snapped, not even bothering to look at her sister. 'Is there any coffee?'

Marie jumped off the boat and walked towards the stern deck, opening the door and disappearing down the steps into the bowels of the narrowboat. Bel followed, kicking off her muddy boots and glancing at her mother's bed, which was tucked into the starboard side of the boat. The sheets were thrown back and there was still a compression in the mattress where her mother had slept for almost seventeen years. Bel shivered and squeezed down the narrow walkway past the tiny bathroom into the kitchen area, where Marie was spooning instant coffee into a mug as the kettle on the stove began to gently whistle. She looked pale and haunted, and Bel felt a rare moment of something vaguely resembling unity. Whilst Bel had found a convenient, cock-shaped distraction from yesterday's revelations, clearly Marie had not.

Marie sloshed in some oat milk from the fridge and wordlessly handed Bel the steaming mug, then ducked into the lounge area at the bow of the boat to stoke the wood burner and throw in a couple more logs. The boat felt warm, suggesting Marie had been here for some time.

'Have you been sleeping here?' asked Bel, trying and largely failing to sound non-combative. Any feeling of alliance with Marie rarely lasted long.

'For the past two nights, yes,' said Marie. 'I didn't have anywhere to stay when I got back from Crete. I've been sleeping in here.' She nodded to the two upholstered benches facing each other over a laminated table; Bel knew that a quick adjustment turned them into a small bed.

She nodded, not really sure why she cared other than generally objecting to her sister being warm and comfortable when she herself was wearing yesterday's clothes and hadn't showered. 'So what's the plan?'

'I thought we should just go through her things,' said Marie. 'Start at the front of the boat and work backwards, organise everything into piles for throwing out or taking to the charity shop. I suppose there might be some things we want to keep.'

Bel shrugged her agreement, already wondering what other family secrets Lily had been keeping from them. She hadn't been a bad mother, just unreachable and distant, prone to dark moods and only truly at peace when she was lost in her painting. Their father had left shortly after Marie was born, so the two sisters had quickly learned to be self-sufficient, making their own meals and getting themselves ready for school and bed. They got used to being three women on a boat, two small and one big, never using words like 'mummy' or 'darling' and responsible for nobody but themselves.

Today, however, required teamwork, so Bel fell in beside her sister and started sifting through clothes and books and kitchen equipment, consigning anything perishable or damaged beyond repair to rubbish bags, and leaving the rest for the boat community to reuse or recycle. She picked up two framed photos from the narrow shelf – one of Lily painting yellow flowers on a metal watering can, her red hair piled into a messy bun and an intense expression of concentration on a face that looked so like Bel's, and the other of Lily, Bel and Marie together. It had been taken when the girls were about ten or eleven, standing either side of their mother on the port-side gunwale with their backs against the side of the boat. The absence of smiles and the two feet of space between each of them made Bel snort with laughter.

'What's so funny?' asked Marie, putting down a pile of books and peering at the frame in Bel's hand. 'Fucking hell, we look like hostages.'

'Facing a firing squad,' said Bel.

'I can't remember who took it,' said Marie. 'I'm not sure Lily even had a camera. Christ, I'd forgotten how yellow that boat was.' The picture had been taken on the *Misty Dawn*, the sixty-seven-foot narrowboat where both girls had been born and raised. Bel had been seventeen when she moved into the shared flat above the restaurant in Bath

15

where she worked in the kitchen, and a few months later Marie had shouldered her backpack and hitchhiked to India with some people she'd met at a festival. Within months Lily had sold the *Misty Dawn* and downscaled to the *Fleur De Lys*, a fifty-seven-foot narrowboat with only one proper bed. At the time it had struck Bel as a fairly firm indicator that Lily's daughters were not expected to return to the family unit. Bel popped by once or twice a year, usually just for a few hours to remind her mother she existed. She had no idea how often Marie visited.

'Do you want it?' asked Marie, holding out the photo frame.

Bel shrugged. 'Not really. I'll take the other one, though.' She didn't have a recent picture of their mother, and as much as they'd never been particularly close, she definitely didn't want to forget what she looked like.

After a couple of hours they had uncovered a ceramic pot containing £358 in notes and coins, a building society book that held a balance of just under £1,400, and the deed to the *Fleur De Lys* and the mooring, but there was no sign of anything that looked like a will. There were several sketch books of designs for canal boat art – Lily had met the cost of her canal licence, diesel, firewood, food and clothing out of commissions for boat painting. Like all of the canal community, Lily had lived frugally and entirely off-grid, with her only transport being the boat and an old bicycle strapped under a tarpaulin on the roof.

'Hello?' said a voice, as Manbun Martin appeared through the hatch and weaved his way through the boat, followed closely by Celeste, who was wearing what looked like mechanic's overalls. Martin was holding a white envelope and a thermos coffee cup, whilst Celeste clutched a cake tin. 'Banana flapjacks,' she said, putting it down by the tiny hob. 'Vegan and gluten-free, no nuts.'

Bel sighed, wondering what joyless combination of dust and packing material had gone into that recipe. Thankfully she rarely consumed anything but coffee before 2 p.m. anyway.

'Is that Lily's will?' Bel gestured to the envelope in Martin's hand. 'We assumed there would be a copy on the boat, but we haven't come across it.'

'That's odd,' said Martin. 'I definitely gave her a copy. Did you check the flap?'

Bel's brow furrowed. 'The flap? What flap?'

Martin walked to the front of the boat and pressed the wooden panel above the door to the bow storage area. It dropped open to reveal a space about the size of a shoebox, containing a small bundle of papers and notebooks, including a white envelope identical to the one Martin was holding.

'Sorry,' he said awkwardly. 'I didn't realise you didn't know.'

'We never lived on this boat,' said Marie defensively, putting the kettle on for more coffee.

Martin handed the bundle of papers to Bel before opening the envelope and inspecting the contents. 'OK, it's the same will as the one I have, so it's reasonable to assume it's the most recent.' He looked up at the three women as he manoeuvred his tall frame onto one of the dinette benches and flattened the pages out on the table. 'I've asked Celeste along because she's one of the beneficiaries. Do you want me to read it in full, or just summarise the headlines?'

'I'm fine with the headlines,' said Bel, as Marie and Celeste nodded in agreement.

'Great,' said Martin, scanning through the text. 'The boat and the mooring were Lily's main assets here, along with a building society account where she kept enough money for the following year's canal licence.'

'We've found the account book,' Marie chimed in. 'It has nearly one thousand four hundred pounds in it.' Neither of them mentioned the cash, which was already in Bel's coat pocket.

'Good,' said Martin, taking a deep breath and looking up at the three women. 'Lily left all of that to Celeste.'

A heavy silence fell, broken only by the gentle hiss of the kettle on the stove. Celeste covered her mouth with a leathery hand and started to cry. 'She's left everything to Celeste?' asked Bel, feeling suddenly nauseous.

'The boat and its contents, barring any personal items that you or Marigold want to keep, plus the mooring and the money in the building society account,' said Martin. 'The text says it's a gesture of thanks for Celeste's enduring love and friendship.' Celeste's dramatic sobs became louder as she gripped the edge of the worktop, and it took all of Bel's self-control not to roll her eyes.

'This is fucking outrageous,' said Marie, trying and failing to keep her volume under control. 'No disrespect, Celeste, but you already have a boat. Why do you need two, when I'm currently homeless?'

Celeste shook her head, unable to speak through the tears. She wafted her hands as she bolted towards the door at the back of the boat, clearly needing space and distance to process the news. The sudden movement made the ropes securing the boat to the mooring strain and creak.

'Fucking unbelievable,' muttered Marie, watching the door swing closed before turning the gas off.

'Just so I'm clear,' said Bel, glaring at Martin. 'Lily left her entire estate to Celeste, with nothing at all for her two daughters?'

'I didn't say that,' said Martin slowly, flipping to the second page of the will. 'She's left the two of you her house.'

The two sisters looked at each other, their faces pale with shock. 'What house?' said Bel, shaking her head in confusion. 'Sorry, did you just say Lily left us a house?' She shuffled around in front of the wood burner as Marie paced up and down in the kitchen. Martin remained seated at the dinette, watching them both.

'Yes.'

'This makes no sense,' said Marie. 'Why would she have a house?'

'My understanding is that it was left to her by her mother,' Martin explained. 'I believe it's been empty for the past two years. I don't know much about it, I'm afraid, other than it's called Orchard House and it's on the Norfolk coast.'

'Are you fucking serious?' exclaimed Bel. 'What kind of house? A castle, a bungalow, a caravan, what?'

'I have no idea, I'm sorry.' Martin's calmness and lack of information was rendering him less attractive by the minute. 'But there's one more thing: a condition.'

Marie stopped pacing and moved to sit opposite Martin. Bel slid in next to her, both of them staring him down as he visibly shrank into the upholstery. 'What do you mean, a condition?' asked Marie.

Martin cleared his throat awkwardly. 'I'll read you the

text, shall I?' He flattened out the pages again. '"Owner-ship of Orchard House in Moxham-by-Sea, Norfolk, will pass to my daughters, Bluebell Petunia Grey and Marigold Rose Grey, on the condition that they cohabit within the property for a period of not less than one year. If they are unable to meet this condition within a period of five years following my death, the house may be sold by the estate and all proceeds donated to the Canal and River Trust."'

'What does that mean, exactly?' Marie demanded after a few seconds of heavy silence.

'It means you don't own it, and therefore can't sell it,' said Martin. 'Unless you first live in it for a year. Together.'

'Shit.' Bel let out a whistling breath.

'Well, quite,' said Martin. 'There are some other details of the conditions, basically that you have to actually live there full-time and not come and go, that sort of thing. There's also money put aside to cover the running costs of the house for that year – enough to pay bills and council tax. I can arrange—'

'I'm sorry, but this is insane,' interrupted Bel, clenching her fists to stop her hands shaking. 'Does she say WHY she wants us to live in this house together?'

'Yes,' said Martin. 'The next bit reads, "It is my hope that this experience will remind my two daughters that whilst they are different flowers, they are from the same garden."'

'Oh God, I fucking KNEW it would be some mad hippy bullshit,' barked Bel, pressing the heels of her hands into her eyes. She felt exhausted and hungry and needed a shower. Perhaps if she went and had a lie-down, this would all turn out to be a very bad dream.

CHAPTER THREE

'Just to be clear,' said Bel, 'I'm not saying I'm definitely going to do this.'

'I heard you the first two times,' said Marie with a bored tone, pulling down the sun visor against the milky winter sunshine. They'd only been in the car for an hour and the air was already heavy with tension.

'This is just about taking a look; seeing what we're dealing with.'

'Fucking hell, Bel,' replied Marie, rolling her eyes. 'I get it.'

Bel pursed her lips, wondering what else she could do to manage her sister's expectations. It was clear that Marie was already invested in this idea, being a free spirit with no fixed abode who could easily up sticks and move to Norfolk for a year. It was different for Bel – she had a business, a flat, commitments she needed to meet.

Not that they amounted to much, if she was honest. The business had never really recovered after the pandemic and it hadn't been doing brilliantly before – catering for house or office parties was Bel's speciality, but people didn't want to queue up for a cold buffet any more. They wanted hot 'bowl food' – wanky little cups of Thai green curry or chicken tagine or teriyaki noodles, barely more than a couple of mouthfuls, that could be taken from an apron-clad waiter without breaking conversation.

To make things worse, Bel had taken out a £5,000 loan the previous year to replace her ancient Peugeot with this marginally less ancient Ford Mondeo, but now she was struggling to make the payments on top of her rent and bills. Her diary for the next few months didn't have nearly enough bookings, and she'd already started eating into her meagre savings. Whichever way she looked at it, half the proceeds from Lily's house would be a godsend, if indeed it was actually a house rather than a derelict beach hut. Manbun Martin didn't know, and the lawyer they'd spoken to in Great Yarmouth had never seen it, although he had a key if they wanted to meet him there for a look round. So three days after the reading of Lily's will, they were on their way to Norfolk.

'How much further?' asked Marie.

'How old are you, five?' snapped Bel. She glanced at the satnav. 'Another three hours, apparently.'

'Jesus.' Marie fidgeted in her seat. 'Where is it, fucking Belgium?'

'You're not even driving – stop moaning. I'll stop for a break in an hour or so – go to sleep or something.'

Marie sighed heavily, then cranked back the seat in juddering steps and closed her eyes as the Mondeo continued to eat up the miles. The motorway route was boring but easy to follow, and Bel really didn't need the stress of navigating her way across the Midlands. Instead she thought about what they might find when they reached Moxham – how was it possible that they'd had a family in Norfolk that Lily had never told them about? And why?

'Why did Lily do it, do you think?' asked Marie, her eyes still closed. Bel had always found Marie's ability to

22

know what she was thinking about annoying, because she'd never been able to do the same in return.

'Leave us a house, or not tell us about her family?' asked Bel. She'd thought about little else for the past few days, and presumably Marie had been pushing it round in her head too.

'Both,' said Marie. Bel noted the edge of resentment in her sister's voice and felt a twinge of relief. The last thing she needed right now was Marie being sunshine and rainbows and pretending all this subterfuge was perfectly normal.

'Fucked if I know,' she muttered. 'Maybe we'll get to this place and find out they were all criminals and reprobates, so Lily was doing us a favour.'

'Mmm, maybe,' muttered Marie, not sounding hugely convinced. 'But then why leave us the house? She'd know we'd go up there.'

Bel shrugged and conjured up her mental image of Orchard House. In her head it was a tumbledown shack, with half the roof missing and 'Keep Out' signs nailed across the doors. Inhabited by pigeons, or half-consumed by trees creeping in through the windows. Like a spooky cottage in a fairy tale, or the kind of place a serial killer hides the bodies.

'What do you think the house is like?'

'I don't know, Marie,' Bel said impatiently. 'That's why we're on this trip, remember?'

'Fine, I'll stop talking.' Marie turned away slightly and wrapped her arms around herself. Bel wondered what she was imagining – probably somewhere a lot less derelict. Marie could see the potential in a dog kennel.

Which turned her thoughts to her biggest concern about

this whole ridiculous endeavour, which was living with her sister for a whole year. There was a brief period when they were small when Marie had been in awe of her big sister and never left her side, but once they'd started school everything had changed. Bel had thrived on order and routine, whilst Marie had drifted through life in a state of perpetual chaos, impervious to sudden changes of direction and absorbing life's sticks and stones with a shrug and a smile. Marie had been popular at school, able to hold a crowd and embellish a story with style. Bel had been more intense, less approachable and invariably overshadowed by her younger sister. Too many attempts to connect with each other had ended in conflict and emotional turmoil, so in the end they just stopped trying and forged separate paths through life, even when they were living on the same boat.

Bel could count on one hand the number of times she and Marie had seen each other in the past fifteen years. Bel had spent the first half of her twenties working insane hours in restaurant kitchens, before being sucked into a disastrous marriage to Edward. Marie hadn't been able to come to their wedding because she was running art therapy workshops in Sri Lanka at the time, and by the time she got in touch four years later, Bel was already separated, living in Bristol and busy with her fledgling business. Marie had continued to come and go, usually spending festival season in the UK, but otherwise she had been off somewhere doing meaningful, creative things. Their paths had rarely crossed, usually when Marie was passing through Bristol and needed a sofa for the night.

Bel glanced at Marie, her jumper pulled down over her

fists and her face softened into sleep. They were sisters, but any real connection between them had been left on the banks of the Kennet & Avon canal decades ago. Their past was never discussed, they had nothing in common in the present, and very limited interest in each other's future.

To Bel, this did not bode well for a happy and fruitful year together.

By the time they reached the Norfolk coast road several hours later, Marie had cranked her seat back up so she could point out signs for Moxham-by-Sea. As they drove slowly into the village they passed a windblown caravan park next to a sign saying 'to the beach', but somebody had crudely spray-painted over it so it read 'to the bitch'. Perhaps on a sunny day in July this place would be vintage seaside charming, but right now it felt bleak and weather-beaten. Bel had heard people talking about how beautiful the Norfolk coast was, but clearly the posh Londoners buying second homes had skipped this bit.

'There,' said Marie, pointing at a wooden gate. 'Orchard House.'

Bel slammed on the brakes and flung the steering wheel round to make an emergency turn, pulling the car to a skidding halt on a weedy gravel driveway. She turned off the engine as they both leaned forward to peer up at the house.

'Holy shit, it's massive.' Bel strained against the seatbelt to take in the red-brick frontage and the impressive sash windows on either side of a peeling black front door. There were shutters securing the windows from the inside, making the house look cold and forbidding.

'Yeah,' breathed Marie. 'Doesn't look like the lawyer's here yet. Let's take a look around.' She had unbuckled her seatbelt and opened the car door before Bel had time to react.

'For fuck's sake,' hissed Bel, grappling with her own seatbelt so she could follow Marie through the garden gate. It led to half an acre or so of overgrown wilderness, full of waist-high shrubs and brambles, gently sloping down to a couple of rows of gnarled fruit trees and a flint pebble wall.

'In my head it was . . . smaller,' Marie mused as Bel approached, picking her way through leafy mulch and thorny shrubs that made it difficult to distinguish the gravel pathway from the borders around the patchy lawn. The house looked even bigger from this angle, with five sash windows on each floor, and Bel was gratified to see that Marie looked equally overwhelmed by it all.

'Do you think Lily grew up here?' Bel asked.

'No idea,' Marie shrugged. 'She once told me she'd lived by the water all her life, but I thought she meant the canal.'

'I don't like it,' said Bel, glancing up at the two enormous chimneys positioned at each end of the house. 'It looks like an institution. Like a children's home or something.'

Marie rolled her eyes and sighed. 'God, you're such a drama queen. You don't have to LIKE it, you just have to live in it.'

Bel looked over at her sister: at her blue hair, her makeup-free face and the look of withering disdain that had taken up residence there, and cursed Lily for the umpteenth time since Saturday. Being physically able to live in this house with Marie was one thing, but being emotionally willing to make that commitment was another matter entirely.

'HELLO?' shouted a male voice from the front of the house. Bel got a head start this time, and made it to the side gate a good two seconds before Marie.

CHAPTER FOUR

The lawyer from Great Yarmouth was, by a very long way, not what Bel had expected. For a start, he was pushing a green bicycle, which didn't seem very lawyerly. Secondly, he was about twenty-five, with livid pink cheeks and scruffy blond hair flattened in all directions from a bike helmet. He looked like a young Boris Johnson, or the fledgling vicar in a Jane Austen novel.

'Hello,' he said, grimacing as he tried to unclip a reflective band from around each trouser leg. 'You must be Miss Grey and . . . Miss Grey.' He stood up and brushed down his anorak, then held out his hand. 'I'm Dan Marchant.'

'Bel and Marie is fine,' said Bel, shaking his cold hand and trying not to laugh at how comedically awkward he was. Good-looking, in a hale-and-hearty rugby-playing kind of way, but a very long way from being Bel's type. Marie stepped forward to shake hands too, and Bel noticed Dan's cheeks go even pinker as she smiled at him.

'So, this is Orchard House,' said Dan, shoving his cycle clips into his rucksack and pulling out a black folder. He riffled through the pages and cleared his throat, like he was about to launch into a sermon. 'I believe it was a vicarage at one time.'

'Do you know how long our family lived here?' asked

Marie, walking to the front door and running her hand over the huge brass doorknob.

'No idea, sorry. I only became aware of the property after your mother died.' Dan flicked through more pages in the folder, then remembered to stop and add, 'I'm very sorry for your loss.'

'Thank you,' said Marie, wafting her hand at him to continue.

'So,' continued Dan. 'My notes say that Rose Grey ran it as a bed and breakfast for many years, but after your grandfather died she closed off the guest rooms upstairs and lived here until she died. So it's definitely been empty for two years, with limited occupancy for some time before that.'

Bel looked at Marie, her silent question answered with a helpless shrug. It was clear that Lily had never mentioned any of this to either of them, but why on earth not? For the second time this week, Bel felt like her world had been split in half, but this time it had revealed an alternate Grey family universe where people didn't live on boats, and where they might have spent holidays in a big house by the seaside with their grandparents.

And who else had Lily not told them about? Were there aunts, uncles, cousins? Growing up, there might have been people in this part of the world who Bel had more in common with. People who might have understood her better. It was hard not to feel like she'd been denied something important.

'Ready to take a look?' asked Dan, fishing a bunch of keys from his pocket. Bel swallowed down the churning, angry feeling in her stomach, took a deep breath, and nodded.

★

29

The only words Bel could summon to adequately describe Orchard House was 'festering shithole'. The place reeked of damp and neglect, with crumbling plaster, peeling wallpaper and rotting carpets at every turn. And what *did* remain of the decor was a mess of late nineties/early noughties *Changing Rooms* nightmares, from the acid-green rag-rolling to the purple and silver stencilling. Two years of abandonment had added half an inch of dust to every visible surface downstairs, and upstairs was in an even worse state, with each of the five guest rooms seemingly mouldier than the last. With the shutters closed in every room, the damage was revealed under the sickly glow of bare light bulbs, which made it all seem so much worse, somehow. On reflection, Bel would have much preferred a derelict beach hut.

Even Marie's initial enthusiasm − 'Oh, this is a nice room!', 'Well, this has lots of character' − soon faded into a dumbfounded silence, as every door opened to reveal another assault on the senses. Both bathrooms upstairs looked like separate crime scenes. Neither had a shower, and both baths had huge scabs of missing enamel and streaky brown water stains. Bel lifted the heavy wooden seat on one of the toilets and found the rotting corpse of a dead rat, which had clearly crawled up from the sewers in the absence of any water in the U-bend.

'The water has been off for some time,' said Dan, recoiling at the smell and retreating carefully down the creaky stairs, 'but it's easy to reconnect; we just need to let the water company know when you're in residence.'

'A year,' mumbled Bel, trying not to cry. 'We have to live in this house for a year.'

'That's correct,' said Dan, whose time studying law had

evidently rendered him unable to use words like 'yes' or 'no'. 'I'd recommend getting a cleaning firm in first, then perhaps someone who can fix the place up a bit before you move in.'

'Is there money available for that?' asked Bel, her hopes momentarily lifting.

'Oh. Well, no,' said Dan, clearly wishing he was back in his warm office talking about conveyancing or divorces or whatever it was he did. 'We've been instructed to cover the cost of Council Tax and utilities for the year, so gas, electric, that sort of thing. But you'll have to meet any other living costs yourselves.'

'With what?' asked Bel, trying to control her temper. 'If I'm here, I can't work. I don't suppose there's much call for party catering services in . . .' she looked at Marie, 'what's this place called?'

'Moxham-by-Sea,' said Marie, glancing at Dan apologetically. 'Sorry, it's a lot to take in. What do we need to do next?'

'Just let me know if and when you're ready to move in. It doesn't have to be straight away; you have five years to fulfil the condition of your mother's will.' He looked hopefully at them both, then started to edge towards the front door. 'My firm will give you the keys, then check in periodically to make sure you're both still in residence. At the end of the year, we'll complete the legalities to give you both shared ownership, at which point you can do what you want with it.'

'Sell it to the first mad person who waves money at us,' muttered Bel.

Dan smiled weakly. 'Well, we can help you with that too.' He opened the front door and stood aside so the two women could leave, then closed and locked the door behind him.

'I'll wait to hear from you, then,' said Dan. Bel nodded and looked away, unable to find the words for how angry and upset she felt. Marie raised her eyebrows helplessly, then shook Dan's hand and hovered politely as he re-attached his cycle clips and wheeled his bike to the gate. Marie had always been the peacemaker, taking everything in her stride, rarely losing her temper. Bel had once over-heard Lily tell one of their teachers that 'Marigold is the calm to Bluebell's storm.' At the time she'd taken it as a compliment, equating storminess with personality, like having fire in your belly. But perhaps Marie's calm in a crisis was what Lily had valued most. What little Bel had understood about her mother felt worthless now.

Dan pedalled off up the road and Marie wandered back, eyeing her sister grimly. 'There was no need to be rude, Bel,' she said. 'It's hardly his fault.'

'Don't fucking start,' snarled Bel through gritted teeth. 'This whole situation is insane. I can't live in that disgust-ing dump for a year with you; NOBODY should be expected to do that. I'm furious at Lily for screwing us over like this.'

Marie watched her for a long moment, clearly trying to work out whether the actual issue was the state of the house, or the fact that they had to live in it together. 'Come on,' she said gently. 'Let's find a coffee and take a look at the beach.'

Moxham beach was accessed by a wide slipway that cut through the dunes next to the lifeboat station, presumably so boats could easily be wheeled on and off the sand. At the entrance to the slipway was a small car park flanked by a row of sun-bleached shops, all firmly shuttered for the winter, except for the coffee stand, where a small queue of dog walkers and parents with fractious children were bundled up against the chilly breeze. It was little more than an eight-foot-wide beach hut that had been shifted to a corner of the car park and converted to include a serving hatch at the front. Tatty bunting and a sign reading 'Maggie's Coffee Hut' hung from the pitched roof, with a drinks menu written on a chalk board to the left of the hatch, and a sign saying 'Tarot readings from £5' to the right.

The coffee machine hissed and spurted as they waited, giving off a tantalising aroma that made Bel feel cranky and impatient. Lost in her own thoughts, she watched the woman behind the counter navigate the small space, barely moving her feet as she twisted and turned and laid her hands on tea bags and bottled water and chocolate bars. She was about sixty, festooned with scarves and beads and a startling volume of eyeliner that presumably transformed her from local barista to fortune-telling mystic at the drop of a hat. Her wrists and fingers were laden with bangles and rings, her long nails painted a glossy scarlet. *Food hygiene nightmare.* Bel shuddered.

The old man in front took an age to order and pay for his tea, eventually shuffling to one side to add milk and sugar. The woman smiled and nodded encouragingly at Bel and Marie, who climbed the two wooden steps to the deck and gave their order – a flat white for Bel, a green tea for Marie. The woman hummed happily as she waited for Bel's coffee to trickle through the machine.

33

'Not seen you two before – on holiday?'

'No,' said Marie with a smile. 'Just passing through.'

They paid the woman with some of Lily's cash and took their drinks onto the beach, which turned out to be not at all what Bel was expecting. She'd imagined it being pebbly like Brighton, or vast, grey mudflats like Weston-super-Mare. But Moxham was more like Cornwall with soft, pale sand as far as the eye could see in both directions. Bel noticed a barrier of huge rocks a couple of hundred metres out, and realised it was a man-made reef that created a natural harbour of calm, shallow water. It was one of the loveliest beaches she'd ever seen.

'Wow,' said Marie, turning her face to soak up the weak winter sun. 'This is a bit more like it.'

Bel made a grunt of acknowledgement, unable to shake off the lingering memory of Orchard House and the rancid smell of dead rat which felt like it would stay in her nose forever. They instinctively turned south along a raised walkway under the curved concrete sea wall that held back the dunes, sipping their drinks and watching four women standing waist-deep in the water. They all wore swimming caps and one-piece costumes, and looked perfectly comfortable in the North Sea in February as seagulls wheeled and screeched overhead. One of them laughed and pitched forward into the water, heading out towards the reef with a nimble breaststroke. 'Lunatics,' muttered Bel, giving an involuntary shiver.

'Agreed,' said Marie. 'But cold-water swimming is really good for you, apparently.'

'I'll take your word for it,' replied Bel. They'd swum in the river during the summer as children, crossing the fields from the canal to the River Avon at Warleigh Weir, with a sandwich and an apple wrapped in a towel. Marie had always been happy to paddle in the shallows, feeling the cold mud squish between her toes, but Bel had always wanted to swim, heading purposefully towards some predetermined destination away from everyone else. They'd both learned to swim young, cycling to the pool in Bath on Saturday mornings for lessons. If you lived on a boat, being a strong swimmer was not optional.

The two sisters kept walking until the sea wall ended and the soft sand began to hamper their progress. The bobbing head of a grey seal appeared a few metres out, and they both stopped to watch for a minute as it disappeared for a few seconds, then popped up again a little further away. It made Marie laugh, something that Bel hadn't heard in years. Somehow it felt easier to be together when they were walking side-by-side and didn't have to look at each other.

'Look,' said Marie, taking a deep breath. 'Here's the deal. I know this whole situation is fucked up and insane, but I need this house. I'm thirty-four this year, I've been bumming around for over half my life. I need to settle down a bit, stay in one place.'

Bel looked out to sea and said nothing.

'I was planning to ask Lily if I could move onto the boat with her for a while,' Marie continued, 'but then this all happened. Selling the house would make a massive difference for me, give me some money to rent a flat like a normal person.'

Bel tried to imagine Marie living in a flat, with a pile of clean fluffy towels by the sink and scatter cushions on the sofa. It didn't feel right; Marie belonged in a camper van or a yurt, not tending her window boxes on a Sunday. In fact, she'd never imagined Marie ending up anywhere other than a boat.

'Maybe I'll buy a boat,' said Marie, reading Bel's mind again. She turned to face Bel, her eyes beseeching. 'I've never asked you for anything, but I'm asking you for this.'

Bel stared at her feet, feeling confused and beleaguered. 'But what about my business? My flat? My life?'

'Don't you WANT the money?' demanded Marie, clearly trying to keep a lid on her frustration. 'Would it really not make any difference to you?'

Bel considered being honest, then decided that she couldn't face the humiliation. Running a successful business was the only thing that gave her any kind of edge over her sister, and being the one who had made the bigger sacrifice might be useful when Marie was being a colossal arsehole about something.

'Of course I want the money. It's just a huge deal, to up sticks and move here. I've got commitments.'

Marie sighed and gave a helpless shrug. 'It might be fun.'

'It also might be fucking awful,' snapped Bel.

'OK,' said Marie, turning her palms to the sky. 'It might be awful. But at least there'll be a payday at the end of it.'

Bel had nothing to say, so they started walking again. The beach curved round to a rocky headland, so they turned back to face the way they'd come. Bel was surprised to see how far they'd walked; the flag of the lifeboat station was a distant speck. She looked up at the swaying marram grass up on the dunes, where two little girls ran along the path, one of them waving a stick and shouting 'I'm making a spell!' as the other shrieked with laughter. Two women strolled behind them, their arms linked so the younger woman could support the older one. A mother and a grandmother, maybe, and two girls who still thought the other was the centre of their world.

'OK, so let's assume I say yes,' said Bel, avoiding Marie's hopeful gaze. 'What are we going to DO in that shitty house for a year?'

'Well,' replied Marie, with the excited tone of someone who had already given this considerable thought. 'The best use of our time would be to clean the place up a bit. You know, stuff that doesn't cost a lot of money – cleaning, painting, gardening. Nothing complicated or structural, but it will make it easier to sell in the long run.'

'I don't know one end of a paintbrush from the other,' said Bel, trying not to sound petulant, and largely failing.

'I can teach you how to paint, and you can teach me how to clean. I guess we can learn about gardening together.'

Marie's voice gave a tell-tale wobble on the final word, and Bel realised she wasn't the only one having reservations about sibling cohabitation. She was reminded of the time Marie had tried to teach her to touch up the yellow paint-work on the *Misty Dawn*, and it had ended with Bel pushing her into the canal and throwing the paintbrushes in after her. Marie had inherited Lily's creative talents, but Bel had not. She was better at time management and organisation; her ingredients cupboard in the flat in Bristol was a thing of beauty.

They started to walk back, battling a brisk North Sea headwind, which made Bel's cheeks sting. 'I'm worried,

Mar,' she muttered, deciding that now was probably a good moment to be honest, as long as she didn't overdo it. 'We haven't lived together for a long time, and we're really different people.'

'I know,' Marie sighed. 'I'm worried too.' They caught each other's eye for a second and both smiled, acknowledging the thousand times they'd screamed blue murder at each other, given each other dead arms, pretended the other didn't exist for days at a time. 'Look,' Marie continued. 'I'm not saying it's going to be easy; I know we've had our ups and downs. But it's a big enough house that we don't have to live on top of one another, and it's a massive opportunity for both of us. That place has got to be worth a few hundred grand, even with the state it's in. By next summer we could both have six figures in the bank.'

Bel considered this for a moment. Put like that, it was impossible to say no. It could mean no debt, a new car, a rethink of her business model, maybe even a deposit on her own place.

She took a deep breath, feeling like one of the women standing waist-deep in the sea, building up the courage to take the plunge. 'OK. I'll do it.'

Marie squealed and clapped her hands. 'Thank you. I knew you'd come round.'

'Don't you dare fucking hug me,' grumbled Bel, backing away. 'I need a few weeks to sort some things out first. Give notice on my flat, cancel all my party bookings.' That wouldn't take long, but Marie didn't need to know that.

'No problem,' said Marie, her brow furrowed in thought. 'Why don't we tell Dan the twenty-first of March? We can go to the sunrise memorial for Lily, then get in the car and drive here. It feels, I don't know, right somehow. Symbolic.'

'Fine,' said Bel, already feeling like what remained of her world was spinning out of control. But there was no going back now. 'What are you going to do until then?'

'I'll stay with friends in Bath, it's just for a month. My mate Harvey runs a food bank; I'll volunteer there in exchange for a sofa to sleep on.'

Bel nodded. 'We're going to need some stuff – furniture, bedding, towels, that kind of thing. What have you got?'

'Literally nothing,' laughed Marie. 'Just clothes and a toothbrush. My whole life fits into a hiking backpack.'

'Of course it does,' said Bel, rolling her eyes. 'Fine, I'll have to cram as much as I can in the car, but we'll need to find a couple of mattresses second-hand or something. I can manage a certain level of roughing it, but I draw the line at sleeping on the floor.'

'I can look online while I'm at Harvey's,' said Marie excitably. 'See what we can get on Freecycle. How much money have you got?'

Bel really didn't want to answer that question. 'I need to work it out,' she said vaguely, 'see how much tax I owe, what deposits I need to return.'

'I've got about six hundred pounds,' said Marie, 'plus a bit of change. I worked in a bar in Croatia last summer, saved all my tips. I was going to give it to Lily as rent.'

'Great,' said Bel, wondering what else she didn't know about her sister's itinerant life. 'That's a good start. I'll work out a budget.'

They rejoined the sea wall path and picked up their pace as Bel considered the huge decision she'd just made. It felt like putting on a big coat – a welcome reprieve from the cold, but also heavy and cumbersome. But Marie was right – Orchard House could sell for a life-changing amount of money, if they could just stick it out for one year.

Bel dropped her coffee cup in the waste bin by the slipway, wondering why Marie was still hanging on to hers. 'I'll take it home to recycle,' she said, spotting Bel's questioning look. Bel tried not to sigh, already struggling with the prospect of living with someone who would carry a cup for two hundred and fifty miles rather than risk it going into landfill. The woman in the coffee hut waved as they walked by, shouting something about having a nice day that was carried away by the wind and the seagulls.

They both used the public toilets in the car park, which were considerably cleaner than Bel expected, then walked back in the direction of Orchard House. The village was pretty but tired, with painted cottages broken up by peeling bungalows and faded guest houses. Marie suggested taking the long way round so they could get a feel for the place, and they discovered it was little more than a north–south beach road that joined an east–west village road with residential streets branching off like a tree that had fallen sideways. At the junction of the two roads was a tiny post office, but there was no primary school or pub; nothing to suggest there was much of a permanent community here.

They passed an old church hidden a few streets away from the main road, then spotted the back of Orchard House as they curved back towards the sea. Bel remembered Dan saying that the house used to be the old vicarage, so it made sense that the church would be close by. They both stopped before they got into the car, taking a moment to look up at the red brick box that would soon be their home. Marie caught Bel's eye and smiled nervously, before ducking into the Mondeo and sliding her empty coffee cup into the pocket in the door. Bel took deep breaths, trying to quell the bubbles of anxiety in her stomach. The talking was done, and the decision had been made. It was only a year. How hard could it be, really?

CHAPTER FIVE

March

Bel sat cross-legged on the floor of her flat and looked at her notes of things she'd sold and money she'd made over the past few days. She wrote 'oven and kitchen stuff' in the spreadsheet on her laptop, then winced with pain as she added twelve hundred pounds in the next column. It wasn't an insignificant amount of money, but it was considerably less than she'd hoped for a double oven range that was less than six months old, and all the cookware and flatware and accessories that made up her catering business. A guy from a local pub had offered to buy the lot, and it was too close to her deadline to risk having to put the unsold bits into storage. Twelve hundred pounds, for a business she'd spent years building up from scratch. Right now she didn't know whether to cry or scream.

In the next row she wrote 'exercise bike' and added a further three hundred and fifty pounds. It had cost way more and had hardly been used, but the woman had been a hard-nosed negotiator and time was ticking on. Finally Bel searched for the row marked clothes and added an extra seventy-two pounds to the total, the proceeds from the final few online sales of shoes and handbags. She'd take the few remaining bits and bobs to the charity shop tomorrow, and that would be job done.

'How's it looking?' said Jenna, clutching a mug of tea on the one remaining sofa, which had only survived because it belonged to the landlady. Jenna lived in the flat above Bel, a Welsh primary school teacher with an eight-year-old daughter called Cerys, whose father had done a bunk while Jenna was still pregnant. She often popped down to keep Bel company after Cerys went to bed – it was the closest she got to a night out, and as long as she propped Bel's front door open with a fire extinguisher and sat where she could see the staircase, no kidnappers or intruders could get to her daughter. Bel liked them both; they were easy to spend time with and Jenna didn't demand heavy conversation. There weren't many people she would miss when she left Bristol, but Jenna and Cerys were definitely on the list.

'Not bad,' said Bel. 'If I add Marie's six hundred to the total, it's almost five grand.'

'Wow,' said Jenna. 'Are you sure you don't want to bin off this idea and take me and Cerys to Disney World instead?'

Bel laughed. 'I'd love to, maybe once this year is done and the house is sold.'

'I'll hold you to that,' said Jenna, her eyebrows raised.

'Oh God, please don't,' laughed Bel. 'I'll only disappoint you. My sister recently described me as "historically unpredictable".'

Jenna huffed then did her best *Gavin & Stacey* impression. 'I'm not going to lie to you, Bel, but your sister sounds like a right bitch.'

Bel laughed and closed her laptop, then joined Jenna at the other end of the sofa. The room was practically empty, testament to nearly a month of hard work which had started

43

with Bel putting a notice on her website, cancelling all her summer bookings and returning deposits. Then she'd sat at her laptop and worked out how much money she needed to set aside for tax, then made a list of everything she owned that was worth anything.

The biggest surprise had been the engagement and wedding rings given to her by Edward – these had turned out to be worth considerably more than Bel had expected, and the proceeds from those, combined with her savings, had been enough to pay off her loan and cover the final month of rent and bills.

'You'd probably still fancy her,' said Bel, trying not to sound resentful. 'She's a hippy artist and much better looking than me.'

Jenna did her best stern teacher face. 'She can't be that bad if she's your sister. Anyway, I fancy everyone these days, haven't had a shag in ages. Even the school dinner ladies would get it, and one of them wears fake Ugg boots.'

Bel gasped in fake horror. 'Jesus, have some standards.' She sipped her tea and yawned – weeks of stress and doubt and sleepless nights thinking about family secrets were definitely catching up with her.

'Am I keeping you from something?' asked Jenna.

'Yeah,' Bel said tiredly. 'I need to pack up the kitchen. The guy who bought all my catering stuff is sending someone to pick it all up tomorrow.' She looked at the giant roll of bubble wrap by the door, and imagined rolling herself up in it like a blanket and falling asleep.

'Come on then,' said Jenna. 'I'll help. Even if you are abandoning me for a haunted house in the back end of beyond.'

44

Bel was quiet for moment. 'Will you come and visit? You and Cerys?'

'Really?' said Jenna, her eyes wide with surprise.

'Definitely. The house is a dump right now, but I'll have scrubbed it down by Easter. It's a five-minute walk to the beach, Cerys would love it. It won't be The Ritz, but we'll squeeze you in.'

'Don't you need to ask your sister first?' asked Jenna, her brow furrowed.

Bel shrugged. 'Probably, but she'll be fine. If Easter is too soon, then May half-term, or in the summer. Or all of those.' Until this moment Bel hadn't realised how much she wanted to stay in touch with Jenna, to retain some kind of connection to her old life. She hoped she didn't sound too desperate.

'Well,' said Jenna. 'Obviously I'd love to. Cerys loves the seaside and we can do our bit to help with the house. Talk to Marie and let me know, and if it's OK we'll come up over Easter. I'll book a coach or something.'

'I will,' said Bel with a smile, then dragged herself off the sofa and handed Jenna the roll of bubble wrap. 'You stay there where you can see the door, I'll make some more tea and start emptying cupboards.'

CHAPTER SIX

Bel and Marie led the convoy of narrowboats west on the Kennet & Avon canal from the Black Swan, departing on the *Fleur De Lys* just as the sky was turning from black to blue-grey with the first flicker of sunrise. Two boats immediately fell behind them, with others joining in as they progressed along the canal, like a three-mile-an-hour conga. There were no locks on this stretch of canal and all the lift bridges would be open, so they'd be at Lily's mooring within a couple of hours. Her ashes were leading the convoy in a brightly painted urn on the open bow deck, the same space that had previously been filled with decorative buckets and planters and watering cans.

Celeste was travelling on another boat today, so Bel and Marie could drive this one. It had been presented as a gesture of respect and kindness, but Bel was still quietly seething about the whole business of Celeste inheriting Lily's boat. She reminded herself that after today she'd be leaving this life behind once and for all, and would never have to see any of these people again.

Marie took the tiller while Bel disappeared into the boat to make coffee. Celeste's changes were subtle but evident – different blankets and cushions, the glass cabinet filled with crystals rather than Lily's canal art miniatures, a new incense smell. Lily had liked sweet florals like jasmine and lotus flower, but Celeste's tastes were more woody and spicy, like a reiki tent at a festival. Bel glanced at a pack of incense sticks next to a burner and wasn't remotely surprised to see they were patchouli. *Basic bitch*, she thought uncharitably, feeling guilty only for as long as it took to realise that Celeste's coffee was decaf. This was going to be a very long day.

Bel handed a mug to Marie and they both stood in companionable silence on the stern for a few minutes, watching the ducks and swans drift out of the path of the boat in the gathering light. The chug-chug-chug of the diesel engine felt like a heartbeat, echoed by the growing line of boats joining the back of the line as they progressed through the Limpley Stoke valley. Being on the move was the bit about narrowboat life that Bel had loved most, although they'd never been the kind of family who continuously cruised the waterways. Their life had been lived on this nine-mile stretch of the Kennet & Avon between Bath and Bradford-on-Avon, moving to a different stretch of bank every two weeks until Lily had secured the permanent mooring. There wasn't an inch of this canal that Bel didn't know like the back of her hand – every bridge and bend felt like a memory from her childhood.

When she and Marie were teenagers, Lily had taken them beyond Bradford-on-Avon to explore the rest of the Kennet & Avon, then joined the Thames at Reading and travelled up to Oxford. They'd been gone for weeks – a whole summer on the waterways, working with Marie to open locks and swing bridges and find overnight moorings. It was the closest they'd ever come to some kind of family unity, although every day had been punctuated by petty squabbling and power struggles. Lily had been entirely

47

oblivious to the sniping and sulking and dead arms, absorbed in the peace and beauty of the waterways and the daily challenges of keeping a boat moving.

'I've worked out our budget,' said Bel, her voice sounding too loud in the cavernous silence of the valley.

'Oh,' said Marie, pulling the throttle lever back to slow down for a narrow bridge. 'That's good. How's it looking?'

'OK, I think,' said Bel. 'Once I've added it all together, we've got a hundred pounds a week, give or take.'

Marie gave Bel a sideways glance, her eyebrows raised. Bel couldn't tell if she was pleasantly surprised or alarmed; it was so hard to tell with Marie. She took another swig of coffee and continued. 'So provided the lawyer wasn't lying about the estate covering the bills, that should be enough for food and petrol and everyday expenses. If we need any more, one or both of us will have to get a job.'

Marie nodded enthusiastically. 'I don't mind that. To be honest, I've lived on a shitload less. Where did you get the money?' Bel caught the change in Marie's tone – however economical she was with words, she was clearly a tiny bit impressed.

'I sold everything,' she said with a shrug. 'All my business stuff, most of my clothes, every gadget and luxury I own apart from my phone and my laptop.'

Marie was silent for a moment as she carefully navigated the boat through the bridge, then pushed the throttle to speed up again. 'How do you feel about it? Selling everything?'

Bel felt more sick and terrified than at any other point in the past four years, but she definitely wasn't telling Marie that. 'I'm fine. It's just stuff.'

It IS just stuff, thought Bel, who was no stranger to living

48

on a budget. She'd never had a lot of spare cash, apart from the early years with Edward when he'd flashed it around a lot. She remembered that time as the most miserable era of her life, and somehow that pain had become inextricably linked with having money. Post-Edward, she'd set her sights on nothing more than earning enough to survive independently and never rely on a man again. For the most part that had worked just fine.

Marie, of course, had never had more than a handful of beans to her name. Everything about her said 'adaptable' – someone who could change her style of living to any environment at a moment's notice. Today a friend's sofa in Bath, tomorrow a bunkhouse in North Wales, next week a yurt in Mongolia. Bel envied her sister's resilience and her freedom but had always got the impression that Marie felt a bit sorry for her in return. Like her mundane little life was sad and pathetic, even though Bel was the one with the business and the flat and the nice handbags. Not that she had any of those things any more – it occurred to Bel that for the first time since they'd been angry, misunderstood teenagers, she and Marie were back in the same boat.

'Sorry I can only chuck in eight hundred,' said Marie, snapping Bel back into the real world.

'I thought it was six hundred?'

'Yeah, I dealt a bit of smack while I was living in Bath.'

'Really?' said Bel, trying not to sound too shocked. She'd never considered the possibility that Marie dealt drugs, but presumably somebody had to.

'No!' exclaimed Marie, her face appalled. 'Jesus. I spent a week helping a mate paint a church hall.'

Bel snorted with laughter and took Marie's empty mug,

49

ducking down into the boat. Marie's voice echoed plaintively behind her: 'Did you really believe I was a drug dealer?'

'I have no idea what you are, Mar,' Bel shouted, dumping the mugs in the sink. 'I've barely seen you in years.'

'Whose fault is that?' asked Marie, as Bel's head reappeared through the stern hatch.

Bel gave her a tight smile. 'Well, we're about to spend a year making up for lost time, aren't we?'

Marie nodded thoughtfully, and they said nothing for a few minutes as the engine chugged on.

'Do you miss her?' asked Marie, looking straight ahead towards the next bridge.

Bel stood quietly for a moment, not knowing where to start when it came to separating out all her feelings about Lily. 'I'm sorry she's dead, obviously,' she said. 'And I wish she was here to clear a few things up.' She hadn't answered Marie's question, and Marie knew it, but didn't push it.

'You drive,' said Marie. 'I'm going to sit up front for a bit.'

Bel took the tiller and moved to the middle of the stern deck, standing up straight so she could see over the top of the boat to the canal ahead. She felt the throb of the engine beneath her hand and gently swung the tiller from side to side to get a feel for it; every narrowboat drove a little differently, and it had been years since she'd last been at the helm. You didn't forget, though.

Marie's head bobbed up at the front of the boat, then disappeared again. Bel imagined her sitting cross-legged on the triangular bow, leaning against the doors to the main cabin as the boat cleaved through the still water. It had been Marie's favourite position when they were children, presumably because it was as far away from other people as it's possible to be on a narrowboat, with no room for more than one person. She remembered Lily's ashes in the urn, probably now tucked into Marie's lap. It was almost certainly the closest Marie had been to their mother in nearly two decades.

'Her name was Lily, and her arms were always open to embrace,' intoned the woman clad in a vast purple velvet dress that made her look like Prince's sofa, her arms spread wide and her silver dreadlocks flapping in the breeze. The delivery was more Shakespearean than funereal, but that was boat people for you. The urn containing Lily's ashes was at her feet, and Bel wondered for a moment if the woman might accidentally kick it into the canal in a moment of poetic orgasm. 'She lived life zestfully, and she charmed us with the smile upon her face.'

'Did she just rhyme "Lily" with "zestfully"?' whispered Bel. Marie turned away, and for a second Bel thought she was crying, her shoulders heaving and shaking. But then she realised Marie was actually laughing, a paroxysm of giggles. Bel smiled to herself, wondering if this was a tiny crack in the glacier that existed between them, or merely a temporary melting that would form a new Ice Age by the time they were halfway to Norfolk.

The poem droned on through several more verses, each made up of tortured rhyming couplets. After the woman bellowed her final line (rhyming 'renaissance' with 'equinox', which made Marie visibly wince), she held the urn above her head like she'd just won the FA Cup and invited people to take their turn scattering Lily's ashes into the canal. She gestured to Bel and Marie first, so they stepped off the back of the *Fleur De Lys* and walked up the towpath. Marie took the urn first, giving it a gentle shake over the water and turning her head to watch the dusty grey crumbs blow downwind before settling on the glassy surface of the water. Bel did the same, then handed back the urn as they both returned to the boat without saying a word. Bel caught Celeste and the purple sofa exchanging a pained glance, like they were expecting a speech or a sonnet or for Marie to pull out a flute and perform Bach's Suite No. 2 in B Minor. Bel took a moment to mentally calculate how many fucks she gave, and came up with nothing.

Celeste took her turn, then Manbun Martin and a few others made their way across the bridge of boats loosely tied together across the width of the canal, forming a barrier four rows deep. It was barely 8 a.m., and any unlucky boaters wanting to pass by would just have to wait. It would take forever for them all to turn around in the bulge in the canal a little further on, but boat people were rarely in a hurry. Some would hang around, stay a night or two, or carry on towards Devizes and mark the change in the season by getting some spring maintenance done. The *Fleur De Lys* would slide back into its mooring and Celeste would renew her occupation until everyone forgot that Lily had ever lived there.

As if Bel had summoned her through malevolent thoughts, Celeste appeared on the towpath next to the stern deck. Someone had launched into another dramatic poem, and Bel could feel a headache building; she needed caffeine, and to be as far away from this place as possible.

'I'm going to rename the boat,' said Celeste nervously. 'I thought it would be nice to call it *Lily*.'

'I thought it was bad luck to rename a boat,' replied Bel, aware that she sounded snippy and childish, but somehow unable to help herself.

'It is,' said Celeste patiently, 'while it's afloat. But I'm having it lifted for some maintenance on the hull so I'll have the new name painted then. We'll have a renaming ceremony when it goes back into the water.'

'That's lovely, Celeste,' said Marie. 'A wonderful tribute, thank you.'

Celeste nodded and smiled, clearly grateful for Marie's magnanimous response, then headed back towards the woman in the purple dress, who was now shaking the urn over the water like she was trying to get the last blob of ketchup out of the bottle. A man started to sing a warbly folk song about life on a barge, and Bel watched Marie's dispassionate expression turn to a look of horror and panic.

'Let's get the bus back to the car,' Bel whispered, hoping they could exit quietly and without heartfelt goodbyes and promises to stay in touch that nobody intended to keep. This mooring had been Bel's home for nearly ten years, and she could still see the cuts on the wooden siding where she'd made her mark by carving a letter B with a penknife. But Lily wasn't here any more, her ashes carried away on the water and the breeze. It was hard to imagine a reason why Bel might return.

'And then go to Norfolk,' said Marie. It was a statement, not a question.

'Yeah,' said Bel, glancing back at the *Fleur De Lys* one final time. They were going to another place that Lily had once called home, so maybe they'd find some answers there.

53

CHAPTER SEVEN

Orchard House looked much as they'd left it a month before – imposing, gloomy and cold. The only real difference was that the garden could now reasonably be described as a jungle, and the gnarled trees by the garden wall were beginning to come into leaf.

They found the house keys in the rickety garden shed, as Dan had promised. He'd also impaled a note on a rusty nail, hand-written on his office paper, so Marie boosted herself up onto the wall by the gate and read it aloud.

Dear Bel and Marie,

Welcome to Orchard House. If you could give me a call to let me know you've arrived I can update our records. I've had the water, gas, electricity and broadband connected for you – all the bills will be redirected here, so you don't need to worry about them.

I'll pop in on Friday to check you're all settled in, but in the meantime give me a shout if you have any questions. I've left a small welcome gift for you inside, courtesy of Flinn & Jackson. Hope it makes life a little easier.

Yours sincerely,
Dan Marchant
Trainee Solicitor

' "Give me a shout?" ' said Bel, her eyebrows raised. 'Dan appears to have dropped the legal formalities. I love the bit about him popping in on Friday, like he's swinging by for a barbecue.'

'Check you've settled in,' scoffed Marie, folding the note. 'Check I haven't buggered off back to Crete, more like.'

Bel walked towards the front door, jangling the keys. 'They've left us a gift. And we've got broadband, I hadn't expected that.'

Marie shrugged. 'That reminds me, I need to make a call.' She wandered off down the garden path, leaving Bel quietly seething. Today was shaping up to be the beginning of a very long and painful slog.

Bracing herself, she rounded the house and unlocked the heavy front door. The first thing that struck her was the smell – not of dead rats and decay, but of citrus and pine. There was a piece of paper on the windowsill by the door, a hand-written receipt from a company called Merry Maid Cleaners. They'd charged £350 for a full house clean, made out to Dan Marchant at Flinn & Jackson Solicitors in Great Yarmouth. Bel let out a small squeal of joy, and rushed back outside.

'In an hour would be amazing,' Marie was saying, now at the bottom of the garden, finishing her phone call. 'Thank you so much. Yep, see you then.'

'What's happening in an hour?' asked Bel suspiciously, wondering if Marie had already ordered a taxi to take her as far away from Moxham as possible.

'Two mattresses are being delivered. I found them on Freecycle, like I said I would.' She sounded vaguely defensive.

'How did you get them to deliver?' asked Bel, grudgingly impressed.

Marie pulled a face and flounced into the house. 'I asked nicely,' she said. 'You should try it sometime.'

If Bel's spirits had been lifted by the prospect of sleeping on a mattress in a house that didn't smell of death and armpits, they were sky high by the time she'd done a full inspection. Opening the shutters and letting in some air made the house seem considerably less forbidding, and even though £350 only paid for a surface clean on a house this size, it was a thousand times better than the first time they'd seen it.

Behind the kitchen was a stone-floored boot room and pantry, and Bel was delighted to find it was home to a small bathroom with a shower, a washing machine and tumble drier. Presumably the bathroom had been fitted when Rose got too old to go upstairs, and the appliances were a hangover from the B&B. Another cupboard revealed a large freezer, with a fridge fitted under one of the counters in the kitchen. There was no dishwasher, but any working appliances were a bonus, however old they were. She checked the old gas range in the kitchen and found that worked too, albeit the inside of the oven was caked in ancient, burnt-on grease.

'Can you help me carry some food in?' she asked as Marie glided around the kitchen like she was browsing the stalls at a car boot sale, opening drawers a couple of inches before losing interest and drifting away. 'I emptied my fridge so we've got food for tonight, but we'll have to go to the supermarket tomorrow. Let's get unpacked, then we'll make a list. What don't you eat?'

Marie looked up, still deep in dreamy thoughts. 'Meat

and fish, obviously,' she said. 'Not much dairy, although I'm not officially vegan.' The horror must have shown on Bel's face, because Marie gave her a stony glare. 'What? I've been veggie since we were thirteen. This is hardly breaking news.'

'I'd forgotten,' said Bel.

'Jesus.' Marie rolled her eyes. 'Well, since you're doing most of the cooking I'm happy to overlook the vegan thing, as long as you don't feed me custard. But definitely no meat or fish.'

'Whatever,' replied Bel. 'That helps keep costs down anyway.' She only ate meat if she knew where it came from, and their budget definitely wasn't stretching to organic chickens and high-welfare bacon. 'Wait, why am I doing most of the cooking?'

'Because you're the one who can cook.' Marie stared at Bel like she'd missed an important memo. 'My cooking is terrible; mostly I live on rice cakes and fruit. I thought you could keep us fed and get this place clean, and I'll work on repairs and decorating and stuff.'

'What about the garden?' asked Bel.

'I don't know.' Marie paused, visibly pondering her answer. 'Maybe we could work on that together at the weekends? We could use your laptop to learn stuff, work out what we're doing.'

Bel considered this division of labour and grudgingly admitted it made sense, plus it meant that she and Marie could focus on their own tasks without spending any more time together than was strictly necessary. Sisterly gardening weekends sounded like her worst nightmare, but she could worry about that later.

By the time they'd unloaded all the boxes and bags from the car and stacked them in the hallway, a man in a van had arrived with two double mattresses. Neither was new, but they were both good quality and it would be considerably better than sleeping on the floor. Bel watched with interest as Marie turned on the giggly charm for the benefit of the man's ego, and realised how little she knew about her sister's relationship history. Was she straight, gay, bi? Had she ever had a long-term relationship? She considered asking, then decided this kind of sisterly confidence might open the floodgates for all kinds of soul-baring.

'I think we should sleep downstairs for now,' she said instead, lugging one end of the first mattress into the hallway. 'Until we've found a way to make upstairs safe and sorted out the bathrooms.'

'I'll be fine in here,' said Marie, wandering into one of two large rooms off to the right of the hallway, leaving Bel to follow. It might once have been a study or a lounge for B&B guests, with two huge sash windows overlooking the garden and the sea beyond. Bel immediately bridled at Marie bagging the best room, until she realised that the room next door was pretty much identical.

There were two other rooms on the opposite side of the hallway, both a similar size and layout, but west-facing and overlooking the road through the village. One was home to an oak dining table with eight chairs, and the other had a couple of old sofas. Bel wondered if it was the room Lily and her parents had lived in, so the nicest rooms with the sea view could be kept for guests.

'Weird to think of Lily living here,' she said.

'Yeah,' Marie agreed. 'It doesn't feel like a very Lily kind of house. It doesn't float, for a start.'

'Maybe that's why she left,' said Bel. 'Living in a B&B must be grim. Full of strangers all the time.'

'Or interesting new people,' said Marie with a shrug. Growing up, Marie had loved the familiar extended family of the boat community, but Bel had found it suffocating, not to mention hating that everyone knew her business. When her periods had started, aged twelve, several women from neighbouring boats had come over to welcome her to womanhood. Bel had nearly died of embarrassment.

'Shall we get the other mattress?' asked Marie.

Bel followed her back outside, only to find a woman standing by the gate, wrapped in a dark blue coat with a red woolly hat pulled down over her ears. A black and white dog, some kind of collie cross, sat patiently next to her. The woman smiled awkwardly as Bel and Marie wandered over.

'Can we help you?' asked Bel.

'I'm sorry,' said the woman, wafting a fingerless glove that matched the hat. 'I didn't mean to intrude. I just came to see who was moving in.'

Bel looked her up and down. She looked vaguely familiar, but Bel couldn't place her. 'Did you know the people who used to live here?' she asked.

The woman paused for a moment, then nodded. 'Yes, I knew them very well. The last owner died two years ago, give or take.'

'Rose Grey, right?' said Marie, reaching down to pat the dog on the head. She had a way with animals that Bel had never quite managed, another thing that had irrationally

59

annoyed Bel when they were children. Lots of boat people had dogs, but Lily had said no to Marie's entreaties on the basis that 'dogs don't seem to like Bluebell'. Dogs, other girls, most boys – the list was long and painful.

'Yes,' said the woman with a weak smile. 'Did you know her?'

'No,' said Marie, crouching down to rub the dog's belly until it rolled over, at which point it became clear that it was a girl. She lay on her back with her paws in the air, her eyes rolling back into her head with bliss. 'We don't know much about the family at all.'

'No, I don't suppose you do.' Bel noted the sadness in the woman's expression and racked her brains to work out why she looked so familiar.

'Tell me,' the woman asked, turning to Marie, 'are you Bluebell or Marigold?'

Marie gave a surprised laugh. 'I'm Marigold, but Marie is fine. Who are you?'

'I'm Maggie,' said the woman with a smile. 'We met briefly a month or so ago, I sold you both a hot drink. Down by the beach.'

Of course, thought Bel, Maggie's Coffee Hut. A flat white and a green tea, drunk over the course of a life-changing walk on a windy beach. 'How do you know our names?' she asked.

The woman took a deep breath. 'It's a bit of a long story, I suppose. Can I come in?'

CHAPTER EIGHT

Bel led Maggie to the kitchen and immediately put the kettle on, because it seemed like that was an appropriate response to a random woman turning up at your door and telling you she had a long story. Poppy the dog had disappeared; apparently she took herself off for walks and would probably be back later. If Maggie thought it was in any way unusual to own a dog that led an independent life around the village, she didn't show it.

'How did you know we were here?' asked Marie, pulling out one of the chairs at the small kitchen table so Maggie could take a seat.

'If I'm honest, I've been waiting for you to arrive,' said Maggie. 'That young lawyer chap in Yarmouth wouldn't give me a date, but that's lawyers for you. I did a tarot reading and consulted my tea leaves, but they weren't very clear either, so I've been walking by with Poppy every day. And here you are; you took me quite by surprise. I was beginning to think you'd changed your minds.'

'I don't understand,' said Bel, shaking her head in confusion. 'Who are you?'

Maggie looked at them both sadly. 'Did Lily really never mention me?'

'No,' said Bel firmly, trying to quell the jittery feeling in her chest at the mention of their mother's name. 'Until last month we didn't even know this place existed, let alone that Lily used to live here.'

'Well,' Maggie sighed. 'That explains a lot, I suppose.' She swallowed hard and took a deep breath, and Bel could hear the trepidation in her voice. 'I'm Lily's sister,' she said quietly. 'I suppose that makes me your aunt, doesn't it?'

Bel and Marie both stared at her for a long moment, entirely speechless. At no point in their childhood had Lily EVER mentioned a sister – any questions about her family or childhood had been deflected with a waft of the hand and a vague response, like 'it's just me' or 'there's nothing to tell'.

Bel turned to put tea bags into mugs, pressing her lips together and blinking back tears of fury and bewilderment. Her hand shook as she poured water from the kettle.

'I'm sorry to spring it on you like this,' said Maggie. 'I knew Lily hadn't talked much about her childhood, but I didn't realise she'd said nothing at all.'

'Not a word,' said Marie, and Bel was gratified that she sounded like she'd been knocked sideways too. Maggie and Marie sat in awkward silence until Bel put mugs of tea in front of them and pulled up a chair between them.

'So where do we start?' Bel asked. Now she looked at their aunt properly, Bel could see the resemblance to Lily – the same high forehead and grey eyes. Maggie was softer and heavier than her sister, but nothing kept you fit and lean like living on a boat. Their taste in clothes was different too – Lily had lived in loose trousers and dungarees, paired with brightly coloured T-shirts and hand-knitted jumpers that she'd wear until they were more hole than wool. There was never any hair dye or makeup – in her thirties Lily was naturally pretty enough not to need them, and later she presumably didn't care.

Maggie's look, on the other hand, was best described as 'chaotic layering'. A long, chunky blue knitted cardigan, several wispy scarves in a rainbow of colours, a collection of beads and bangles, brown suede ankle boots with laces. Now the hat had come off, Bel could see that Maggie's hair was held back behind the ears with two flowery clips more suited to a five-year-old girl, and her nails were painted a deep plum to match her lipstick. Silver stars dangled from her ears, caught up in strands of grey hair with flecks of auburn, and every time she moved Bel got a waft of some kind of floral perfume. Bel had never smelled perfume on Lily or seen polish on her nails; she and Marie would have wondered who was impersonating their mother.

'I don't know,' said Maggie, sipping her tea. 'Where would you like me to start?'

'Maybe with your parents? Or yours and Lily's childhood?' Marie suggested. 'We don't know anything.'

'That seems sensible,' said Maggie. 'Let's see. We actually grew up in Yarmouth, didn't move here until Lil and I were both teenagers. But I need to go back a bit further, I think.' She smiled weakly at both of them, and Bel could see how desperately Maggie wanted to get this moment right. She'd been waiting for them to arrive in Moxham, with no idea what she and Marie already knew or how this conversation would go. For a tiny moment, Bel had the urge to give her a hug and tell her it was going to be OK.

'So,' said Maggie, settling her hands in her lap. 'Our mother Rose, your grandmother, worked as a nurse during the war. She turned twenty in 1939, trained at the Norwich

& Norfolk and stayed there until it was all over. Then she moved back home to Yarmouth and was part of the team that set up the new NHS hospital there. Dad was an accountant who lived on her street; he was a few years older than her. They got married in 1948, I think. Mum was a staff nurse by then and loved her job, didn't want to rush to have babies and give it all up.'

Bel glanced at Marie, both of them single and childless in their thirties with no immediate plans to be otherwise. Perhaps that was a family trait.

'I have no idea how she avoided getting pregnant,' Maggie said with a smile. 'People did all sorts, didn't they? Anyway, by the time they started trying it wasn't happening, so they thought they'd left it too late. But she got there eventually and had me when she was forty-one. Then Lily came along two years later.'

'Christ,' said Bel. Maybe another family trait was eggs that stayed fresh for longer, which was vaguely reassuring.

'Well, quite,' said Maggie. 'It must have been strange becoming a mother at that age; lots of her friends would have been grandmothers by then.'

'You avoided the family naming convention, though,' said Marie.

'What do you mean?' Maggie asked, her brow furrowed.

'Rose, Lily, Bluebell, Marigold,' said Marie. 'We all have flower names. But you're a Margaret, right?'

'Goodness no,' Maggie laughed. 'I'm a Magnolia. You're right about the family tradition, though. Rose's mother was a Petunia, and her mother was called Violet.'

Bel mentally added more names to their new family

64

tree, wondering why she'd never pressed Lily harder for all this history. But Lily had never budged on anything she didn't want to talk about, so it would almost certainly have been wasted breath.

'So where does this house fit in?' Marie asked. 'It was a B&B, right?'

Maggie nodded. 'Mum gave up nursing when Dad retired, so we all moved here to run this place as a B&B. Mum was in her late fifties by then and ready for a change of scenery. Lily and I were both teenagers, and we rubbed along fine, considering.'

'Considering what?' asked Marie.

'We were very different people, I suppose,' said Maggie with a sad sigh. 'Lil was an adventurer, always looking for trouble, couldn't wait to escape from Norfolk and travel the world. I was more practical, wanted to get married and settle down and build my own life.'

'And did you?' asked Marie, glancing at Bel. No doubt she was thinking the same thing, that Maggie and Lily sounded an awful lot like her and Marie.

'Well, yes and no,' said Maggie. 'Lil packed her bags and left the minute she turned sixteen, and I stayed. I trained as a midwife and got a place nearby so I could help Mum and Dad out, but once I was in my late twenties and thinking about settling down, they were old and needing more support. So I moved back in here and cut my working hours to part-time.' She looked around the room wistfully, momentarily lost in memories.

'Why did Lily leave?' asked Bel, feeling like she already knew the answer.

'Ha,' said Maggie, shaking her head with an indulgent

65

smile. 'Moxham was no place for a girl like Lily. You have to remember that it was the seventies, there were lots of others like her. Travelling to Asia and South America, living in communes or hostels, working on farms. Mum and Dad didn't understand it; they'd lived through the sixties and thought it was all just drugs and orgies.' Bel choked on her tea but didn't interrupt Maggie's flow. 'There were a lot of fights before she left, and she didn't say goodbye. Couple of times a year she'd send a postcard, let us know where she was. But she never came back. Not even for the funerals.'

'Why did Lily never tell us any of this?' asked Marie. 'I tried to talk to her about where she grew up, but she just fobbed me off. Why wouldn't she tell us that we had grandparents and an aunt who lived by the seaside? We'd have LOVED it here.' Bel could sense Marie's anger, and noted the sudden appearance of the word 'we'. Like they'd been a normal, functioning family unit who could have gone on seaside holidays without beating each other to death with a bucket and spade.

Maggie sighed again, putting her mug on the counter and fiddling with her bangles. 'Lily was stubborn, and so were my parents. There was too much anger and bitterness; none of them could get past it. Goodness knows I tried. So she built her own life a long way from here, and she and I lost touch for forty years.'

'Did you ever find each other again?' asked Bel.

'Two years ago, after Mum died. Lily and I started writing to each other; as you know, she was living on a boat, so I used to send letters to a pub called the Black Swan. I'd hoped I'd see her again one day, but instead I got a letter

66

from one of her friends to say she'd died.' Maggie's eyes filled with tears and she looked away.

'Why didn't you come to the funeral?' asked Marie. 'Well, the wake. There wasn't really a funeral.'

'Because I didn't know,' said Maggie sadly. 'None of her friends knew about me, and clearly neither did you, so nobody told me. I sent one of my usual letters to Lily, and somebody in the pub passed it on to one of her friends. A lawyer.'

'Martin,' said Bel.

'Yes,' Maggie said. 'I got a letter from Martin two weeks ago, telling me that Lily had died and that you girls might turn up in Moxham at some point. He gave me the details of the lawyer in Great Yarmouth, but I couldn't get anything useful out of him.'

'There was an ashes ceremony this morning,' said Bel. The realisation that it was still Thursday took her by surprise. It felt like weeks had passed since they'd chugged down the canal at sunrise this morning.

'I know,' said Maggie softly. 'But that was a moment for her boat family, not me. I've said my goodbyes to Lil in my own way.'

There was a pause for a minute while everyone sipped their tea, lost in their own thoughts. 'What about you?' asked Bel. 'Did you ever marry and have children? Do we have Norfolk cousins?'

Maggie shook her head. 'I'm afraid not. By the time Dad died, Mum was eighty-one and I was forty. Looking after her was pretty much a full-time job, so the ship sailed on marriage and children.' She looked at both girls, and Bel could see that Maggie's life hadn't all been plain sailing either. 'Mum lasted another seventeen years, the stubborn old cow. I was her full-time nurse for the last five.' Maggie gave a wistful smile. 'Died in her sleep, in the room you've just put that mattress in. Ninety-eight years old.'

Marie stood up, her palms facing both of them and her cheeks pink. 'I'm sorry, this is all quite a lot to take in,' she said. 'Can we get some fresh air?'

The three women stood by the wall behind the orchard, looking back at the house. 'You'll get lots of fruit on these, if you like making pies and jam,' said Maggie. 'Apples and greengages.' Bel made a mental note to keep all their empty jars and look up what the hell a greengage was.

They'd taken a break from Maggie's story as they strolled around the garden and told theirs – this morning's ashes ceremony, the condition of the will, how they'd sold everything to stay here for a year, the gift from the law firm and Marie's Freecycled mattresses. Bel tried to make it sound like they were a happy sibling team on a big adventure, rather than two people who were gritting their teeth until they could cash in the house and go their separate ways. But she doubted that Maggie was fooled for a second.

'Why did Rose keep this place?' asked Marie, leaning against the wall and looking up at the house. 'Why not sell it and move into a bungalow or a retirement village? Wouldn't that have been easier on both of you?'

Maggie shook her head. 'It was never an option; she always said that Dad was by her side as long as she was in this house. It was always assumed I'd stay and look after her.' Bel caught the note of bitterness and wondered if it was towards Rose, or Lily, or both. 'So I stayed, moved her downstairs about ten years before she died, closed off all the rooms upstairs, kept the place standing as best I could.' Maggie brightened. 'She left me enough to buy a little cottage down the road and set up the Coffee Hut. It's a nice life, and I'm only fifty-nine. I've got some years left.'

'There's something I don't understand,' said Bel. 'Why did Rose leave the house to Lily, when you were the one that looked after her until she died? It doesn't seem fair, somehow.'

Maggie nodded. 'I asked her to. I didn't want it; it's far too big for me. But I thought it might bring Lil back; maybe she'd turn this place into a retreat for artists or something, add a bit of life to it again. I know she was thinking about it, from the letters we exchanged. I'm guessing leaving it to you was a back-up plan in case something happened.'

'I've been wondering if she knew she was sick,' said Marie quietly. 'Her friend Celeste said she got awful headaches.'

'I don't know,' Maggie mused. 'From the tone of her letters, I never got that impression. And of course she'd have had to see a doctor and have hospital tests to know that for sure.'

'Yeah,' said Bel, laughing to herself at the idea of Lily going to the doctor about some headaches. Much as they were all discovering new information about Lily, the only way she'd have visited a hospital was if she was strapped to a stretcher and bleeding out of her eyeballs.

'Anyway, here you are, the two of you,' Maggie said.

'It's just for a year,' Bel said quickly.

'I know, you said,' said Maggie, her expression soft. 'But that's more than my sister ever managed.'

69

'We should have known about the headaches,' said Marie, rubbing her temples with her fingers. 'If we'd known, we could have made her see someone.'

'She wouldn't have listened,' said Maggie. 'Lil did her own thing all her life, and she would have wanted you two to do the same.'

'So why the condition in the will?' asked Bel. 'Why make us put our lives on hold for a year?'

Maggie thought for a moment. 'Well. My guess is she regretted how far apart she and I had drifted; in one of her final letters she said something about not wanting her girls to repeat history.' Maggie turned to face them both. 'Perhaps she hoped this adventure would help mend whatever issues exist between the two of you.'

Bel looked at her feet as Marie wandered off to inspect the fruit trees. Neither of them was the type to talk about their feelings, and all this soul-baring honesty and airing of family laundry was bringing Bel out in a sweat.

'I think I should be off,' said Maggie, clearly sensing the shift in atmosphere. 'Come and see me at the Coffee Hut tomorrow, if you want. The beach is lovely at this time of year before the crowds arrive for the summer. I'm there from ten.'

Bel nodded, and waited for Marie to come back so they could walk their aunt to the gate. There were no hugs good-bye; Bel and Marie had certainly not come from the type of family that hugged, so it was safe to assume Maggie hadn't either. In fact now Bel thought about it, she genuinely couldn't remember the last time she'd held another person in a non-sexual context. The four years since the divorce from Edward had been dedicated to achieving independence, both financial and emotional, and neither had been a huge success. But her theory was that if you relied on nobody but yourself, you'd never be disappointed. Of course she had friends like Jenna and people she could call on for drinks or dinner or no-strings sex, but she'd never been the type for girly weekends – sharing gossip and secrets over glasses of prosecco. Bel had enough problems of her own without taking on other people's.

'Well, that was a lot,' said Marie, joining her in the garden again.

'Yeah,' Bel mumbled, rubbing the goosebumps that were forming on her arms. The temperature had suddenly dropped, and it was starting to get dark.

Marie looked at Bel for a long moment, clearly trying to read her sister's mood. Bel could tell that she wanted to talk, to pick at the tangle of revelations and see if they could make sense of it all. But Bel felt too exhausted to get into it. So much had happened in just one day – saying goodbye to Lily, discovering they had an aunt they never knew about. It was too much to process right now.

'I'll make the beds,' Marie conceded, turning on her heel towards the house.

Bel lingered a few seconds, before snapping out of her dazed state and turning her attention to dinner and unpacking. Everything they'd planned to do before Maggie arrived, like it had never happened.

CHAPTER NINE

Friday morning was gusty and overcast, the kind of day where the wind makes your cheeks burn and your eyes water. Bel and Marie walked towards the beach together, Bel in a padded coat zipped up over her chin, and Marie in a huge patchwork knitted cardigan that seemed to be made out of several other cardigans. At some point during the past month Marie had ditched the blue hair in favour of her natural red, and it had grown into something less shambolic since they'd first visited Moxham back in February. She looked rosy-cheeked and pretty, with her cute button nose that had an all-year-round dusting of freckles. Presumably she'd inherited this from their father, because Bel had Lily's more striking, angular features. Edward had once told her she looked like the actress Emma Stone, back in the early days when he would use words like 'beautiful', rather than all the other words that followed. But Emma Watson-pretty was very much Marie's territory.

'Big day yesterday,' mused Marie. She was clutching a mug of green tea that she'd brought with her from the house, the wind creating tiny ripples on the surface. 'Said goodbye to a mother, gained an aunt.'

Bel gave a short laugh. 'Yeah. Didn't see that coming.'

'Me neither. I just wish Lily had told us.'

Bel didn't reply, because what was the point? Obviously

she felt the same way, but raking history over again and again felt exhausting, and didn't change anything. Lily must have had her reasons, and they were just going to have to learn to adjust and move on.

'Do we get free drinks, do you think?' added Marie, a little more cheerfully.

'I should bloody hope so. Maggie owes us thirty-odd years of Christmas presents.'

Marie laughed as they crossed the car park, raising a hand at their aunt, who was beaming at them from inside the Coffee Hut. It felt strange to suddenly have another blood relative besides Marie; Bel had never known any kind of extended family. Presumably they had relatives on their father's side, but there hadn't been a whisper from him since the day he walked out when she and Marie were both babies. It had only ever been the three Grey women, and now that three was made up by Maggie, rather than Lily. Bel wasn't sure how she felt about that, but on the upside their aunt didn't appear to be entirely unhinged, which would make living in the same village considerably easier.

'What can I get you?' asked Maggie, holding out her hand for Marie's mug. 'It's on the house, my nieces don't have to pay.' She looked thrilled to use the word for the first time, widening her twinkly smile.

'Flat white and a green tea, please,' replied Bel, already feeling buoyed by the prospect of proper coffee provided free of charge just a short walk from home. So far having relatives was pretty OK.

'I've got a proposition for you two,' said Maggie. 'Let me make these and we'll chat.'

She finished making the drinks and put them on the counter, before popping out through the back of the hut to join them on the wall at the edge of the car park. Poppy trotted behind her, sniffing hopefully at the bin before settling down by Maggie's feet.

'I can't tell you how glad I am to see you both again,' Maggie said shyly. 'I thought you might not come.'

'We're here for a year, Maggie,' laughed Bel. 'We can hardly avoid you. And anyway, don't you read the tarot? Surely that told you we were coming?'

Maggie tossed her hair and looked mildly affronted. 'Well, yes. But the cards don't always provide that level of *detail*.'

'Stop taking the piss,' hissed Marie as Maggie bent down to fuss behind Poppy's ears. A group of women trooped over the top of the slipway, chatting and laughing as they headed in the direction of their cars. Boots were opened, and towels and dryrobes swapped for warm jumpers.

'The swimmers will be over for hot drinks in a minute,' said Maggie. 'Which brings me to my proposition.'

Bel looked at Marie, then at Maggie, wondering if she was about to get roped into a family dip in the North Sea.

'I wondered if either of you might be interested in a job,' said Maggie. 'Just for a few hours a day, first thing.'

Neither Bel nor Marie said anything, so Maggie continued.

'Moxham has become a bit of a sea swimming hotspot. People come from all over, lots of them very early. At the moment I don't open the Coffee Hut until ten; I'm not really an early riser. So I wondered if either of you might be interested? It would be a case of opening up at seven to catch the morning rush until I come and take over.'

Bel looked at Marie, wondering which of them would ask the question. Maggie might be family, but they were skint and couldn't afford to work for free.

'I can't pay you much,' said Maggie, turning her palms up. 'I was thinking maybe twenty pounds a day, cash? You can split the job between you if you like, do alternate days. I'm open six days a week, closed on Mondays.'

Bel did the mental arithmetic – as an hourly rate it was terrible, but an extra £120 a week would double their disposable income, and it was easy work. She knew her way round a coffee machine, and presumably Marie did too. She raised her eyebrows in question at Marie, who nodded enthusiastically.

'We're in,' said Marie. 'Thank you.'

Maggie clapped her hands happily, then turned to Bel. 'Lily told me you were quite the chef, so if you want to sell muffins or muesli bars or that sort of thing, you can keep whatever money you make on those. I can't bake for toffee, so I'll leave that up to you.'

Bel smiled as a strangely warm feeling seeped up through her toes. Relief was part of it; a realisation that maybe she and Marie could make this work after all. But also a tiny bit of joy that maybe Lily had been a little bit proud of her after all.

'Come on,' said Maggie, giving Poppy a handful of dog treats. 'I'll show you how everything works and dig out the spare keys. Would one of you be happy to start tomorrow? There's no point missing out on a Saturday.'

'I don't mind doing the first shift tomorrow,' said Marie as they strolled back towards the house. They were now walking directly into a headwind and it was hard for Bel to hear anything above the whistle and roar hammering in her ears. She briefly wondered what on earth this place was going to be like in January, then decided they'd be so close to the end by then that they wouldn't care.

'Sure. I might knock up a dozen banana muffins later, see if you can sell them. They're dirt cheap and easy to make, so that's all extra profit.'

Marie nodded thoughtfully. 'Do you want me to come shopping?'

Today was big shop day, and there was no doubt an extra pair of hands would speed things up. But Bel was already relishing the prospect of a couple of hours away from the village and her sister, playing the radio in the car and mooching round the supermarket on her own. There was a time in Bel's life when she'd have sought this kind of peace in a fancy spa, but for now she'd have to make do with the big Tesco in Yarmouth. 'I'll be fine, it's no problem.'

'OK. I'll start making a list of jobs. I thought I'd go through each room and decide what work we can do ourselves.'

Bel nodded, but couldn't get excited about the prospect of renovating Orchard House. Anything they did was just going to be a sticking plaster, so she was more inclined to give everything a good clean and make do until someone bought it as a renovation project. But it would be nice to use the upstairs rooms at some point, particularly if Jenna and Cerys came to stay. And a bath wouldn't go amiss; the shower in the boot room worked, but she'd discovered that morning that the water pressure was a feeble trickle and the distance on the temperature knob between scalding hot and icy cold was about the width of a pubic hair.

Dan the lawyer appeared at Orchard House at 7 p.m., his work suit exchanged for jeans and a navy parka and a bottle of red wine in his rucksack. Marie answered the door and showed him through to the kitchen, where Bel was dishing up a bean chilli as a tray of banana muffins cooled on the side.

'Hi,' he said, his cheeks flushing as he handed over the bottle to Bel. He looked even younger out of work clothes, clearly trying to navigate the murky hinterland between checking up on them in an official capacity and wanting to look like a friendly lawyer who just happened to be passing. 'Sorry, I didn't realise you were about to eat.'

'It's fine, you can join us,' said Bel. 'Unless you have other plans?'

'No,' he said quickly, glancing at Marie. 'But I don't want to impose.'

'It's fine,' said Bel. 'Grab some glasses, and we'll go through to the dining room.'

'I don't need a glass,' said Marie. 'I don't drink.'

Bel rolled her eyes. 'The good news is I drink enough for both of us.' She unscrewed the cap and hovered the bottle over Dan's glass. 'Are you driving?'

He shook his head. 'I dropped my car at home and grabbed my bike. I only live about three miles away; my parents own the King's Head in Felsby.'

Bel nodded, trying to look like someone who was familiar with Felsby and its pub, even though she'd never heard of either.

'Is that why you got lumbered with checking in on us?' asked Marie, filling a glass with water from the tap.

Dan shuffled his feet awkwardly and sipped his wine. 'Well, yes, a bit. But I don't mind.'

'Well, we're both here,' said Bel, gesturing dramatically at the room. 'It's been over twenty-four hours and we haven't killed each other yet.'

'Thank you for organising the cleaning,' said Marie. 'That was really kind of you.'

'Oh,' said Dan. 'You're welcome. The practice paid for it, obviously, but I just thought it would be one less thing for you guys to deal with.'

Bel caught his sideways glances at Marie, who was now sitting cross-legged on the kitchen counter with her glass of water. Bless him, the poor boy was clearly smitten.

'Is bean chilli OK?' she asked, deciding his mating dance might be fun to watch, if nothing else. God knows she was starved of entertainment these days. 'It's not that hot.'

'Amazing,' said Dan. 'But seriously, only if it's not too much trouble.'

Marie smiled sweetly. 'My big sister is a terrible person with very little going for her, but she can definitely cook.'

Bel ignored Marie and handed Dan the pan of chilli, then grabbed three bowls and some spoons from the dresser and followed him and Marie through to the dining room. They hadn't used the big table yet, but Marie had dropped some tea lights into some empty jam jars, placing them in the centre of the table to create a warm glow, so they weren't sitting in total darkness. Lamps, along with a bicycle, had quickly jumped to the top of Marie's list of things to acquire for little or no money.

'So how come you still live with your parents?' asked Marie, ladling chilli into her bowl.

Dan took a sip of wine as he waited for his turn with the ladle. 'I'm in my first year of solicitor training, so I don't get paid very much right now. It will go up in my second year, so I can save a bit more money. By the time I'm fully qualified I'll have the deposit for a flat.'

'Are you planning to stay in Norfolk, or move away?' asked Bel, taking the ladle from Marie. Much as she'd have loved to visit as a child, she could see why Lily might have found life on this remote stretch of coastline stifling. And what was there for a lawyer to do here, apart from divorces, probate, and keeping track of strange women from out of town?

'I'll probably stay,' said Dan. 'My mum needs quite a lot of care; it's too much for Dad to look after her and run the pub. So I help out.' He filled his bowl, then concentrated on silently eating.

Bel glanced at Marie, who raised her eyebrows almost imperceptibly. Everybody had family stuff of one type or another, but they weren't the kind to ask too many personal questions. 'What are your parents' names?' Bel asked.

'Pete and Helen,' said Dan. 'Mum used to love the beach here; we came a lot when I was a kid. But she's in a wheelchair now, so it's a lot harder.'

'You should bring her over,' said Marie with a smile. 'Between us we can definitely get a wheelchair over the top of the dunes and down to the walkway.'

Dan beamed at her; Bel could practically see his cartoon heart beating out of his chest. She narrowed her eyes at Marie – either she was messing with this poor boy, or she was entirely oblivious. The former seemed unlikely, so it was probably the latter. She briefly entertained the possibility that Marie was equally taken with Dan, then dismissed it. She might not know much about Marie's love life, but she was reasonably sure that Dan was a very long way from being her type. Surely Marie liked sun-kissed gods of the outdoors, all long hair, wispy beards and string bracelets? Men who were free from deodorant and the trappings of modern life.

'Did we tell you we've met our aunt?' Bel asked.

Dan dragged his eyes from Marie to look at her, his expression slightly panicked. 'Your aunt?'

'Our aunt. Maggie. Lily's sister. Runs the Coffee Hut by the beach. Tried to get you to tell her when we were arriving, but apparently you were having none of it.'

'Oh,' said Dan, blushing furiously. 'Yes, I did speak to her. I wasn't at liberty to give either of you any information about the other. Sorry.'

'It's fine,' said Bel with a laugh. 'She has mystic skills and found us about two hours after we arrived. She's already given us both a job and a lifetime supply of free hot drinks.'

Dan laughed. 'Wow, you two work fast. We'll probably need some help in the pub over the summer if either of you want any more work.' He looked pointedly at Marie, and Bel watched her face as the penny finally dropped.

'I think we're OK for now,' Marie said kindly, reaching for her water glass. 'But that's really good to know.'

Dan cleared his throat awkwardly, taking the knockback on the chin. 'What's your plan for this place?' he asked, turning his attention to Bel.

Bel shrugged. 'Make it liveable, in the short term. Then

do whatever we can to make it easier to sell, without spending a lot of money. Cosmetic stuff, sorting out the garden, that kind of thing.'

'I'd like to grow things,' said Marie. 'Food we can eat this summer.'

Bel raised her eyebrows; this was the first she'd heard of it. 'Since when?'

Marie shrugged. 'Since I walked around the garden this afternoon. There's a sunny patch by the wall where we could plant some salad.'

'What do you know about growing salad?' Bel asked, knowing full well that Marie's plans to fix up the house were about to be abandoned in favour of spending hours each day dicking about with organic lettuces.

'Nothing.' Marie scowled at Bel. 'It was just an idea.'

'My mum used to grow all her own vegetables,' said Dan, clearly trying to break the tension. 'It's surprisingly easy, I'm sure she could give you some advice.'

'Thank you, Dan,' said Marie, sticking her tongue out at Bel. 'Once I've got a bike, maybe I'll ride over and see her.'

Bel accepted defeat and helped herself to more chilli, wondering if Dan and his mother were about to become a regular feature of this strange year. She tried the idea on for size and decided she didn't actually mind at all. She'd spent the past month imagining how this experience was going to be, and every scenario involved her and Marie slogging through it alone. The alternative had never occurred to her, because the Grey women always did things alone. But of course there was no rule that said they had to, so why not dilute the tensions between them with some other people?

In fact, now she thought about it, why not try growing lettuces, or swimming in the sea? Why not ride a bicycle and make some new friends? Her old life in Bristol was two hundred and fifty miles away, so it wasn't like she had anything to lose.

CHAPTER TEN

April

'I've been thinking,' said Marie, hoisting herself up onto the counter next to Bel, who was making flapjacks. In the two weeks since they'd both started working at the Coffee Hut, Bel's raspberry muffins and apricot flapjacks had proved the biggest hits. They were shifting at least half a dozen of each every morning, more at the weekends, and at a pound of profit on every sale, they were comfortably living on their Coffee Hut earnings, without the need to dip into Bel's savings.

'Have you decided to marry Dan?' asked Bel with a sly smile.

Marie rolled her eyes. 'Are you ever going to let that go?'

'Not yet,' said Bel. 'Is he coming for dinner tonight?'

'No idea,' Marie replied. 'I should think so. It's Friday.'

Dan had become a firm fixture at Orchard House, having returned two days after his first visit with a red bicycle, ostensibly for both of them but very obviously with Marie in mind. It had belonged to his mum, but she would never ride it again and had been happy for him to donate it to the Orchard House cause. He'd stayed for dinner last Friday too, following his official weekly check-in. They seemed to have reached an unspoken agreement that this would be a regular thing.

'How's he taking rejection?' Once Dan had reached the point of looking permanently lovesick, Marie had quietly taken him to one side and explained that he was a little young for her, and more importantly, the wrong gender.

'He's fine. I think me not being into guys was less wounding to his male pride than if I just didn't fancy him.'

Bel smiled and scooped a pile of chopped apricots into the bowl. 'I'm sorry I didn't know; I'd have dropped hints sooner, put him out of his misery.'

Marie shrugged. 'Why would you know? It's not like we've ever talked about that kind of thing.'

Bel gave a hollow laugh. 'Any kind of thing, for that matter.'

'No. Well, I've been thinking about that too. Maybe we should address our lack of knowledge.'

Bel stopped stirring and looked at Marie. 'What do you mean?'

'Look,' Marie sighed. 'We're stuck with each other for a year; it might not do any harm to, you know, get to know each other a bit.'

Bel recoiled in fake horror. 'You're fucking scaring me, Mar. Stop it.'

Marie held out her hands, her smile soft and patient. 'I'm making an effort, Bel. We haven't always been very kind to each other, but you're still my sister. Maybe we should try, for Lily. It's why she sent us here, isn't it?'

'Is that what you came in here to talk about?' asked Bel, frantically seeking ways to back away from this uncomfortable conversation.

'No, actually,' said Marie. 'But give it some thought.'

84

Bel nodded. 'Fine. What did you actually want?'

Marie jumped off the counter. 'Follow me.'

She led Bel out of the kitchen and up the creaky staircase, reminding her to avoid the stair with the loose tread that needed replacing. Several of the banister spindles were missing too, and sections of the carpet were torn and curling upwards. It felt like one of those workplace Health and Safety videos where you had to identify the potential hazards; getting to the top without falling to your death felt like quite an achievement.

They moved from bedroom to bedroom, Marie pointing out broken floorboards, patches of damp and window frames that needed repairing. The list was long and overwhelming, with loose electrical sockets and exposed light fittings that clearly needed professional expertise.

'I think we need some help,' Marie concluded once they'd inspected the mould and sagging ceiling in the less derelict of the two bathrooms.

'No shit,' said Bel.

'This damp needs proper treatment,' said Marie, ignoring Bel and running her fingers down the puckered wallpaper. 'Loads of the plaster needs patching up and about a dozen floorboards need replacing. This bath is cracked.' She poked her finger into a fissure in the plastic bath, which popped inwards under the pressure. 'But I don't have the tools or the expertise for that sort of thing. I can get replacement bathroom fixtures second-hand, but I'm not a plumber either.'

Bel sighed and put her hands on her hips. 'We don't have the money for tradespeople, Mar. I thought we talked about this.'

'I know,' replied Marie. 'But I've got an alternative suggestion.'

Bel chewed her lip and looked at her sister. She was wearing cut-off jeans and a faded pink T-shirt, her hair pushed back with a blue stretchy headband. Not a scrap of makeup, but a pixie-like beauty that took your breath away. *Poor Dan*, thought Bel, trying not to hate her and failing miserably. Women who looked like Marie didn't pass through places like Moxham every day.

'Go on,' Bel said. 'I'm all ears.'

'I know some people,' Marie explained. 'They're called Trade Nomads; they travel round and work on different projects, fixing stuff, teaching people new skills, helping out with self-builds, that kind of thing.'

'Like hippy workmen?' asked Bel, imagining beardy men in grubby shorts and toolbelts. Bare chests, stained teeth from smoking roll-ups.

'Kind of,' Marie shrugged. 'Anyway, I know some. We could ask them to come here for a month or two to help us get this place sorted out.'

'But how would we pay them?' asked Bel.

'They don't want money,' Marie replied quickly. 'They work for food and board, and for the experience. We just have to give them a place to sleep and three meals a day, maybe some beers in the fridge. Nothing fancy.'

Bel was silent for a moment, processing the idea of tradespeople who worked for love rather than money. Weird. 'It sounds great, Mar, but our budget is already stretched.'

'I know, but now we've got our wages from the Coffee Hut and the profit from your cakes, that's more than double what we had before.' She pulled a folded piece of paper out of her pocket. 'I've done some calculations. We can afford to feed three or four extra people, and pay for paint and plaster and recycled timber. You can easily bulk out the food you're making for us, you're a brilliant cook.'

Bel narrowed her eyes, trying to work out if Marie was taking the piss or actually giving her a proper compliment for pretty much the first time ever. It was hard to tell with her. 'Why would they come here? They must get asked to work in loads of places.'

'Because I used to be one of them,' Marie said. 'I spent the summer with a group a few years ago, doing up an old farmhouse in West Wales. Painted the whole exterior, took me six weeks.' She smiled at the memory. 'They look after their own. If I make a few calls and put the word out that we need help, I think some people will come.'

Bel nodded, weighing up the idea. It seemed unlikely somehow, but Marie seemed convinced.

'I'll manage them if you can feed them,' Marie said. 'I'll find some extra beds on Freecycle or something.'

'OK,' Bel conceded. 'I guess there's no harm in asking. But no vegans or soap-dodgers.'

'Fine,' said Marie with a grin.

'And one other thing, since we're talking about visitors. My friend would like to come and visit next week.' Bel chose her words carefully, wanting to make it clear that she was informing Marie of a thing that would very likely happen, not asking her permission.

'Oh,' said Marie, smiling sweetly at her sister. 'You have friends? I had no idea.'

'Fuck you, Marie,' said Bel, pulling a snarky face. 'She's

87

a teacher, she'll be bringing her daughter up on the coach from Bristol. She's eight.'

Marie's smile faltered. 'Really? It's not exactly safe here for kids, Bel.'

Bel shrugged. 'She'll be fine. They can sleep in my room, we'll find another mattress. They'll muck in with the gardening, probably spend most of the day at the beach.'

Marie nodded. 'OK, whatever. I'll see if I can find some bunk beds for the front room – we'll need them anyway if we get some helpers.' The front room was their name for the fourth large room downstairs, the one to the left of the main door that was empty. The two old sofas had both shown signs of being inhabited by mice, so had made their final journey to the tip.

'Thanks,' said Bel, gratified that Marie was being cool about it. She reminded herself that teeth-grinding annoyance at everything was her own personality trait, not Marie's. 'Cerys is a sweetheart, you'll like her.'

'Is Cerys the mother or the daughter?' asked Marie.

'She's the daughter,' said Bel. 'My friend's called Jenna. I'm pretty sure you'll like her too.'

Marie looked at Bel and tilted her head questioningly for a moment, then raised her hand to waft away her sister's mischief-making. Bel grinned and headed back to the kitchen.

Marie reappeared an hour later, just as Bel was pulling a second batch of muffins out of the oven.

'All sorted,' said Marie, boosting herself up onto her usual spot to the left of the oven. 'Can I have a muffin?'

Bel nodded, trying not to begrudge her sister munching on a whole pound's worth of profit. 'What's all sorted?'

'Trade Nomads,' said Marie. 'I rang Nathan, he coordinates things, I worked with him before. He can't come, but there's a group working on a windmill in Suffolk who he thinks will be finished soon.'

'Wow,' said Bel. 'This place is a bit of a comedown after a windmill.'

'I also found some bunk beds,' Marie told her. 'Facebook Marketplace, so we just need to pick them up from North Walsham, Google Maps says it's about twenty minutes. The owner said she'd take them apart for me. They belonged to her daughter, she's thirteen and wants a double bed.'

'With mattresses?' asked Bel.

'Yep, and she's offered to throw in all the bedding. Apparently she's bought all new for her daughter's new bed and was going to take the old stuff to the tip.' Marie's eyes boggled in horror, aghast at the idea of throwing out perfectly serviceable duvets and pillows.

Bel shook her head, grudgingly in awe of her sister's ability to blag free stuff. 'Anything else?'

'A bedside lamp and a bike.'

Bel looked confused. 'We've got a bike.'

'It's a kids' one,' said Marie. 'The daughter's outgrown it. It was going free so I said we'd take it. I thought your friend could take her daughter cycling.'

Bel was silent for a few seconds, momentarily at a loss for words. 'That's a really nice thing to do, Mar. Thank you.'

Marie shrugged and polished off the remainder of her muffin, before helping herself to a flapjack. 'I'm actually a really nice person. You've just never noticed.'

CHAPTER ELEVEN

Bel straightened out the duvet on the top bunk and plugged in the lamp on the windowsill, marvelling that they now had a functioning guest room that had cost practically nothing. She grabbed her jacket and headed towards the beach, checking off her mental list of things she needed to do before collecting Jenna and Cerys from Norwich coach station later.

Top of the list was going to Tesco while she was in town, thereby saving the petrol cost of doing a separate journey. The old Bel would never have bothered with this kind of penny-pinching, but there was a long way to go before this year was up, and who knew what was round the corner? If the car or the boiler broke down, or one of them needed an emergency dentist or something, the contents of Bel's bank account would be gone in a flash.

She looked at her watch – Marie was working at the Coffee Hut this morning, but she'd be finished in twenty minutes, so by going now she could grab a free flat white and invite Maggie for dinner tomorrow night. It was Friday so Dan would be over anyway, and maybe they could make a bit of a party of it.

'Where are all the cakes?' she asked when she reached the Hut, gesturing at the empty tray on the counter as Marie turned to make her a coffee.

'I sold the lot before eight,' said Marie. 'There's an early sea swimming group that started today for the summer; Tuesdays, Thursdays and Saturdays until October, although apparently there's a hardcore crew who come nearly every day. About fifteen of them this morning, they pretty much cleaned me out. The dog walkers were properly miffed.'

Bel clapped her hands, mentally putting all the extra money into the cake tin under the sink. 'Great, I'll do a double batch for those days.'

'I asked if there was anything in particular they wanted, and quite a few of them asked for something hot, like a sausage roll or something. I said I'd speak to you about it.'

Bel pursed her lips thoughtfully. 'We'd need a counter-top warmer,' she said, scoping the empty space at the end of the counter. 'But they're about two hundred quid.'

'I'll see what I can find online,' said Marie. 'And we should talk to Maggie about it; we don't want to over-load her power supply and burn the Coffee Hut to the ground.'

'Good point,' said Bel, already thinking about warm sausage rolls at three pounds a go.

Maggie was entirely relaxed about hot food for early morning swimmers and dog walkers, as long as it was nothing that needed a plate. 'If we start serving proper breakfast it will upset the cafe,' she explained, gesturing to the Blue Lagoon Diner at the bottom of the slipway. 'Food you can take away in a paper bag is fine, but nothing fancy.'

'I'm thinking warm savoury pastries,' said Bel, sipping

her coffee. 'We'll need a warmer; Marie is going to try to find a second-hand one.'

'Is there anything Marie can't find?' asked Maggie with a smile.

'A wife?' said Marie playfully. Bel grinned, realising how much she was tentatively beginning to enjoy the company of these women.

'Marriage is overrated,' said Maggie. 'Husbands and wives are nothing but trouble. Look how well we're all managing without them.'

'I can vouch for that,' mumbled Bel. Pain flickered for a moment as Marie caught her eye, her brow furrowing with concern. She'd noticed; Marie always noticed.

'I wondered if you wanted to come for dinner tomorrow,' said Bel, hastily changing the subject. 'Jenna and Cerys will be here, and no doubt Dan will make an appearance too.'

'Poor Dan,' said Maggie, having followed along with the soap opera of Dan's thunderbolt crush on Marie. 'We'll have to find him a good woman.'

'I think we've got enough on our plate right now,' said Bel.

'Ooh, I have news on that front,' said Marie, digging her antique phone out of her pocket. 'I've heard from Nathan – a team of Trade Nomads is coming at the end of next week.'

'Oh wow,' said Bel. 'How many?'

'He says four. One married couple, another woman, and a guy who will bring his own tent and sleep outside.'

'Right,' said Bel. 'How do we work out the sleeping arrangements for the couple and the woman?'

'They're used to all bunking in together,' said Marie, 'so they'll all be fine in the front room. We just need to get another mattress and some more bedding.'

'I'll leave that to you, shall I?' said Bel with a grin.

'I'm on it,' said Marie.

'Orchard House is going to be full of people again,' said Maggie gleefully. 'I can't tell you how happy that makes me. I'd love to come for dinner tomorrow, I'll bring some pudding.' She rested a hand on Bel's arm. 'It won't be up to your standards, Bel, but I'd like to do my bit.'

'Thank you,' said Bel. 'All contributions welcome, I seem to live in that kitchen these days.'

'I'll also pay half of whatever the food warmer costs,' said Maggie. 'My coffee sales are up considerably on this time last year; people are clearly coming for your cakes.'

'Or my sparkling personality and outstanding customer service,' said Bel, which made Marie snort into her green tea.

'What time are you leaving for Norwich?' said Marie, popping her head into the kitchen later that afternoon.

'In a few minutes,' said Bel. 'I'm going to do a big shop while I'm there.'

'You should pop into the King's Head in Felsby first.'

'Why do I need to go there?' Bel asked. The King's Head was the pub run by Dan's parents, but neither she nor Marie had been there yet.

'Because they've got a countertop food warmer that they never use,' said Marie, practically skipping with glee. 'Apparently they used to sell hot pies and pasties, but Helen can't make them any more.'

'Oh my God. How much do they want for it?' Bel said excitedly.

'Nothing,' said Marie. 'It's been in a cupboard for years. I said you'd make Helen a cake.'

'Fuck,' said Bel, dancing over to her sister. 'Fucking YES. You're a genius.' She had a brief and unexpected urge to hug her, but settled for a playful punch on the arm instead. Marie laughed and spun on the spot like she was basking under a spotlight.

'I'll go now,' said Bel, grabbing her coat from the boot room. 'I don't want to leave Jenna waiting, she'll have been on a bus for seven hours.'

'Do you want me to come with you?' Marie asked. 'Help with the shopping?'

Bel looked at her for a moment, considering the offer. Given the choice, she would always choose to operate alone, but it was clear how hard Marie was trying. The least Bel could do was make a tiny effort in return.

'You know what?' she said. 'That would be great.'

She pulled out the cake tin from under the sink and counted out two hundred pounds – enough to feed them all for a week, buy all the cooking ingredients she needed and fill up the car for the first time since they'd arrived in Norfolk. And since it was a special occasion, maybe she'd buy a couple of bottles of cheap fizz too, to mark their foray into hot food at the Coffee Hut, and the impending arrival of friends and helpers at Orchard House. In that moment, it felt like they had a few things to celebrate.

'So, can I ask a question?' Marie said as they pulled out of the driveway.

'What kind of question?' asked Bel, immediately suspicious.

'A personal one,' said Marie. 'Part of our plan to get to know each other a bit.'

'I definitely didn't approve that plan,' replied Bel, glad that she could focus on the road and not look at Marie.

'God, Bel, what are you so scared of?' Marie said. 'I'll ask you one question, and you get to ask me one in return. I'm hardly pulling out your fingernails with pliers.'

Bel sighed. She knew that Marie was right, but that didn't make this any easier. Keeping her life private had become an ingrained habit formed over many years. 'Fine,' she said grumpily. 'One question.'

Marie took a deep breath. 'Thank you,' she said. 'What exactly happened with your marriage?'

Bel closed her eyes briefly, wishing she'd seen that juggernaut coming. 'Fuck, Mar, that's a big question.'

'I know,' said Marie. 'But I thought I'd ask it anyway.'

Bel drove in silence for a minute, not sure where to start. Edward had owned a couple of high-end restaurants in Bristol; Bel had been introduced to him by a mutual friend and been impressed by how smart and entrepreneurial he was. He was handsome too, in a polished, never-scrubbed-a-pot-myself kind of way. Bel had seen an opportunity for career progression, so she'd asked him for a job. He'd refused, on the basis that if Bel was his employee he wouldn't be able to ask her on a date. Bel couldn't help but be charmed – he was wealthy, successful and charismatic. And a controlling, manipulative, emotionally abusive bastard, as it turned out.

Marie already knew the first part of this; she'd briefly

95

met Bel and Edward for brunch a month before their wedding, an olive branch to make up for the fact that she was going to be abroad on the big day. Edward had been polite but distracted, leaving the table several times to answer phone calls and deal with suppliers and staff issues. Marie had said pretty much nothing, eaten even less, and left after barely an hour. Bel hadn't seen her again for over four years.

'He wasn't a very nice man, as it turned out,' Bel whispered, feeling beads of sweat break out on her forehead.

'I gathered that,' said Marie. 'I was hoping you might be more specific.'

Bel was silent again for a while, the words turning to gravel in her mouth. 'It wasn't one big thing,' she said, slowing down and gently pulling out to avoid a cyclist. 'He could be mean, had a temper. Nothing physical, just chipping away at my self-esteem, making me feel worthless and stupid. Criticising everything I did, flying off the handle about little things, endless gaslighting. I also later found out that he fucked every waitress who passed within a mile radius. The younger, the better.' Every word felt like an anxious flutter in Bel's chest, like she'd time-travelled back to the final months she and Edward had spent together. An endless circle of knocking her down, then love-bombing her back up again. Like a human skittle.

'Christ,' said Marie. 'I'm amazed you stayed so long.'

'It took me nearly four years to find the courage to leave,' said Bel grimly, choking down the tears. The only person she'd ever told this story to was Jenna. 'It was awful, but a woman from my old job let me crash at her flat while I filed for divorce, and acted as a go-between so I didn't have to talk to him. He gave me twenty grand and a promise that he'd never contact me again if I didn't go after his money or his reputation. So I took it, mostly for my own sanity. Found a one-bed flat and used the divorce cash to start my own business. Jenna lived upstairs; that's how I met her.'

Bel breathed out slowly. That was the most she'd ever spoken in one go about that time in her life, although Jenna had pieced together most of the story over several evenings and many bottles of wine.

'You remember when we met for brunch?' Marie said quietly.

'Yeah,' said Bel, as warning signals went off in her head. *Reverse, reverse.* 'Before the wedding.'

'I went to the loo and bumped into him on the way back. He'd been making a phone call. He told me that he'd love to meet up, see if I was a better fuck than my sister. Then he tried to kiss me and groped my arse.'

Bel gritted her teeth, blinking away tears and willing herself to keep driving in a straight line. 'Why didn't you tell me?'

Marie gave her a hard look. 'I tried, Bel. Don't tell me you don't remember.'

Bel kept her eyes firmly on the road, swallowing down a feeling of rising nausea. 'Remind me.'

'I messaged you a few days later. Saying that I wanted to talk to you about Edward's behaviour at brunch, and asking if we could talk.'

'I don't remember,' lied Bel, blinking back tears.

'Yes, you do. You replied with "Fuck off, Marie".'

Bel shook her head, her face hot and itchy. 'It was just before my wedding. I—'

97

'I know,' said Marie gently. 'That's why it took me a few days to message you. Because part of me was worried that you wouldn't believe me. Or that you'd believe Edward instead, when he told you I'd tried it on, or was out of my mind.'

Bel dug deep and forced herself to be honest. She'd have believed Edward over Marie, and it made her feel sick with shame.

'I'm sorry,' she said.

'What for?' asked Marie. 'You're the one who married the evil bastard. I'd say that was punishment enough.'

'I'm sorry for not trusting you.' The words felt strange; she'd never imagined saying them to anyone, least of all Marie.

'I wasn't very trustworthy a lot of the time.' Marie turned and smiled at Bel. 'Is that why you were so angry at me for so long? Because you ignored my red flag and I turned out to be right?'

'I wasn't . . . I don't know,' said Bel, blindsided by Marie's perception that Bel had been angry at her for years. In reality, she'd rarely given Marie a thought, but that felt so much worse to admit, somehow. She'd genuinely forgotten about the text message, but perhaps she'd registered it subconsciously, and added it to her list of Reasons Why Marie Is Insufferable. A list that, in the cold light of day, no longer seemed in any way reasonable.

'It doesn't matter,' said Marie, and Bel forced herself to appreciate her sister's magnanimity, rather than resenting her for being the better person. 'But right now we're stuck together, so we should probably try being nice to each other.'

Bel nodded and returned Marie's smile. 'Sounds weird, but fine.'

'You get to ask a question now,' said Marie.

'Can I save it for another day?' Bel asked. 'I'm emotionally drained and need a lie-down.'

Marie laughed. 'Ask me whenever you like. It's not like I'm going anywhere.'

I'm glad, thought Bel. And for the first time in her life, she really meant it.

CHAPTER TWELVE

Bel watched from the Coffee Hut as Jenna, Cerys and Marie crossed the car park, Cerys holding both women's hands with the unselfconscious joy of an eight-year-old who will consider this entirely lame by the time she's ten. Their arrival yesterday had filled the house with noise and joyful chaos, and Bel was already wishing they could stay indefinitely. Marie and Cerys had hit it off immediately, especially when Marie took Cerys to the bottom of the stairs and solemnly told her not to go upstairs, because friendly green dragons were nesting in the bedrooms and they mustn't be disturbed until their eggs were ready to hatch. Cerys's eyes had widened with delight, then immediately rolled back into her head as Marie fell about laughing.

Jenna and Marie were still tip-toeing around each other in the way two people do when they're clearly attracted to each other but wary of showing their hand too soon. Both women were fiercely independent and liked a simple life, so Bel had no idea if anything would come of it. She didn't really have an issue, other than not wanting Jenna to get her heart broken, which would set back the tentative truce between her and Marie for the rest of the year. Somehow Jenna breaking Marie's heart felt less bad, and less likely.

'We're going to the beach,' said Cerys excitedly.

'Are you going to swim?' asked Bel, putting a green tea

bag in a paper cup for Marie. Jenna asked for a latte and smiled sweetly as she stole a flapjack off the counter and ate half of it in one bite.

'Maybe,' said Cerys, taking the other half of the flapjack and nibbling off a corner. 'Mum said it might be cold, so I might just paddle today. Marie says there are seals, but I'm not sure if she's making that up, like the dragons.'

'There are definitely seals,' said Bel. 'I've seen them with my own eyes.'

'And then later we're going to ride our bikes to a windmill,' said Cerys, jumping up and down on the spot.

'You might want to pace yourselves,' Marie muttered to Jenna. 'You'll have done all the good stuff by the weekend.'

Jenna laughed and sipped her coffee. 'We're both just excited to be somewhere different. Once we've done everything, we'll just do it all again. It's lovely here.'

Bel looked around, and had to admit that it WAS lovely, now that the season had begun and Moxham was full of life. All the seaside shops were open with nets of beachballs and buckets and spades hanging outside, strings of colourful bunting fluttering in the breeze. The village was full of families enjoying the Easter holidays, a world away from the bleak, shuttered ghost town they'd first visited in February.

'Can we go to the beach now?' Cerys asked.

Jenna smiled at her daughter. 'We can. Do we have everything we need? A bucket and spade, or are you too grown up now?'

Cerys considered the question carefully. 'I'm OK, I think. Can we get one later if I change my mind?'

'Definitely,' said Jenna. 'Or a bodyboard, if you like. Let's go and check out the beach, see what equipment we need.' They both waved at Bel and Marie and headed off towards the slipway, Cerys skipping happily. Marie smiled and turned back to Bel, deftly swiping a muffin off the tray.

'Been busy?' she asked.

'Yeah,' said Bel. 'Loads of swimmers first thing, seems like most of them come whenever the weather is good. Now it's all harassed parents needing coffee. Are you not joining in with the beach fun?'

'No,' said Marie. 'I just came to blag tea and cake. I thought I'd clear some weeds in the garden today, since it's so nice.'

'I could probably help with that,' said Bel with a theatrical sigh, 'before I prepare for our dinner party.'

'What are we having?' Marie asked.

'A pair of wellingtons,' said Bel. 'Salmon for the carnivores because we can't afford beef, mushroom for the veggies. Loads of roasted veg and a great deal of wine.'

'Well, that sounds lovely,' said Marie. 'I might even have a small glass, push the boat out.'

'Careful,' said Bel. 'You might start enjoying yourself, and God knows where that could end.'

'Your friends are nice. You were right about Cerys, she's a sweetheart.'

'She is.' Bel paused, before adding, 'And what about Jenna?'

Marie was quiet for a moment, a shy smile on her lips. 'She IS gay, right? I'm not reading the signs all wrong?'

'She is. Formerly of a straight persuasion, hence Cerys. But saw the error of her ways before it was too late.'

'I like her. I mean, obviously I fancy her rotten, she's gorgeous and the whole Welsh thing is sexy as hell. But I also . . . like her.'

'Yeah,' said Bel with a smile. 'I thought you might.'

'And if anything happened there,' Marie asked, 'a holiday fling or whatever, you'd be OK with that?'

Bel shrugged. 'Last time I looked you were both consenting adults, so it's none of my business. But look, just be nice to her, OK? She's had a rough time of it.'

Marie nodded. 'I will. And anyway she might not fancy me, so I could be wasting my time.'

Bel snorted. 'Ha. Sure.'

Marie winked and headed back towards the house, the trodden-down backs of her ancient trainers kicking up dust and sand. Her faded blue T-shirt had a tear in the sleeve and she needed a haircut, but Marie could still stop traffic from here to Cambridge. Bel vigorously cleaned the nozzle of the milk frother and tried not to hate her for it.

Bel joined Marie in the garden once she'd baked a bumper batch of muffins and flapjacks for the weekend, made a lemon drizzle for Dan's parents, and done the latest round of folds on the pastry for the wellingtons later.

'What can I do?' she asked, picking up a pair of gardening gloves from the wall.

'I've decided to rip it all out,' said Marie, squinting into the afternoon sun with her hands on her hips. 'Everything is too woody and overgrown to salvage, so let's clear it all out and start again.'

'With what?' said Bel. 'We don't have any plants.'

'We'll worry about that another day,' Marie replied. 'For

now, let's just clear the space of everything but the fruit trees. And that climber thing.' She gestured towards a plant that was growing up the side of the house. 'I've got no idea what it is, but it seems happy enough.'

'What are we doing with it all?'

'Make a pile in the barn, at least for now. I've got my eye out for one of those incinerator bins, or maybe we'll just have a big bonfire later in the year.'

Bel nodded and grabbed the wheelbarrow, another of Marie's free acquisitions, and shovelled armfuls of thorny branches into it before wheeling it through the side gate and dumping the branches on Marie's pile of garden rubbish in the corner of the covered garage/bin store that they ambitiously called 'the barn'.

'I've thought about my question,' she said, returning to fill the barrow a fourth time. Jenna and Cerys had returned from the beach for a lunchtime sandwich and were now cycling to visit a windmill about four miles away, so they wouldn't be back for a while.

'Go for it,' said Marie, using a pair of secateurs to hack away at an overgrown shrub.

'Have you always preferred women?' Bel asked. 'Or did something happen to put you off men for life?'

Marie turned to face her and smiled, dropping her secateurs on the grass and removing her gloves. 'If we're going to delve into my sexual history, I need a cup of tea.'

Bel followed her into the kitchen, trying not to roll her eyes at Marie making a simple question so . . . *theatrical*. She put tea bags in mugs while Marie filled the kettle, and waited patiently for her sister to continue.

'So the short answer to your question is no, on both counts,' said Marie, dumping both tea bags into the compost bin. 'I haven't always preferred women, and nothing happened to put me off men for life.' She made herself comfortable, cross-legged in her normal spot on the kitchen counter, blowing gently on her mug of green tea.

Bel said nothing, giving her puff pastry another roll and fold. It was so much easier to buy ready-made, but considerably more expensive.

'I dabbled with both for a while after I left home,' Marie continued. 'Met some terrible women and some lovely men, and vice versa.'

'Any meaningful relationships?' asked Bel, wrapping the two blocks of pastry in clingfilm and putting them in the fridge.

'A few,' said Marie. 'A guy I met in Nepal who I fell headlong for, but he was moving to Australia and I didn't want to go with him. A woman in Croatia, my first proper gay relationship, I suppose. But she was older than me and wanted to settle down, which I didn't at the time.'

'What about now?' asked Bel.

'I'm open to serious offers,' said Marie with a smile. 'But women only. I enjoy the company of men and don't find them sexually repellent, but I'm happier with women, in and out of bed.'

'Fair enough,' said Bel.

'Does that answer your question?'

'It does, thank you,' said Bel. 'I'll think of some others for another day. Shall we go back into the garden?'

Marie stretched and yawned lavishly. 'Fuck it, if we've

got people coming over tonight, I could really do with an afternoon nap.'

'God, yes,' said Bel. 'Why didn't I think of that?'

'Cheers, everyone,' said Bel, holding up her glass. In the absence of champagne flutes they were drinking prosecco out of a variety of cheap glass tumblers. None of their plates or cutlery matched, so the whole table arrangement had a chaotic picnic energy about it.

Everyone repeated Bel's cheers and drained their glasses. Dan already had pink spots on his cheeks, but now he'd stopped mooning over Marie he seemed a lot more relaxed in their company. Jenna and Marie were still a little jittery around each other, although when Bel had woken from her nap earlier she'd heard them laughing and chatting quietly in the kitchen while Cerys was in the shower. Jenna didn't take any crap from anyone, and would already have decided if a holiday fling with Marie was worth the effort and potential aggravation.

'Can you pass the bottle?' asked Marie, reaching across to Bel, who was using a saucepan as an ice bucket.

'I didn't think you drank,' said Dan, helping himself to a second slice of salmon wellington.

'I don't, as a rule,' said Marie. 'But it's not a moral objection or anything; there just isn't much booze I like the taste of. But right now it's going down quite well.' She gave a meaningful glance to Jenna, who giggled and blushed. Dan surreptitiously raised his eyebrows at Bel, who gave him a smirk in return.

'Anyone for more potatoes?' said Maggie, entirely oblivious to the sexual tension on the other side of the table.

Cerys was in bed, exhausted from her day of swimming and cycling, but excited about plans for canoeing on the Norfolk Broads tomorrow. Bel and Marie had agreed to go with them after Bel had finished her shift at the Coffee Hut, which had seemed like a good idea in the fuzzy, post-nap glow of this afternoon. Bel suspected it would be considerably less appealing with a hangover tomorrow.

'When are the helpers arriving?' asked Dan, taking the dish of potatoes from Marie.

'Most likely Friday. Two men, two women. That's all I know.' She looked at Bel and pulled a face. 'Other than none of them are vegans. I checked.'

'Thank you. Have you found an extra mattress yet?'

'It's on my list for tomorrow,' said Marie. 'They'll bring their own sleeping bags, but some pillows might be nice. I'll track down some locals who are about to bin off some perfectly serviceable bedding. Honestly, it's insane what people throw away.'

'I won't get to meet them,' wailed Jenna, her bottom lip pushed out into a pout. 'My coach home is on Thursday. I've got to go to Bridgend for Easter weekend with the family.'

'Nice for Cerys though,' said Bel. 'Being spoiled by grandparents, all those Easter eggs.'

'I can visit them any weekend,' said Jenna with a shrug. 'Could be ages before I see you guys again.'

'When's half-term?' asked Marie casually, not quite meeting Jenna's eye.

'End of May,' said Jenna, fussing with bits of pastry on her plate.

Bel watched Maggie eyeing them both carefully, the cogs

107

and wheels turning as the pieces of the puzzle slowly fell into place. 'Well, that's not very long,' she said jovially. 'And it will be warmer here then, Moxham is lovely in May.'

Jenna smiled, then looked at Marie for confirmation. 'You'll have a houseful by then, though,' she said quietly.

Marie shrugged. 'We can always find room for two more . . .' she locked eyes with Jenna, '. . . even if we have to rethink the sleeping arrangements.'

And that's a done deal, thought Bel, wondering how long it would be before Marie and Jenna both started yawning and making excuses to leave the table. She'd give it half an hour.

'Anyone for tiramisu?' said Maggie, standing up to clear away the plates.

'I'll help,' said Dan, picking up the potato dish.

'Me too.' Bel grabbed the empty prosecco bottle. Things had suddenly got a little hot and stuffy in the dining room, and Marie and Jenna definitely didn't need a third wheel.

CHAPTER THIRTEEN

The helpers arrived on Friday afternoon, by which time Bel had stacked the fridge to bursting and Marie had washed all the sheets on the bunk beds and added a camp bed to the front room. Not that Jenna's bottom bunk had been slept in much – after the first night she'd spent the rest of the week in Marie's bed, creeping back into the bunk before Cerys woke up. On a couple of occasions Bel had taken Cerys to the Coffee Hut to give Marie and Jenna some extra time alone together, prompting Cerys to ask if her mum and Marie were going to get married and would she be allowed to be a bridesmaid. Kids missed nothing.

Marie had taken their departure in her normal, happy-go-lucky way, but seemed cheered by the idea that they'd be back in six weeks. When Bel asked if she was OK, she simply tilted her head to one side with a wrinkle-nosed smile and said, 'I am, actually.' Bel didn't need any further details, since she'd already checked in with Jenna and she seemed equally OK with the whole situation. If it was meant to be, things would work out.

In the afternoon a battered pick-up truck pulled into Orchard House, driven by a tall, thin man with a straggly beard and long hair tied back into a ponytail. He tumbled out of the truck and bounced over to shake Bel's hand, then said, 'Marie, right?' before pulling her into a tight hug.

'I'm Chris,' he said, and Bel caught a touch of a cockney accent and a glimpse of a gold tooth. 'Nathan showed me a photo of you guys from that Wales job. He sent a hug and said to make it a really big one.'

Chris was joined on the driveway by two women – one tall and striking with long dark hair, the other shorter and curvier with an unruly mass of dirty blond curls. Both had the hard, tanned physiques of women who spent a lot of time outdoors and were no strangers to heavy lifting. They also both dressed like Marie in cut-off denim and faded T-shirts, with no makeup and hair pushed off their faces with stretchy bandanas.

'I'm Sophie,' said the tall woman, her accent unmistake-ably French. 'Chris is my husband, but it is OK. We like each other.' She laughed, revealing impeccably white teeth. Bel guessed she was in her mid-thirties, but to be honest she could be anything between twenty-five and fifty, which must be a French thing. Chris was a little older, maybe closer to forty.

'I'm Alice,' said the other woman, giving Bel and Marie a strong handshake. 'I'm not married to anyone.' She was considerably younger than the others, perhaps twenty-five, with a West Country accent that suggested she'd grown up within thirty miles of Bristol.

The final member of the group was a man who hung back by the truck, quietly watching the introductions play out. When it was unavoidably his turn, he took a few steps forward and gave Bel and Marie an awkward wave. 'I'm Nick,' he said, before returning to the truck and starting to untether the tarpaulin covering the flatbed. Bel sized him up – mid-thirties-ish, muscular and clean-shaven with hair cut close to his scalp, like he'd just checked out of the Marines. Hard to tell if he had an accent from 'I'm Nick,' but perhaps they'd get a few more words out of him before the job was done.

After the tools had been unloaded and stashed in the safety of the boot room, everyone gathered in the kitchen for tea and a slice of Bel's cake.

'This is lush,' said Alice, biting off half a slice in one go. 'Did you make this?'

Bel nodded and smiled gratefully. 'I used to run a catering business.'

'Oh, thank God,' said Sophie. 'The food at the last place was fucking terrible.' Bel decided she could listen to Sophie talk all day; her French accent made English swear words sound incredibly sexy.

'So what's the deal with this place?' asked Chris, taking a second slice of cake.

'Our mum died and left us this house,' said Marie. 'So we're living here while we do it up a bit, in the hope of making it easier to sell next year.' Bel noted how Marie quietly glossed over the more complex elements of Lily's will, but no doubt somebody would eventually ask why they hadn't sold it already and they'd be forced to explain.

'I'm sorry about your mum,' said Chris. 'It's a great space, though; they don't build them like this any more. How much of a fix-up are you thinking?'

'We don't have much money,' said Marie. 'Maybe a couple of grand, max. So really it's about doing the essentials and making it safe and liveable. Which is where you guys come in.'

111

Chris nodded and looked around the kitchen. 'Lick of paint, fix up the damp and woodwork, sort out the garden? That sort of thing?'

'Exactly,' said Marie. 'Structurally it seems to be pretty sound, so we're thinking make good what's there, replace stuff that will help the house sell, or leave well alone.'

'Marie is brilliant with paint and blagging free stuff,' said Bel. 'I'm in charge of cleaning and laundry and keeping you all fed.'

'Works for me,' said Alice. 'I'm always hungry.'

'How does this all work?' asked Bel, looking expectantly at Nick. So far he had barely uttered a word, and apparently that wasn't going to change any time soon.

'Everybody mucks in and does their share,' said Chris. 'And nobody works on Sundays. If our work helps you make a few extra quid on the house when you sell it, we ask you to chuck a portion in the direction of Trade Nomads. Donations cover petrol and any stuff we need – tools, medicines, insurance, that kind of thing – we don't ask you to sign an agreement or anything, but it's the unspoken deal.'

'No problem,' said Bel. 'In the meantime, there's a list on the fridge in the kitchen. I do a big shop every Friday so just add whatever you need – food, toiletries, whatever. Feedback on my cooking is always welcome, and if there's something you really don't like just let me know.'

'Our fortune-telling aunt and our lawyer come for dinner on Friday nights,' added Marie, like this was the most normal thing in the world. Even Nick raised his eyebrows at this as they followed her up the stairs. 'It's complicated,' she shrugged. 'Best not to ask.'

'So who does what?' asked Bel as they tentatively explored the upstairs rooms, being careful to avoid the damaged floorboards. 'Do you all do everything, or do you have different skills?'

'We're all good at general maintenance and DIY stuff,' explained Alice. 'But Nick is your main man for plastering and carpentry. Chris is a qualified electrician and a highly unqualified plumber.' Chris gave her the finger, and Alice pulled a face in return. 'Soph is a fantastic decorator, and I'm learning a bit of everything. Gardens are my thing.'

'We've started clearing everything out,' said Marie, following Alice to the window, 'but that's as far as we've got.'

'How do you feel about growing some food?' asked Alice. 'If we make a couple of raised beds, you could have enough salad greens for the whole summer.'

'We've talked about that,' said Marie, giving Bel a pointed look. 'I'd really love to.'

'Nick, can you help me with that?' asked Alice. 'We can use those old scaffold boards in the truck and make them tomorrow.'

Nick shrugged. 'Sure.'

Sophie looked at Marie. 'Chris will need to make the electrics safe before we can do any work up here, but we could definitely make a plan, start looking for supplies.'

'This is amazing,' said Marie happily. 'I'm so glad you're all here.'

'This place is cool,' said Chris, jiggling a loose socket. 'A patch-up and lick of paint will make all the difference. Get rid of all this awful wallpaper. Fill the holes, paint everything white, job done.'

They all followed Marie back downstairs, where Chris,

Sophie and Alice took their belongings to the front room, agreeing that the women would take the bunks and Chris would take the camp bed on the floor, so he'd have more room to stretch out. Bel stood by her bedroom window and called Jenna, watching Nick pitch a small blue tent at the end of the garden by the fruit trees.

'What are they all like?' her friend asked.

'They seem nice,' said Bel. 'A guy called Chris and his wife Sophie, she's French. Another woman called Alice, and a guy called Nick.' She watched intently as Nick pulled out a mallet and started hammering pegs into the ground. He had strong arms, and his T-shirt had ridden up so she could see his tanned, muscular back.

'What's Alice like?'

Bel rolled her eyes, but only because Jenna couldn't see. 'Hot lesbian. I haven't seen her and Marie for ages, now you mention it.'

'Really?' Jenna wailed.

'No, you silly cow. She's about twenty-five and not Marie's type at all, so you can take a breath.'

'Oh, thank God, I've been worrying about that. Cerys and I both had a cry on the coach home. Neither of us wanted to leave.'

'You'll be back in six weeks,' Bel reassured her. 'And in the summer you can come for the whole holidays if you like.'

'Really?'

'Course. We loved having you here. It was like having a proper family.'

'I didn't expect to like her so much,' Jenna said quietly. 'After how you described her.'

Bel was quiet for a moment, thinking of all the times she'd dunked on her sister just for existing, or breathing the same air as her. 'We've had our ups and downs, but I don't think I've been entirely fair to her, if I'm honest.' Nick put the mallet down and stretched his back, then grabbed a sleeping mat from the back of Chris's truck and threw it into the tent. Apparently comfort wasn't a priority in his world, but maybe she should offer him a pillow anyway. Or somewhere else to rest his head, if he was so inclined.

'Your aunt is nice too. Amazing that you didn't know about her before. She read my palm and told me I'd live a long and happy life.'

Bel rolled her eyes again, wondering if Maggie ever told anyone anything else. 'It's been a really weird month. Still getting my head around it.'

'But you're OK though? Getting through it?'

Bel watched Nick take off his T-shirt, then rummage in his rucksack for a fresh one. He had a black tattoo on his shoulder blade, some kind of bird with outstretched wings. 'Do you know what, Jen? I'm actually pretty great. Things are definitely looking up.'

'So, two curries,' said Bel, standing at the head of the dining table and looking at the seven expectant faces. 'That one's chicken, that one's veggie. Loads of rice and naans and chutneys, and Maggie has brought dessert as usual, so leave room. Enjoy.'

Everyone piled in, and for a few minutes there was nothing more than the clatter of pans and spoons and cutlery. It was the first time the dining table at Orchard House had been full since they'd arrived in Norfolk, and Bel had to admit it gave her spirits a lift. She glanced across the table at Nick, who was silently arranging rice on his plate like he was the only person in the room, entirely oblivious to the happy chaos around him.

'So, you're a lawyer?' asked Alice, who was sat next to Dan.

'A trainee solicitor,' said Dan, blushing as he handed her a bowl of poppadoms. 'I'm only in my first year.'

'So how do you know Bel and Marie?' she asked.

'Oh,' said Dan, glancing at Bel. 'I, um . . . well—'

'He dealt with all the legal stuff relating to this house after our mum died,' said Bel, coming to the rescue. 'We invited him to stay for dinner one Friday night, and he just kept coming back. Like a blocked drain.'

Dan laughed awkwardly and Alice looked curiously between him and Bel and Marie, clearly trying to work out the dynamic.

'How long do you think you guys will be able to stay?' asked Marie, leaning over Sophie to take the vegetable curry from Chris.

'Hard to say, exactly,' said Chris. 'We're all booked to clean up after Glastonbury – Alice's brother manages the team that do that, so we get free tickets. That's the end of June, so we need to be on our way by then.'

'That's two months,' said Bel. 'Can you really stay that long?'

'Don't see why not.' Chris shrugged. 'There's plenty to do. Let's assume we're here until the solstice, then we'll pack up and move on. We can get loads done in that time.'

'This is lovely, Bel,' said Sophie, gesturing to the food on her plate. 'You're a really great cook.'

'It's fantastic,' Chris agreed as Alice nodded enthusiastically. 'Food on these jobs is usually hit and miss, but I think we've struck gold.'

Bel looked at Nick again, who was now gently spooning curry into his mouth like it was the most delicate of soups, his face fixed firmly on his plate. She couldn't work out if he was rude or just odd, but she couldn't deny she was intrigued.

Marie stood up to pass the veggie curry over the table to Maggie, then leaned over to whisper, 'You've got two whole months to solve that little puzzle,' in Bel's ear. She sat back down, a triumphant smile on her face, as Bel shook her head slowly and silently gave thanks for the candles hiding the warm flush on her cheeks.

CHAPTER FOURTEEN

May

Bel lay awake on her mattress, listening to the seagulls doing their daily warm-up vocal exercises. It was the first weekend in May, and the squawking and screeching seemed to get earlier every day. Presumably by June they'd be kicking off at about 4 a.m., and she'd have to start seriously considering boiled seagull as a menu option.

Why won't they let me sleep? she thought. It was 6.10 a.m. and it wasn't even her day at the Coffee Hut. Marie would be up in half an hour to open the Hut at seven, but nobody else would surface for at least another hour. But the longer she lay there, willing herself back to sleep, the more she needed a wee and a coffee. After five more minutes she gave in and rolled off her mattress, flinging on an old rugby shirt that she'd nicked from a guy she'd once slept with and whose name she couldn't remember, then padded through to the kitchen.

'Morning,' said a quiet voice. She jumped in terror, taking deep breaths when she realised it was just Nick in the shadows. He was fully dressed and filling a flask with black coffee from the filter jug.

'Hi,' said Bel, instinctively reaching up to smooth her hair. He looked crumpled and bleary from sleep, but still a good deal more awake and together than her. 'Where are you off to?'

'Swimming,' said Nick in his usual monosyllabic tone. The past two weeks had revealed that Nick was extremely economical with words, and didn't seem to like people much either. He worked hard all day, mostly in silence other than the occasional 'thank you', and on the two Sundays the Trade Nomads had spent in Moxham he'd disappeared on foot with a small rucksack after breakfast and not been seen again until dinner. Marie had described him as 'cute but mute', which seemed fitting. Bel had briefly considered launching a campaign to break down his barriers, but to be honest she'd been non-stop since the team had arrived, what with keeping the house clean and laundry done and providing two meals a day for six people, never mind making cakes and savoury snacks for the Coffee Hut and doing her morning shifts every other day. Everyone sorted out their own breakfast, which at least gave Bel a slower start on the mornings she wasn't working.

'Swimming? In the sea?' she asked.

'Yeah. I go every day.'

Bel's mouth opened and closed in surprise – this was more words from Nick in one go than he'd uttered in total since he'd arrived. 'Really?' she asked. 'I hadn't noticed.'

'I go early,' he said, turning away to stuff the flask into his rucksack. 'There's a group of women down there who swim at six-thirty most days. They let me join them.'

Bel laughed incredulously, trying to process the idea that not only was Nick Cute-but-Mute a sea swimmer, but he'd also joined the local group. 'Isn't it cold?'

Nick shrugged. 'It's invigorating. Are you coming, or what?'

Bel held his gaze for a second, noticing the cool grey of his eyes for the first time, and the flecks of gold in his hair. It had grown a little in the past couple of weeks, and was now flat in places and spiky in others, like hay. He looked away and fiddled with the straps on his bag, and Bel noticed how huge his hands were. She'd been surreptitiously checking him out since that first night at the dinner table, and it was hard not to wonder what those hands might feel like on her body.

'I . . .' she said, wondering if a dip in the North Sea would be worth it as a first step to getting him naked and into her bed. It was a possibility worth considering over a mug of coffee and a piece of toast, definitely. Then maybe she'd go tomorrow.

'I'll see you by the gate in five minutes,' said Nick, grabbing his bag and bolting out of the kitchen.

'Morning, Nick,' shouted one of the women, as the others turned to wave. There were seven or eight of them gathered on the beach in various states of undress, mostly in their sixties and seventies – the kind of women who could happily trot off for a sea swim at 6.30 a.m. without having to worry about making breakfast for their kids. Nick raised a hand in their direction and dropped his rucksack on the sand, then started to pull off his clothes.

'How does this work?' asked Bel. The water looked still and flat, but also iron-grey and bloody freezing, frankly. She shivered inside her sweatshirt and decided there must be easier ways to get laid, even in Moxham. Nick had been pretty much entirely silent on the walk from the house, so he wasn't giving her much to work with.

'You take your clothes off, get in the sea and swim,' he deadpanned. 'It's pretty straightforward.'

120

'Thanks for that,' she snarked. 'Straight in, or a few inches at a time?'

Nick bundled up his clothes and sat them on top of his rucksack. 'I honestly don't care,' he said, already turning away. 'Do whatever you like.' By the time Bel had wrestled off her joggers and sweatshirt he was already in the water up to his (notably strong) thighs, and Bel's lips were pressed together in fury.

'Why are you so rude?' she asked, wading into the sea in her black swimsuit. It was having its first outing since she'd arrived in Norfolk, and prior to that had occasionally made an appearance at the local leisure centre when Jenna had persuaded her to keep her company while Cerys mucked around with her friends. 'Fuck me, it's freezing.'

'I'm not rude,' said Nick, plunging his broad shoulders in and swimming away from her. 'I just don't say much. It's not the same thing.'

'You're not even part of the group,' squeaked Bel as a small wave washed over her waist, gesturing to the group of women chatting in a circle fifty metres away. 'You've joined a bloody swimming group and don't even swim with them.'

Nick stopped swimming and stood up, turning to face her. Barely any chest hair, and no tattoos on this side. His pecs were goosebumped with cold and his nipples were hard; Bel dragged her eyes away, resisting the temptation to reach out and touch them and extremely conscious that hers probably looked much the same.

'I'm here, though,' he said softly. 'We keep an eye on each other. For me, being part of a group is less about community and more about safety.'

'Right,' said Bel. 'I'm feeling very safe in your company. So what do I do now?'

'You can swim,' Nick said. 'Or you can just relax and remember to breathe. Don't fight the cold. Empty your mind.'

Bel laughed, wondering what Instagram-ready hippy bullshit he was going to come out with next.

Nick tilted his head, the ghost of a smile on his lips. 'That's the first time I've heard you properly laugh in two weeks.'

'I didn't realise you were listening,' huffed Bel, forcing herself to relax as bits of her body started to adjust to the cold. She dipped her shoulders under and gasped.

Nick shrugged. 'It's just nice to hear.'

Bel narrowed her eyes and glared at him. 'Are you doing that thing men do where they tell women they should talk less and smile more?'

Nick shook his head and rolled his eyes. 'Jesus, you're spiky. Who hurt you?'

Bel pushed away into a frantic breaststroke, trying to remember to breathe. 'Too many people to count,' she muttered.

'You know you don't have to bring your own coffee?' said Bel, sitting next to Nick on the sand and taking the proffered plastic cup. 'We literally run the Coffee Hut.'

'Yeah, but it doesn't open until seven,' said Nick. 'I'm done and showered and back at the house by then.'

'You shower here?'

'Yeah.' Nick poured more coffee into the lid of the flask and took a sip as he stared out to sea. 'There's a freshwater

122

shower by the toilet block in the car park. I bring a towel and a razor and clean clothes with me, get ready for the day here.'

'I'd noticed you didn't use the bathroom at the house,' Bel said thoughtfully, 'so I just assumed you didn't wash. Or you know, pits and bits with a wet wipe in your tent, like at a festival.'

Nick gave her a sideways look. 'I shower every day. I can't believe you thought I didn't.'

Bel gave an involuntary shiver, suddenly conscious of how close he was and how intense his gaze was. If he'd been any other man she'd probably lean in and just kiss him, or maybe casually ask if he fancied hooking up some time. But something told her that Nick might not respond well to this kind of impulsiveness, and they still had to live in the same house for the next six weeks. No point creating any unnecessary awkwardness.

'So what brings you here?' she asked, hugging the cup and tucking her knees up to her chest. She was cold and hungry and needed to wash the crusty salt out of her hair, but this was the first time she'd been alone with Nick since he'd arrived, and it was a good opportunity to find out more about him.

'Your sister asked, so we came.'

'No. I mean before that. Have you always been a nomadic carpenter? Like a hobo Jesus?'

'Nope,' said Nick with a short laugh, the first time Bel had seen his whole face move at once. But it was only a brief second, and then it went back to blank, like a TV on standby. The silence hung heavy in the air for ten seconds, as Nick silently sipped his coffee.

'Any advance on "nope"?' said Bel. 'Should I guess?'

'If you like,' Nick said mildly, a small smile playing on his lips.

'Hmm,' said Bel, taking the opportunity to inspect him further. 'You don't have the hands of a musician or an artist, so I'm discounting that.'

'Good call.' Nick glanced over to the left at the few women still swimming.

'And forgive me, but you don't have the interpersonal skills of a teacher or a medical professional.'

'Absolutely not.'

'Lifeguard? You seem to be doing a great job right now.'

Nick laughed. 'No.'

'Hmm,' said Bel. 'Writer? Actor? Lawyer? Mexican wrestler?'

'None of the above. Sorry.'

'Well, I'm all out of ideas.' She'd tired of the game, and Nick's dead-eyed, taciturn nature. Being reserved was fine, she couldn't be doing with wacky, loud people. But there was something closed off about him, like you might set off an alarm if you pushed the wrong button.

'I used to be in finance,' he said, unscrewing the flask to top up both of their cups.

'What, like an accountant?'

'In the City,' he said, shaking his head. 'I worked for an investment bank.'

'Really?' Bel exclaimed, her eyes wide. 'Doing what?'

Nick paused, like he was holding his breath.

'Hang on, were you a City trader?'

Nick nodded. 'I got a leg-up from some people I went to school with, usual story. Started straight out of university.'

124

Bel laughed and shook her head. 'Forgive me, but you don't really seem the type.'

Nick turned to look at her, a soft smile on his lips. 'That's the second time you've asked me to forgive you. I'm not sure either of us are the forgiving type.'

Bel shivered. He might be odd and antisocial, but he was undeniably hot. 'I don't know, I've always thought of City bankers as a bit flash and arrogant, like overgrown schoolboys. Fast cars, mountains of coke, waving their money around.'

Nick gave a hollow laugh and dropped his head, staring at the sand between his knees. 'Well, funny you should mention it. I used to be all of those things, and a few more.'

Wow, thought Bel. *There's a LOT of shit to unpack here.* 'So what happened?'

'Nope,' said Nick, jumping to his feet as the last of the swimming group left the water. 'That's enough story time for one day.' He held out his hand to pull Bel up, then immediately let go. 'I need a shower. I'll see you back at the house.'

Bel nodded, knowing when her interrogation time was up. 'See you later.' She watched him half-jog up the slipway towards the car park, then gathered her bag and followed the path of his footprints in the sand.

'Are you Nick's partner?' called a voice. Bel turned to see two of the swimming women hurrying over to intercept her. They were both about seventy, with flossy grey hair that half danced in the breeze and was half stuck to their necks with salt water. They wore matching black dryrobes with a red trim, making them look like a pair of deranged witches.

'No, we're just friends,' said Bel, thinking that until this morning she and Nick had said about a dozen words in total to each other. She'd broken the seal, but it hardly made them friends.

'He's like Gary Cooper,' said the second woman. She was larger than the first, with pink Crocs on her feet. 'Hollywood handsome, but strong and silent. We've been trying to find out about him, but he doesn't talk much.'

'No. Talking is very much not his thing.' Bel was hoping that hot casual sex might be his thing, but the jury was still out on that one.

'Well, we won't keep you,' Pink Crocs grinned. 'But you're welcome to join the Moxham Sunrise Swimmers any time.'

'I know,' said Bel, still half-watching Nick's retreating back. 'It's literally a public beach.'

'Well, yes, of course,' said the woman, looking slightly taken aback. Bel kicked herself for being such a snarky cow – she lived here now, and they were just trying to be nice.

'It's safer, though,' she said quickly. 'Swimming when other people are here. So if it's OK with you, I'd love to come back.'

The women both smiled. 'I'm Caroline and this is Joy,' said Pink Crocs. 'We already know Nick. Well, sort of.'

'Bel,' she replied, giving them both a nod. 'I've actually seen you both before. I run the Coffee Hut.'

'Oh, of course!' exclaimed Joy. 'I knew you looked familiar. We love your raspberry muffins.'

'All home-baked,' said Bel, forcing a winning smile. 'My sister Marie works there too, we do alternate days.'

'Ah, that makes sense,' said Caroline. 'We wondered if you were sisters. You both have the same red hair.'

'You might know our aunt, too. Maggie. She takes over at ten.'

'Oh, we don't live locally,' said Joy. 'We both live in North Walsham. We just come for the early morning swimming.'

'Well, nice to meet you,' said Bel, glancing at her watch. 'The Coffee Hut will be open now if you fancy a hot drink and a muffin. Marie's there today.'

'We're on our way now,' said Caroline. 'Lovely to meet you, Bel.'

'See you again,' Joy added.

Bel waved and trudged up the slipway and down into the car park. Marie was already serving a small queue of customers, mostly swimmers in dryrobes like Caroline and Joy.

She glanced at the toilet block as she kept walking, seeing Nick in his shorts in the public shower, rubbing his hair with a bar of soap. It felt strangely intimate to watch him wash, the torrent of water splashing off his broad shoulders and the muscles of his back. Bel's breath caught in her throat and she turned her face to the road, thinking that a cold shower might not actually be a bad idea.

CHAPTER FIFTEEN

'So, I'm ready for Chapter Two,' said Bel, offering Nick a bottle of beer as he read a book in the entrance to his tent. She glanced at the cover as he carefully folded down the corner of his page and closed it – *Love in the Time of Cholera* by Gabriel García Márquez. One of her favourites, but she definitely wasn't here to start a reading group. Nick had barely acknowledged her all day, and had been entirely silent over dinner. She wasn't getting any younger, frankly, and it was time to lay her cards on the table. Or lay something, anyway.

'Chapter Two of what?' asked Nick, taking the beer and leaning back on his elbows. He really was extremely good-looking.

'Your tragic tale of coke-fuelled woe,' said Bel, sitting down next to him and picking at the buttercups in the grass below the fruit trees. The evening was warm, the first since she'd arrived in Moxham that it had been nice enough to sit outside without a jumper.

'Is that what you actually want, or are you just here in pursuit of some casual sex?'

Bel gasped, then laughed. 'He SPEAKS!' she exclaimed. 'Two weeks of nothing, and now FINALLY he's on my wavelength. Thank God.'

Nick shook his head and pressed his lips together. 'I'm not interested. Sorry.'

'Damn,' said Bel, taking a swig of beer and trying not to smart at the unfamiliar feeling of rejection. 'That's incredibly inconvenient.'

'Happy to chat, though,' said Nick, taking a long drink and crossing his legs at the ankles.

'Fine,' said Bel. 'If I can't get laid by a handsome man on this warm May evening, I'll settle for *Of Love and Other Demons*. Or *Memories of My Melancholy Whores*.'

'You like Márquez,' said Nick, clearly impressed.

'I do,' said Bel. 'Not as much as I like having no-strings tent sex with misanthropic hermits, but he's a close second.'

Nick let out a full-bodied laugh that lit up his face, softening its hard edges into something strikingly different. A flickering glance of a different Nick, maybe; one that Bel really wanted to get to the bottom of. 'I once saw the Misanthropic Hermits at Glastonbury,' he said wryly. 'The crowd wanted the hits, but they just played all their new stuff.'

Bel grinned, catching a small movement out of the corner of her eye from one of the kitchen windows. Marie, probably, or one of the other Nomads checking to see if romance was afoot.

'So what happened?' she asked, picking at the label on her beer bottle and giving him a sideways glance. 'You were a City trader, and then you were a hippy carpenter. What heavy shit went down in between?'

Nick held her gaze. 'Why do you want to know?'

Bel shrugged. 'Because it sounds like a good story. And right now I'm stuck in a crumbling house with a sister I've never liked, because of a condition of our meddling mother's insane will.'

'OK, wait. THAT sounds like a good story,' said Nick, his eyes wide.

'You first,' Bel smiled. 'We'll swap chapters.'

Nick blew out his cheeks and drained his beer. 'Fine.'

Bel sat upright in anticipation. 'Do I need to get us more beer?'

'Nope,' said Nick, leaning back into the tent, then re-appearing with a silver hip flask. 'I've got brandy. Well, cognac, actually.'

'Ooh, fancy,' said Bel, taking a swig and feeling the liquor burn in her throat.

Nick was silent for a moment, lost in contemplation. He cleared his throat and took a long drink from the flask. 'So, here it is. My mother died late on a Friday night, and I was so wasted I didn't find out until Monday morning. Nobody had been able to find me, because I was in a hotel pent-house in Mexico, face-deep in coke and booze and women.' He hung his head, his cheeks flushed with shame.

'Wow,' Bel said quietly. 'That's a Márquez-grade open-ing paragraph, right there.'

'It gets worse,' said Nick, his voice shuddering and his face pale and bleak. 'My family had been trying to get hold of me for a week, to let me know she was dying. Phone calls, emails, text messages, my dad even turned up at my office in London. But I was too off my face to contact anyone until it was too late.'

Bel was quiet for a moment, resisting the temptation to feed him useless platitudes about how his mother's death wasn't his fault. No doubt he'd heard it all before, and it definitely wouldn't make him feel any better. 'What was her name? Your mum?'

'Diane.'

'What was she like?'

Nick gave a small smile. 'She was amazing. A good mum. Always there, every rugby match, every school play. She was so proud, told everyone about my job. I, on the other hand, was a weapons-grade arsehole.'

'So you quit your job and cleaned up.'

'Pretty much. I cashed out on a good day, moved home to my dad's place in Kent, had a ton of therapy. Apprenticed myself to a carpenter mate of his and worked for nothing for eighteen months while I learned. Then did the same with a plasterer for another six months.'

'How did you meet these guys?' asked Bel, nodding at the house.

'I saw their stand at a festival, got chatting to Chris. He invited me to join Trade Nomads two years ago. I've been with them ever since.'

Bel nodded, weirdly relieved to meet someone even more broken and messed up than her. 'Is this your life now?' she asked. 'Or do you think you'll ever settle down again?'

Nick shrugged. 'I like this life, but never say never. Not in London, though. I can't live there again.'

'Why has it taken you two weeks to talk about this? Aren't people in therapy supposed to offload to strangers at every opportunity?'

'Probably.' Nick smiled. 'But I'm wary of making friends, I guess. I thought the people I worked with were my friends, but they took me to a really dark place.' He looked haunted for a moment, and Bel felt a momentary chill in the air.

131

'Well, I'm not going to lead you astray, I promise. But since you're going to be here for a while, I guess at least we can be friends. I feel like a bit of a spare wheel, to be honest.'

He looked at her quizzically. 'What do you mean?'

'Marie is madly in love with my best friend Jenna, who's coming back at the end of May. Chris and Sophie are married. Dan the lawyer and Alice, obviously.'

'Wait, are Dan and Alice a thing?'

'Not yet,' she said. 'But they're both single and needy. They'll be fucking like rabbits by the end of next Friday's dinner. It's inevitable.'

'Not everyone uses sex to deal with pain, Bel.'

Bel turned to look at him, a sick, swooping feeling in her stomach. She felt naked and seen, and it was the first time she'd heard Nick say her name. 'Well, that was unnecessary.'

'Sorry,' he said. 'Low blow. What about you? Single, married, divorced?'

'Single. Divorced, both. No kids, thankfully.'

'You don't want kids?'

'I didn't say that. I'm just glad I don't have any right now – I've got enough on my plate. Also that would involve a relationship, and I definitely don't want one of those.'

'At all? Ever?'

'I'm really happy being single.' Perhaps *happy* was overstating it a bit, but Nick didn't need to know the bitter details. 'It makes life easier, and my experience with men has been less than ideal.'

'Ugly divorce?'

Bel pulled a face. 'We'll save that chapter for another day.'

Nick nodded. 'Fair enough.'

'I'm open to casual sex, though,' she said cheerfully. 'In case that wasn't clear.'

Nick laughed. 'Not my scene any more, I'm afraid. I've had enough no-strings fucks to last a lifetime, and they only leave me feeling empty. So I've sworn off sex until I meet the perfect woman.'

'Right. So you're looking for love but no casual sex, and I'm looking for casual sex but not love.'

Nick nodded. 'We're the lead actors in a crap sitcom. Would you like the number for my therapist?'

'You're very funny.'

'Are you going swimming again tomorrow?'

Bel blew out her lips, whinnying like a horse. 'I don't think so. It was freezing.'

'It was, but it will get warmer. And cold doesn't have to be a bad thing.'

She shook her head. 'No. Don't be offloading your mindfulness shit on me.'

'Fine.' Nick grinned. 'I'll return to being a misanthropic hermit, and you can go back to being the cook and cleaner at the Moxham Love Hotel.'

'OK, fine. Maybe I'll come swimming, if it's not freezing. I made two new friends this morning, after you left. Caroline and Joy. They said you reminded them of Gary Cooper.'

'Who's Gary Cooper?'

'An old Hollywood actor, I think. Strong and silent.'

'I'll take that as a compliment, then.'

'You should.' They were both quiet for a minute, and Bel figured her time was up. Rejection aside, it still felt like the beginning of something. A friendship, or a thawing.

133

Somebody to talk to who wasn't her sister, anyway. 'Right. I'm off to bed.'

'Me too,' said Nick. 'It's too dark to read now anyway, and I've got an early threesome with Caroline and Joy.'

'I might come along and cramp your style, if that's OK. See which one of us gets wet first.'

'Bel,' said Nick, a warning tone in his voice. Apparently casual flirting was a hard no, then.

'Sorry,' she said. 'See you tomorrow.' She hurried back to the house without waiting for his response, her neck hot with humiliation and grateful for the warmth and seclusion of the kitchen. She could hear voices in the dining room – Chris and Sophie often played cards before bed, grabbing some couple time before they headed off to the room they shared with Alice.

'Sleeping alone?' said Marie as she emerged from the bathroom at the back of the kitchen, wiping toothpaste from her mouth with a hand towel. 'That's not like you.'

'Fuck off, Marie,' Bel snapped, a red mist descending.

'Wow,' said Marie, visibly taken aback. 'I thought we'd moved past that, but apparently not.'

'Then try not being a bitch,' said Bel, heading into the bathroom and slamming the door.

CHAPTER SIXTEEN

'I'm sorry,' said Marie, glancing at Bel. They stood side-by-side on the beach, watching the sun rise and a red container ship make steady progress north. Nick was already in the water forty metres further along the beach, not paying them any attention. Half a dozen women were shedding their dryrobes near him, flapping their arms like chickens as they edged into the water.

'For what?' asked Bel, even though she knew.

'For taking the piss last night. It was mean.'

'It doesn't matter,' said Bel, as a grey seal bobbed up a few metres out, then disappeared for twenty seconds before reappearing ten metres further along the beach.

'It *does* matter,' said Marie, folding her arms and setting her face to 'implacable', just as she had when they were seven years old. 'It matters so much that I followed you here to stand on a freezing fucking beach at six-thirty a.m. to tell you how sorry I am.'

'You caught me at a bad moment last night. I overreacted.'

Marie turned to look at her. 'What happened?'

'Nothing.'

'Do you like him? Nick?'

Bel shrugged. 'No more or less than any other man I've met recently. I'd shag him, obviously; he's the only human within twenty miles with a six-pack and a pulse.'

Marie laughed. 'I reckon you might find some hot sailors on that container ship.'

Bel smiled. 'Maybe. I'm not ready to swim that far yet.'

They stood in silence for a minute, watching the Sunrise Swimmers breaststroke out towards a buoy fifty metres offshore, Nick bringing up the rear of the group. The grey sky was already shifting to the palest of pale blues. By ten it would be cerulean and glorious, the perfect spring day. 'Are you OK, Bel?' asked Marie, her voice soft and uncertain. 'Not just with me, after last night. But, you know, generally.'

'Yeah,' said Bel, forcing herself to sound upbeat. 'I'm totally fine.'

'It's just . . .'

'Marie,' said Bel, a note of warning in her tone. 'Please don't do this.'

'No, let me say it. I'm your sister, and I care about you.'

Bel snorted. 'Since when?'

Marie thought about it for a moment. 'OK. Since we were kids and that awful teacher made you stand in front of the whole class and explain what it was like to live without a washing machine.'

A hot flash of mortification coursed through Bel's body. 'God, I'd forgotten about that.'

'It's one of my earliest memories, for some reason. We were learning about the olden days, before people had kitchen appliances.'

'Yeah, I remember now.'

'*But of course, some people still live that way, and we're lucky enough to have two of them here who can tell us what it's like,*' said Marie, mimicking the teacher's sing-song voice. 'Rancid old bitch.'

136

'Shit. Thanks for reminding me of that ritual shaming.'

'The point is, your pain was my pain; that's just part of being a sister. And I feel like you're not being very kind to yourself, and I think that probably has a lot to do with what happened with Edward, which I wasn't there for. So I'd like to avoid making that mistake again.'

'You feel bad about something that happened to me years ago?'

'Of course I feel bad about it. Don't you?'

Bel turned to look at her. 'To be honest, Marie, I genuinely think I've forgotten *how* to feel.'

Marie was silent for a moment, then snorted with laughter.

'Oh my God, seriously?'

'Yeah, OK,' Bel smiled. 'Bit much?'

'Is this what happens when one guy refuses to shag you? You go full woe-is-me drama queen?'

'All right. No need to rub it in.'

Marie leaned over and rested her head on Bel's shoulder for barely a second, but it still felt like a shock. It had been years – DECADES, in fact – since she and Marie had shown any kind of affection towards each other.

'Right,' said Marie. 'Are we going swimming, or what?'

Bel raised her eyebrows. 'Are you coming in?'

Marie started pulling off her clothes. 'Well, I'm hardly going back to bed. Come on.'

'I hear you've joined the local wild swimming group,' said Maggie, handing Bel a coffee. They sat at one of the four mismatched cafe tables outside the Coffee Hut, procured by Marie from a cafe in Yarmouth that was having a refit

137

and asked for any takers on Facebook. That trip in Bel's Mondeo had also yielded some new mugs, some artwork for the house, and a filter coffee machine that hadn't stopped percolating since the arrival of the Trade Nomads. Sophie drank so much coffee it was hard to imagine how she ever slept.

'Why do they call it wild swimming?' asked Bel. 'Isn't it just swimming?'

Maggie chuckled. 'Everything has to be a *thing*, now, doesn't it? It can't just be fun, it has to be life-changing. A way of making your skin better, or improving your mental health. It can't just be swimming for the sake of swimming.'

'I do actually find it quite calming, now you mention it.'

'You should get Marie involved,' said Maggie, watching her other niece writing up the new baked goods menu on the blackboard hanging beside the hatch. 'She never stops, just a bundle of nervous energy. She could probably do with some calming.'

'She came with me this morning, actually. Didn't like it much, said she couldn't stop thinking about fish nibbling on her feet.'

'Like one of those fish pedicures,' said Maggie with a smile. 'I had one of those once, there was a place in Lowestoft. Very strange sitting there with a cappuccino while fish eat your dead skin.'

'Like tiny piranhas.'

'What about Nick?' asked Maggie, eyeing Bel knowingly. 'Was he swimming this morning too?'

'He was,' replied Bel, avoiding her penetrating gaze. 'Don't look at me like that, Mags.'

'Goodness,' Maggie laughed. 'Nobody's called me that since your mother. Your grandmother always used our full names, but to each other we were Lil and Mags.'

'Same with me and Marie,' said Bel. 'Lily always called us Bluebell and Marigold, it drove us both mad. But we called each other Bel and Marie. I don't remember how or when that happened.'

Maggie took a sip of her coffee and eyed Bel carefully. 'So nothing interesting brewing between you and the handsome carpenter, then.'

'Sadly not,' Bel sighed. 'He's not into casual sex and is looking for the perfect woman.'

'What's wrong with that?'

'I only do casual sex and have no interest in finding the perfect man.'

'Goodness. Really?'

Bel nodded firmly. 'Zero interest in having a man in my life for any more than one night. I tried it once, and it went very badly.'

'Hmm,' said Maggie. 'I tried it once too.'

Bel's eyebrows shot up. 'Did you really?'

Maggie nodded. 'I started spending time with a lovely man after your grandfather died. William. He wanted us to get married, but your grandmother still needed looking after and it would have made her anxious if another man had moved in. It wasn't fair to ask him to wait, which is just as well, really, considering how long she carried on for.'

'What happened to him?'

'William? He runs the village post office.'

'What, here? Bill the Postie? That's him?'

139

Maggie nodded.

'Did he marry somebody else?'

'A couple of years later,' sighed Maggie, twisting her coffee cup in her hands. 'She was a nice lady called Muriel. Very active in your swimming group, actually; came for a tarot reading every now and then. She died last year of breast cancer; she was only sixty-two.'

Shame you didn't see that in the tarot cards, Bel thought darkly. 'So why haven't you asked him out, if he's single?'

Maggie gave her a sharp look. 'Don't be ridiculous, Bel. He's not *single*, he's a grieving widower; they were married for nearly twenty years and have children and grandchildren. I'm not swooping in before she's even cold in her grave. I sent a sympathy card, and he knows where I am.'

Bel pursed her lips. 'Have you even spoken to him since?'

'We've exchanged pleasantries, when I've been in to buy stamps or send a parcel. What else is there?'

'Bloody hell, Mags. Talk about not grabbing life with both hands.'

'Don't give me a lecture on that,' Maggie said testily. 'You've shut down any chance of love because you took one wrong turn and married a bad man.'

Bel opened and closed her mouth a few times, momentarily lost for words. 'How do you know about that?'

'Lil said something about it in one of her letters. She said you'd been married, but he'd treated you very badly.'

Bel took a deep breath, feeling like she'd been winded. 'I didn't realise she knew about that. We never really talked about it.'

'She was your mother, Bel,' said Maggie softly. 'She knew everything.'

Bel was quiet for a moment, lost in confusing memories. 'I wish we'd been closer.'

'You were mother and daughter,' said Maggie. 'It doesn't get any closer than that.'

'I know, but I wish it had felt like that at the time. We never talked about things. She was always . . . remote, I guess. Like she kept us at arm's length.'

'Hmm,' said Maggie. 'Would it help if I told you what that was about, if I had to guess?'

Bel looked up. 'Go on.'

'I think she adored you both but wanted you to be free spirits. Not tied to her or your home. So she never let you think she depended on you; that way, you could live your lives and not feel guilty for wanting more.'

'Is that how you think she felt? Guilty? For leaving Moxham and putting the burden of your parents on you?'

Maggie nodded, her shoulders slumped. 'I think the guilt weighed her down all her adult life.'

'But we could still have been close,' said Bel. 'Lots of people fly the nest from loving, supportive families. It doesn't have to be one or the other.'

'I know that,' said Maggie. 'But I don't think it was a risk your mother was willing to take.'

'It made me hard,' said Bel, pressing her lips together. 'I can tune out my emotions if I want to, totally detach myself from other people's feelings. Someone called me *aloof* once; I had to look it up. And someone else called me a psychopath, but that's another story.'

Maggie laughed. 'You're not a psychopath, Bel. You're just complex, like your mother. And the fact that you recognise this flaw in your character is a battle half-won.'

'What's the other half of the battle?'

Maggie looked into Bel's eyes, like she could see into her soul. 'Stop punishing yourself. Open yourself up to the idea that you can love and be loveable in return.'

Bel pulled a face. 'Maybe you should go first.'

'And anyway,' Maggie continued. 'Lily may have made some mistakes, but I think the fact that you're here in Moxham says a lot about how much she cared about you and Marie.'

'In what way?'

'She could have left you a boat or a few trinkets. But instead she's given you a chance.'

Bel nodded thoughtfully. 'I suppose she has. And what about you? What did she give you?'

'Well, that's easy. She gave me you and Marie. Even if it's only for a year.'

Bel smiled. 'Us leaving Moxham won't stop you being our aunt. You're stuck with us now, one way or another, even if it's just for visits.'

'Well, that makes me very happy.'

'But in the meantime we've got another ten months of Friday night dinners.'

'I don't mind that either. They're the highlight of my week.'

Bel grinned. 'Maybe I'll invite Bill the Postie one week.'

Maggie gave her a sharp look. 'Don't you bloody dare.'

Bel stayed at the table for a while after Marie brought her a second coffee and Maggie left to check the stock area at the back of the Hut, taking advantage of it being a sunny

Sunday in May. Other than opening for a few hours to feed and water the swimmers, nobody worked on a Sunday, including Bel – all the leftovers from during the week were scooped into foil containers and frozen, so everyone just sorted themselves out.

What are you doing here? she asked herself. *Big question, complicated answer.* Her reasons for being in Moxham hadn't changed – to fulfil the terms of her mother's will, then sell Orchard House and use the cash to get her life back on track. But what did that track look like? Using the money as a deposit on a flat for her to live alone in like a miserable, bitter spinster? Setting up another catering business that was as soul-destroying as the last one? It all felt like her life was going backwards, somehow. Same shit, different bank balance.

Let's make the question smaller. What are you doing here, at this table, right now? The answer to that also felt complicated. Because if Bel was truly honest with herself, she'd seen Nick head off for a swim an hour ago, and now she was waiting for him.

As if on cue, he appeared over the top of the slipway, wearing his usual morning swimming outfit of black shorts and flip-flops with a navy hoodie. He carried a towel and a rucksack, which Bel now knew contained toiletries and a change of clothes.

Will he stop? she thought as he crossed the car park towards the public shower. *Will he want to chat, or is he embarrassed about the things we talked about last night?* She felt an indefinable pull towards him, a need for him to acknowledge her existence. To make her feel more anchored in this place, somehow.

143

What do I actually want from him? she asked herself. *Friendship? Company? To feel less dead inside? Meaningless sex? Something else?*

If Nick had any plans to help her with any of those things, today wasn't that day. He walked straight past her to the shower without even looking up.

CHAPTER SEVENTEEN

'Are you busy?' asked Nick on Friday, finding Bel in the kitchen. She was washing up after a marathon baking session that had started at 7 a.m., stuffing the freezer full of muffins and flapjacks for next week's half-term rush. By getting ahead of the game now, she was hoping to have more time to spend with Jenna and Cerys when they arrived.

'No, I've just finished,' she said, trying not to stare at Nick's tanned biceps in a white T-shirt. He'd shaved his head again, and her mind wandered in the direction of various Action Man fantasies, until he leaned over the counter to steal a cooling flapjack and snapped her out of it.

'Hey, stop that,' she said, swatting his hand with a tea towel.

'You can't make me,' he replied with a grin, stuffing half of it into his mouth. It was a playful side of Nick she hadn't seen before, and it made her feel a little breathless.

'What do you need?' she asked, drying her hands on the towel.

Nick chewed frantically, then swallowed. 'I need your baking skills, actually. Well, the bit where you mix ingredients to the perfect consistency.'

'For what?'

'I'm plastering Bedroom Three. If I have an assistant it's a much quicker job.'

145

'Where are the others?'

'Chris and Sophie are fixing the bathroom plumbing, which is a two-man job. And Alice has pulled something in her back, so she's scraping wallpaper in the dining room. Dan's helping her, he's got today off.'

Bel tilted her head questioningly. 'So you're asking me.'

'There's literally nobody left to ask,' said Nick. 'Marie's at the Coffee Hut, and I've tried Maggie, Bill the Postie, a few random neighbours and that old guy who goes by on his mobility scooter twice a day. They're all busy. You're my last resort.'

'You're very funny.'

Nick grinned. 'Come on. I'll show you what needs doing, then you can decide.'

Bel followed him out into the garden, where the barn was now being used to store all their building supplies. Under the ramshackle roof, which Nick had patched up with tarpaulin and old planks, were paper sacks of plaster, tins of paint and various buckets and hand tools. The power tools and valuable stuff were in Bedroom Four, which had been set up as a workshop since the beginning of the project. Next week that would be relocated to what was currently Marie's bedroom and the two sisters would finally move upstairs.

'Right, plastering,' said Nick, dumping a tall white bucket in front of Bel. 'If I have to run up and down the stairs mixing the plaster myself, I might get two of the walls done. But if you mix it for me and shovel it onto my hawk, I could get the whole room finished in one day.'

'What's a hawk?'

'This,' said Nick, picking up a large, square plastic plate

with a handle underneath. 'You shovel plaster onto this, so I can trowel it onto the wall.'

'Right,' said Bel. 'How do I mix plaster?'

Nick picked up a bag of plaster like it was a feather pillow, even though Bel could see the '25kg' marked on the packaging. 'You put some water in this bucket, then tip in some plaster, then mix it.'

'How much water and plaster?'

'As much as it takes. You mix it with this.' He handed Bel a contraption that looked like a power drill with two handles, which had a long spiral paddle connected to it.

Bel smiled. 'It's like a massive cake mixer.'

'Exactly,' said Nick. 'You ever whip cream or egg whites?'

'Yeah. Of course. Have you?'

'Yes. I'm a man of many talents.'

Bel raised an eyebrow, wondering if he was flirting with her. Probably not, based on their previous record. 'What has whipping got to do with anything?' *Not really my thing, but right now I'd definitely consider it.*

'I'm looking for soft peaks, like when you whip egg whites for chocolate mousse. I'll show you what I mean when we do the first one.'

Bel nodded. 'OK, soft peaks. How do I get the bucket up the stairs?'

Nick handed her a whistle, like the kind her school PE teacher used to use. 'When you're ready, you blow this whistle and I'll come down and help you carry it. Your job is to shovel it onto my hawk with this bucket trowel –' he held up a tool that looked like a big burger flipper, '– until the bucket is empty. Then while I'm smoothing off, you

147

come down and clean everything and make up another bucket.'

'Baking cakes sounds less strenuous,' mused Bel.

Nick gave her a penetrating look. 'This is really hard labour, Bel. Four walls, two coats, that's two buckets of plaster for each wall. Could take us six or seven hours; I'm not as fast as a professional plasterer.'

'Shit,' said Bel. 'Seven hours?'

'Maybe not quite that long. But you can't rush – if you get plaster on any of the tool handles, everything I touch will end up covered in it. Keeping everything clean is really important.'

'Baking and cleaning. Two things I'm pretty good at, actually.'

'That's why I asked you. But look, if you're not up for it, I can do it myself. It will just take longer.'

'No,' she said, shaking her head firmly. 'I can do this.'

Nick beamed. 'Excellent. Do you need to change your clothes?' He looked her up and down, taking in her faded Bowie T-shirt and ancient shorts.

'Nope,' said Bel, lifting her arm so he could see the holes down the seam. 'Everything I own is shit.'

Three hours later Bel had mixed and shovelled six buckets of plaster and her shoulders and arms felt like they'd been yanked out of their sockets. Her skin was coated in pinky-beige dust, along with her throat and lungs. Between mixes, while Nick smoothed down the walls, Bel scraped out all the leftover plaster into what looked like a row of dinosaur turds on a tarpaulin in the barn, then scrubbed the bucket and tools using the garden hose before starting all over again. Nick hardly spoke other than to say things like 'Next bucket's a second coat, make it a tiny bit thinner,' or 'I'll have another thicker base coat, but only half as much.'

Bel watched him trowel on the final bit of plaster into the corner of the second long wall, then start to smooth it off. She climbed down off the metal bench they used to reach the higher sections, trying not to let him see how much her back hurt.

'Let's break for lunch,' said Nick, as she started to gather up buckets and tools. 'I'll smooth this off while you wash up, then I'll meet you in the kitchen in fifteen minutes.'

Bel nodded, too tired to speak. She lugged the bucket and tools down to the garden, spotting Alice and Dan pulling weeds at the far end by Nick's tent. Marie would be back from the Coffee Hut by now and would probably help if Bel asked, but Bel didn't want Nick to think she couldn't do it herself.

She methodically washed the bucket and tools, adding a few more dinosaur turds to the tarpaulin, then headed into the bathroom to wash her face and hands. The others had already had lunch an hour ago, so Bel threw together a plate of sandwiches and a couple of glasses of water for her and Nick.

'How are you feeling?' he asked, coming out of the bathroom and taking a huge bite out of his sandwich.

'Knackered. But it's quite satisfying.'

'Your help makes a massive difference. And we've done the two long walls now, the other two will be quicker. For me, anyway. You'll still have the same number of buckets to mix.'

149

'I can take over, if you like,' said Dan, wandering into the kitchen and putting the kettle on. 'I've checked if Chris and Sophie need any help in the bathroom but they're nearly done. Apparently you now have a working bathtub.'

'Oh wow,' said Bel, already dreaming of a hot bath and wondering how long the queue would be. 'That's great news.'

'So I can be plasterer's mate this afternoon, if you like. Or you can crack on and Alice and I will cook dinner.'

Nick looked at Bel and raised his eyebrows questioningly. Dan was giving her an easy way out, but Nick didn't seem desperate to accept Dan's offer on her behalf. *It's up to you*, his expression said. *What would YOU like to do?*

'I'm fine,' said Bel. 'Actually quite enjoying it. You guys do dinner.'

Nick gave her the biggest grin she'd seen since the day he'd arrived in Moxham.

'Bel,' said Nick, tracking her down in her bedroom. They'd finally finished cleaning all the plastering gear at 6 p.m., and Bel had taken the opportunity to shower off all the dust and sweat and change into clean clothes. There was still an hour before Dan and Alice served dinner, and she planned to spend it horizontal and unmoving on her mattress, staring at the ceiling and taking an inventory of all the bits of her body that hurt.

'Please don't ask me to do anything else,' she said, towelling off her hair. 'I'm totally broken.'

'I won't, I promise,' laughed Nick. 'I've got something to show you.'

Bel looked at him suspiciously. 'Is it something that needs fixing? Because honestly, I will hurt you.'

'It's not,' said Nick. 'Just come with me.'

Bel rolled her eyes and followed him out of the bedroom, then up the stairs. He led her to one of the two family bathrooms, the one that Chris and Sophie had been working on this morning.

'After you,' he said, pushing open the door.

Bel's jaw dropped as she walked in – Nick had filled the Victorian rolltop bath with foamy hot water, then placed glowing tea lights on every available surface. A clean towel was folded on the chair beside the tub.

'Oh my God,' she gasped, her hands over her mouth. 'This is amazing. I might cry.'

'It's all yours,' said Nick. 'Jump in, and I'll bring you a glass of wine.'

Bel turned to say thank you, but Nick had already gone. She quickly wriggled out of her clothes and lowered herself into the hot water, which covered her entire body up to her chin. She let out a sigh of relief and joy, then closed her eyes and relaxed into a state of bliss. *Edward never did anything like this for me*, she reflected, then quickly pushed the thought aside. Now was definitely not the time to think about Edward.

'You decent?' said Nick's voice outside the door a few minutes later.

'Yeah,' said Bel, who was entirely coated in a thick layer of white foam. 'Come in.'

Nick appeared around the door with a huge glass of wine in his hand, putting it down on the chair. 'Is that OK?' he asked.

'It's heaven,' said Bel, turning her head to look at him. 'Thank you.'

'You earned it today,' said Nick, returning to the doorway. 'That was a big ask, and you totally smashed it.'

'No, don't go,' she said, a little too quickly. 'Stay for a bit.'

Nick hesitated for a second, then reversed back into the bathroom and closed the door behind him. He moved the towel to the floor and sat on the chair, holding the glass of wine. She carefully extracted an arm from the foam, trying not to flash a nipple, and took it from him.

'This is the nicest thing anyone has ever done for me,' she said. 'Just so you know.'

'Really?'

'Yeah.' Bel gave a wry laugh. 'Although it's a very low bar, to be fair.'

'Hmm,' Nick mused. 'Do you want to talk about that some time?'

'About what?' asked Bel, immediately wary. She gulped down a third of the glass in one go.

Nick shrugged. 'The reason why you have such hard edges. Why you shut people down. I told you about the bad shit in my past, so I thought you might like to return the favour.'

Bel shook her head, trying to remember to breathe and not get defensive. For all her trust issues, she felt instinctively that Nick was asking for the right reasons.

'Maybe one day, but not now,' she whispered, the words catching in her throat. 'Today has been great, and for the first time in ages I'm actually feeling pretty good about myself.'

'So you should,' he said with a soft smile.

'So it would be nice to maintain the positive vibe, if you don't mind.'

'Fine by me. What shall we talk about instead?'

'Do we have to talk about anything?' Bel asked.

'Absolutely,' said Nick. 'I'm not going to sit here in silence and watch you have a bath like some kind of pervert.'

'Fine,' she laughed. 'What books do you like?'

'You already know that,' said Nick. 'We're both fans of Gabriel Garcia Márquez.'

'Of course,' said Bel.

'I even tried learning Spanish once, hoping I could read the original.'

'How did that go?'

'Badly. Until I needed to buy Class A drugs in Mexico, anyway.'

'I can see how that would come in handy,' Bel observed, conscious that the spreading warmth through her limbs wasn't just from the hot water. Every time Nick opened up, she found him a little bit more alluring.

'What else do we have in common?' he asked, staring at his hands.

'Not sure,' Bel shrugged. 'I guess we both love sea swimming.'

Nick looked up in surprise. 'DO you love it?'

Bel nodded. 'I'm starting to. I've always had a thing about water – show me a river or a lake, and I instantly want to get in it.'

Nick smiled. 'Didn't you and Marie grow up on a canal boat? She mentioned it once.'

'We did, but you definitely wouldn't want to swim in

that – it's full of diesel and rats and swan shit. The River Avon was nice though. I've never lived by the sea before.'

'The swimming group like you. They think you're delightful.'

Bel snorted with laughter. 'Nobody has EVER called me delightful. How would you know, anyway?'

'Sometimes I chat with them, after you've gone to start your shift at the Coffee Hut.'

'Really?' Bel grinned. 'I thought swimming as part of a group was all about safety rather than community?'

'It was, but they're a persistent bunch. Fishing for details on the nature of our relationship.'

Bel felt a flutter in her chest at the thought of Nick talking about her. 'They must be very disappointed. So what else don't I know about you?'

Nick shrugged. 'You know FAR more about me than I know about you.'

'Well, that's because I planned it that way. What kind of music do you like?'

'Classical,' said Nick, without hesitation. 'My mum was a piano teacher, so I'm a sucker for a piano concerto.'

Bel smiled delightedly, thinking of all the times she'd cooked in her kitchen in Bristol listening to Classic FM. She'd sold her smart speaker along with all her other belongings, and she hadn't realised until this moment how much she'd missed it. 'Brahms or Beethoven?'

'Beethoven,' said Nick. 'Can you play?'

'No,' said Bel. 'Not much room for a piano on a narrowboat.'

'Good point.' Nick looked slightly embarrassed. 'My mum taught me. It's one of the few things I miss about my old life.'

Bel looked at his strong hands and imagined him playing scales up her inner thighs, then deftly fingering her keys. She shivered, despite the scalding water. 'Are we all out of wine?'

Nick looked down at the empty glass. 'Yeah. Shall I get the rest of the bottle?'

Bel hesitated, her head feeling pleasantly fuzzy from the heat and the alcohol. She really wanted him to, but this whole scenario was bordering on *romantic*, so she should definitely shut that down. 'Probably about time for you to go, actually. As lovely as this soul-baring is, my bubbles are dissolving.'

Nick laughed awkwardly. 'Well, I'll leave you to it, then. See you for dinner.'

'Hey, Nick?' said Bel as he stood up. 'Thank you for doing this. It's really nice of you.'

He nodded, and Bel noticed two things as he hastily left the room. First, that he'd looked slightly reluctant to go. And second, he'd definitely checked out the gaps in her melting bubbles.

Bel couldn't help but grin as she slowly let her head sink under the water.

CHAPTER EIGHTEEN

'Nick? Are we ALL going to the beach?' asked Cerys, skipping in circles next to him as they headed up the slipway. Bel, Marie and Jenna followed a few metres behind, with Chris, Sophie and Alice trailing a little further back, accompanied by Dan, Maggie and Poppy. The Coffee Hut was closed on a Monday, and all the residents of Orchard House had voted to bunk off work for the morning and go to the beach on the warmest day of the year so far.

'The beach?' asked Nick, shaking his head. 'This isn't the way to the beach. This is the way to the evil boarding school for awful children.'

'No, it ISN'T,' laughed Cerys, swatting his arm. 'Do you think it will be cold today?'

'Not if you put all that talking energy into swimming,' muttered Nick. Bel smiled to herself, wondering how long his patience would hold out.

'Is the water colder in the mornings? Or at night? How do the seals stay warm?'

Nick stopped walking and turned to Bel, his lips pressed together. 'Can you take my bag?' he asked, passing over his rucksack.

'Aren't you going in the water?' asked Cerys, looking bereft.

'I am,' said Nick, his hands on his hips. 'But I've also had enough of your questions; it's too early and I haven't had any coffee yet. So I'm just going to throw you in the sea and it's your own fault if you drown.' He scooped Cerys up into a fireman's lift and started to run down the beach, Cerys shrieking with laughter and kicking her legs.

'Well,' said Jenna, raising her eyebrows at Bel. 'Who knew Nick Cute-but-Mute could charm my grumpy daughter AND look incredibly hot at the same time?'

'I'm as shocked as you are,' Bel murmured.

'ARE you?' said Jenna knowingly. 'Because I kind of assumed you were the reason for this personality transplant.'

Bel shrugged, pushing aside thoughts of candlelit baths and deft piano-playing fingers. There'd been no mention of their rendezvous in the bathroom over the weekend; they'd both gone back to their respective household jobs like nothing had happened. But then nothing *had* happened, so she could hardly expect sexual tension and smouldering glances.

'Marie?' asked Jenna, not ready to let it go just yet. 'Anything I need to know?'

Marie shook her head, and Bel was momentarily glad of the loyalty of sisters, however temporary. She clearly hadn't told Jenna about the tent incident, or their fight afterwards. 'I can't imagine anyone has the energy for sex in this house. We're all knackered.'

'Well, I didn't spend seven hours on a bloody coach for a cup of tea,' huffed Jenna, making Bel snort with laughter. Now Marie was upstairs, Jenna could share her bed while Cerys slept downstairs in a corner of Marie's old room, well away from all the power tools. They'd built a little tipi out

157

of sheets and fairy lights for her, which she'd instantly adored.

'What's the plan for this week?' asked Jenna as they shed their clothes into a heap on the sand. The breeze felt warm on Bel's skin, for the first time since they'd arrived in Moxham. Nick and Cerys were already in the water, wading towards the group of Sunrise Swimmers bobbing around about thirty metres offshore. Bel could see them all smiling and waving, although she couldn't tell if their delight was because a child was joining their group, or because Nick was half naked and heading in their direction.

'Dan's taken the whole week off,' said Bel, 'and the weather forecast is amazing. We've got less than four weeks until the Nomads leave, so it's a big push to get all the big stuff done. Marie and I can do the decorating after they've gone.' She felt a pang of pain at the thought of Nick and the others leaving – they'd become part of the fabric of the house. But they'd all done so much, and the house was already beginning to feel like it had been transformed.

'Come and join us!' shouted Joy as they all waded out into the water. Chris, Sophie and Alice were already splashing around in the shallows, Sophie kicking water at the other two.

'Well, isn't this lovely,' said Joy, as the whole group came together in a big circle, everyone treading water. 'All of you here together. We feel very lucky.' Nick turned and looked like he was going to swim away, then thought better of it and kept his space in the circle as everyone chattered away about the water temperature and the weather forecast. Bel caught his eye and smiled, not really meaning to, and felt a jolt of surprise when he gave her a rare smile in return. It was only for a second before Cerys grabbed his arm and dragged him away to show her how to do front crawl, but Bel felt a flicker of something. A moment of appreciation, maybe, or an acknowledgement that they understood each other. Liked each other, even. *Not like that, though*, thought Bel, wondering who she was trying to convince.

'Me and Nick have had an idea,' said Cerys, grabbing another slice of pork pie from the plate. It was such a beautiful day that Chris had constructed a low table out of an eight-foot piece of plywood with a couple of upturned buckets serving as legs. All ten of them sat on the grass around it, blossom from the trees falling like snow in the gentle breeze. Bel couldn't remember the last time she'd felt this relaxed and content and at peace with the world.

'What kind of idea?' asked Jenna, raising an eyebrow at Nick.

'Well,' said Cerys, hastily swallowing her pork pie. 'I had an idea and I went to talk to Nick about it, because he's more cleverer than the rest of you. And he doesn't get, like, MAD about stuff.'

Everyone laughed as Nick nodded. 'I'm definitely putting that on my CV,' he muttered.

'And what was the idea?' asked Marie, taking Jenna's hand.

'It's about the garden,' said Cerys, revelling in her captive audience. 'Alice and Dan were saying earlier about how it needs plants. Like, flowers and stuff, to attract the bees.'

'Bees?' said Sophie.

'Yeah. We've been learning about bees at school, and how they need . . . pollen, pollin . . .'

'Pollinators,' said Dan, reaching over for a sausage roll.

'Yeah,' said Cerys, nodding furiously. 'And today I saw bees on the apple trees, but we should plant flowers too. They like purple and white ones.'

'Flowers are expensive, Cerys,' said Jenna gently.

'I know, but that's my idea. I could make a sign for the gate asking people in the village to give us any flowers from their garden that they don't need.'

'Why would they do that?' asked Sophie, looking appalled at this very un-French imposition.

'Because the people here are *nice*. AND I thought maybe I could go round to the houses that have the poshest gardens and give them some of Bel's cakes. As payment for some plants.'

'You're not doing that on your own,' said Jenna quickly.

Cerys rolled her eyes. 'Duh, obviously. Nick said he would come with me this afternoon while he waited for some paint to dry, AND he said he'd push the wheelbarrow.'

'Did he, now?' said Bel, raising her eyebrows at Nick, who seemed very intent on buttering some bread.

'I bet he'd rather spend some time in Bel's garden,' muttered Jenna under her breath, prompting Marie to choke on her sandwich.

'And anyway,' continued Cerys, now well into her stride. 'You're all named after flowers, so you can't have a garden that doesn't have any.'

'Named after flowers?' asked Sophie, looking confused.

'Magnolia, Bluebell, Marigold,' said Cerys, pointing at Maggie, Bel and Marie in turn. 'Mum told me.'

160

'Holy shit, you're actually called Bluebell and Marigold?' cackled Alice. 'You never said.'

'Magnolia,' said Chris, flashing his gold tooth at Maggie. 'The most exciting of all the paint colours.'

'Get on with you,' said Maggie, wafting him away. 'Cerys is right. We're all flowers.'

'Different flowers from the same garden,' said Bel, smiling softly at Marie. Her sister returned it, and it felt like the second moment of mutual understanding she'd experienced today – first with Nick, and now with Marie. Maybe she was getting soft in her old age.

'So can I do it?' asked Cerys, pressing her palms together in prayer. 'Make the sign? And take some cakes?'

'Fine,' said Bel. 'Take some from the freezer but don't go overboard. Only give them cake if they give you a decent plant haul. My flapjacks are hard currency around here.'

'Yay,' said Cerys excitedly. 'Can I do the painting now, Mum? Nick found me a piece of wood and showed me where the paint and brushes are.'

Jenna nodded. 'Fine. But don't make a mess.'

'Ask for flowers, but also HERBS,' shouted Bel as Cerys disappeared round the corner of the house towards the wood and paint store.

'Talking of painting, I need to get some on a wall,' said Nick, clearly keen to get away from Jenna's appraising gaze. They all gathered up their plates and glasses and took them into the kitchen before hungry ants descended on the leftovers.

'Leave everything there, I'll clean up,' said Bel. 'You guys get back to work.' Everyone nodded and muttered their thanks for lunch, then slowly dispersed back to their assigned jobs.

'You want my help?' asked Jenna.

'Nope,' said Bel. 'You go and supervise Cerys.' She rolled up her sleeves as Jenna left, relishing the quiet of the kitchen. She thought about the conversation with Nick about classical music, and asked her phone to play Classic FM. The sound quality was a bit tinny, but it was nice all the same.

'Elgar's Symphony number one,' said Nick, returning to the kitchen with the last few glasses.

'I'll take your word for it,' said Bel, not wanting to pretend she knew in case it was a trap to make her feel stupid; it was the kind of thing Edward used to do all the time. Nick put the glasses on the island and hovered uncertainly, like he didn't want to leave yet.

'Thank you for being so lovely to Cerys,' said Bel, pulling on a pair of rubber gloves as hot water surged into the enormous sink.

Nick shrugged. 'She's a nice kid. And it must be hard spending your holiday in a house full of adults.'

'I guess.'

'So now she has a project all of her own. I'll help her get the plants, and she can decide where they go, work out which ones need sun or shade or whatever. It will keep her busy all week.'

Bel smiled. 'You're a good person, Nick.'

'I've been trying to tell you that for weeks,' he replied, and Bel couldn't help but notice how gorgeous he was when he smiled.

'Well, maybe I'm starting to believe you.' Oh God, was she actually *flirting*?

'Finally, a chink in the armour,' teased Nick. 'It's only taken me, what? A month?'

Bel snorted. 'You didn't speak for the first two weeks.'

'I was observing, trying to work out if I could trust you not to lead me astray. Do you want to come on the plant rounds with me and Cerys?'

'Can't,' said Bel, feeling a flutter of pleasure that Nick wanted to spend more time with her. 'Have to do some extra baking, to replace what Cerys has nicked. Can't keep up with demand in the Coffee Hut right now, and I've got extra people to feed for dinner.'

'OK, well, what about next Sunday?'

Bel busied herself with the washing-up, hoping he wouldn't see the blush creeping up her neck. 'What about it?'

'We all have a day off, remember?'

'I know that. I have to drop Jenna and Cerys off in Norwich at eight a.m. for the coach back to Bristol.'

'Well, what about after that? We could go for a walk to the windmill.'

'What, just you and me?' Bel felt beads of sweat break out on her forehead and focused intently on the sink of bubbles.

'No, I thought we'd join the local rambling club,' said Nick, and she could actually hear him rolling his eyes. 'YES, just you and me.'

Bel gave him a challenging look, feeling like she needed to gain control of this conversation. 'Are you asking me on a date?'

'No,' Nick sighed. 'I'm asking you if you want to walk to a fucking windmill. Stop being so suspicious.'

'I'm just checking.'

'Maybe I don't even fancy you. Have you ever considered that?'

'Not really,' Bel laughed. 'Fine, I'll walk to a windmill with you.'

'Good,' said Nick. 'I need to go and paint a wall.'

'Don't let me stop you,' said Bel. He turned and left the room as she continued to swill her hands around in the washing-up, but it was a good couple of minutes before she stopped smiling.

CHAPTER NINETEEN

'This is nice,' said Bel, ambling along a farm track in the sunshine. The two dusty ruts made by decades of tractor tyres put her and Nick a comfortable four feet apart, which made this feel less like a date, somehow.

'I'm glad you're enjoying it,' said Nick, his lips twitching into a smile.

'I am. And I appreciate that you didn't make a fuss.'

'What kind of fuss were you expecting?'

'Like, taking me on a massive detour to look at your favourite tree, or bringing a bloody picnic in a wicker hamper.'

'Oh shit,' said Nick, pulling a face. 'I'd better call ahead and cancel the brass band.'

Bel rolled her eyes. 'You're very funny.'

He buried his hands in his pockets and stared at his shoes. 'Look, I asked you along today because I enjoy your company. It's not very complicated.'

Bel felt the flutter in her chest again, soaking up the warmth of Nick's words. She felt like she ought to say something in return, so went with, 'Well, me too.'

Nick let out a slow breath. 'There, look at us,' he laughed. 'Two broken, fucked-up humans admitting that we enjoy each other's company. My therapist will be delighted.'

Bel laughed along. 'When did you last go to an appointment?'

'I haven't seen her in person for months, but we still speak once a week on the phone.'

'Really?' said Bel, her curiosity getting the better of her. 'What do you talk about?'

Nick shrugged. 'What I'm doing, how I'm feeling. The usual.'

Bel nodded, having no frame of reference. The closest she'd ever come to having a therapist was weeping on Jenna's sofa over a six-pound bottle of Pinot Grigio and *Bridget Jones's Diary* on TV.

'I told her I'd met this woman I liked,' Nick continued, looking at his trainers. 'But it wasn't going to work out, because she only wants casual, meaningless sex.'

'You did not,' said Bel, her eyes wide.

Nick grinned. 'I did.'

'What did she say?'

'She reminded me that your strategy reflected my own behaviour in the past, which I had actively chosen to move on from.'

'Ouch. That burns.'

'She also said that if it wasn't healthy behaviour for me, I should ask myself why I would accept it from someone else.'

Bel nodded. 'I mean, she makes a good point.'

'She does. I hate it when that happens.'

'Well,' laughed Bel. 'You're leaving in a few weeks anyway, so you're safe from my unhealthy behaviour.'

They continued walking for a minute, neither feeling the pressure to fill the silence. 'So has therapy been helpful, then?' asked Bel. 'I've never done it.'

'Yeah,' said Nick. 'I was talking to Jo about progress this

week, actually. Told her that you're the first woman I've met since my booze and coke meltdown who has made me feel anything. So even if it wasn't meant to be, you represent a positive turning point.'

Bel blushed, the warmth in her chest spreading south. 'Christ,' she said, trying to break the tension. 'That's a burden I definitely didn't need.'

'Well, I'm just saying. It's made me think that I might be ready for a relationship at some point, which is a good thing, I think.'

'How long has that taken?'

'Five years.'

'Ah, that's good news,' said Bel with a grin. 'It's only been four years since the end of my very ugly marriage, so I've got another year before the hope and positivity kick in.'

Nick laughed and shook his head. 'I'm not sure it works like that.'

'Well, I'm choosing to believe that it does.'

'Does that mean you're ready to talk about your very ugly marriage?' Nick looked her way, but Bel kept her eyes firmly on the path ahead.

'No. Not today. I'm having too nice a time.'

'Fine,' he said. 'Would you like an ice cream when we get to the windmill?'

Bel laughed. 'Obviously, yes. I wouldn't have come if there wasn't a Cornetto at the end of it.'

'Wait, are you saying that quality time in my company isn't a reward in itself?'

Bel thought about it for a second. 'No. Sorry.'

They reached a stile over an old flint wall next to a farm

gate, and Nick stood to one side so Bel could go first. 'Tell me something. Have you always been like this?' he asked.

'Like what?' she asked, turning to face him over the wall. His hair was growing again, and the sun caught tiny flecks of gold and red that she'd never noticed before.

'Funny, but in a sarcastic, spiky way,' said Nick, resting his palms on the wall and leaning in like they were sat either side of a table in a pub garden. Strong hands, deft fingers. 'An acid wit. Not very likeable a lot of the time.'

'Thanks very much,' she said.

'I'm just wondering if you were once girlish and charming, but the Ugly Marriage stole all your joy.'

Bel thought about it for a moment. 'No, I've always been like this. I'm afraid the love of a good man is never going to make me girlish and charming.'

Nick shrugged. 'I wouldn't have you any other way.'

Bel suppressed a shiver at his playful tone. 'Well, thanks for the validation of my personality. What about you? Were you always this intense and brooding?'

Nick laughed. 'No. Quite the opposite, actually. I used to be all about the banter – loud, obnoxious . . . just awful really. I've spent five years dismantling the old Nick and building a new one.'

'I envy you,' said Bel, conscious of how close he was. In another version of this story, she'd lean forward over the wall and kiss him, but she couldn't risk the humiliation of him pulling back.

'In what way?' he asked.

'To be able to reinvent yourself. To bury all the bad shit in your past and start again.'

Nick shrugged and boosted himself up onto the wall,

leaning against the wooden post of the stile with his legs dangling either side. The hair on his legs had flecks of gold too, and it took all of Bel's self-control not to stroke her fingers through it, then slide her hand up the leg of his shorts. 'Anyone can do it,' he said. 'You could, if you wanted to.'

'You make it sound easy.'

'It's not easy, but it's totally worth it. How does the saying go?'

Bel rolled her eyes. 'Oh God, here we go. Self-help bullshit incoming.'

Nick ignored her. 'Keeping baggage from the past leaves no room for happiness in the future.'

'You're an actual inspirational quote machine. Instagram in human form.'

'I've got another one. You can't reach what's in front of you until you let go of what's behind you.'

'Do you keep all of these pinned to your fridge?'

'I don't have a fridge. I'm a misanthropic hermit, remember?'

Bel laughed and turned to face the direction they were headed, letting her lower back rest against the wall, conscious that he was still looking at her. The sails of the windmill peeked above the trees; they'd be there in five minutes. She realised that she didn't want to let go of this moment with Nick – just the two of them on this old wall, in the sunshine, comfortable in each other's space. Getting to the windmill would mean queuing and paying entry fees and mingling with other people; the spell broken. For the first time in years, Bel was enjoying being in the company of a man without thinking about how quickly she could shag him and leave.

'Shall we go?' asked Nick, hopping off the wall.

Let's stay here, thought Bel. 'Sure,' she said, and fell back into step beside him. They continued in comfortable silence until they reached the gate that led to the windmill car park, then joined the small queue at the National Trust ticket booth.

'I'll get these,' said Nick, pulling out his wallet as they reached the front. 'You can get the ice creams.'

'Fine,' said Bel, pretty sure Nick had the raw end of that deal but not wanting to make a big issue out of it. She'd buy him the fanciest ice cream on offer, with a Cornetto chaser.

'Just one adult,' he said to the woman behind the counter. 'I'm a member.' He held out his membership card for her to inspect, then tapped his phone to pay for Bel's ticket. The woman handed him an information leaflet and two tickets, and wished them both a lovely day.

'Thanks,' said Bel as they headed for the ice cream booth, neither of them in any hurry to explore a boiling hot windmill that wasn't going anywhere. 'Talk me through your National Trust membership.' She tried to reconcile this new information with City boy Nick, former coke monster, womaniser and booze hound, and came up with nothing.

'Just get me a fucking Magnum,' said Nick, blushing a little. Bel grinned and bought ice creams for both of them, then joined him on a bench in the shade overlooking the water.

'This says it's not a windmill at all.' Nick waved the information leaflet at Bel as she handed him his ice cream. 'It's a windpump, used for drainage.'

'Really?' Bel licked around the edges of her Cornetto.

'No milling of ancient grains? No bags of overpriced flour in the gift shop?'

'Nope,' said Nick. 'I already feel a bit robbed, to be honest.'

'Me too,' said Bel. 'You should ask for a refund on your National Trust membership.'

Nick laughed and shook his head. 'You're not going to let that go, are you?'

'Definitely not,' said Bel. 'I need details.'

'My dad renews it for me every year,' said Nick. 'When I was living with him back in Kent, we spent a lot of time visiting old properties together. It's something he used to do with my mum. He thinks if I have culture in my life, I won't need cocaine.'

'Feels like a reasonable substitute,' said Bel. 'A fraction of the cost, but you retain the ability to bore people to death.'

'Yep,' said Nick. 'Any time you want the extended history of Scotney Castle, I'm your man.'

'Thanks,' Bel said lightly, pushing aside the memory of the time she and Edward had gone to Bath Assembly Rooms together and he'd spent the afternoon humiliating her for a hundred tiny infractions. Looking at things for too long, needing the bathroom, gently correcting his bullshit facts about Jane Austen, not remembering where the car was parked.

'This river is nice,' she said, revelling in the simple pleasure of making inconsequential small talk without feeling awkward.

'It's not a river, it's a broad,' said Nick. His tone was playful rather than belittling, and Bel felt her heart soar a little.

171

'What's the difference?'

'No idea,' he said, crunching the last inch of his ice cream.

'Here, give me your rubbish,' laughed Bel, standing up and holding out her hand. Her foot slipped off the side of the concrete platform that supported the bench, leaving her arms flailing as she keeled sideways and lurched towards the water. She squealed as Nick caught her around the waist, pulling her tightly into his body. They stared at each other hungrily for a moment, breathing heavily.

'You OK?' he asked. His voice sounded weak, like all the air had been squeezed out of his lungs.

'Yes,' gasped Bel, feeling the heat of his hands on her bare skin and willing him not to let go. 'Actually, no.'

'I can't do what you want, Bel,' he whispered, still holding her tight against him. 'I just can't. Please don't think I don't want to.'

'I can't do what you want either,' said Bel, letting her head fall on his shoulder and wrapping her arms around his waist. 'I'm not ready.'

'I know,' said Nick, burying his face in her hair. It was just a hug, nothing more, but Bel couldn't remember the last time she'd felt this safe and understood.

'Good,' she said. 'I'm glad we've cleared up any lingering confusion.'

Nick snorted with laughter. 'God, I love you.'

Bel raised her eyebrows and tipped her face up to look at him.

'Not in that way,' he said, looking mildly panicked. 'I didn't mean—'

'It's fine, Nick,' she said with a soft smile. 'You can breathe.'

'I just think you're great. That's all.'

'Well, the feeling's mutual. Let's chalk that up as a success and move on, shall we?'

Nick nodded and released her, so Bel busied herself dusting non-existent Cornetto crumbs from her T-shirt, feeling slightly discombobulated by the turn of events. One minute they were eating an ice cream and talking about Nick's National Trust membership, and the next he was pressed hard against her body and telling her he loved her. What was that all about?

'Shall we take a look around the windmill before we walk back?' she said, her armpits prickling with sweat.

'I actually thought we could cycle,' said Nick mildly.

'On what?'

'On the two bikes I brought over here in the truck earlier, while you were dropping Jenna and Cerys off in Norwich. They're locked up over there.' He nodded towards a wooden bike shed by the gift shop.

'Oh God,' gasped Bel. 'You actually made a grand gesture.'

Nick grinned. 'I know. I feel terrible. I also put a picnic in the pannier.'

'You did NOT.'

'I did. I can throw it in the bin if you like.'

Bel was quiet for a moment, trying to separate all the feelings. Joy, obviously – this was the second lovely thing he'd done for her in a week, and it was hard not to bask in the glow of his attention. Exasperation, clearly – he was trying to make her fall for him, which was a total waste of time. Desire – definitely. He was infinitely fuckable and the idea of getting naked with him actually made her thighs burn.

'What kind of picnic?' she asked, her eyes narrowed.

'Some cheese and pickle sandwiches I made with my own hands, and a bottle of wine.'

Bel shook her head and pressed her lips together. 'I can't believe you did this.'

'I'm so sorry,' said Nick, the ghost of a smile on his lips. 'I'm such a bastard.'

'Cheese and pickle sandwiches and a bottle of wine, you say?'

'Sauvignon Blanc. Wrapped in ice packs. And two wine glasses. And a picnic blanket.'

'For fuck's sake, Nick. You absolute prick.' Bel was smiling too now, despite her best efforts to keep a straight face.

'I know,' said Nick with a shrug. 'What can I say? I'm ashamed.'

CHAPTER TWENTY

June

What hurts, today? thought Bel. It was the question she asked herself at the beginning of every morning swim, standing thigh-deep in the water as the breeze off the North Sea whispered against her bare skin. It had started as a way of distracting herself while she adjusted to the biting cold water, and now it was a daily ritual. A moment of mindfulness, certain people might call it, but her version was definitely less wanky.

What hurts, today? Sometimes the list was long and painful, other times fuzzy and muddled. Today was a muddled day – a confusion of feelings about Nick caught up in memories of Edward. Marie and Lily were usually in there somewhere, mired in questions and secrets. Some days she was able to face each feeling and pick it apart, and other days it was a box she just wanted to slam the lid on.

'Bel?' Salvation, in the form of Marie, who should have been setting up the coffee shop by now.

'What are you doing here?' asked Bel, wading back to the beach and grabbing her towel.

'Just came to have a chat,' said Marie.

'A chat about what?' It was pre-7 a.m. – a time of the day when Marie communicated mostly in grunts.

Marie smiled weakly. 'You want the good news or the bad news?'

'Shit,' said Bel, pulling her sweatshirt on. Apparently swimming would have to wait, but it wasn't exactly tropical out here. 'I hate that question. The good news.'

'I was chatting to Sophie and Chris last night,' said Marie, hugging her patchwork cardigan around her. 'They've had an idea.'

'What kind of idea?'

'For our last day. It's the summer solstice, so we thought we'd all watch the sunrise on the beach.'

'OK.'

'Sophie suggested we light a bonfire on the beach the night before, cook some food, drink some beers.'

'What, and go all night until the sun comes up?'

Marie laughed. 'You've never partied all night before?'

'Lots of times,' said Bel with a shrug. 'But I'm in my thirties now. Need to take things a bit easy. Get my beauty sleep.'

'OK, Grandma,' mocked Marie.

Bel narrowed her eyes. 'You definitely didn't come down here to tell me that. What's the bad news?'

Marie sighed heavily. 'Dan came over just now. On his way to work.'

Bel raised her eyebrows in question.

'His mum is ill. Ovarian cancer. It's quite advanced, apparently. Nothing they can do. She doesn't have much time.'

'Shit,' said Bel. She'd only met Helen a handful of times, and Dan had shared a little about her myriad health problems. But this was a new one. 'How much time?'

Marie shrugged helplessly. 'A couple of months, maybe a

176

bit longer. We might not be seeing much of him for a bit. He's going into work today to tie up some loose ends, then taking some compassionate leave.'

Bel let out a slow breath, wishing she'd been there when Dan came over. 'Fuck. Is there anything we can do?'

'I told Dan I'd help out in the pub, take the pressure off Pete a bit. Just evenings. I said they didn't have to pay me.' She gave Bel a challenging look, the question *are you going to kick off about that?* unspoken but very much hanging in the air.

'Of course they don't have to pay you. It's fine. I can help out too. I'll make them all some food they can just heat up, save Dan or Pete having to cook.'

Marie smiled. 'Dan said his dad would totally pay, and they wouldn't hear of me doing it for free. I was just checking whether you were still a mercenary bitch.'

'Well, hopefully I passed that test,' Bel snapped.

'Yeah, you did,' Marie said mildly, looking at the bobbing heads in the water. 'Where's Nick?'

'Going to Norwich with Chris to pick up some supplies.'

'He likes you.' It was a statement, not a question, and Bel felt the heat rise to her cheeks despite the cold.

'He doesn't know me,' she muttered.

'Yes, he does,' said Marie with a soft smile. 'And yet for some bizarre reason he still likes you.'

Bel pulled a snarky face. 'I offered him sex, he said no. Not a great start.'

'Hmm,' said Marie. 'Maybe he wants more than that?'

Bel laughed. 'What man have you ever met that wants more than that?'

'Yeah, fair point,' replied Marie, glancing up at the boat ramp. 'Talk of the devil. Here he is. I'll leave you to it.' She trudged off, exchanging a few words with Nick as they passed that were lost to the wind.

'I thought you were going to Norwich?' asked Bel, as he joined her at the water's edge and dropped his rucksack on the sand.

'Sophie said she wanted to go,' he said with a shrug. 'I think she quite liked the idea of alone time with her husband.' He had a crumpled, dishevelled look at this time of the morning that Bel found incredibly sexy.

'What, for conversation? Or are they currently wanking each other off on the A47?'

'You have such a charming way with words,' he laughed, kicking off his trainers.

'Are you swimming?' It was a stupid question, but his unexpected appearance at the beach had disarmed her a little, particularly following on from Marie's news. Also he was standing incredibly close for two people who hadn't had a shower yet.

'Thought I'd take a dip, if that's OK with you.'

'That's absolutely fine.'

'Out to the furthest buoy?' He looked at her questioningly, and Bel realised what he was asking.

'What, you want us to swim together? Since when?'

Nick shrugged. 'It's not a big deal. I'll leave you alone, if you like.'

'You're faster than me,' she said.

Nick rolled his eyes. 'Then I'll swim a bit slower, you can swim a bit faster, and we'll find a happy compromise. How does that sound?'

Suspiciously like reasonable behaviour, thought Bel. Edward had always moaned about how she didn't walk fast enough, and used to leave her scuttling in his wake.

'Come on,' said Nick, wading out into the water. She admired his strong thighs until they were both deep enough to push forward into a breaststroke. The cold water didn't make her gasp any more, and after a few long breaths she relaxed into it.

'What were you and Marie talking about?' asked Nick. 'You looked serious just now.'

Bel glossed over the latter part of the conversation, wondering how much she should say about Helen. She figured Nick and the others would find out soon enough. 'Dan's mum is really ill, apparently. She doesn't have long left. Maybe a few months, Marie said.'

Nick stopped swimming and stood up, so Bel did the same. It was waist-deep on Nick and up to Bel's chest, the wind rippling the surface.

'Shit. That's awful,' said Nick. He looked visibly shocked, and Bel realised that just blurting out that news had been incredibly thoughtless, considering the trauma of his own mother's death.

'Dan's taken some time off work,' she said quickly. 'He'll be able to be with her.'

'That's good,' said Nick, breathing more evenly. He looked at Bel intently. 'I just realised I never asked you about when your mum died. Were you with her?'

Bel shook her head, blinking away an uncomfortable prickling feeling in her eyes. Did sea water give off some kind of salty gas? 'No. She died really suddenly. A brain aneurysm.'

'How long since you'd last seen her?' It was a gentle question, but it felt like a roar in Bel's ears.

Too long. Too long. She said nothing, a tightness building in her chest and a strange feeling of pressure building behind her eyes. This conversation had been about Dan's mum, which had made her think about Nick's mum – how were they suddenly talking about Lily? She blinked frantically and tried to take deep breaths to hold it all back, but it was too late. 'She never told us,' she sobbed, frantically mopping her face with her wet hands. 'About the house, or Maggie, or our grandparents, or anything. She never told us.'

'Hey, it's OK,' whispered Nick, drawing her into his arms. 'It's OK. Just let it go.'

'And I never told her I loved her,' howled Bel between hiccupping sobs. 'Not once. But I did love her, and now it's too late.'

'I know,' said Nick, and Bel realised how much he DID know the breadth and depth of this pain. She rested her head on his shoulder, grateful that he wasn't trying to convince her that Lily had known Bel loved her all along, or that she was looking down on Bel now, or some other bullshit people said to make other people feel better about unhappy endings. Bel stood in the sea and cried out every ounce of anger and pain and regret, months of questions spilling into years of missed opportunities and bad decisions. Lily merged into Edward, then Marie, then every human encounter that had left her feeling sad and lost and empty. Whole minutes passed as Bel cried it all out, adding her own salty contribution to the North Sea. And through it all, Nick just gently stroked her hair and held her steady until the sobs subsided and her breathing finally slowed to match his.

'It's OK,' said Nick. 'I'm not going anywhere.'

Not today, thought Bel, and for the first time she felt genuine sadness that he was leaving Moxham. She pushed that to one side, not wanting to make this situation any more messy and complicated than it was. She'd already opened herself up far too much, and that made her vulnerable.

'Thank you,' she said, sliding herself out of his arms but keeping hold of his hands. 'I'm cold. I think I need a coffee.'

'OK,' said Nick. 'You want me to come with you?'

Bel looked at him, his face so open and genuine, letting her call the shots rather than forcing himself into her space or insisting she do things his way. It was too much, this kindness. There had to be a catch.

'No,' she said, forcing herself to let go, even though she didn't want to. 'You have your swim. I'll see you back at the house.'

'OK,' said Nick, gently stroking her shoulder. Bel waded back towards the shore, not looking back but knowing that Nick was watching every step to make sure she was OK. It felt like she'd cried out a little of the weight she'd been carrying, like a softening in her jaw and a loosening in her shoulders. But even the warmth of Nick's protective gaze couldn't thaw the ice fortress she'd built for herself. Or maybe he could, if she let him. But that would be a mistake, and she'd made enough of those to last a lifetime.

CHAPTER TWENTY-ONE

'How's your mum?' Bel asked Dan, sitting on the sand in the glow of the bonfire, her forearms resting on her knees. It was gone midnight on the summer solstice and she was happily drunk, relaxed from an evening that had started with a game of touch rugby on the sand, then moved into the shelter of the dunes for a barbecue, bonfire and a cooler full of beer. Maggie had left about eleven, at which point Sophie had broken out some outstanding weed she'd been saving for a special occasion. Now they were all clustered in three mellow groups around the fire – Marie chatting to Chris and Alice, Nick staring into the flames with Sophie.

'A hard question to answer,' said Dan, laughing bitterly. 'Physically, she's dying, obviously, but her pain meds are helping a lot. Mentally she's made her peace with it, and we've had all the big conversations.'

'Fuck, Dan. I'm so sorry.'

'She's ready,' he said with a shrug. 'Dad and I are as ready as we can be. Marie has been an amazing help in the pub. Alice came over on Sunday, spent hours reading to her.' He stared at the flames for a moment, his face grim. 'Can we talk about something else?'

'Fine, let's talk about Alice. What's the deal with you and her?' asked Bel, nudging him with her elbow.

'What do you mean?' said Dan, his brow furrowed. 'There is no deal.'

'Dan, come on.'

Dan turned his hands upwards. 'Come on, what?'

'You know,' said Bel with a smile. 'You're single, she's single, you spend a lot of time together. You both pretty much entirely manage the garden.'

'Yes, because Cerys got the entire village to donate plants, and now we've created Kew bloody gardens and somebody has to manage it because you and Marie have ZERO green fingers,' replied Dan. 'She's not even my type.'

'Really?'

'Yes, Bel,' he said, his tone heavy with sarcasm. 'I have a type of woman I like, because I'm a functioning adult man who has choices, rather than just a bag of sentient hormones.'

'All right, calm down,' said Bel, wondering where this version of Dan had been hiding for the past three months. He'd been a regular presence in their lives since their arrival in Moxham – helping out at weekends, using his time off to get stuck into bigger projects, Friday night dinners. They'd seen less of him in the past couple of weeks, obviously, but he was still very much part of the Orchard House team.

'It's patronising to both me and Alice to assume we'll just hook up because there's no other option.'

Bel rolled her eyes. 'Yes, you've made that clear.'

'I'm waiting for you to apologise.'

'Well, don't hold your breath,' muttered Bel.

'What IS your obsession with happy endings, anyway?'

Bel turned to look at him. 'What do you mean?'

183

'You, trying to make couples out of everyone. Marie and Jenna, me and Alice. Maggie and Bill the Postie.'

'How did you know about that?'

'Maggie told me. You're like whatsername, in that book.'

Bel rolled her eyes, reluctant to get into a literary discussion with Dan, who she'd never seen with a book of any kind, although presumably he'd read plenty of legal textbooks. 'Which book?'

'The Jane Austen one. Movie with Gwyneth Paltrow.'

'Oh, right. Emma Woodhouse.'

'That's the one. You matchmake for everyone but yourself.'

'Interesting,' said Bel, narrowing her eyes at Dan. 'Never had you down as the Austen type.'

'Don't change the subject.'

'Dammit,' she laughed. 'I keep forgetting you're a lawyer.'

'So tell me,' he continued. 'Why is it so important for everyone else to have a happy ending, but for you to end up alone? Like Miss Havisham, or whatever.'

Bel held up the palm of her hand. 'No, I'm sorry. You can't quote Dickens unless you've read the fucking book. Miss Havisham was jilted on her wedding day; she didn't *choose* to be alone. Her solitude was caused by heartache.'

'And yours isn't?'

'Jesus, who put fifty pee in your meter?'

'Fine, I'll stop now,' laughed Dan. 'But for your information, I've actually met someone.'

'Shit, really?'

'Yeah. She's a new trainee at my practice. Her name's Liv. We met before I took time off for Mum, and we've been on a couple of dates.' He stared at his feet, a small smile on his lips.

'Why didn't you say anything?'

'Because you'd have taken the piss, of course.'

'Wait, this is incredible. Two cute, single solicitors in Great Yarmouth and you both end up at the same firm.'

'I know,' said Dan, and Bel could see the flush on his cheeks in the glow of the fire. 'But it's early days, and I've got a lot going on, obviously.'

'Yeah.' Bel wished there was more she could do beyond a continuous supply of ready meals.

'You still haven't apologised for being a twat,' said Dan, a small smile on his lips.

'How about if I endeavour to be less of a twat in future?'

'I guess that will have to do.' He was silent for a moment, turning the neck of his beer bottle in his hands. 'I'm really glad you're here, you know. You and Marie. The stuff with Mum aside, it's been a really good summer.'

'Summer doesn't officially start until tomorrow,' said Bel.

'I know,' he mumbled. 'But it feels like it's been summer since March.'

Bel met his gaze, thinking about how unlikely their friendship was, and yet how much she valued it. 'I think that might be the nicest thing anyone has ever said to me, Dan.'

Dan shrugged, as Bel looked through the dwindling flames at Nick. He was the other one who had said nice things to her. He'd let her cry all over him, and never made her feel embarrassed about that. He'd even told her he loved her a few weeks ago, although not *like that*, apparently. She could still feel a flutter in her chest, the happiness she'd felt cycling the lanes with him, their bellies full of wine and sandwiches and sunshine. She couldn't be the kind of woman he wanted, but that didn't mean she didn't like him. The main difference was that her needs were more urgent than his, particularly in view of the fact that he was leaving in the morning.

She watched Sophie stand up and throw a few more bits of wood on the fire, then head over to join the other group. If she wanted to speak to Nick, now would be the time before someone else plonked down on the sand next to him.

'Go,' said Dan, returning her elbow nudge. 'Do it now, before it's too late.'

Bel took a deep breath, then scrambled to her feet and walked round the edge of the firepit.

'Hey,' she said, facing him on the sand, her back to the fire.

'Hey,' said Nick, glancing at her before returning his gaze to the flames.

'So look, I'm not going to beat around the bush,' she said.

'Why change the habit of a lifetime?' asked Nick, a wry smile on his lips.

Bel ignored him and ploughed on. 'I know we discussed casual, no-strings sex, like, six weeks ago.'

'We did,' said Nick with a nod.

'And you said no.'

'That's also true.'

'But I was wondering if you might have changed your mind. Since you're leaving tomorrow.'

Nick laughed and took a swig from his beer. 'Wow, Bel. You're such a romantic.'

'No, I'm a realist. I fancy you, I think you fancy me, so let's get naked. You can definitely overthink these things.'

'Bel,' he said softly, shaking his head. 'I'm not very good at this.'

'OK, but I'm REALLY good at it. It's actually one of my specialities.'

'And then what happens?' he asked, and Bel could see genuine pain on his face. 'In the morning?'

Bel reached out and gently traced her finger down his bicep, hearing his breath catch. 'You go and drink cider with a load of twenty-something wankers at Glastonbury. I carry on your good work at the house.'

'So that's it? Nothing more than a one-night stand, with no emotional attachment?'

'Exactly. It's easy.'

'For you, maybe.'

'Why is it hard for you?' She kept her voice low, and continued to stroke his arm in a way that she hoped was making it very hard for him right now. He didn't stop her, which was interesting.

Nick shivered. 'Because unlike you, I've already developed an emotional attachment.'

'To what?'

Nick shook his head and laughed softly. 'To you.'

Bel paused for a moment, not sure what to say. 'No, you haven't.'

He put his hand over hers to stop her stroking, then gently weaved their fingers together. 'Are you saying you have NO feelings for me whatsoever? Not the smallest, tiniest crumb of affection in your frozen, ice bitch heart?'

'I don't know,' lied Bel, her barriers immediately activating. 'I haven't really thought about it.'

'Jesus, Bel. Why are you like this?'

She was quiet for a moment. 'I don't know how else to be. I'm sorry.'

Nick shrugged, but didn't let go of her hand. 'So now you know. I like you, and when I think about you naked, which is actually quite a lot, it's in a boyfriend–girlfriend capacity.'

'My God.' Bel looked up at him, trying to process his words and keep her head straight. 'You're not even joking.'

Nick shook his head, a wry smile on his lips. 'No, I'm not joking.'

'You've waited until the night before you leave to tell me you have actual FEELINGS for me?'

'I thought you knew. Would it have made any difference if I'd made it MORE clear when you nearly fell in the Norfolk Broads? Was the candlelit bath and the bikes and the picnic not enough of a massive fucking clue?'

Bel swallowed. 'Yes, but I didn't realise it was, like, a proper THING.'

Nick dropped his head. 'Well, it is.'

'Fuck,' said Bel, her brain a jumble of thoughts. 'I like you, Nick. A lot, actually. But I can't be your girlfriend, and I definitely don't need a boyfriend.'

Nick nodded slowly, then lifted his head to look at her. 'Don't you ever get lonely, Bel?'

She gave a hollow laugh, wondering how honest to be. It was a bit late for playing games, and it wasn't like she was ever going to see him again. 'Yes. But this is how I protect myself.'

'From what?'

'From terrible men. I was married to one, and I'm never going there again.'

'I get that. But what if I'm not a terrible man? What if I'm actually a really great guy who would quite like to wake up next to you in the morning?'

'Well, that's easy. You can do that without being my boyfriend.'

Nick laughed. 'You're not going to budge, are you?'

Bel stood up and held out her hand, holding Nick's gaze. 'No, but my offer still stands. Great sex. No strings. One night only.'

Nick stared at her for a long moment. *God, he's gorgeous*, thought Bel, willing him to take her hand. She wanted him – NEEDED him, even, but it absolutely had to be on her terms.

'I should say no for noble reasons,' said Nick, jumping to his feet and taking her hand. 'But I'm not going to. You're under my skin now, and I'll kick myself if I leave tomorrow without kissing you at least once.'

Bel smiled, relief and desire coursing through her body. 'Your tent or my bed?'

'Hmm,' said Nick with a slow smile. She could see he was on her wavelength now, feeling the same buzz in his veins, his skin flushed with anticipation. 'Let's go with my tent, so we don't get interrupted by this lot coming home. There's no way they're going to make it to sunrise.'

'Where are you off to?' shouted Marie, giving them both a knowing look.

'Back to the house,' said Bel, holding tight to Nick's hand in case he made a run for it. They trudged up the beach towards the slipway, ignoring the whistles and catcalls behind them. It was cold away from the bonfire, so Bel let go of Nick's hand and rubbed her arms under her thin sweatshirt.

'Here,' said Nick, pulling off his hoodie.

'You'll get cold,' replied Bel, taking it anyway. It was far too big for her, but she hugged it around her and breathed in the smell of Nick's body and the woodsmoke from the fire.

'I'll be fine,' he said. They picked up their pace, and Bel could feel his urgency. Was that desire, or *Let's get this done before I change my mind?*

'Are you OK?' she asked. It was a risky question, but even Bel didn't want to have sex with someone who was already having second thoughts. She wasn't *that* desperate.

'Sure,' said Nick, stopping and turning to look at her. 'Now I've made the decision to give in to your demands for no-strings sex, I find myself quite keen to get you naked.' He smiled softly and reached out to tuck her hair behind one ear.

I can't wait any longer, thought Bel, pitching forward on tiptoes to press her lips against Nick's. There was nothing soft or romantic about his response – he pulled her into his body and kissed her hard, his hands roaming her body as every inch of her skin caught fire. 'Oh God,' he breathed as they pulled apart. 'You are so fucking sexy.'

'Who's out there?' said a male voice. Bel quickly stepped away, realising they were outside a row of bungalows on the coast road at one in the morning. Probably not ideal.

'Come on,' she whispered, the heat in her groin and the breathlessness in her chest propelling her the rest of the way home in barely a few minutes. Nick didn't let go of her hand until he crouched down to unzip the door to the tent.

'I need to pop to the bathroom,' said Bel. 'Promise me you'll still be here when I get back?'

'You're kidding me, right?' said Nick. 'I wouldn't go anywhere if you paid me.'

She smiled and hurried into the shower room at the back of the kitchen, using the loo and grabbing a flannel for the fastest armpits and down-below wash of all time. A proper shower would be lovely, but there was no time for that. She checked her flushed face in the mirror and decided it would have to do, then rummaged through the clutter in her bed-side drawer for a condom, just in case Nick didn't have one.

By the time she got back to the garden, Nick had unzipped his sleeping bag and spread it out inside the tent, and was lying on his side in the same black shorts he wore for swimming. No T-shirt. She'd admired his hard body plenty of times but had never touched his bare skin, other than the hug in the sea, which didn't count. The thought of running her hands over him made her ache with desire.

'It's a bit tight for two in here,' he said apologetically.

'I'm pretty sure we'll manage,' muttered Bel, stripping down to her underwear in the chill of the garden. No room for peeling off one bit of clothing at a time in there, and frankly neither of them were getting any younger.

She scrambled in next to Nick, suddenly aware of how fragile she must seem compared to him. She'd lost weight since arriving in Moxham – not intentionally, just a new lifestyle of swimming and proper food instead of buffet leftovers and wine. The work had hardened her body a little, but she'd never thought about how she might look naked until this moment. Not exactly soft and womanly. Her resolve wavered and she felt the heat rush to her cheeks.

'You are beautiful,' whispered Nick, hooking his finger under her bra strap and letting it fall off her shoulder. He leaned forward and kissed her breast, his fingers brushing her bare nipple, then trailing across her stomach to her thighs. Bel gasped and reached out to touch him, but he gently pushed her hands away. 'No. You got us here, and now it's my turn.'

'What does that mean?' breathed Bel, her heart threatening to pound out of her chest. She lay back and put her arms above her head as Nick kissed a trail from her ribcage to her hip.

'It means I get to decide whether to give you what you want –' he hooked his fingers into the waistband of her knickers and slowly slid them down, '– or what you actually need.'

'What do I need?' gasped Bel, her breath coming faster as Nick gently eased her legs apart.

'Worship,' he whispered, stroking his fingers down the inside of her thigh with a featherlight touch. 'Intense, prolonged and reverent worship.'

Bel shivered and closed her eyes, already hoping this night would never end.

PART TWO

CHAPTER TWENTY-TWO

October

'So this is a good time of year to start sea swimming,' said Bel to the group of ten or so women assembled on the beach. Mostly in their fifties and sixties, their straggly hair being whipped in all directions by the wind, although there were two women who'd arrived together who were younger – early forties, maybe. Bloody dryrobes everywhere. 'The water is still pretty warm by North Sea standards, and you'll adjust as it gets colder. But if you want to swim in the dead of winter, you need to commit to getting in regularly from now on. Otherwise the temperature drop will be too much of a shock, and that could be dangerous.'

The group nodded enthusiastically, soaking up Bel's words like she was some kind of sea swimming oracle. In reality she'd only started herself in April and had zero experience of swimming in the North Sea in winter. But she'd heard Caroline give this induction speech to new members enough times, along with the health and safety chat she'd already done as they walked from the car park to the beach. Caroline's daughter had gone into labour early so she'd asked Bel to step in, and Bel hadn't been able to come up with an excuse fast enough.

'What about the emotional benefits?' said one of the younger women, who was wearing a camo-green dryrobe.

'I read a thing in the *Guardian* that said sea swimming was really good for your mental health.'

'Well, I'm no expert,' said Bel, who strongly suspected that most of the zealots spouting endless shite in the *Guardian* weren't either. 'But I do find it helps me focus on what matters. I do the same mental exercises every day.'

'What kind of mental exercises?' asked the woman, her eyes wide. 'Can you show us?'

Bel sighed, tagging her as one of those people who thought getting in the sea would magically solve all her problems. Fine, as long as your only problem was having warm ankles.

'Well, it's just my thing,' she said evasively. 'It's not *official*, or anything. But before I swim, I stand in the water—'

'How deep?' asked camo woman.

Deep enough for you to drown, thought Bel. 'Just up to my bum, so I can comfortably stand up. Maybe only up to my knees if it's a bit wavy.'

'Does it get wavy here?' asked one of the older women, looking worriedly at the barely rippling water like it might suddenly turn into a raging tempest. She wore a fleece jumper with wolves and mountains on it; the kind of thing you bought from QVC when you were high as a kite.

Yes, it's the fucking North Sea. 'Not as much as other parts of the Norfolk coast,' Bel said, forcing a smile and pointing out to the rock barriers. 'The sea defences were built to reduce coastal erosion, but they also create an artificial reef. It only gets rough in really bad weather.'

'Right,' said Camo Carol. 'Can you tell us about these mental exercises, then?'

I was trying, until you bloody interrupted. 'Sure. I stand in the water, and I think about all the things that hurt.'

'What, like the cold water?' asked her friend, who had long red hair bundled into a messy bun.

'No. Cold water doesn't have to be a bad thing. I make a mental list of all the emotional pain.' *God, listen to me. I'll be wanking out this nonsense in the* Guardian *next.*

'What kind of pain?' asked the red-haired woman.

Bel shrugged. 'People you've hurt. People who've hurt you. Old bits of baggage you've been carrying for too long. I list them in my head, then imagine them flowing away into the water. Then I swim.'

'And all those things, they're gone for good? Just like that?' asked the redhead, looking sceptical. Bel resisted the temptation to roll her eyes.

'No, of course not. But someone once told me that you can't reach what's in front of you until you let go of what's behind you, so I try to leave all my shit on the beach. Just while I'm swimming, anyway. It's still there when I get back.'

'Like putting down a heavy backpack,' said the woman in the wolf fleece with a grin.

'Or taking your bra off at the end of a long day,' said Camo Carol. 'That's cool.'

'You don't have to do that today,' said Bel, wishing she'd had a coffee before dealing with all this deep and meaningful chat at 7.30 a.m. 'Or at all, if you don't want to. Let's just get in slowly and get used to the water, shall we?'

The women all nodded excitedly and started shedding their clothes. Bel joined in, wondering if Nick's ears were burning.

★

197

Has there been a day since June when I haven't thought about him? Bel swam a slow breaststroke towards the first buoy, about fifty metres offshore. Joy had taken some of the less confident newbies into her group nearer the beach, so Bel was leading a caterpillar of stronger swimmers who wanted to put in a bit of distance. Not far, for today at least. Over time they'd form their own little groups – some standing in the shallows chatting, others front-crawling out to the second buoy by the sea defences. Each swimmer had an inflatable orange tow-float strapped around their waist, primarily to make them all more visible, but also to provide a basic buoyancy aid if you got into trouble.

No, she decided. She'd thought about Nick at least once every day, and some days he invaded her thoughts for hours at a time. She'd had two postcards since he'd left Moxham the morning after what Bel now thought of as *best-sex-of-my-life-night*. One from Glastonbury, with a picture of sunrise over the Tor, saying 'I'm at some kind of party in a field, there are quite a lot of people drinking cider and it's very noisy. Wish you were here.' It had made Bel laugh, whilst simultaneously causing a tightness to form in her chest that took days to go away.

A month later she'd had another postcard from a village in North Wales, where the Trade Nomads were building a community garden. She thought about Nick helping Cerys find flowers for the borders, all of which had bloomed into a rainbow of summer colour. Dan had brought Helen over to see the garden in August, just a few days before she died peacefully in the local hospice with her husband and son at her bedside. Dan had called with the news early on Marie's birthday, so the sisters and Jenna had helped Cerys tie a beautiful bouquet from the garden, and they'd driven to Felsby to give them to Pete. Marie had opened the bar of the King's Head for him that night, and most of the village had turned up to celebrate the life of their much-loved landlady.

Bel hadn't been able to tell Nick about Helen, because she had no way to contact him while he was travelling around. She'd heard nothing from him since the postcard, which was what? Six weeks? Seven? That said, maybe some things were best left in the past.

Oh, who are you kidding? she said to herself, turning to check on the line of swimmers behind her as the buoy loomed ahead. *You let him get under your skin off the back of a hot bath, a picnic, a firm shoulder to cry on and a one-night stand. You're pathetic.*

The goodbyes had been pretty low-key, in the end – Bel had woken up a couple of hours after Nick's intense, prolonged and reverent worship (*oh God, the memories*) to find him gone, presumably to join the others for a sunrise swim. She'd headed inside to shower and change, and by the time she'd emerged the group was back and busy loading up the truck. Nick had given her a hug and a 'Take care, yeah?' in the midst of chaotic goodbyes from everyone else, and the truck had disappeared before she'd even thought about what to say in reply. Marie had kept quiet, other than giving her a curious look and asking if she was OK more times than usual over the following days.

Was I OK? thought Bel, fixing her gaze on the buoy so she swam in a straight line rather than where the gentle current wanted her to go. For the most part, yes. She'd thrown herself into work in the house, cleaning madly and making plans for how she and Marie would tackle the remaining jobs. Then it was the countdown to the summer holidays and stacking the freezer with cakes and pastries for the Coffee Hut. By the time Jenna and Cerys arrived in late July, she was only thinking about Nick about a hundred times a day.

Nick had left two things behind when he left, folded neatly on Bel's bed. Firstly, his navy hoodie, which still smelled of his skin and the salt and woodsmoke of the night before. And secondly, a battered paperback copy of Márquez's *One Hundred Years of Solitude*. Inside the flyleaf he'd written a message:

To Bel

It is enough for me to be sure that you and I exist at this moment.

With love, Nick

Bel didn't need to look the quote up; she recognised it as a line from the book that gave her all kinds of confused feelings. Tucked into the spine was a business card for someone called Joanna Thompson, therapist and counsellor, with an address in Maidstone and a mobile phone number. It was almost certainly offered with good intentions on Nick's part, but the reminder of how messed up she was still burned, somehow.

She'd grudgingly added the number to her phone before putting everything away in a drawer, not wanting to damage the book or lose the Nick-smell of the jumper to paint and cleaning fluids. She still got them out occasionally – it made the memories of that night more real, somehow.

Bel glanced at her watch as she swam round the buoy and headed back towards the beach, smiling encouragingly at the happy line of women behind her. It was quicker on the way back, being gently pushed towards the shore by the current, but she still needed to pick up the pace if she was going to open the Coffee Hut on time.

'We should make tonight's Friday dinner special,' said Marie, taking her green tea off the counter of the Coffee Hut.

'Why?' said Bel, stacking sausage rolls in the warmer. The swimmers had mostly eaten the breakfast pastries, so these were for the 9 a.m. parent crowd who had a swim after dropping the kids off at school. Marie often popped down for a tea at this time, because even though she wasn't much for swimming, she liked a walk on the beach before she cracked on with the house. Sometimes she brought Poppy for a walk so their aunt could have a lie-in, not that walking Poppy was ever a human responsibility. Poppy was more than happy to walk herself but seemed to quite enjoy Marie's company. More than she enjoyed Bel's, anyway.

'Because we passed the halfway point of our year a couple of weeks ago, and we haven't celebrated that yet. Or my birthday, because of Dan's mum. Or yours, for that matter.'

'Yeah,' said Bel. 'Sorry. I've been feeling like shit.'

'We're on the downhill slope, though,' said Marie happily.

Bel gave a hollow laugh. 'The house is definitely going downhill. Everything takes ages now it's just you and me. Especially with you taking so much time over the summer to hang out with Jenna and Cerys.'

'We both took some time off,' said Marie, clearly out-raged. 'It's hardly fair to invite them up here for six weeks then spend it all painting. You said you really enjoyed it.'

'I did. Ignore me, I'm just grumpy and knackered.'

'Is Dan bringing his girlfriend tonight? What's her name?'

'Liv. I'm not sure. I keep telling him she's welcome, but for some reason he doesn't seem keen to introduce her.'

'Can't think why,' said Marie, crossing her eyes. 'So you'll make something nice?'

'Don't I always make something nice?'

'Yeah. But, you know, extra nice.'

'Fine,' said Bel, rolling her eyes. 'But we need to keep an eye on our cash. All the renovations have pretty much cleared out our savings, so we're living off this place and your earnings from the pub now.' Marie had started help-ing out in the King's Head after Helen's cancer was diagnosed, and she'd kept it up for a few evening and week-end shifts over the summer. With Helen now gone, Pete was managing the whole place on his own.

'Pete said I can have more hours if I want them. I just didn't want you to spend every evening on your own, especially when the clocks go back and it's dark.'

'I'll be fine,' said Bel. 'I'll read books, or shift my baking to the evening. I quite like it in the kitchen now we've got a proper speaker.' Maggie and Marie had clubbed together to buy her a Bluetooth speaker for her birthday, much like the one she'd sold back in March. Now she could play Classic FM as loud as she liked. Or Beethoven piano con-certos; they were nice too.

'Fine, I'll get some more shifts, then.'

'We could definitely do with more money,' said Bel. 'If the boiler breaks, we're fucked.'

'We can always sell our bodies,' said Marie with a grin.

Bel resisted the temptation to make a jibe about Marie's body having more value by the kilo than hers, because that was hardly true any more. The five weeks with Jenna and Cerys had basically been a diet of chips, cake and ice cream.

'Nobody would want mine,' she said, trying self-deprecating on for size and finding it wasn't actually that painful. 'Even my stretchy clothes are tight.'

'Oh God, stop moaning,' said Marie, who'd been listening to Bel wanging on about flab and cellulite for weeks. 'Look on the bright side, eventually you'll be able to wear my stuff.'

'I'd rather go naked,' said Bel. Today Marie was wearing acid-green short dungarees that were both unseasonal and alarmingly bright.

'I need to get back and start painting,' said Marie. 'I'll see you later.'

Bel shook her head as Marie skipped across the car park like a seven-year-old girl, earning herself a wide-eyed look from an older man strolling purposefully towards the Coffee Hut. It took Bel a second to realise it was Bill, owner of Moxham's tiny post office and village shop, AKA Bill the Postie.

'Maggie about?' he asked, peering over Bel's shoulder into the back of the hut.

'Not until ten. Can I give her a message?'

'No,' said Bill, doing a swift about-turn. 'I'll catch her another day.'

'I'm her niece,' Bel said quickly. 'I've popped into the

post office a few times.' Actually she rarely went in there, because she never had anything to post and the shop stocked the most random selection of items that nobody ever needed. Christmas wrapping in July, eight different types of scissors, padded envelopes and plastic-coated birthday cards with pictures of insane-looking kittens on them. But no bread or milk or anything that anyone might actually want to buy.

'I know who you are,' said Bill with an indulgent smile. 'Whole village knows. Two sisters turning Orchard House upside down, all those hippies that came to stay, begging plants from the whole village. You're quite the talk of the town.'

'Well, everyone's been very supportive,' said Bel, who had barely mixed with anyone in Moxham beyond Maggie and some of the local women in the swimming club. 'Are you sure I can't give Maggie a message?'

Bill thought about it for a moment. 'Tell her . . . tell her it was a year last week since Muriel died, and it's time she and I had a talk.'

Bel's brain whirred, processing this intriguing information. 'Is that it?'

'What more do you want?' asked Bill. 'It's a message, not a bloody novel.'

'Why don't you come for dinner tonight?' said Bel impulsively. 'Maggie comes to ours every Friday. You could pop over a bit earlier, say about seven, and have a chat with her then.'

'Well,' said Bill, his face resolved. 'That might be good, I think.' He paused thoughtfully for a moment. 'What should I bring?'

Bel shrugged. 'Bottle of white wine, if you've got one knocking about? No worries if not.'

Bill nodded. 'I've definitely got a few in the cellar, I'll pop home and have a look.' Bel wondered if it was an actual wine cellar, or just a spidery pit under the post office. She strongly suspected the latter.

'Great,' she said. 'See you later, then.' She watched Bill trot off across the car park, a renewed spring in his step. *Shit*, she thought as another customer approached the counter. *I hope Maggie doesn't kill me.*

CHAPTER TWENTY-THREE

When Maggie appeared just before ten, Bel was surprised to see Marie with her. She suppressed her annoyance at her sister slacking off to blag another green tea, rationalising that at least she now had some support when she told Maggie about tonight's surprise dinner guest.

'You had a visitor earlier,' she said, figuring she might as well pull the plaster off.

'Who?' said Maggie.

'Bill the Postie,' said Bel, raising her eyebrows at Marie.

'What?' said Maggie, looking flustered. 'William? Really?'

'He came over, looking for you.'

'What did he want?' Maggie was patting her hair breathlessly, glancing around like Bill might pop up at any moment.

'He said it had been a year since Muriel died and you and he needed a chat. So I invited him for dinner tonight. He's bringing wine.'

Maggie's mouth fell open. 'Oh my goodness. I wasn't expecting that.'

Bel narrowed her eyes. 'Surely you knew it was coming, though? With the cards and the tea leaves and all that?'

'What do you think he wants?' asked Marie, giving Bel her best *stop being a snarky bitch* glare.

Bel raised her eyebrows suggestively. 'He's a man, Mags. What do you think he wants?'

Marie honked with laughter as Maggie blushed. 'Well, I'm not sure about that. Come on, get out.' She bustled into the back of the Coffee Hut, practically shoving Bel out of the door.

'Did you and he . . . *you know*, sleep together? Before he married Muriel?' asked Marie, leaning on the counter.

'Good lord, Marie,' laughed Maggie. 'It was only twenty-odd years ago, hardly Victorian times. What do you think we did on our dates? Played chess?'

'Yeah, OK, fair enough,' muttered Marie.

'He was the right person at the wrong time,' Maggie continued. 'That's just how it goes sometimes.' She gave Bel a significant look. 'And sometimes it's the right time, but the wrong person,' she added softly. 'We live and learn, don't we?'

Bel felt a wave of emotion washing over her at the thought of all the wrong people and wrong timing she'd experienced in her lifetime. She let out a sob and clamped her hand over her mouth. 'Sorry. Don't know what's wrong with me.'

She clocked Marie giving Maggie a quick glance, then Maggie giving Marie a tiny nod. 'Well, that's actually what we came to talk to you about,' said Marie.

'What do you mean?'

Marie cleared her throat. 'I'm just going to come straight out with it,' she said, as Maggie handed her a tea. 'Are you pregnant?'

'Am I WHAT?' spluttered Bel.

'Pregnant. You know, with child. Up the duff.'

Bel stared at Marie, then Maggie, suddenly deafened by a crashing noise in her ears. 'Why on earth would you think that?'

'Because I'm your sister,' said Marie, an edge of impatience in her voice. 'And Maggie used to be a midwife.'

'What's that got to do with it?' said Bel, wondering why her voice was suddenly so loud and shrill. 'Of course I'm not pregnant.'

'Are you sure, Bel?' Maggie asked gently. 'You've put on weight, you're tired all the time, and the other day you cried over a dead seagull.'

'You also never mention having a period,' Marie added.

Bel swallowed down the rising bile of panic, her mind racing. 'They're irregular. Sometimes I skip a couple, then three come at once. Like bloody buses.' She laughed, but her knuckles were white from gripping the back of one of the chairs. 'And I *have* had one in the past few months. I'm sure I have.' She forced herself to think hard, and remembered a few days of spotting that never really amounted to much. But that was perfectly normal, wasn't it? She'd had a lot going on.

'Fuck, she's pregnant,' said Marie.

'STOP SAYING THAT,' shouted Bel, frantically trying to rearrange Marie's words into a different picture. But there was only one, and she hadn't seen it. 'Oh God, it never even crossed my mind,' she gasped.

'What are you, fifteen?' shrieked Marie, flapping her hands in Bel's face. 'How could it not cross your mind? Jesus, you're stupid.'

'Stop shouting at me,' said Bel, as her hands started to shake and panicked tears flowed freely.

'Don't be awful, Marie,' said Maggie, hurrying to sit in the chair next to Bel, wrapping her hands in hers. 'Was it Nick?'

Bel nodded, wiping her nose with the back of her hand. 'We only did it once, and he definitely used a condom.' It was the one from the drawer in her room, but it hadn't occurred to her to check the use-by date or anything like that. Her mind was on more pressing matters in that moment.

Marie huffed in frustration and handed Bel a napkin from the counter. 'That was, like, JUNE, Bel. If you ARE pregnant, you're, what, four months gone? Did you really not consider the possibility?'

Bel shook her head and honked loudly into the napkin. Suddenly it all seemed so OBVIOUS. The tiredness, the weight gain. Maybe if she'd been sick she'd have joined the dots, but there hadn't been any of that. God, how much wine had she drunk since June? How many cold water swims? If she WAS pregnant, how on earth was the baby still there?

'What are you going to do?' asked Maggie gently.

'Fuck, I don't know,' said Bel, clutching her temples like her head might fall off. 'I suppose I need to do a test or something.' It wasn't like it was the first time she'd taken a pregnancy test – she'd peed on plenty of sticks over the years. But it wasn't something you carried around in your handbag, just in case.

'I've got to go to the cash and carry tomorrow,' said Maggie. 'I'll pick one up for you.'

'OK.' Bel nodded with a helpless smile. 'Thanks. But now you've both said it, I'm sure you're right. Christ.'

'I can't believe you didn't know,' said Marie with a snort of incredulous laughter.

'Oh, fuck OFF, Marie,' sobbed Bel, jumping to her feet. 'Not all of us can be as in tune with our bodies and emotions as you, OK? I'm sorry for not realising something that has precisely FUCK ALL to do with you.' She grabbed her bag and stormed off, jogging all the way back to the house despite the fact that she didn't have a bra on and it hurt like hell. She threw her bag down in the hall and ran up the stairs, slamming her bedroom door shut like a teenager and turning the key in the lock.

Deep breaths, don't panic, she told herself, sitting on the edge of the bed and clutching the duvet in her fists. Marie had transformed three of the bedrooms since the Trade Nomads had left in June, finishing all the decorating and filling them with furniture and accessories she'd scavenged from Freecycle, Facebook and people in the village. The furniture in this room had originally been a horrible yellow antique pine, bought in the nineties but good quality. Marie had sanded off all the varnish and put a limewash wax on everything instead. The bedding was white, the curtains pale blue, with a canvas print of a beach on the wall. She focused on the peace and calm of the room for a while until her heart rate settled, then looked at the space beside the bed and imagined a Moses basket with a tiny, helpless human in it and started to cry again.

'Bel?' said Marie's voice, followed by a gentle knocking on the door. 'Can I come in?'

'No,' shouted Bel. 'Fuck off.' A few times over the summer she'd thought that maybe she and Marie had turned

210

a corner, but apparently her sister could still be judgemental and awful. In some ways that hurt most of all.

'I'm sorry,' said Marie. 'I shouldn't have spoken to you like that.'

Bel lay on the bed and faced the wall, knowing that Marie wouldn't stay for long. A token effort at making amends, then back to Planet Marie, population: one.

'I'm not leaving,' said Marie. 'I'm going to sit here and sing every Westlife song I know until you let me in.'

Bel shook her head as Marie launched into the first verse of 'Flying Without Wings'. This was the thing Marie used to do when they were teenagers and she wanted to drive her sister crazy. Her voice wasn't terrible, but she was no Shane Filan.

'Mar, please stop,' shouted Bel, pressing the pillow against her ears.

Marie kept going, making it to the end of the first verse before Bel hurled the pillow at the door.

'Jesus. Fucking STOP, Marie.'

Marie ignored her, cranking up the volume as she launched into the second verse.

'Oh my GOD, you're the absolute WORST,' screamed Bel, sitting up. 'I will actually kill you.' She strode over to the door and threw it open, to find Marie with her eyes closed, grabbing the air with her fist.

'I'm going to have a baby,' gasped Bel.

Marie gave her a soft smile and lowered her hand. 'You're going to have it, then?'

Bel nodded. 'Yeah. I knew that the second you told me I was pregnant. I'm thirty-five and I hate men. It's now or never, right?'

'OK,' said Marie, taking a step forward and gathering Bel into her arms. It was the first time they'd properly hugged in decades, and the knowledge of that was the thing that finally sucked away the few remaining dregs of Bel's strength. Her knees buckled and she slumped to the floor, sobbing and howling against the doorframe, but Marie didn't let go.

'You don't have to do this,' said Marie, helping Bel set the table. 'You can just hide upstairs if you like, I'll tell everyone you've got the shits or something.'

'Thanks,' said Bel with a smirk, laying out plates for . . . how many? Her and Marie, Dan and his girlfriend Liv, and Maggie and Bill the Postie, who were currently cooking together in the kitchen. Maggie had closed the Coffee Hut and gone shopping for bags of ingredients this afternoon, anticipating that perhaps Friday night dinner might not be the primary thing on Bel's mind. She'd also bought a pregnancy test, which had confirmed what Bel already knew. So, six for dinner then. Plus a baby the size of an apple.

'So when are you due?' whispered Marie. 'Do you even know?'

'I looked it up online,' said Bel. 'There are these calculators where you can put in the date of conception and it works it out. The whole Nick thing was the twenty-first of June, so I'm due on the fourteenth of March.'

'Shit,' said Marie. 'A week before our year is up.'

Bel nodded bleakly. 'One hell of a grand finale.'

'When are you going to tell Nick?'

'I'm not,' said Bel, giving Marie a sharp look. 'And neither can you. You need to PROMISE me you won't.'

'Bel,' said Marie, her face pleading. 'Come on. You have to tell him.'

'No, I don't,' said Bel, her lips pressed into a hard line. 'He didn't sign up for this, and I don't need his help. Anyway, I barely know him.'

Marie rolled her eyes. 'That's bullshit. You lived together in this house for, like, two months.'

'He lived in the garden.'

'Same difference. You got to know Nick better than any of us. And I don't just mean that you shagged him. You were friends.'

'Yeah,' said Bel, blinking back the tears. 'Maybe. But that doesn't change anything. I can do this on my own.'

'I'm not saying you can't,' said Marie, a note of impatience in her voice. 'But just because you can, doesn't mean you should.'

'Well, thank you for that motivational pep talk,' Bel snapped. 'But if you tell him, or tell anyone else who might tell him, I will actually kill you.'

Marie shrugged as Maggie bustled into the lounge. 'Listen, you two,' she whispered, breathless with excitement. 'William has popped out to snip some herbs so I haven't got long. He's asked me on a date.'

'A date?' said Marie, clapping her hands with glee. 'That's amazing. Where?'

'We haven't decided that bit yet. Dinner in a pub, probably. Maybe the theatre. Where do people go on dates?'

A sunny walk to the local windmill, thought Bel. *A cheese and pickle sandwich and a glass of white wine leaning up against a stone wall. A ride on a bicycle through the lanes. Look, no hands.*

213

'There are loads of options,' Marie said happily. 'How do you feel about it?'

'Happy, I think,' said Maggie with a grin, glancing from Bel to Marie. 'I need to consult the cards before I make a final decision. He waited until the first anniversary of Muriel's death, out of respect for her ghost. Apparently he had a night visitation, and she told him it was OK.'

A night visitation in his pyjamas, thought Bel.

'He also said that maybe our stars had finally aligned.'

'That's incredibly romantic,' said Marie, as Bel tried not to pull a face. Bill the Postie was apparently pulling out all the celestial stops to woo Maggie.

'Yes, well, I'm not making any quick decisions,' Maggie said. 'A lot of time has passed since we were first together; he might not be up my street any more. So that's why we're going on a date.'

'Very sensible,' said Bel, trying to be conciliatory, and wondering if Bill the Postie had the smallest idea what kind of family he was getting himself into. 'I'm really happy for you, Mags.'

'We'll see,' said Maggie. 'I'll definitely consult the cards later, see what they say.' She looked at Bel, her face full of concern. 'Would you like me to do a reading for you too?'

'No, thanks,' said Bel. Her life was one giant lightning-struck tower right now, and none of Maggie's fortune-telling woo was going to change that. There was a knock at the front door, heralding the arrival of Dan and Liv.

'I'll get it,' said Maggie. 'You two finish in here.' She hurried off, beads jangling and scarves wafting in her wake.

'Poor Bill,' said Marie. 'Must take her half an hour to get undressed.'

Bel grinned. 'Then another half for a palm reading before he's allowed to get in her knickers.'

'His wife's been dead a year. You won't be able to see his heart line for callouses.'

Bel snorted with laughter for the first time today. Marie joined in, and by the time Dan and Liv came into the dining room they were both bent over double, tears streaming down their faces.

CHAPTER TWENTY-FOUR

'So, about eighteen weeks then,' said Rachel the midwife, making swift notes on a sheaf of paperwork. 'A little later than most of the mums I see here, but better late than never.'

'I'm sorry,' said Bel, not knowing why on earth she was apologising. 'I only realised last week.'

'So you said,' said Rachel. She was in her late forties and had a world-weary air about her, like she'd heard every possible conception story in human history. If Bel had wandered into the local GP surgery and announced that she'd been gang-banged by a bunch of shipwrecked sailors from a passing Norwegian cargo ship, Rachel probably would have handed her an empty plastic container and said, 'That's lovely. Can you pop a little wee in this?'

Bel waited as Rachel added more indecipherable notes to the form, having dipped a cardboard stick into her urine sample and inspected the results and interrogated Bel on whether she'd ever been pregnant before. Bel hadn't, which was remarkable considering her slightly chaotic sexual history. No babies, no miscarriages and no abortions – plenty of morning-after pills, but Rachel hadn't asked about them.

'Right,' announced Rachel, her pen poised. 'Let's talk about your health.' She worked her way through endless questions about Bel's smoking habits (not since before she met Edward, unless you counted occasional weed, which nobody did) and drinking habits (none, as of last week. Rachel didn't need to know about all the wine before that, because frankly there was nothing either of them could do about it). Then questions about family history of various genetic illnesses, most of which Bel couldn't answer. Presumably Maggie could shed light on some of it, but Rachel seemed happy with the headlines.

'I'll get you on the scales in a sec,' said Rachel, giving Bel a swift top-to-toe glance. 'What about diet and exercise?'

'Both pretty good, I think,' said Bel. 'I've got some chef training, so I know how to cook. Mostly veggie these days, but all homemade.'

'That's good,' said Rachel. 'You should keep your iron levels up, which if you're a vegetarian means pulses and lentils. Exercise?'

'I like to swim,' said Bel quicky. 'Like, in the sea. It was one of the things I wanted to ask you about, because I'd really like to keep doing it.' She looked at Rachel beseechingly, hoping she wasn't going to be one of those 'put your feet up and do nothing' kind of nurses who Bel would feel bad about totally ignoring.

'Where do you swim?' asked Rachel, suddenly interested.

'Moxham. Every morning first thing, for pretty much the past six months.'

'That's impressive,' said Rachel. 'I belong to a triathlon club; we swim in the Broads. Fair play to you for getting in the sea. Wetsuit?'

Bel shook her head. 'Not my thing.'

Rachel smiled. 'Well, it's perfectly fine for you to continue, as long as you listen to your body and take all the usual precautions. You got someone to swim with, for safety?'

Bel nodded happily, thinking of Nick with his flask of coffee on the beach. What would he say, if he knew about the baby? Would he be here with her, holding her hand like a concerned and committed partner? Probably, but then they all did that in the beginning. It sometimes took a while for the cracks to appear, but in Bel's experience they were never far away.

'How did you get on?' asked Marie. She was leaning against the fence outside the surgery, one hand propping up her bicycle.

'What are you doing here?' asked Bel.

'Maggie told me you had a midwife appointment, which by the way you didn't mention,' said Marie, clearly disgruntled. 'You'd already gone when I found out, so I cycled over.'

Bel looked doubtful. 'Mar, it's eight miles.'

'I know, but I didn't want you to be here on your own in case there were any problems.'

'I'm fine,' said Bel, trying to work out Marie's motivation for this sudden display of sisterly selflessness. 'I'm a picture of pregnancy health.'

'Well, that's good news,' said Marie happily.

Bel narrowed her eyes. 'Did you really cycle all the way here just to check up on me? You weren't in the area anyway?'

'God, you're so suspicious,' said Marie, rolling her eyes. 'It was entirely out of concern for your welfare, actually.'

Bel nodded, the familiar wave of guilt and contrition washing over her. 'Do you want a lift home? You can bung your bike in the boot.'

Marie shook her head. 'Actually I've been offered a shift at the pub. Private hire for the afternoon, group of hens.'

'Doing what?'

'Not sure. Some kind of art thing, apparently. I've got to provide drinks, Pete's doing the food.'

'That sounds awful.'

'Yeah, but we need the money, remember? Tell you what, drop me off and you can say hi to Pete.'

Bel opened the car and put the back seats down so Marie could wiggle her bike into the back. Not for the first time, Bel was grateful for having an estate, even if it was an old banger. At some point she'd need to think about buying a baby car seat, since apparently that wasn't something you were supposed to get second-hand. How much did they even cost?

'How are you feeling?' asked Marie, as they made their way through the lanes to the King's Head. It was Bel's favourite kind of autumn day, with clear blue skies and a gentle breeze. None of the heavy, stifling heat of summer, but not yet feeling cold enough for a proper coat.

'Pretty good, I think,' Bel replied. 'I haven't had any sickness or anything. I'm just tired and fat and a bit hormonal.'

'In which case, I've been pregnant for about twenty years,' Marie deadpanned.

Bel laughed, and they relaxed into companionable silence until they pulled into the car park of the King's Head. They found Dan before Pete, hovering awkwardly in the doorway on the edge of an intense conversation between his dad and a woman Bel had never seen before.

'Oh, thank God for you two,' whispered Dan, hustling them into the back bar away from the conversation. 'We're having a 'mare.'

'Why aren't you at work?' asked Bel.

'I'm working from home, supposedly. But right now I'm caught up in a big drama with twelve fucking hens.'

'And a partridge in a pear tree,' smirked Marie.

'They're supposed to be doing some life drawing, but there's no model,' Dan continued.

'How come?' asked Bel, peering round the corner towards a sudden burst of female laughter coming from the pub's conservatory, which also served as a small function room.

'Not sure on the details,' shrugged Dan. 'I think he's sick, so the art woman is ringing around trying to find a replacement. The hens are getting restless, and Dad can't give them booze fast enough.'

'Well, the cavalry has arrived,' said Marie with a grin. 'Show me where you keep the emergency prosecco.'

She followed Dan into the bar, so Bel wandered off to where the woman was tapping frantically into her phone, looking harassed. She had the same wild hair and scarf vibe as Maggie but was closer in age to Bel.

'Is everything OK?' Bel asked.

'Not exactly,' said the woman. 'Who are you?'

'I'm Bel, a friend of the landlord. Do you need a drink?'

'I'm Pippa,' said the woman with a weak smile. 'I need several drinks and a life model. Darren's usually really reliable, but he's got food poisoning. Dodgy sushi, apparently.'

'Yuck,' said Bel. 'Where does that leave you?'

'Basically I've got twelve drunk women expecting to draw a naked man, but the only available man is currently shitting through the eye of a needle.'

Bel nodded thoughtfully. 'What's the brief?'

'A life drawing class. Couple of hours, just the basic

outline, plenty of booze and snacks. I'd model myself, but if I'm not there to provide guidance we'll end up with twelve drawings that look like balloon animals.'

'Can I talk to them?' asked Bel. 'Buy you a bit of time? I used to be a caterer, done lots of weddings. I'm used to placating bridezillas.'

'That would be amazing,' said Pippa gratefully, giving Bel a bleak smile then going back to tapping frantically into her phone.

Bel detoured through the bar and grabbed two open bottles of prosecco from Marie's hands, before heading into the conservatory. 'Hi, I'm Bel,' she announced cheerily. 'Does anyone need more drink?'

The women all cheered and held out their glasses. They were a few years older than Bel, maybe late thirties. One of them was wearing a silver sash that said 'bride to-be' with a plastic tiara and veil. Going by the pink cheeks and slightly crossed eyes, she appeared to have been drinking since breakfast.

'So your life model is puking out of both ends, I'm afraid. So Pippa over there is trying to find a replacement.'

There was a chorus of boos, and a wail of 'I wanted to draw a naked man!' from one of the women.

'Obviously this is the arse end of nowhere,' Bel continued, draining both bottles into their empty glasses. 'So it's unlikely that she's going to find a replacement.'

More boos, louder this time.

'So I just thought I'd come and chat with you about it.' Bel put the empty bottles on the table. 'What were you all hoping to get out of this afternoon?'

There was a beat of silence while they all thought about

221

it. 'I don't know,' said one of the women with a shrug. 'Just a laugh, really. Something a bit different.' The others all nodded in agreement.

'I definitely liked the idea of actually learning something,' said another woman, who Bel suspected was the bride's sister; they had the same beaky nose and chin. 'Having something we could take home, you know.'

'Right, so we're all pretty into the art idea,' said Bel. 'Like, properly learning to draw, rather than just looking at some guy's cock.'

'Yeah, course,' chuntered the women, not entirely convincingly.

'So on that basis, does it matter if your model isn't a guy?'

'Why, are you volunteering?' said the sister with a smirk.

'I am,' said Bel with a smile. 'I've done some life modelling before.' This was actually true – while Bel was working in her first restaurant, she'd got her kit off for the art students. It paid less than being a lap dancer but was easier than bar work.

'Well, I don't mind,' said the sister, looking around at the other women and getting a shrug of agreement from the bride. 'Obviously a guy would have been better, no offence.'

'None taken, but if veiny, droopy flesh is on your wish list, I'm actually pregnant, so you can draw my tits.'

The women laughed, so Bel made a run for it before they changed their minds. She found Pippa in the bar exactly where she'd left her, still tapping pensively into her phone.

'Right, we're sorted,' said Bel. 'I'm your life model.'

'Really?' said Pippa, her eyes wide. 'Have you ever done it before?'

Bel nodded. 'I have, actually. How much do you pay?'

'Fifty quid, plus half of any tips.'

'I'll do it for eighty,' said Bel with a smile, folding her arms. 'Plus your drawing, since it's reasonable to assume it's the only one that's going to be any good.'

'Jesus,' said Pippa, rolling her eyes. 'Fine. Do you have a robe?'

'In the car,' said Bel. 'Get my sister to do another round of drinks and I'll be back in five minutes.' She hurried out into the car park and grabbed her beach towel from the boot – it wasn't exactly glamorous, but it would do.

'What's the plan?' asked Dan, appearing from the door to his and Pete's apartment above the pub.

'The plan is for me to get naked in your conservatory,' said Bel, pulling off her jumper and her bra straps, then wrapping the towel around her and tucking it under her armpits.

'Really?' said Dan with a huge grin. 'You're going to do it?'

'Yes, Dan,' said Bel, unhooking her bra and teasing it out from under the towel. 'And do you know why? Because they need a life model, ideally a man. And you're the only available man within a five-mile radius who stands the smallest chance of looking half-decent with his kit off.'

'I will take that as a compliment,' said Dan, his eyebrows raised.

'You should. But you are ALSO busy and important,' continued Bel, pulling down her jeans. 'So I've saved you from having your cock brutally judged by a bunch of drunk women, because I am a good friend.'

'You ARE a good friend,' Dan grinned. 'And I truly appreciate it. Can I come and look at you naked?'

'No, because that would be weird, and also I'm pregnant, so that's even weirder.'

'Wait, what?' gasped Dan, his eyes wide. 'You're pregnant? Since when?'

'Since the night of the summer solstice, apparently.' She briefly opened the towel over her belly, flashing her tiny bump. 'Eighteen weeks.'

'Shit,' said Dan, hissing through his teeth. 'Are you OK?'

'I'm fine, thank you. It's quite new news, but we don't have time to talk now. I'll fill you in on all the gritty details on Friday.'

'OK,' said Dan, reaching out to touch her arm. 'And I really appreciate you stepping in today.'

'Well, women can be judgemental,' said Bel, swiftly stepping out of her knickers and bundling them into the boot with everything else. 'And I know this because I am one.'

Dan's eyes sparkled playfully. 'Yeah, but here's the thing, Bel. You might be pregnant, but I've got a nine-inch dick.'

Bel snorted with laughter, marvelling at how Dan never failed to surprise her. 'Wow, lucky Liv.'

Dan looked at his feet, suddenly the awkward lawyer that Bel had met all those months ago. 'Ah, well, I need to update you on that too. She and I have split up, actually.'

'Really?' Liv had been at their table only last week, the first time Dan had ever brought her to Orchard House.

'Yeah. We had a bit of a row after dinner on Friday.'

'About what?' said Bel, noting the blush creeping up Dan's neck.

He cleared his throat. 'She thought it was strange, me hanging out with you and Marie and Maggie. Like, first that you're a client, which is a valid ethical question, to be fair. But also that you're all so much older than me.'

'Why would that be a problem?'

'I don't know, but it was. She said you were all lovely and everything, but she just found the whole thing a bit weird.'

Bel nodded slowly. 'I can see how, to an outsider, it might all seem a bit weird. Was that why you split up?'

Dan shrugged. 'It was the latest in a series of small griev-ances,' he said. 'But it felt like a big one. She asked me to stop doing dinner at yours and make Friday our date night instead. I said she could have any other night but Friday, she kicked off, then it all got a bit messy.'

'Shit, I'm sorry,' said Bel. 'For you and for Liv, who no longer has access to your nine-inch dick.'

Dan grinned. 'Yeah, very much her loss.'

Bel smiled and shook her head, then took a deep breath and headed into the pub to get her kit off for a roomful of strangers.

'It's beautiful,' said Maggie, taking the drawing from Bel's hands. 'You look so serene, like a statue.'

Bel laughed dismissively, but she had to admit that Pippa had managed to give her some kind of goddess-like quality. She'd captured the autumn light through the conservatory windows casting shadows across Bel's profile, one hand resting on the back of a chair and the other on the gentle curve of her belly. Whilst the hens had focused on Bel's form, creating a gallery of drawings of varying quality, including one that made her look like a cow daubed on the wall of a prehistoric cave, Pippa had added touches of landscape through the window that gave it all scale and majesty. In Pippa's drawing, Bel's hair wasn't an unbrushed mess; it was windblown and interesting.

'What are you going to do with it?' asked Marie. 'You should get a frame.'

'Pippa's asked me to model again,' said Bel. 'She does an evening class in Norwich every Wednesday; I can do the weekly shop at the same time. I thought I'd ask for her drawing every now and then and frame them all, like a sort of record of my pregnancy.'

'That's a lovely idea,' said Maggie.

Bel brushed a bit of fluff off the sails of the windmill in the drawing, peeking above the tree line. The same windmill where, only five months ago, Nick had told her he loved her. Was that still true? Was it even true then? It seemed unlikely, somehow. And either way, what was the point of thinking about it?

She pressed her hand against her stomach protectively, marvelling that they'd somehow made a *baby* out of a night of booze and weed and unadulterated lust. She'd thought the only gift Nick had left behind was a book and a jumper, but it turned out he was just getting started.

CHAPTER TWENTY-FIVE

'Well, that really IS a baby,' said Jenna, her eyes wide. 'Unless you've been on a pastry binge.' She took two coffees from Maggie and smiled indulgently as she watched Cerys go over the top of the slipway with Marie and Poppy. Bill the Postie had picked them up from the coach station in Norwich earlier as he was going into town anyway, so Bel had agreed to meet them at the Coffee Hut. If she was going to get the third degree about her current predicament, she'd rather it was outdoors, with witnesses.

'Just give me my coffee,' she said, holding out her hand. She'd messaged Jenna a photo of the positive pregnancy test the morning after she'd taken it and they'd exchanged lots of messages since, but now Jenna could see the evidence with her own eyes.

'How far gone are you, then?' Jenna's accent got considerably more Welsh when she was trying to suppress strong opinions, which was most of the time.

'Nineteen weeks,' said Bel, trying not to touch her belly because it felt like the thin end of the performative pregnancy wedge. In no time she'd be making heart hands round her belly button and throwing a gender reveal party. 'I've got my first scan next week.'

'Your *first* scan?' said Jenna; Bel could feel the heat of her stare. 'Shouldn't you have had one at twelve weeks?'

'Yes,' Bel hissed through gritted teeth. 'But since I was nearly eighteen weeks when I realised, they didn't see the point in doing another one.'

'But you've seen a midwife, right?'

'Also yes,' said Bel, giving in to a massive eye roll. 'I've been poked and prodded and had my blood pressure taken and my wee tested. I'm absolutely fine. A woman in her prime, although also technically a geriatric, pregnancy-wise.'

'I'm keeping an eye on her too,' said Maggie from behind the counter.

'Mags is an ex-midwife,' said Bel. 'Trust me, Jen, I'm in very good hands.'

'And what about Nick?' said Jenna, pursing her lips. 'When does he get to find out he's going to be a daddy?'

'He doesn't.' Bel held up a hand. 'And before you say anything, I've made up my mind. Nick doesn't need to know.'

'But you're having his baby,' said Jenna, looking to Mags for support and getting nothing but a helpless shrug in return.

'No, I'm having MY baby,' said Bel emphatically, glaring at them both. 'Nick may have accidentally put it there, but it's mine. I don't want him involved.'

'Why not?' Jenna's eyes were popping out of her head now; this was the part of the conversation that Bel had refused to have via WhatsApp.

'Because I can do it alone, and that's my final decision. Please don't ask me about it again, any of you.'

'Fine,' Jenna said. 'But for what it's worth—'

'Is this decaf?' Bel interrupted, scowling at Maggie.

'Yes,' said Maggie. 'Only one shot of caffeine a day for you, and you had that after your swim.'

'You're still swimming?' asked Jenna, one brow arched.

'Oh, for fuck's sake.' Bel pressed the heels of her hands into her eyes. 'I've been swimming all summer, the water isn't even cold yet. I checked with the midwife and it's absolutely fine.'

'It's a shame they finish for the season on Friday,' said Maggie.

Bel's eyes swivelled in her direction. 'What do you mean? Who finishes?'

'Your swimming group,' said Maggie. 'The club closes for the winter.'

'What?' Bel exclaimed. 'I heard some of the others talking about not swimming in winter, but I didn't realise that was the WHOLE CLUB.'

Maggie nodded. 'It's a numbers thing. Not enough guaranteed swimmers to make it safe.'

'But I'M a guaranteed swimmer,' Bel wailed. 'I'm in there every day.'

Maggie shrugged. 'But you need at least two others. And in really cold weather that's hard for people to commit to.'

'Shit,' said Bel, feeling her anxiety rising. 'I'm going to speak to Caroline. I don't care if it costs me free coffee and cake all winter, I need my swimming.'

'Blimey, what happened to you?' asked Jenna. 'You used to HATE swimming down the leisure centre with me and Cerys.'

'This is different,' said Bel, aware that she sounded like one of those *Guardian* wild swimming evangelists again. 'It keeps me sane.'

'Oh well, in that case,' said Jenna. 'Best we organise a safety crew for your sanity.'

'I will,' Bel said firmly. 'Watch me.'

'I think Caroline is on the beach,' said Maggie. 'She bought a coffee earlier.'

'Good.' Bel stood up. 'Are you coming?'

Jenna rolled her eyes and drained her coffee. 'Looks like it. See you later, Mystic Mags.'

'Don't call her that,' Bel laughed as they walked towards the slipway. 'She thinks you're taking the piss.'

'I AM taking the piss,' said Jenna, resting her hand on Bel's arm. 'Are you really OK? You look OK, but I need to check.'

Bel smiled and nodded. 'I'm fine. Now I've seen a midwife and had a chance to get my head around it, I'm feeling a lot calmer.'

'And you're sure about N—?'

'Yes,' Bel said emphatically. 'I'm absolutely sure. Please let it go, Jen.'

Jenna nodded. 'OK, if you say so. But I'm not going to lie to you, Bel. I think you're bloody mad.'

'I'm sorry, Bel,' said Caroline, her face full of concern. 'I didn't realise you didn't know.'

'I had no idea.' Bel brushed her hair out of her eyes as the wind whisked it into a tangled nest. 'But then I remembered you starting in the spring, so of course you must have stopped at some point before then.'

'Most of the group swims at their local pool in winter. Not everybody loves the sea that cold, and there aren't enough of us to make it safe.'

'But what if I'M here, every day without fail?'

Caroline glanced at her belly. 'With the best will in the world, Bel . . .'

'It's insulated in there, I checked with the midwife. Like a little belly igloo.'

'Don't joke.'

'I'm serious. I've read loads of stuff about it, and it's absolutely fine for me to keep swimming. I just need two others to come.'

'What about Marie?'

Bel shook her head. 'It was hard enough to get her in there in June. She's not as hardcore as any of you.'

'Bel, I would, obviously. But I don't know if—'

'Please,' said Bel, pressing the palms of her hands together. 'It keeps me together. I need it.'

Caroline sighed, then nodded. 'Fine. I'll commit to keep the club going if we can persuade a few of the others to stay on. We need a guaranteed five or six, really, to be sure of at least three every day. And we'll have to start later once the mornings get dark again.'

'I don't care, any time is fine. I'll give everyone who comes a free hot drink after. And cake. Whatever it takes.'

'Well, that might just swing it,' Caroline smiled. 'We can talk to everyone tomorrow.'

'Thank you.'

Caroline glanced at Bel's bump. 'Are we going to see Nick back here soon?'

'Oh,' said Bel, momentarily flustered. 'No, I don't think so.' She'd never actually confirmed to anyone that Nick was the father; only Marie, Maggie and Jenna knew for sure. Dan had made the connection, obviously, and apparently

231

Caroline had made an assumption. It was hardly surprising; it wasn't like there was a glut of shaggable men in Moxham.

'Shame. He was a club highlight.'

Bel laughed. 'I guess there isn't much to look at on this beach.' She glanced around at the families on the sand, committing to a day where the temperature might hit sixteen degrees at best. Only in Britain.

'No, I don't mean that he was handsome,' said Caroline. 'Although he was, obviously. I might be old, but I'm not *blind*. I mean that he was . . . lovely.'

'In what way?' asked Bel, instantly annoyed with herself for how desperate she was for information about Nick. It reminded her how little she'd known about him, how insanely *shallow* her knowledge of him was considering she was now carrying his child.

'Well, he looked out for all us swimmers. Not in an obvious way, like we were useless and might drown at any minute. Nothing like that. He was always the first in, and he never left the beach until we were all out of the water. Even if that meant sitting there for twenty minutes with his flask of coffee.'

'Wow,' said Bel, thinking about how Nick refused to get coffee from the Hut and took his own instead. So he could fulfil his *Baywatch* fantasies for a bunch of middle-aged Norfolk women, apparently.

'Men like him don't come along every day,' said Caroline knowingly. 'You know, ones that do the right thing, but don't feel the need to shout about it all the time.'

'Mmm,' said Bel, remembering when Nick had run her a candlelit bubble bath. A tiny gesture in the scheme of things, but exactly what she had needed in that moment.

'Well,' said Caroline. 'I need to help my grandson dig a hole. See you tomorrow morning?'

'Definitely,' said Bel, giving her a smile and heading off to join Jenna, Marie and Cerys a little further down the beach.

'You OK?' asked Marie, drawing her gaze away from Jenna and Cerys, who were throwing a stick for Poppy.

Bel nodded, avoiding eye contact.

'How do you feel about these guys coming back for Christmas? Jenna mentioned it just now.'

'Why are you asking me?' said Bel, wondering if she'd ever get out of the habit of questioning her sister's motives for absolutely everything.

'Because we live in the same house,' said Marie, giving Bel a steely glare. 'It seemed polite.'

Bel bit back a snide retort and forced a smile. 'It's fine with me,' she said. 'We don't have a lot of money, though. It's not going to be a fancy Christmas.'

'Jenna won't care,' Marie said happily. 'She'll just be happy to avoid Welsh family mayhem.'

'Fine. It will mean you're not mooning about like you've lost an arm, anyway.'

'Don't joke. It's been nearly six months now. I'm bonkers about her.'

'I know,' said Bel, realising that for all Marie's flaky behaviour over the years, it was one thing about her that she had absolute faith in. 'I'm genuinely happy for you both.'

'We'll help out, you know. Me and Jenna and Cerys. When the baby comes.'

'That's an easy thing to say,' Bel said dismissively. 'But

you can't promise that. Once we've sold this place you'll be moving on.'

'Maybe,' said Marie. 'But that doesn't mean I won't take being an auntie seriously. And Jenna will always be your best mate.'

'Yeah,' said Bel, feeling tears prickling at the corner of her eyes and wondering how much more crying she could do before she became a dehydrated husk, like one of those ancient bodies they uncovered in the permafrost. Just a set of stumpy teeth and cracked, papery skin.

'When you've had the scan we'll make a list,' said Marie excitedly. 'Everything you need for the baby.'

'We've got no budget, Mar.' Bel had been thinking about this, wondering if she could get some extra work before she was the size of a house. After this week, cake sales at the Coffee Hut would start going downhill fast, and then all she had left was the life modelling.

'And in case you haven't noticed, I've barely paid for a single item since we arrived in Moxham,' said Marie proudly. 'No plans to start now. Don't worry about it.'

Bel laughed, having no doubt that Marie would find a way. She fleetingly thought about Nick, and how he'd absolutely insist on paying his share if he knew about the baby – presumably he had a few quid left over from his previous life. But he didn't know, and if there was one thing Bel was sure of, it was that things needed to stay that way.

She gasped, her hand instinctively flying to her belly. A kick. Definitely a kick. There'd been moments in the last few days – a fizzy, jumbly feeling in her stomach that she'd thought might be gas. But this was something else.

'Oh my God,' said Marie, scanning from Bel's face to her belly. 'Did it just kick?'

'Yeah,' said Bel with a grin. 'I properly felt it.'

'Can I?' asked Marie, holding out her hand.

Bel flinched and pulled away, the way she often did when there was a chance Marie might touch her. A reflex action rooted in ancient family history. Her sister's eyes clouded over as she pressed her lips together.

'Forget it,' she said, striding off to join Jenna and Cerys.

Bel opened her mouth to call her back, then closed it again. The damage was done, and she couldn't take it back. Again.

CHAPTER TWENTY-SIX

November

'You've had a letter,' said Marie, emerging from the fridge with a jar of overnight oats. 'I left it on your bed.' Bel was back from her shift at the Coffee Hut, having failed to sell all her breakfast pastries for the first time since she'd started making them. Still, it gave her and Marie something to eat for lunch.

'What, like a medical thing?' Bel asked. She'd had her scan the previous week and seen her baby for the first time. It had legs and arms and everything, like a little grey alien the size of a banana. The nurse had offered to tell Bel if it was a boy or a girl, but she'd said no. What difference did it make? Right now she was still getting her head around the idea of becoming a mother, without the added burden of giving it some kind of personality. Marie had offered to go with her to the hospital, but in the end Bel had decided to do it alone. That was the future for her and this little genderless blob, so she might as well get used to it.

'No, it's a proper letter,' said Marie. 'With a handwritten address and a stamp and everything.'

Bel frowned. 'Who the hell still writes letters?'

'I don't know,' Marie said through a mouthful of oats. 'Maybe we've got more long-lost relatives crawling out of the woodwork. An uncle in prison. Some inbred cousins.'

'I've never even given anyone my address,' said Bel. 'Bit mysterious.'

'Well, why don't you fucking open it then, Miss Marple,' Marie snapped.

Bel stopped still for a moment, her mouth open, then snorted with laughter. '*Miss Marple*?' she honked. '*That's* your insult?'

'It was the best I could come up with in the moment,' replied Marie, her mouth twitching into a smile. 'Sorry, bit hangry.'

'Here, have a pastry,' said Bel, tossing a paper bag onto the table. 'They're all cheese, I've already eaten the bacon ones.'

'Thanks,' said Marie, immediately putting aside her oats and diving into the bag. 'I thought I'd start looking for some second-hand baby stuff today, see what I can find. Have you done me a list?'

Bel shook her head. 'No. Haven't given it much thought. There's loads of info online though.' She smiled at Marie bleakly, hoping that her sister could understand that she wasn't ready for babygrows and pushchairs yet. There was still loads of time for shopping, during the dark winter months when she'd be fat and tired and the weather would be howling.

'Fine,' said Marie. 'Leave it to me. How was your swim?'

'Great. Caroline managed to persuade three of the others to keep coming through the winter.'

'Which ones?'

'Joy, obviously. And Janine, the one with the red hair.'

'I know the one,' said Marie. 'Peppermint tea, blueberry

237

muffin. Isn't her partner the one with the wanky camo dryrobe?'

'Yeah,' said Bel. 'In my head she's always been Camo Carol, but her name's actually Roz. I did their induction last month, and they've both stayed on.' She couldn't help the note of pride to her voice – the dropout rate for cold water swimming was high, particularly once summer was over. But most of Bel's induction group had kept on coming, at least up to the official end of the season. Janine and Roz had both jumped at the chance to be part of the winter crew, and had committed to coming every day unless the weather was dangerously dire. Most days all five of them turned up, and they'd never not had their agreed minimum of three.

'What have you offered them to keep coming?' said Marie with a knowing smile.

'Nothing,' said Bel. 'I did say I'd do free coffee, but they all said they'd bring their own so we didn't have to open the Coffee Hut just for them.'

'Well, that's nice. They obviously like you.'

Bel gave her sister a penetrating look, wondering if she was taking the piss. 'I'm really trying, Marie.'

'I know,' said Marie softly, sinking her teeth into a cheese turnover. 'I'm trying too. Look at us, trying hard not to be total arseholes. What a revelation.'

They looked at each other for a long moment, Bel wondering what Lily would make of this deep and meaningful moment between her two daughters. She didn't believe in ghosts or spirits, at least not in the way Maggie did, like they were hanging out on the other side of some flimsy veil between the worlds. But it was reasonable to assume that, if Lily was floating about amongst the dust motes of Orchard House, she was probably feeling pretty bloody pleased with herself right now.

The letter was in a normal white envelope, and it took a moment for Bel to realise that the sloping script on the front was the same handwriting as the message written on the flyleaf of Nick's copy of *One Hundred Years of Solitude*. She sat on the edge of the bed and stared at it for a minute, her heart pounding and the envelope getting heavier in her hand with every passing second. Had someone told Nick about the baby? Was this an envelope full of hurt and fury and retribution? Or even worse, a clear directive that this wasn't his problem and she should never contact him again? She wasn't planning to, obviously, but at least right now that was her decision and not his.

She took a deep breath and slid her thumb under the flap of the envelope. There were two pages which had clearly been typed on a computer and printed off, like he was applying for a job in 1998. She unfolded them, her hands shaking.

Dear Bel

Isn't it mad that I don't have an email address or phone number for you? I guess Chris probably has a contact for Marie, but I didn't want to ask him for it and Trade Nomads doesn't have an admin person right now, so I couldn't ask them. It's a long story, but basically Office Mandy has left her husband and moved to Brazil to be with a man she met on Facebook. I don't have all the details, but we have at least established that Brazil Guy is a real person and Mandy hasn't been catfished all the way to

South America, so that's something. Anyway, she's gone, and Chris is having to do all the admin, which is frankly a shitshow.

So here I am writing you an actual letter. Well, typing. My handwriting is terrible, and I suspect it would take me hours to navigate pen and paper. If you actually receive this, it means I've managed to find a printer and successfully connect my laptop to it, which is an achievement worthy of a medal, I think. Or a Dukedom. Duke of Norfolk? I could totally do that job.

Talking of Chris (beginning of last paragraph, yes, I'm meandering), he and Soph have only just stopped asking questions about what happened between you and me in June, so that's why I didn't ask for your contact info – it would just start them off all over again. They seem incredibly keen to get all the details, which is obviously one of the many reasons why I'm giving them nothing. Also (and forgive me for going all misty-eyed for a moment here), I don't think I could do the description justice. That was something, right? It wasn't just me?

So, why am I writing? Well, simple really. It's been five months since I left Moxham, and I confess I've thought about you a lot in that time (in a good way, I promise). I have no idea if you've done the same, since I haven't heard from you, obviously. I'm choosing to assume that you're busy and don't know what to say, or maybe have lots to say but no way to contact me. It's more bearable than the thought that you've just forgotten all about me and are now engaged to Dan the lawyer, or that guy who loiters by the public toilets on the beach. The one with the cargo shorts and dirty knees? Actually, now I think about it, you're almost certainly not his type.

I'm in East Sussex right now, helping to restore an old barn. It's a lovely job, even though I've got a team of apprentices who don't know one end of a hammer from the other. I don't want to

sound like a cranky old man here, but what is it with Gen Zs?
They film everything, and I'm reliably informed there are at least
six videos of me on TikTok using power tools with my shirt off.
Apparently there's a significant audience for this type of content,
but we're very much in shirt-on season now so I'm going to have
to deny them their small pleasures.

I've been reading Márquez again – I've just finished reading
Love in the Time of Cholera *for about the tenth time. Poor*
Florentino, dragging all that unrequited love for Fermina around
for fifty years. The whole story left me thinking a lot about
keeping the faith, and you were the only person I wanted to talk
to about it. Maybe if nothing else, we can start a reading group?

Are you still swimming? Since it's November and bloody
freezing, I'm guessing not. Sadly I'm not near enough to the
beach here, but I think about it a lot. Please give my best to
Caroline and Joy next time you see them. They both reminded
me a bit of my mum, which is the biggest compliment there is.

Anyway, I just wanted to say hello, and give you my email
address and phone number so you can get in touch if you want
to. I'd like that a lot, obviously, but totally understand if you've
moved on to carpenters new.

God, I've just read this back and it sounds a bit needy. Ignore
the needy bits, it's just my weird sense of humour, honest.

Hope you're keeping well. Say hi to Marie and Dan for me,
unless Dan is now your fiancé in which case I wish him a
lifetime of urinary tract infections and stepping on Lego.

Love, Nick x

Bel stared at the pages for a little while, conscious that
she had a huge grin on her face and a warm feeling in her

chest. Just like that, it was like Nick was back in the room, making the blood pump through her veins and leaving her breathless at the sight of his email address and phone number, noted in pen at the bottom of the second page. *Nick.Buckley*, then some numbers – he had a surname, which she'd never known until now. She stroked her bump absently as she read his words again. *I confess I've thought about you a lot in that time. That was something, right? It wasn't just me?* No, it wasn't just him, but that night had had some fairly heavy-duty consequences. Would he have written such a lovely letter if he'd known about the baby? Would he still be keeping the faith? It was easy to be misty-eyed and nostalgic for the past, but life comes at you pretty fast when some woman you banged once in the summer tells you she's got a baby on the way.

So what do I do? thought Bel. *Do I reply, but not mention that one, tiny thing?* That felt worse than not replying at all, in lots of ways – being actively deceitful, rather than just not engaging. And she HAD moved on, although not in the way Nick meant.

She looked down at her bump and formed the question in her mind. *Do I send him an email? One kick for yes, two kicks for no.*

Right on cue, the baby kicked once, then twice, so Bel clutched the letter in her fist and walked purposefully downstairs. Control over this situation was all she had left, and maintaining that control was the only thing that mattered.

'What was the letter?' asked Marie, watching Bel grab the lighter that lived beside the gas hob and set fire to the sheets of paper over the huge kitchen sink. 'Bel? What was it?' Bel ignored her, staring into the flames as the edges curled and flickered, before dissolving into ashes. She clenched her fists with resolve, taking deep breaths and trying not to cry.

'What the fuck have you done?' demanded Marie.

'Nothing,' Bel snapped. 'Just being consistent. You should try it sometime.'

They both glared at each other for a moment before stalking off in different directions. The baby gave a single, hard kick, in what felt like Bel's left kidney.

'Too fucking late now,' she muttered.

CHAPTER TWENTY-SEVEN

'We bought you something,' said Caroline, holding up an Aldi bag for life outside the Coffee Hut. The weather was windy but unseasonably mild today, so the dog walkers were out in force and the muffins and pastries were almost gone already.

'Is it something exciting from the Aisle of Shite?' asked Bel, wiping the milk nozzle of the coffee machine with a cloth. 'Let me guess. A sandwich toaster? Some ceramic hedgehogs that double up as garden lights?'

Caroline rolled her eyes. 'Come and join us for a minute, then you'll find out.'

'Wait, I've got it,' said Bel, grabbing her decaf coffee and popping out of the back door of the Hut. During the winter they moved the chairs and tables to the side where it was more sheltered from the wind, despite the view of the public toilets. Bel thought briefly of Nick in the shower, then quickly pushed the memory to one side. *God, will I ever stop thinking about him?* 'A pool inflatable, in the shape of a slice of pizza.'

'No,' said Caroline, dumping the bag on the table. 'Open it, then you'll see.'

'Why have you bought me a present, exactly?' asked Bel, looking round at the four other women, their hoods up against the wind as they sipped their coffees.

'Because you kept the swimming club together,' said Janine, the redhead who'd joined the club last month. Like Bel, she and her partner Roz were in the water as soon as it was light, whatever the weather. Today Caroline and Joy had joined too, so they'd been a happy band of five swimming out to the sea defences and back. Caroline had heard from a couple of other summer members too, asking if they could join the winter club now and then. Turned out the call of the sea was irresistible, even in November.

'Well, I kept it together NOW,' said Bel. 'It's still technically autumn. Let's see if we're all still here in January.'

'Wow, you'll be HUGE by then,' grinned Roz. 'Like a human buoy.'

'I might be the first one to bail on you,' Bel replied. 'I talk a good game, but I've never actually swum in winter.'

'You can't stay in for long,' said Caroline. 'Not without a wetsuit. Five, ten minutes max, really.'

'I'm not sure maternity wetsuits are a thing,' said Bel with a grin. Her belly grumbled and the baby kicked; just a tiny nudge as if to say *I need breakfast*. It was the size of a butternut squash now.

'Are you going to open it or not?' asked Joy, gesturing to the bag.

'What is it?'

'For God's sake, Bel,' said Caroline, rolling her eyes. 'Just open it.'

Bel dived into the bag, her hand making contact with some kind of synthetic material, then fleece. She pulled out a black dryrobe with a red hood.

'Oh my God!' she shrieked.

'I know you think they're ridiculous,' said Joy. 'But you

can't keep turning up every day in a wispy little towel. You'll freeze. Your baby will freeze.'

Bel looked at them all, her eyes wide. 'But aren't these, like, a hundred and fifty quid?'

Caroline shrugged. 'We clubbed together, because you kept the club together. It's a gift from all of us.'

Bel pulled it over her head. It fell to her knees like a black tent, the hood protecting her face from the wind and the fleece soft and warm on her skin. 'Great, so now I can look like a witch, like the rest of you.'

Janine grinned. 'It suits you.'

'Seriously, though,' said Bel, her eyes filling with tears. 'Thank you, guys. It's a really amazing gift.'

'You're welcome,' said Caroline briskly. 'Right, I need to pick up my granddaughter, can't hang around in this car park all day. Same time tomorrow? The forecast is good.'

'I'll be here,' Bel said happily, burying her fists in the sleeves and relishing the feeling of being warm for the first time today. 'I need to get home too. I've promised to cut my sister's hair.'

'Don't take too much off,' said Marie. 'Please.'

'Just sit still,' said Bel, sliding a section of hair between her fingers and snipping off the ends.

'I AM sitting still,' said Marie; Bel could see her white knuckles clutching the seat of the kitchen chair. 'You're holding scissors. I'm sitting still out of fear.'

Bel laughed. 'When did you last get your hair cut? The ends are a frazzled mess.'

Marie shrugged. 'I don't know. A year ago, maybe? Some woman in Crete who only had one eye.'

'Jesus. How do you always look so amazing? It's not fair.'

Marie grinned. 'I smile a lot. It makes you look younger. You should try it.'

'Fuck off, Marie,' Bel said playfully. 'I'm holding scissors, remember?'

'Please don't cut too much off.'

'I'm NOT,' said Bel impatiently. 'I'm just giving it a trim. Why are you so nervous?'

'You seriously have to ask?' said Marie, giving Bel a bucket of side-eye so she didn't have to move her head. 'I'm thinking about the last time you cut my hair. When we were kids.'

Bel's brow furrowed. 'When was that?'

'Oh my God, don't give me that shit,' said Marie. 'I was about seven, so you would have been eight. You hacked all my hair off with school scissors.'

'I did NOT,' screeched Bel.

'You did,' said Marie. 'We were sat on top of the boat, remember?'

'Why would I have school scissors on the boat?'

'I don't know. You probably stole them from art class. How can you not remember?'

'Are you SURE it was me?' Bel raked through her memory, and slowly recalled the scissors, the sunlight glinting off the canal, handfuls of red-gold hair drifting on the breeze into the water.

'Of course I'm sure, it was a massive fucking trauma. You cut my fringe back to about an inch, then hacked off the back and told me you were going to cut my ears off next.'

'What? You're making this up. Wasn't Lily there?'

'No, she was off somewhere. She lost her SHIT when she got back. One of the other boat women had to try and fix it. She had a shaved head and tattoos on her face; I thought I was going to come back looking like that.'

'I honestly don't remember this,' lied Bel, the fog having now fully lifted on this suppressed memory. 'Were you upset?'

'Yes, of course I was upset,' Marie snapped. 'I looked like a ginger scarecrow. It's the first time I remember being really scared of you.'

'Really? You were scared of me?'

Marie nodded. 'For years. You used to give me dead legs. Once I told you a jumper was my favourite so you threw it in the canal. You hated me.'

Bel stopped cutting and stepped back. 'God, Marie. I'm sorry. Would it help if I told you that it wasn't hate, but jealousy?'

'You?' sneered Marie. 'Jealous of me?'

Bel nodded. 'Yes, of course. You were prettier and funnier than me. People liked you more.'

Marie smirked. 'Maybe because I didn't attack them with scissors and throw their stuff in the canal?'

'I mean, that might have had something to do with it.' Bel felt the familiar heat of shame creeping up her neck. 'You were just a nicer person than me, which made it feel like you had an easier life. I hated you for it.'

Marie observed her sister thoughtfully. 'And what about now?'

'What about now?'

'I'm arguably still a nicer person than you. Do you still hate me?'

Bel shook her head firmly. 'No. I'm trying to be more like you, actually. More likeable.'

Marie nodded, holding Bel's gaze. 'Nick liked you.'

Bel looked away. 'Yeah, he did. Bloody idiot.'

'Are you ever going to tell me what happened there?' Marie asked quietly.

'There's nothing to tell,' said Bel, feeling the words catch in her throat. 'We hung out, then we fucked, then he left.'

'That's it?'

Bel gasped and dropped the scissors with a clatter on the stone floor, then grabbed Marie's hand and pressed it to her belly. 'There,' she said excitedly. 'Can you feel it?'

Marie stared up at her with a look of wonder. They waited in silence for a few seconds, then Marie squeaked with happiness. 'Oh my God! I felt it kick!'

'Yep,' Bel nodded. 'She does it all the time now.'

'She?' asked Marie. 'I thought you didn't know if it was a boy or a girl?'

Bel shrugged. 'I think it's a girl. We're a family of girls. I'm not even sure we're capable of boys.'

Marie kept her hand in place, grinning every time she felt a tiny kick. 'I still think you should tell Nick,' she said quietly. 'About the baby.'

Bel bent down to pick up the scissors as Marie resumed her still position. 'I think you should stay incredibly still before you lose your fringe,' she said. 'Or an ear.'

'Anyone in?' said a loud voice. The kitchen door opened and Maggie bustled in, wearing a green felt cloche hat and trailing wispy scarves. 'I have news.'

'Welcome to our salon,' said Marie, moving only her eyeballs.

249

'Ooh, I didn't know you could cut hair, Bel,' said Maggie.

'This is my first time,' said Bel. 'Well, second, apparently.'

'What's your news?' Marie asked.

Maggie pressed the palms of her hands together, her eyes glittering with excitement. 'William has asked me to marry him.'

Bel dropped the scissors for a second time and pulled Maggie into a hug. 'That's AMAZING news,' she squealed, as Marie jumped up to join in, bouncing on the balls of her feet.

'I'm thrilled,' gasped Maggie. 'Twenty years later than I originally planned, but he and I were written in the stars from the very beginning.'

'Where are you going to live?' asked Marie.

'He has a lovely place above the Post Office. Two bedrooms, so I can help out with the baby when it comes. And a little dining room where I can do my readings. I'll move in there and rent my place out.'

'We're thrilled for you, Mags,' said Marie. 'Bill seems like a lovely man.'

'He is,' said Maggie, breathless with excitement. 'He has the blessing of his children, and I've reached out to Muriel and asked for her consent.'

'Isn't she dead?' asked Marie.

'Yes, of course she's dead. But we've communed through the veil.'

Marie looked confused. 'Really? I thought you just did tarot readings and palm shit.'

'No, I also have psychic medium skills. I did a course on the internet.'

Marie's eyebrows headed north, and Bel had to look away so she didn't laugh. 'You did a course?'

'Yes,' Maggie nodded. 'It was very informative.'

'Why have you never talked to Lily, then?' Bel interrupted.

'I've tried,' said Maggie. 'But you can't just tune it in, like a radio.'

'But you got Muriel on the first try?' asked Marie, her eyebrows now at the same altitude as the swooping seagulls.

'Yes. She was clearly waiting for me to ask.'

How incredibly convenient, thought Bel.

'Right,' said Marie dubiously. 'When's the big day?'

'Oh, we're not going to hang about. We thought the twenty-first of December.'

'Winter solstice,' said Marie. 'Famously spiritual.'

'Famously DARK,' muttered Bel.

'Well, we're going to bring the light and joy,' said Maggie. 'An excuse for a Christmas wedding party.'

'Are we invited?' Bel asked.

'Of course!' said Maggie. 'Actually, Bel, I was rather hoping you might do the food. Just a buffet at the village hall.'

'For how many?'

'Oh, just a small group,' said Maggie, wafting vaguely. 'William's family, a few friends. Maybe twenty-five? We're not making a big fuss.' She turned to Marie. 'I thought you might help with decorations.'

'I'd love to,' said Marie. 'Can Jenna and Cerys come? They'll be back here by then. They can help.'

'I'd included them in the twenty-five, obviously,' said Maggie indulgently. 'Oh, it's all so exciting! There's a pile of boxes and bags on your driveway, did you know?'

'Oh, they must have dropped it all off,' said Marie excitedly, scurrying into the hall. 'I don't think the doorbell is working.'

'What is it?' Bel asked.

'A present,' Marie grinned.

Two in one day? thought Bel, suddenly feeling slightly overwhelmed by all the gifts and happiness. She could only handle so much joy before she started to feel a bit sick.

Marie opened the door and started dragging in cardboard boxes and bags. 'It's baby stuff,' she said. 'I got it all on Facebook in exchange for a twenty-pound donation to a special care baby unit.'

'Who from?' asked Bel, watching Marie pull out blankets and clothes and a tiny bath towel with a hood.

'I don't know,' Marie said. 'A couple in Norwich who've had their last kid and were getting rid of it all.'

'How did you get them to deliver it?' asked Maggie, emptying a bag of baby clothes onto the dining table and cooing with happiness.

'I convinced them to take a trip to the seaside.'

'In November?' asked Bel.

'It's lovely,' said Marie. 'Blows the cobwebs away. Take a walk along the coast path, look at the baby seals.'

Bel shook her head. 'Honestly, you're incredible.'

'All this stuff is for a girl,' said Maggie, holding up a white babygrow with a pattern of pink strawberries. 'I thought you didn't know?'

'I don't,' said Bel, as Marie disappeared back outside. 'It doesn't matter. I'm not buying into all that blue for boys and pink for girls shit. Clothes are clothes.'

'There's a cot, too,' shouted Marie, dragging a large flat box into the hall. 'We just have to build it.'

'This is amazing,' said Bel, feeling slightly overwhelmed and itching to start washing everything. 'Thanks, Mar.'

'No problem,' Marie grinned. 'Go through it all and tell me if there's anything you still need. I'll sort it for you.'

'We've got ages yet,' said Bel. 'Nearly four months.'

'Yes, but you'll be too tired to do much soon,' said Maggie. 'Better to get it all sorted now – that time will go really quickly.'

Bel nodded, feeling too euphoric to argue. She'd had gifts, Maggie was getting married, the baby was kicking happily, and Marie's hair was currently two inches shorter on one side than the other. By anyone's standards, that counted as a very good day.

CHAPTER TWENTY-EIGHT

December

What's hurting, today? thought Bel, up to her knees in water. It was flat and calm today, but the air was frigid and misty and winter had definitely set in. She thought about the dryrobe waiting for her on the beach and silently gave thanks for Caroline and the others.

What's hurting, Bel? She focused on her daily audit of all her emotional baggage. The other swimmers knew to leave her alone for these few minutes, while she tuned in to how she was feeling, then de-coupled the weight from her shoulders and mentally left it on the sand.

Edward, obviously. That pain flared hot and searing every morning, like slopping hot tea onto your hand.

Nick's letter, definitely. Burning it had felt like the right decision at the time, but that didn't mean she hadn't had twinges of doubt since. Some of those twinges were minor, whilst others were in the *can someone please invent time travel* category.

Talking of twinges, her pelvis hurt too, like the baby was prodding her insides with a chopstick to make room.

Her relationship with Marie, and how sometimes it felt like they'd made huge progress and were finally starting to understand each other, until one of them was a total twat and they were back to being eight years old again.

Her mind drifted back to Nick's letter, and the fact that she could only remember bits of it. There was something about unrequited love and keeping the faith that had felt significant in the moment, like Nick was saying *I'm not giving up on you*. But she couldn't remember the exact words, other than they related to Márquez's *Love in the Time of Cholera*. Of course she'd read the book; in fact parts of it were embedded in her brain. Most recently, she kept thinking about a moment near the beginning of the story where Florentino proposes to Fermina and she asks her aunt for advice in a panic, to which her aunt replies, '*Tell him yes. Even if you are dying of fear, even if you are sorry later, because whatever you do, you will be sorry all the rest of your life if you say no.*' The words made Bel shiver, but that wasn't from the cold.

Six months, she thought, *six months exactly since I last saw Nick, and he and I made a baby.* As if on cue, the baby gave a confirmatory kick. Bel was officially twenty-seven weeks pregnant now, and finding it hard to sleep. When the baby wasn't kicking it was pressing on her bladder, so she needed to get up for a wee a couple of times a night. The house was freezing at night, and her back hurt. Apart from when she was in the water. Nothing hurt then.

She checked her watch, conscious that she had trays of food still to finish for Maggie and Bill's wedding later. This was her last swim before Christmas, so she'd better make the most of it. She waded in up to her thighs, then pushed forward into a steady breaststroke, breathing slowly through the biting cold until her body adjusted.

The baby was the size of a large leek, according to Google, and the weight of a cauliflower. Why was it always fruit and vegetables? Why not household items, or sporting equipment? *Your baby is the length of a rolling pin, and weighs about the same as a basketball.* That made SO much more sense.

Cerys and Jenna had arrived for Christmas yesterday – they had three usable bedrooms upstairs now, although the two smaller ones still had bare floorboards and unpainted plaster. Cerys had squealed when she saw her room had a double bed, blagged from a house clearance by Marie before they'd barely wheeled out the corpse of the elderly owner.

Bel smiled at the memory of their arrival, dragging an extra suitcase full of every Christmas decoration they owned. There'd been an intense debate about whether to spread them all over the house or focus on one area, with the final decision being to throw everything at the downstairs room that had once been Marie's bedroom, then the workshop with a tipi for Cerys. It was now an empty room with no name that Bel sometimes used to do YouTube pregnancy yoga.

The result was like someone had puked Christmas over every available surface. Marie had managed to charm the owner of the local garden centre into giving them a tatty-looking tree and a great deal of mistletoe, and the gaps between the greenery were festooned with tinsel and baubles and rainbow lights and homemade decorations that had got a bit squashed in transit. There hadn't been room to pack anything to go on the top of the tree, so Cerys had made a pair of cardboard angel wings for her favourite teddy bear and Marie had gaffer-taped it to the top branch like it was being burned at the stake.

Standing in the doorway of what Cerys had now

christened 'The Grotto', her eyeballs bleeding at the riot of clashing colours, Bel had realised how long it had been since she'd bothered hanging Christmas decorations. Not since she and Edward had been married, and even then it had been strictly all silver and white, as frigid and uncompromising as their marriage. In the years since, she'd spent Christmas working until the last minute, then home alone in front of the TV, waving Jenna off to her family in Wales with the reassurance that this was her idea of a perfect Christmas. It wasn't, obviously, but this – her sister, her best friend, a nine-year-old with no flair for interior design whatsoever, and an unborn baby the size of a chip shop jar of pickled eggs – was SO much better. She reached the first buoy and turned back – time was ticking on, and it was time to fill some vol-au-vents.

'I had an email from Sophie the other day,' said Marie, taking a tray of smoked salmon and cream cheese blinis from Bel and putting it next to the cheese puffs. 'Asking how we all were.' They were both still wearing their coats because Moxham Village Hall took forever to heat up, but the caretaker had reassured them that it would be toasty by the time the wedding party turned up.

'You didn't tell her about the baby?' Bel asked quickly, instinctively doing up the buttons of her coat like she needed to hide it from Sophie's all-seeing eyes. Maybe Nick had told her that Bel hadn't replied to his letter, and this was a new approach.

'Of course not,' said Marie, rolling her eyes.

'Where are they?' asked Bel, trying not to look too interested.

'Doing up some barn in Sussex, apparently. It's freezing cold and the food is shit.'

'Do they all go home for Christmas?' Bel wondered what Nick would do; whether he'd be back with his dad in Kent by now, or having a romantic Christmas with some hot Sussex woman he'd encountered whilst splitting firewood. The thought made her neck feel itchy.

'Chris and Sophie are going back to France to see her family, she said. Not sure about Alice. Or Nick.' She raised her eyebrows at Bel and got a steely glare in return.

'It's none of my business,' said Bel, busying herself with arranging mini pork pies into something that looked vaguely like a festive wreath. She scattered rocket around the edges and added a few cranberries in the hope they'd look like berries.

'Well, I regret to inform you that it's about to become your business,' Marie whispered.

'Why?' asked Bel, looking up at her sharply.

'Because Nick has just walked through the door.'

'What? Shit,' hissed Bel, almost knocking the tray of pork pies off the table as she spun round. Nick was standing in the doorway, his hands buried in the pockets of his jacket and his eyes fixed firmly in her direction.

'Fuck, shit, bollocks,' breathed Bel, her heart pounding. She glanced down at her mid-section, calculating whether Nick would be able to tell. The coat belonged to Marie because none of hers fit any more, and chances were he wouldn't notice if she kept her hands off her bump. *Deep breaths*.

'Good luck with that,' muttered Marie, melting away as Nick approached.

'What are you doing here?' asked Bel, trying to force a smile without being sick. She took in his pale face, the hair longer than she'd ever seen it, but properly styled this time. A dark grey pea coat, the collar of a shirt just visible. Blue suit trousers, with brown leather shoes that looked expensive. God, he looked incredible.

'Maggie invited me,' said Nick.

'Really?' *I will kill her with my bare hands*, thought Bel. *The interfering cow.*

'Yeah, she invited all of us Nomads,' said Nick, eyeing her nervously. 'But I was the only one who could make it.'

'Don't you have anywhere better to be?' She knew she sounded snippy, but she was in panic mode now. What was he doing here?

'No,' said Nick. 'Do you MIND me being here?'

Bel buried her hands in her pockets, trying to stop them from shaking. At least she'd washed her hair and put a bit of makeup on. 'No, of course not. Why would I?'

They stared at each other for a long moment, the look on Nick's face making Bel feel naked. There were butterflies in her stomach that definitely weren't the baby kicking, but she reminded herself that any undressing action would result in a very big and unexpected surprise. How was she going to get him to leave before the wedding? If any of the local swimmers saw him, they'd be congratulating him on becoming a daddy within seconds.

'Where are you staying?' she asked. *And more importantly, when are you leaving?*

'Not sure yet,' said Nick. There was a pause, but Bel said nothing, so he took a deep breath. 'I was kind of hoping I could stay at your place.'

259

Bel shook her head. 'I don't think that would work. I've got Jenna and Cerys staying.'

'Right,' said Nick with a slow nod. 'Must be a really tight squeeze in your five-bedroomed house.'

Bel looked away. 'I'm sorry. I don't mean to be rude.'

'Don't you, Bel?' he asked, his voice dripping with sarcasm. 'It's fine. You've made your position really clear.'

'Why did you even come?' she asked, not able to meet his eye. Even if she couldn't see the hurt in his eyes, she could feel his pain. Or was it her pain?

'Because I wanted to see you,' he said. 'Because I've missed you, and I've thought about you every fucking day for six months. Exactly six months, to the day, since I left this place.'

I know, thought Bel. *I remembered that today too*. She opened her mouth but couldn't find the words.

'I promised myself I'd give it that long,' Nick continued, 'and if I was still crazy about you I'd come back and tell you. So here I am.' He shrugged helplessly, and half-smiled.

'So wait,' said Bel, suddenly confused. 'Did Maggie invite you or not?'

'No, actually,' said Nick. 'Nobody knew I was coming. I drove up last night and stayed in a hotel, then came over this morning and discovered there was a wedding.'

Now Bel was even more confused. 'So how come you're wearing a suit?'

Nick shrugged and sighed heavily. 'Because I drove straight to John Lewis in Norwich and bought the whole outfit. I thought looking the part might buy me some time before I went for the big declaration of love.'

'Right,' said Bel, refusing to acknowledge the L word. 'And how's that going for you right now?' *Might as well just burn everything down now. It saves time later.*

Nick gave a grim laugh. 'Pretty fucking badly, actually.'

Bel shook her head, trying to unravel the jumble of thoughts and feelings and get everything back under control. 'I'm sorry, Nick. I really think you should leave.'

'Yeah, I got that much,' he said, looking devastated. 'It was good to see you, Bel. You look great.'

So do you, thought Bel, as he turned on his heel and left the same way he'd come. She pressed her lips together and clutched her bump through the lining of her pockets, fighting back tears.

'Oh my God, Bel, I can't believe you just did that,' said Marie breathily, appearing from the doorway to the village hall kitchen.

'How much did you hear?' asked Bel. *Don't take it out on Marie*, she told herself. *It's not her fault.*

'All of it, obviously,' replied Marie. 'Are you fucking INSANE?'

'No, I'm not,' Bel spat. 'He basically just turned up after six fucking months to talk about his feelings. I've got enough on my plate without taking on Nick's emotional wellbeing.'

'He offered you his LOVE, Bel. The chance to NOT go this alone. To share it with someone really fucking amazing.'

Bel started to cry, fat tears pouring down her face. 'I tried that, and it almost killed me,' she sobbed. 'I literally nearly took my own life, the week before I finally got out. Laid out the pills and booze and everything.'

'Wait, what?' said Marie, reaching out to hold her arm. 'You've never told me that.'

Bel raked her hands through her hair and closed her eyes, glad of her sister's steadying presence as feelings battered her from all sides. 'I've never told anyone that,' she said, her voice sounding like it belonged to someone far away.

'Shit, Bel,' said Marie with a sigh. 'But Nick isn't Edward. You know that, right?'

'How would you know?' hissed Bel, pushing her away. 'You only met Edward once. He was really amazing too, until he wasn't.'

'But most men aren't like that, Bel,' she said quietly. 'What if Nick is one of the good guys?'

Bel shook her head. 'I can't take the risk. I don't NEED to take the risk. I can do this by myself.'

'I still think you're mad.'

Bel took a deep breath and wiped the tears from her face with the back of her hand. She'd need to find a mirror before the wedding, make sure her mascara wasn't halfway down her face. 'Well, I've made my decision. I don't want to talk about it any more.'

'Was that Nick I just saw driving off?' said Jenna, hurrying through the door to the village hall. Cerys had announced the day before that she'd like to be Maggie's bridesmaid, so Jenna had gone over to Maggie's house to drop her off.

'Yeah,' said Bel. 'I was just telling Marie that I don't want to talk about it.'

'Bollocks to that,' said Jenna. 'I need ALL the details. Did you see the car he's driving? Bloody massive, it was.'

Bel picked up a pork pie and pushed it into her mouth, feeling utterly miserable. The baby kicked, and for the first time in six months, she fleetingly wished that none of this had ever happened.

CHAPTER TWENTY-NINE

Bel stood on the beach in her swimsuit, thigh deep in the water. A bracing wind whipped down the beach, but she was too lost in her thoughts to notice. *What's hurting, today?* she asked herself. It was Christmas Eve and nobody else was on the beach other than a couple of dog walkers; she wouldn't go into the water alone, obviously. She just wanted to spend a few minutes letting the ice-cold knives make tiny cuts in her legs so the pain could drain away.

What's hurting, today? Edward, definitely. That pain had dulled at the edges over time, but it never truly went away. That kind of pain never did.

Nick, and the look on his face when she'd told him to leave.

Christmas lunch, and the fact that she hadn't gone food shopping yet. If she left it until half an hour before Lidl closed, she might pick up a few extra festive luxuries that had been marked down. Even the thought of elbowing her way into that fray was depressing. Maybe just get it out of the way, and forget the luxuries.

Nick, and what he'd said about being crazy about her. Just like the letter, she couldn't remember the exact words, which was upsetting in itself.

Maggie, and how happy she and Bill had looked at their wedding. Proper, starry-eyed lovesick bliss, the likes of which Bel couldn't even imagine. Her own wedding day had been spent in a state of high anxiety, worried that she'd somehow fail to meet Edward's expectations, not that he'd ever properly made those clear. And that was one of the high points of their relationship.

Presents, and the fact that she hadn't bought anything for anyone apart from Cerys. She and Jenna and Marie had agreed that was the priority, but she still felt sad about it. It was reasonable to assume she'd get nothing in return, which of course didn't matter, except when it did.

Nick, and how utterly fucking gorgeous and lovely he was. Should she have told him about the baby? No, absolutely not. Too complicated.

Jenna and Marie, and how sometimes she felt irrationally jealous and resentful about their happiness, even though they were the two people she cared about most in the world. She would never say this out loud to anyone, obviously. It made her sound like a terrible person.

The creeping suspicion that she was, in fact, a terrible person.

The fact that she'd never made peace with her mother before she died.

The fact that her mother had died alone.

The fact that her mother had lied to her and Marie for all those years, and denied them an extended family.

This baby, who was now the size of a rolling pin and would have proper toes and fingers and everything. But no grandmother. Or father.

War, disease, famine, climate change. Nick.

Bel took a few steps further so the water was up to her hips, then closed her eyes and took deep breaths. Breathe in for four, hold for four, breathe out for four, hold for four. It was called box breathing, and she'd learned it from one of the pregnancy yoga YouTube people. They probably wouldn't recommend doing it up to your arse in five-degree water in a biting wind, but whatever.

'Are you planning on getting in there alone?' shouted a voice. Bel jumped half out of her frozen skin. She turned her head to check, and sure enough, Nick was behind her, standing ten metres away on the edge of the sand.

'No,' she shouted, instinctively squatting down to hide her belly under the water, and gasping at the cold. 'I'm just relaxing and remembering to breathe, like you taught me.'

There was a short pause. 'I didn't leave,' called Nick.

Bel's heart was pounding, the panic rising in her chest. *Shit shit shit.* 'I can see that.'

'I thought I'd give it a few days, then try again. Can we talk?'

Bel shook her head, focusing on a container ship on the horizon. 'There's nothing to talk about, Nick. It's better for both of us that way.' *Leave. Just go now.*

'No, Bel,' he called firmly. 'I'm not leaving. I'm going to stand here until you come and talk to me. I can wait as long as you like.'

Bel sighed and shook her head, knowing that the game was up. She turned and waded towards Nick, watching his eyes search her face until she was close enough for them to scan down to her rounded belly. She touched it protectively, as if warning him to stay away. He looked back at her face, then back at her bump. His eyes widened as the penny finally dropped.

'Is that mine?' he asked when she was only a couple of

metres away, just her feet and ankles in the water. The question was bewildered rather than confrontational, and for a second Bel felt a mild thawing of the ice around her heart.

She shook her head. 'No, it's definitely mine.'

Nick took a couple of steps towards her, then stepped back as a tiny wave washed over the toes of his trainers. 'You know what I mean. Did I put it there?'

Bel nodded, walking over and grabbing her dryrobe from the sand, then wrestling it over her head. It was colder out than in and she had to cover up, even if it meant talking to Nick in something that looked like a Halloween costume.

He grabbed her bag from the sand and walked over to join her, his arms wrapped tightly across his chest. A different jacket from the one he was wearing the other day. This one was padded, like a black duvet. 'Were you planning to tell me?'

'No.' Bel shrugged. The time for bullshitting her way out of this was long past. Might as well be honest.

Nick gave a hollow laugh and shook his head. 'Why am I not surprised? When are you due?'

'Middle of March. Look, Nick. It was my decision to keep it, and that's why I didn't tell you. I don't want or need anything from you.'

Nick nodded thoughtfully, looking away towards the sand dunes. He was clean-shaven and beautiful, like he'd got up this morning and decided to make an effort.

'I get that,' he said. 'But why not tell me anyway, just out of respect?'

Bel looked away, a squirming feeling of shame in her belly.

'We were friends, Bel,' he said softly. 'Before what happened between us. Why wouldn't you tell me about this?'

'I don't know,' she said. 'I thought it would be easier not to. For both of us.'

Nick nodded. 'OK. But now I know. So can we talk about it?'

Bel pressed her lips together, the word *trust* bouncing around in her head. That's what this all came down to, in the end. *Do I trust him? Not to try to take control? To let me make my own decisions?*

Nick sighed and held out his hand. 'Can we at least walk back to your place? Your feet are going blue.'

Bel hesitated, then nodded, acknowledging that she no longer had any feeling in her toes. She gripped his warm hand for balance as she slid her wet feet into her trainers, then fell into step beside him as they walked towards the slipway. He squeezed her hand softly, then let go.

'Shit, I have so many questions,' he said. 'I don't know where to start. Are you OK? Like, health-wise?'

'I'm fine,' said Bel. 'And the baby is fine. We're both fine.'

'Do you know what you're having? Is it a girl or—'

'I don't know,' Bel interrupted. 'All I know is it's definitely a baby.'

'Wow,' said Nick, raking his hands through his hair. 'Fuck, this is huge.'

'It's not huge,' said Bel. 'It's actually the size of a rolling pin. Or a large leek.'

'Look, can I stay? Just for a few days? I won't ask anything of you, I promise. I'd just like to spend some time with you, get my head around this. I'll leave whenever you want me to.'

Bel thought for a second, realising how calm she felt in

Nick's company. Walking next to him was like putting on a familiar jumper. She'd forgotten about that. 'It's Christmas.'

'I know that,' said Nick. 'I'm asking if there's room at the inn for the lead singer of the Misanthropic Hermits.'

Bel laughed. 'Before you embark on the next leg of your world tour.'

Nick grinned. 'Exactly.'

Bel shook her head. 'Is there any point me saying no?'

'Not really. I'll just sleep in my car.'

She stopped and turned to face him. 'OK, you can stay, if it's OK with Marie and Jenna. But no fussing over me. I'm absolutely fine.'

'Agreed,' said Nick, nodding furiously. 'Do you want to swim? I can get in with you, if you like.'

Bel laughed. 'Really? How much sea swimming have you done since June?'

Nick blushed. 'Um, none, actually.'

'Well then you'll probably die, and that's more than I can handle right now.' They carried on through the car park towards the main road.

'Are you not opening the Coffee Hut?' asked Nick, glancing towards the shuttered beach hut at the end of the car park.

'On Christmas Eve? I think that would be ambitious, customer-wise. We're closed until New Year. And then just a couple of hours a day for a handful of swimmers and dog walkers. Maggie's taking a break to settle into married life, then she'll reopen properly at the beginning of March.'

'Wow,' said Nick. 'How are you guys making money?'

'With great difficulty. Marie is working at the King's Head – Dan's mum died back in August.'

'I'm sorry,' said Nick, pressing his hand over his mouth. 'Poor Dan. Was he with her at the end?'

Bel nodded. 'Yes, him and Pete. It was very peaceful, apparently.'

'That's good,' said Nick. 'What are you doing for money?'

'I'm working as a life model and selling my body on the streets of Moxham.'

Nick laughed softly. 'Any takers?'

'A few. I was making porn for a while, but now the belly gets in the way. Bit specialist.'

Nick laughed, a full-bellied cackle that showed his white teeth. He nudged her on the arm with his shoulder. 'I've missed you, you know.'

'So you said the other day,' said Bel, wishing he was less likeable, and less hot.

'Have you really not missed me at all?'

Bel shrugged. 'I missed our chats, and having someone around who's actually read a book. But I haven't been *wallowing* or anything.'

'No, God forbid,' he said. They reached the front door of Orchard House, and Nick suddenly looked doubtful. 'Are Marie and Jenna going to be OK about this?'

'That depends if they already know you're here,' said Bel with a nod at the black BMW X5 parked on the road by the gate. Nobody in Moxham had ever owned a car like that. 'Presumably that's yours, and one of them told you I was at the beach?'

Nick blushed. 'Shit, already busted,' he said. 'I'm crap at keeping secrets.'

Unlike me, thought Bel as the front door opened and

Marie, Jenna and Cerys appeared, their faces arranged into looks of fake surprise.

'Nick!' shouted Cerys, rushing forward to hug him.

'Save it, you lot. I already know you told him where I was.'

'Ah,' said Marie, giving Bel an apologetic glance. 'Sorry.'

'Bel's going to have a baby!' said Cerys. 'Oh wait,' she said, glancing at Jenna. 'Was that the one thing I wasn't supposed to tell him?'

'He knows that too,' said Bel. 'Just as well, really.'

'Shit, sorry,' whispered Jenna, hustling Cerys back into the house. They all headed into the warmth of the kitchen, Bel feeling suddenly exhausted.

'Nick's going to stay for a few days,' she said. 'Is everyone OK with that?'

'YES,' shouted Cerys, jumping up and down happily. Marie and Jenna smiled knowingly at each other, then nodded at Bel.

'I need tea and toast,' said Bel, hoisting her ungainly frame onto a stool. 'Then a shower, before I go to Yarmouth to brave Lidl.'

'I'll make it,' said Nick, grabbing the kettle. 'And then I'll take you to Yarmouth.'

'It's fine, I can go,' said Bel quickly. It was going to be bad enough without subjecting Nick to Norfolk's most deranged panic-buyers.

'My car's got heated seats,' he said, grabbing a tea bag from the box on the shelf. 'Just saying.'

Bel glanced at Jenna, who raised her eyebrows and grinned. Bel shook her head, wondering how six months after Nick had walked out of her life, he was suddenly back and it felt like no time had passed at all.

CHAPTER THIRTY

'This is a nice car,' said Bel, as Nick's BMW accelerated onto the dual carriageway towards Norwich.

'It's just a rental,' he said. 'I don't actually own a car.'

'Bit fancy, for a rental,' said Bel. She nestled into the heated seat, enjoying the cosy warmth but also feeling a bit like she'd wet herself.

'I have a cousin who works for a rental place,' Nick said airily. 'He did me a good deal.'

Bel nodded, conscious of how little she knew about Nick's family beyond his dead mother and a father in Kent. Which reminded her of a question that had been bugging her since he'd asked if he could stay. 'Why aren't you spending Christmas with your dad?'

Nick smiled and shook his head. 'He's got a lady friend called Jane, also widowed. They've gone on a festive Caribbean cruise. I wasn't invited.'

'Good for them,' said Bel.

'Separate cabins, obviously.'

'Obviously. They wouldn't want to rock the boat.'

Nick laughed, and Bel felt a glow of warmth that had nothing to do with the heated seats. Complexities of their situation aside, it was nice to be in Nick's company again, and him knowing about the baby removed the worry that he might find out by accident. He'd taken the news as well

272

as could be expected, and so far hadn't made any unreasonable demands.

But she was also aware that a bigger conversation was coming – that Nick wasn't just going to swan back out of her life with a wave and a smile after Christmas, and never contact her again. He may not be calling the shots, but he also wasn't running away.

'Left here,' said Bel, as the neon sign for Lidl came into view. The car park was busy, and Bel felt a weariness descend at the thought of all those trolleys and elbows. She should have tackled this sooner.

Nick turned off the engine and shuffled round to face her. 'What do you want, Bel?' he asked.

So we're having this conversation now, she thought, as a Lidl trolley dash became more appealing by the second. 'I don't know,' she said quietly. 'I wasn't expecting you to turn up like this, and it all feels a bit overwhelming, to be honest. I don't feel any differently about relationships than I did in the summer, so you're not going to find out I've taken the baby off travelling with some other guy, if that's what you're worried about.'

'No, I just—' said Nick, his brow furrowed with concern. Bel held up her hand to silence him – she'd started now, might as well finish.

'I made the decision to have this baby on my own,' she continued. 'Fully prepared to do it without any support from anyone. Financial, emotional, whatever. But you're here, and you're clearly not running for the hills, so if you want to be involved in some way, we can talk about it. I'm not saying no, but I'm not saying yes either. Let's get Christmas out of the way, then we'll talk, OK?'

'Sure,' said Nick, with a tiny smile. 'Which was sort of where I was coming from, because when I asked, "What do you want?", I was asking about what you want to buy. For Christmas dinner.'

'Oh,' said Bel, wishing the car would split in half, dissolve her in an acid bath and pour her mortified, liquified body down a manhole. 'Right.'

'Shall we try that again?' Bel could see he was trying not to laugh, and felt her cheeks burning even hotter than her bum.

'Yes, let's,' she said, brushing her hair out of her eyes and clearing her throat.

'So, what do you want?' he asked again, his face serious and oh-so very kissable right now, even if he was a smug twat.

'The usual, I guess,' she said. 'Pete and Dan and Maggie and Bill are coming over, so we're nine for Christmas lunch, including you.'

'I'm sorry I've messed with your table plan.'

Bel smiled. 'I'm sure we'll cope. So the usual – turkey, trimmings, something veggie for Marie, a couple of dessert options – Maggie and Bill are bringing cheese. I was going to make a trifle but I've been too knackered, so my plan was to see what Lidl has left, basically, and knock a nice lunch out of it.'

'And what if I threw a couple of hundred quid into the pot?' asked Nick. 'We could, I don't know, maybe go to Waitrose?'

'What's wrong with Lidl?' she asked, feeling the need to defend one of the only supermarkets that had made it possible to make her crappy budget work this year.

'There's nothing wrong with Lidl,' Nick said soothingly.

'But it's Christmas, and I thought maybe you might enjoy a trip to Waitrose instead.'

Bel's head spun at the thought of it – she'd driven past a huge Waitrose in Norwich a couple of times, but never been inside. The prospect of wide aisles, premium ingredients, soothing lighting and all that . . . *choice* made her feel a bit woozy.

'No,' she said firmly. 'It's too expensive, and we don't have the budget.'

'That's why I'm offering to pay,' he said.

'I appreciate it, but no,' said Bel. 'We've managed for nine months on Lidl and Tesco.'

'Right, but it's Christmas,' said Nick. 'I'm offering you the opportunity to buy the food you want, rather than the food you can afford. Let's call it my contribution to the festive season.'

Bel pressed her lips together, sorely tempted. 'It's too much,' she said.

'Do you really think that?' asked Nick with a smile. 'Or are you just being stubborn out of principle?'

'I really think that,' Bel lied. Principles were pretty much all she had left right now, and she wasn't prepared to sell out for a Waitrose luxury Christmas pudding, much as the idea made her feel vaguely aroused. Or was that being in such close proximity to Nick, who smelled divine? Her hormones were raging so hard these days it was hard to tell.

'Fine,' said Nick. 'Can we compromise on M&S?'

'That's not a compromise,' Bel laughed. 'I would say M&S and Waitrose are on the same level.'

'Really?' asked Nick. 'I'm not much of a gourmet, but I've always thought of Waitrose having the superior edge.'

'That's because you're a middle-class City boy wanker, and I'm a non-conformist New Age canal-boat hippy.'

'I can't argue with any of that,' Nick smiled. 'Fine, what's the compromise? I want Waitrose, you want Lidl. Where's the acceptable middle ground?'

Bel thought about it for a second, mentally sifting through all the stores she couldn't afford to shop at.

'Sainsbury's,' she said firmly. 'There's a big one in Thorpe. I'm willing to accept that.'

'Excellent,' said Nick, starting up the car again and asking it to navigate them to Sainsbury's in Thorpe.

'You're weirdly enjoying this, aren't you?' said Bel, as they rejoined the main road.

'Yep,' Nick said happily. 'I've spent Christmas with my dad for the past four years, and much as I love him, it's been bleak as fuck.'

'Don't you have any other family? Brothers or sisters?'

Nick shook his head. 'Only child. My mum always said that I was so perfect, she didn't see the need to go again.'

Bel mimed being sick, wondering if that was why Lily had got pregnant with Marie so quickly. Maybe the first attempt didn't quite live up to expectations.

'Well, I don't want to get your hopes up,' she said quickly. 'We don't have any exciting plans. Or even a TV, for that matter.'

'Then we'll buy some board games at Sainsbury's.'

'Board games?' laughed Bel. 'You want *board games*?'

'Sure, why not,' he said. 'None of us have our own Christmas traditions that we're desperate to hang on to. It's Maggie and Bill's first Christmas together, same for Marie and Jenna. Pete and Dan's first without Helen. The first time you and Marie have spent Christmas together in . . . how long?'

'God, I can't remember,' said Bel. 'Since we were fifteen or sixteen, probably.'

'Exactly. We're all starting from scratch, so we can break all the rules and do it any way we like. Do you actually even like turkey?'

'Nobody likes turkey,' said Bel. 'It's dry and horrible.'

'Great, then fuck turkey,' said Nick. 'Let's have fish, or a massive buffet, or whatever you and your baby actually want.' He glanced at her, clearly wanting her to register the 'your baby'. He understood why control over this situation mattered to her, and for a tiny, fleeting moment, she loved him for it.

'A buffet sounds great,' said Bel. 'We can get loads of nice stuff for the price of a turkey, and I don't have to spend all morning cooking.'

'Good,' he said. 'Can we still get a trifle? I love trifle.'

'Yeah,' she laughed. 'In fact, we'll get the ingredients and I'll make you the best trifle you've ever had.'

'Now you're talking,' said Nick, then reached over to turn on the radio. It was inevitably playing 'All I Want For Christmas Is You', and for the first time in her adult life, Bel could kind of see where Mariah Carey was coming from.

CHAPTER THIRTY-ONE

'This feels a bit different from last year,' said Marie, handing Bel a glass of alcohol-free prosecco. They both watched the happy chatter around the dinner table in the flicker of white candles jammed into empty wine bottles. Christmas dinner had been reduced to a sea of empty plates and makeshift serving dishes, scattered with discarded serviettes and paper hats. Bel had laid out the food with Jenna's help, and now it was everybody else's job to clear up. Which was just as well, since she'd been on her feet all morning and was absolutely knackered.

'Yeah,' said Bel. 'Where were you? This time last year.'

Marie thought about it for a moment. 'Crete,' she said. 'In the dog shelter. So most of the day was the same as all the other days – feeding, hosing down the pens, scooping up shit. But in the evening on Christmas Day we all had dinner in a taverna that belonged to the brother of one of the volunteers. They opened it just for us.'

'Nice,' said Bel. 'How did you manage to work at a dog shelter and not come back with a sad dog?'

'I probably would have done, but I had to leave at short notice when Lily died.'

'Oh yeah,' said Bel. 'I remember now. You were going to ask her if you could move onto the boat.'

'Felt like the right moment. You can only bum around for so long.'

'And how are you finding living in one place?' asked Bel, turning to look at Marie. She'd pushed her hair back with an Alice band with sparkly stars on it, a Christmas present from Cerys. With the soft light from the candles on her makeup-free face, she looked about fifteen. Bel felt a rush of affection for her sister that still took her by surprise every time.

'I really like it,' said Marie. 'It's nice to have somewhere to come home to, you know?'

'Being home has nothing to do with owning a house,' said Bel grimly. 'I had a home once, but it was the most miserable place I've ever lived.'

Marie reached out and took her hand. 'I know. But look at this, all these people round our dinner table. Nine months ago we didn't know any of them.'

Bel smiled and squeezed Marie's hand. 'Not strictly true. I knew Jenna and Cerys.'

'OK, whatever. I didn't know any of them. And now they're part of our family.'

'Yeah,' said Bel, glancing at Nick. 'I guess they are, whether we like it or not.'

Marie shook her head and rolled her eyes, then levered herself out of the chair to help Jenna clear the plates.

'Oh my God, I can barely move,' said Dan, plonking down in the empty chair on the other side of Bel. It had previously been occupied by Bill, but he'd popped out to collect Poppy the dog before dessert was served. Apparently she was camped on the front doorstep of one of the houses she regularly frequented for snacks and love in the village, but the owners had a family member staying who was allergic to dogs. By the time the villager had phoned Maggie, Poppy was pawing at the door in an outraged fashion, and no amount of shoo-ing would persuade her to leave.

'How's your dad?' asked Bel, glancing across the table at Pete, who was laughing at a story Marie and Jenna were telling. It was one Bel had heard before, about a bike expedition up the coast road where Jenna had somehow toppled into a muddy ditch and had to be rescued by some passing Lycra-clad cyclists. Apparently Marie had said, 'My friend has fallen in the ditch,' and one of them had said, 'That's not a ditch, it's a dyke,' and Cerys had yelled in outrage that he was very rude and the correct word was *lesbian*, actually. Bel was pretty sure the story had been heavily embellished along the way, but Pete seemed to be enjoying it.

'He's OK,' said Dan. 'First Christmas without Mum is tough for him, but this has helped a lot.' Bel had been worried about the varying levels of joy around the table – Marie and Jenna excited about their future together, Maggie and Bill being ecstatic newlyweds, and then poor Pete and Dan battling through their first Christmas without Helen. But actually they'd both been on good form, and Cerys's excitement had brought everyone together. Right now she and Nick were racing a couple of wind-up snowmen from the Christmas crackers along the edge of the table, both of them cheering them along in fits of laughter. It made Bel realise how rarely she'd seen him laugh like that, and how incredibly sexy it was. *Focus, Bel. Bad relationship choices are for life, not just for Christmas.*

'How are you getting on without Liv?' she asked.

Dan shrugged. 'I'm OK, I s'pose. I miss her, obviously. But it wasn't going to work out, so what can you do?'

'Isn't working together a bit problematic, now you're not a couple?'

'Yeah. That's actually the worst bit. Dagger stares over the coffee machine.'

'It's the worst bit for you,' said Bel with a wry smile. 'For Liv, it's no longer having access to your nine-inch penis.'

The conversation around the table lulled just as Bel said the final four words, bringing the table to a standstill.

'Oops,' said Bel with a grin.

'I'm sorry, what the hell?' said Jenna, covering Cerys's ears with both hands. 'Nine inches?'

'Jesus,' muttered Dan, pinching the bridge of his nose with his thumb and forefinger.

'We learned about inches in school,' said Cerys. 'Nine inches is twenty-three centimetres.'

'That makes it sound even bigger,' laughed Marie.

'I don't think this conversation is appropriate,' Maggie said disapprovingly. 'Dan, don't let them get a rise out of you.'

Dan shook his head and covered his face with his hands as the table dissolved into laughter around him, aside from a confused Maggie saying, 'Oh, for goodness' sake, you're worse than children,' and Cerys laughing along but having no idea why.

'Sorry,' said Bel, wiping tears off her cheeks. 'You shouldn't have told me.'

'Believe me, I'll never tell you anything again,' said Dan with a smile.

'Oh, come on,' she laughed, nudging him with her elbow. 'It's Christmas.'

'It's been really nice,' said Dan. 'The food was amazing.'

'You need to thank Nick for that,' said Bel, forcing herself not to look across the table at him. They'd be eating fancy leftovers for the rest of the week, but that was fine by Bel.

'Nick is definitely my kind of guy,' said Dan. 'Shame you don't feel the same way.'

'Don't,' said Bel, giving him a bleak look. 'Please, Dan. Not today.'

He shrugged and swiftly changed the subject. 'So what do I do next? What's my Liv rehabilitation plan?'

Bel smiled. 'I'd say there are plenty more fish in the sea, but that would be a lie. Around here, anyway.'

'This is true. Fish stocks are very low. I blame Brexit.'

She turned and gave him a penetrating look. 'You need to be somewhere else, Dan. You're never going to find your dreams here.'

He laughed awkwardly. 'Shit. Are you trying to get rid of me?'

'God, no,' said Bel sadly. 'I love you to bits, we all do. You're part of the story of this house, and this mad year. But your mum's gone, and your dad is rebuilding his life. You need to focus on you. Give yourself a chance.'

Dan stared at his hands. 'Where would I go?' he asked bleakly.

'Seriously?' laughed Bel. 'You're a good-looking, educated white man with professional qualifications coming out of your ears. The world is your oyster, my friend.'

'Yeah. I suppose it is.'

Bel watched him for a moment, so young and smart and full of potential, but scared to take the next step. 'The thing is,' she said. 'I spent years refusing to let go of the past, dragging this fucking huge backpack of sadness and hurt and anger around with me. It's exhausting.'

Dan smiled softly. 'But then you came here.'

'But then I came here. And bit by bit, I'm letting it go. It's given me a new perspective, I guess.'

'On what?'

Bel shrugged. 'All kinds of things. My shitty marriage, my relationship with my family, my childhood, my career choices, my tendency to use casual sex as an anaesthetic.' Who had made her realise she did that? It was Nick, outside his tent back in May. *Not everyone uses sex to deal with pain, Bel.*

'Christ,' muttered Dan. 'All the hits.'

'Every single one.'

'You're pretty amazing, you know that?'

'I did not,' said Bel, feeling her cheeks flush. 'Because you're the first person who's ever told me that.'

'The first,' he said, his eyes wide. 'Really?'

'Well,' said Bel, the flush creeping down her neck. 'Maybe the second.'

'Can I guess who the first was?' Dan grinned and glanced at Nick, who was now being mustered into the kitchen by Maggie, who was saying something about helping her with a cheese board. Bel briefly wondered if he had the smallest idea how to put together a cheese board, then decided nobody would give a shit if the Brie wasn't room temperature and he forgot the Stilton.

'No, you can't,' she said firmly. 'Just promise me you'll think about what I said.'

Dan nodded. 'Fine. I'll think about it. But in return, I want you to think about something.'

Bel sighed and rolled her eyes. 'Go on.'

'You said just now I should give myself a chance. But the same applies to you, and while you're at it, you should give Nick a chance too. He's the best guy you'll ever know.'

'Yeah, but he doesn't have a nine-inch dick, Dan. It will always feel like something's missing.'

Dan laughed. 'Don't think I can't see you using your twisted sense of humour as a way to deflect attention from the serious conversation we're having.'

'Shit,' she muttered. 'Bloody lawyers. Don't miss a thing.'

Dan gathered up a few plates and leaned over and kissed her cheek. 'Thanks, Bel. And Merry Christmas. You're the best, you know that?'

Bel smiled and watched him walk away, not noticing Nick approaching from behind until he was leaning down with his mouth just an inch or two from her ear. 'He's right, you know,' he whispered, before heading back to the kitchen, leaving Bel feeling hotter than the flaming Christmas pudding Maggie had just placed on the table.

CHAPTER THIRTY-TWO

This, thought Bel, closing her eyes against the milky sunlight. *This is what being alive really feels like.* She spread her arms wide and relaxed, enjoying the feeling of natural buoyancy. She'd never previously had the assets for buoyancy; that was Marie's department. But now her swollen boobs and rounded belly made her bob on the surface like a human cork.

Breathe, she reminded herself, letting the back of her head sink below the waterline and hearing the sound of her long, slow breaths echoing in her ears, like Darth Vader. She tried to tune in to different areas of her body, the same way the woman on the pregnancy yoga YouTube thing had suggested, slowly letting her attention drift to the specific feeling in her toes. Numb, mostly, and cold from the breeze on the surface of the water, but she could still wiggle them. Next, her fingers. Pretty much no feeling at all in the tips, now she thought about it. She imagined the blood rushing around her heart and liver and kidneys, trying to stop them from turning into tiny offal icebergs. Tuning in to her feet and ankles felt too complicated, so she went back to focusing on her breathing, letting it slow and synchronise with the gentle up and down motion of the water. After weeks of bitter winds whipping across the surface of the water, today the sea was flat and still. Yes, it was New Year's Eve, and yes, she should probably be making lists or something, but who knew when she'd get another day like this?

She should get out soon, before she got too cold. But there was something so irresistible about being this alone and this relaxed. For a brief and blissful moment, nothing hurt.

'JESUS FUCKING CHRIST, BEL,' yelled a voice, snapping her upright in a chaos of splashing and flailing limbs. Nick was beside her in waist-deep water, fully dressed in jeans and a cream jumper. 'I thought you were DEAD,' he seethed, gasping from the cold.

'Why would you think I was dead?' asked Bel. She might be shorter than Nick but she could still stand up here, so she was hardly being sucked out to sea.

'I called you about eight times,' said Nick through chattering teeth. 'And you didn't reply, you just LAY THERE LIKE A DEAD PERSON. So in the end I had to GET IN to rescue you, and then I find you SMILING like you're on a fucking sunbed in the Caribbean. CHRIST, it's cold in here.'

Bel started to laugh. 'Shit. You must be frozen.'

'I'm actually dying,' said Nick, shivering uncontrollably. 'Can we get out, please?'

Bel nodded and started to half-wade, half-swim back towards the shore, torn between guilt, amusement and a little bit of pleasure that Nick had cared enough to brave freezing water to rescue her. And in denim and wool too, which were just about the worst fabrics on the planet for getting wet.

'What were you doing out there?' he asked, gasping through the cold.

'Meditating,' she said, glancing at Nick's chunky knit jumper, which was now so heavy with freezing water it was dragging down towards his knees. 'It's part of my pregnancy yoga plan.'

'Right,' muttered Nick. 'Thank you for teaching me corpse pose.'

Bel snorted with laughter as they scrambled up the beach towards her towel and Nick's hastily discarded boots. The air was still but frigid, a light mist hanging over the beach. 'I'm really sorry.'

'Well, at least you're still alive,' Nick said, hugging himself for warmth. 'Fuck, these clothes are actually freezing to my body.' He yanked off his jumper and T-shirt and attempted to wring them out, goosebumps immediately covering his pale arms and torso.

'Why didn't you take your jeans off before you got in the water?'

'Because I thought you were DEAD, remember? And also I'm not wearing any underwear.'

Bel raised her eyebrows as she towelled off her face. 'Is that a normal thing for you?'

'Yeah,' replied Nick. 'I prefer commando.'

'Wow. I didn't know that.'

Nick half-smiled, trying to wrestle his arms into his padded coat, his skin sticking to the damp polyester. 'Why would you?' he gasped, his teeth still chattering. 'We pretty much skipped the undressing bit.'

'That's true,' said Bel, trying not to blush at the memory of Nick's hard, mostly naked body as she crawled into the tent, so very ready for her. 'Look, stop. You can't walk back in wet jeans. Take them off and use my dryrobe.'

Nick glanced doubtfully at the warm, fleece-lined robe in Bel's hand. 'What are you going to wear?'

Bel shrugged. 'I can wrap a towel around my waist and wear your coat. Also I'm a hardy winter bitch, whereas you are a delicate summer flower. Come on. Get them off.'

Nick hesitated, then quickly undid the buttons on his jeans. 'I'm not even sure I can get them off. I think they might have frozen to my legs. Don't look.'

Bel laughed. 'Is there likely to be anything to see?'

'Right now, absolutely not,' grinned Nick, yanking his jeans off one leg as he hopped around so his bare backside was facing Bel. It was so white her eyes actually hurt, the remnants of his summer shorts line still visible on his thighs. *A nice bum, though.*

'Oh shit,' gasped Nick, trying to hold his balance as a large group of chattering women appeared at the top of the slipway. 'Fuck,' he hissed, hopping back round so he faced Bel. She covered her mouth with her hand, dissolving into helpless laughter.

'Who the hell are they?' he asked, hopping in circles as the group got closer. 'Bollocks, I'm stuck.'

'I have no idea,' said Bel, laughing so hard she could barely breathe. 'New Year's Eve swimmers, by the look of it. Isn't that Caroline?'

'Jesus. Help me out here, will you?' pleaded Nick, holding out a leg in desperation.

Bel kneeled down in front of him and pulled on the wet leg of his jeans, trying not to look at the purple, shrivelled man-tackle flapping in her face. It definitely hadn't looked that sad last time she'd seen it.

'Are you OK, Nick?' asked Caroline, as she stopped on the sand a few metres away, surrounded by gaping women. 'Can we help?'

'I'm fine,' shouted Nick gamely, still hopping on one leg, his hands cupped over his privates. 'Everything is totally under control.' Bel gave the denim a final tug, yanking it free from his foot along with his wet sock. He rocketed backwards, landing flat on his back on the sand.

'You should put some clothes on,' called Caroline as the women all stared at him, boggle-eyed. 'You'll catch your death.'

Bel hurried over and handed Nick the dryrobe as he hastily scrambled to his feet, still wearing one sock. 'Unbelievable,' he muttered, wrestling his head through it. 'This is all your fault, you know.'

'A perfect way to end the year,' laughed Bel. 'Getting your cock out on Moxham beach.' Nick caught her eye and broke into a grin, both of them dissolving into howling laughter until they were kneeling on the sand with tears streaming down their faces.

'Come here,' said Nick, pulling her into a hug. Bel let herself give in to the solid warmth of him for a minute, already wondering whether letting him back in to her life was the best or worst decision she'd ever made.

'So how long is he staying?' whispered Marie, finding Bel washing up after lunch. She picked up a tea towel and vaguely wafted it in the direction of a wet plate, but without any real enthusiasm. 'Do you know?'

'What do you care?' Bel snapped, resenting Marie for always knowing what was going on in her head.

'I'm just asking,' Marie snorted. 'You don't need to be so spiky.'

'I don't know how long he's staying. We haven't talked about it.'

'Right. Don't you think you SHOULD talk to him?'

Bel sighed and dropped the pan she was washing into the sink, then turned to face her sister. 'Would you like me to ask him to leave? Is he cramping your style?'

'That's not what I'm saying,' Marie replied airily. 'Stop deflecting because you don't want to answer the question.'

Bel swallowed down a sudden wave of tears and took a deep breath. 'Sorry, I'm just tired.'

Marie nodded. 'Physically, or emotionally?'

'Both. This bloody baby is kicking the shit out of me today, and it's giving me indigestion.'

'You ate a whole pack of Liquorice Allsorts earlier,' laughed Marie, still lazily wiping the same plate. 'Maybe that's giving you indigestion?'

'They're my craving,' replied Bel with a smile. 'And they make me shit more easily.'

Marie recoiled in horror. 'Jesus, Bel. Really?'

Bel shrugged. 'You did ask.'

'Not about your bowel movements. I asked about Nick. Whether he's staying.'

'I have no further information than when you last asked me, two minutes ago. Maybe you should ask him? Or get Mags to look in her crystal ball?'

'Fuck that,' said Marie. 'This is the elephant in YOUR room.'

'The elephant in my WOMB, more like. There's no room for anyone else in my bed.'

'Right. So you and Nick, you're not an item again?'

Bel laughed. 'We were never an item before, Mar. We shagged once, hardly Cathy and Heathcliff.'

'Who?'

'God, you're such a philistine.'

'Whatever. Quite a monumental shag, though.'

'Yes, I know that. Thanks for reminding me.'

'I'm just saying,' Marie persisted. 'You seemed to get on really well over Christmas.'

Bel thought about the past week – how nice it had been to have Nick around, how easy he was as a houseguest. He'd happily accepted the offer of a spare mattress by the Christmas tree in the Grotto, and if he'd been alarmed by the prospect of sleeping in a room that looked like Santa's rave cave, he hadn't said anything. He'd helped her with the shopping, done his share of washing-up and laundry, and made an extra fuss of Cerys, who clearly had a tween crush the size of Lapland.

'We did get on,' Bel said. 'We still do. But that doesn't mean it's anything more than that.' She reminded herself that he was just a guy she'd had sex with in the summer, nothing more. They barely knew each other, and the fact that she was pregnant with his child didn't change her reluctance to get sucked into any kind of relationship. Not that some sex wouldn't be nice, mind. Her hormones were off the scale, and when she wasn't thinking about Dan's enormous penis, she was considering courgettes from an entirely new perspective.

'OK,' said Marie, finally finishing the plate and picking up another one. 'But now your baby daddy is in residence, and Jenna and Cerys have to go back to Bristol this

291

weekend, and traditionally there's a snogging opportunity at midnight tonight, so I'm just checking whether it's my turn to be the spare wheel.'

'You won't be a spare wheel,' Bel replied emphatically. 'I'll be asleep by ten, I'm knackered. And Nick and I made a baby, not a lifelong commitment.'

Marie pulled a face. 'Fuck, that's so depressing.'

Bel wafted her away with a rubber-gloved hand. 'Well, tough shit. I'll ask him how long he's staying, if it makes you feel better.'

'I don't care either way,' said Marie. 'But I thought it might make YOU feel better to know what his plans are.'

Bel looked unconvinced. 'Since when were you an expert in what makes me feel better?'

Marie shook her head. 'Since we were kids, Bel. I was always the one who wanted to make you feel better. You've just conveniently forgotten.'

Bel looked at her for a long moment, remembering all the times she'd felt rejected or bullied or hurt as a child, and how Marie had never been far away. Over the years she'd made Marie the cause of the pain, but perhaps that was an element of revisionism on her part.

'I'm still not the enemy, Bel,' Marie said softly. 'Never have been.'

'Then who is?' asked Bel, only half joking. 'If I can't blame you for everything that's shit in my life, whose fault is it?'

Marie laughed. 'You're a fucking awful human being. But I love you anyway.'

Bel snorted and looked at Marie, knowing she was joking. Marie would never say something like that.

'No, really,' said Marie. 'This is going to be a massive year for you, and I want you to know that I'm your sister and I love you. I've got your back, OK? We all have.'

Bel's jaw dropped as she tried to process what Marie had just said. Nobody in her family had EVER said those words – not even Lily. The Grey women didn't do love. They barely managed like, most days.

'Wow,' said Bel, blinking back tears. 'I don't know what to say.'

'Try saying nothing,' said Marie, picking up a third plate. 'For the first time in your life.'

'Fine.' Bel plunged her hands back into the soapy water. 'But seriously, though, can you dry up a bit faster?'

Marie laughed, a full-bodied cackle that Bel hadn't heard in years. 'Fuck you, Bel.'

'Fuck you too, Marie,' said Bel cheerfully, tentatively considering the possibility that maybe everything was going to be OK after all.

CHAPTER THIRTY-THREE

New Year's Eve dinner was a simple affair cooked by Marie and Maggie, with nobody wanting to make a big fuss about counting down to midnight. Everyone said their Happy New Years and drifted off after dinner, so Bel decided it was a good opportunity to bite the bullet and speak to Nick. He'd settled back into Orchard House like he'd never left, and Bel was still in two minds about how she felt about it. What if she became dependent on him, then he left? Or even worse – what if she didn't become dependent on him, and he didn't leave?

She found him in his room, sitting on his mattress with his back against the wall. Reading a paperback, but Bel couldn't see what it was in the rainbow glare of the Christmas tree lights. They really were quite offensive, but at least he didn't need a bedside lamp.

'Hi,' she said, leaning against the doorframe. The light cast flickering shadows across his face, making him look more handsome than ever. Bel shivered, but not from cold – since Lily's estate was still paying the bills, they had the heating cranked up through the whole house.

'How are you feeling?' asked Nick, giving her a soft smile.

'Tired,' said Bel. 'And my back hurts. She won't stop kicking.'

Nick's brow furrowed. 'How do you know it's a girl?'

'I don't,' she said with a shrug. 'But there's a fifty per cent chance, I guess. Ow.' She clutched her belly where the baby had just kicked.

'Can I?' said Nick, reaching out his hand.

Bel hesitated for a moment, wondering if she should let him. But she rationalised that this baby wasn't going to appear for another ten weeks, and Nick had more claim on it than most. She walked over to his bed and turned to sit down, clenching her backside in case she let out a tiny fart in the process. It happened a lot these days.

'Sit here,' said Nick, opening his legs and patting the space between them. 'Then you can lean back and relax.'

Bel hesitated again, but felt too tired to resist, and the idea of it was undeniably lovely. She sat facing the same way as Nick, wriggling between his legs so her back was against his chest, her head resting on his shoulder. He smelled heavenly, and she wondered if he'd notice if she surreptitiously sniffed his neck.

'Where's the best place?' asked Nick, holding out his hands.

'Here,' said Bel, lifting up her jumper and placing one hand on either side of her bump. His hands were warm and huge compared to hers. 'She doesn't kick to order, so you'll just have to be patient.' She relaxed into him, letting his solid warmth steady her and hoping he didn't notice the goosebumps on her bare skin. This wasn't *erotic*, as such, more . . . comforting, really. OK, maybe a BIT erotic. Nobody had touched her bare skin below the neck since . . . well, since Nick.

'What would you like to talk about while we're waiting?' he asked softly.

Bel smiled. 'Do we have to talk about anything? In the immortal words of Márquez, is it not enough for you and I to exist at this moment?'

Nick laughed. 'Well, actually, I wanted to ask how you felt about me staying for a while.'

Bel took a deep breath, wondering if he knew that was why she'd come to his room in the first place. The heat from his chest radiated into her back, and a wave of weariness washed over her.

'In what capacity?'

Bel heard Nick swallow. 'Just as a houseguest, I guess. Someone who enjoys your company and has a vested interest in your wellbeing.'

'Hmm,' said Bel, idly wondering if having a pregnant woman between his legs was even vaguely arousing for him. Probably not, all things considered. 'Don't you have Nomad stuff to do?'

'They take a break in January. The weather is too unpredictable to commit to a project. But if I'm here, I could finish off the other bedrooms. Do all the odd jobs. Fix the doorbell.'

Bel nodded but said nothing, pushing this idea around in her brain.

'I'll go whenever you want me to, Bel,' he said quietly. 'Just tell me when you've had enough.'

She was still thinking about how to respond when the baby gave an almighty kick and Nick gasped.

'Wow. I really felt that.' He moved his hands to the place where the kick had come from, and laughed as another came, then another.

'She's busy,' said Bel with a smile.

'Really? Does she kick a lot?'

Bel nodded. 'Apart from when I'm swimming. Then she chills out and just bobs about with me. I think she likes it.' She leaned forward as if to go, but Nick put a hand on her back.

'No,' he said. 'Stay. Just for a minute. Please.'

Bel hesitated, then relaxed back into him again, feeling an inexplicable urge to cry. He was being so . . . NICE, and she couldn't handle nice. Nice men couldn't be trusted, because the real version was always lurking somewhere underneath.

'What hurts?' he asked.

'What do you mean?' replied Bel, her senses suddenly on high alert. It was the question she asked herself every day when she stood in the sea, laying her soul bare to the elements. How much did Nick know about that?

'Like, is there anything I can do to make you more comfortable? Foot massage, back massage, drive you places you need to be, that sort of thing?'

Bel laughed softly. 'I hate my feet being touched. Even when I could afford a pedicure, I still did it myself. If you touch my feet, I will freak out.'

'Noted. No foot-touching.'

'I actually feel pretty good. Apart from feeling tired all the time. And my new boobs, which are agony.'

'They're definitely different,' said Nick, and Bel could hear the smile in his voice. 'Although personally I didn't have a problem with the old ones.'

Bel shook her head, torn between enjoying the gentle flirting and needing to keep a hold on things before she made a fool of herself. 'I'm still OK to drive too. Although your car is nicer than mine.'

'I can renew the rental for as long as we need it.'

Bel registered the 'we' and wondered, not for the first time, exactly how much money Nick had. He hadn't had a proper job in five years, so he must be living off something.

'My mum left me some money,' he said. 'I wasn't sure what to do with it, but now I think I'll put it aside for the baby. In case you ever need it.'

'I'll be fine,' said Bel, hating the idea of him thinking she couldn't support their child, even though right now she had no idea how she was actually going to do that. 'Don't YOU need it?'

'No,' said Nick, without elaborating further.

'I'm all sorted for baby stuff,' she said quickly. 'Marie has got everything we need second-hand. I don't want new.'

'That's fine by me,' said Nick mildly, gasping delightedly as the baby kicked again. 'I'm totally on board with second-hand. But if there's anything else . . .'

'I'll let you know, I promise.' By way of deflection, she reached out and grabbed the book he'd been reading, then flipped it over to look at the cover. It was called *The Expectant Dad's Survival Guide*.

'I thought it might be useful,' said Nick, sounding unsure. 'Although I now know what an episiotomy is, which will give me nightmares forever.'

'You're ahead of me,' said Bel, riffling through the pages. 'I haven't read any books and have no idea what an epeezy-whatsit is. Do I WANT to know?'

'Fuck no. You can definitely have too much information. What about a hospital, though? Can you go private?'

Bel snorted with laughter. 'We're in darkest Norfolk,

Nick, not LA. Maggie says the hospital in Yarmouth is fine; she worked there as a midwife for years.'

'Aren't you supposed to do a visit or something?' asked Nick, with the authority of a man who'd made it as far as the chapter about preparing for labour.

'Not for a few more weeks,' she muttered. The truth was she didn't like hospitals – growing up in the boat community, babies had usually been born on board, brought into the world by local midwives and other members of the community. Maybe it was rose-tinted glasses, but all her memories were of euphoric mothers and newborn babies still crusty with blood and mucus, wrapped up in colourful blankets and warming in front of the log burner. No beeping machines or smell of antiseptic. She'd much rather give birth at home.

'Maggie told me you'd asked about a home birth,' said Nick. Seriously, how did he and Marie do this? Was nothing in her head private?

'Not an option, apparently,' she said glumly. 'For a first baby, I have to go to hospital.'

'Better safe than sorry, though,' replied Nick. 'It's not like there's medical help round the corner.'

This was undeniably true – she'd had the choice of two maternity units, one in Norwich, and one in Yarmouth. Both were a forty-minute drive away, which was hardly ideal if there was an emergency. She'd picked Yarmouth, on Maggie's recommendation.

'I need to get some sleep,' she said. 'I'm shattered.'

'You want me to get you anything? Glass of water, run you a bath?'

'I'm fine, thanks,' said Bel softly, wishing he could just

be a tiny bit more of an arsehole, thereby making this decision easier. Nick took the hint and gently helped her forward so she could stand up. He stayed where he was, observing her carefully.

'You can stay,' said Bel, her nerves jangling. 'For a while, anyway. Let's see how we go.'

'Thanks,' said Nick. 'Can we do bump time again?'

Bel nodded, noting the fizzing feeling in her stomach. Anxiety, desire or indigestion? It was hard to tell these days, but she should probably go to the loo anyway.

CHAPTER THIRTY-FOUR

January

'I'd like to call a meeting,' announced Marie over breakfast a few weeks later. It was nearing the end of January, and the weather was colder than at any other time in their stay in Moxham. No snow yet, but according to Maggie that hardly ever happened on the Norfolk coast. Instead there was a bitter, icy chill in the air. Even the sand on the beach had a frosty crust in the morning, the sea temperature down to three or four degrees. It would stay under five degrees in the mornings until March, then hopefully start to warm up again.

'A meeting for who?' asked Bel, glancing at Nick and wondering if she was about to be ambushed.

'For us. The three of us. And Maggie.'

Bel shrugged, wondering what Marie was up to. 'OK. When?'

'Now. Maggie's on her way over, she'll be here in a minute.' As if on cue, the back door opened and Maggie burst in, trailing her usual collection of beads and scarves.

'Morning!' she said brightly, plonking herself down at the table. Bel glanced at Nick, resisting the temptation to roll her eyes. He raised his eyebrows and stood up to make Maggie a cup of tea.

'I wanted to talk about what happens when our year

here is up,' said Marie, who didn't believe in beating around the bush.

'I thought we were going to sell this place,' said Bel, her brow furrowing. With Nick's hard work, the two remaining bedrooms were finished and he was starting to do odd jobs downstairs. The Grotto had been stripped of its festive decor and was now a freshly painted lounge, still with no furniture, although Marie was on the case and everyone still called it The Grotto. Now various cupboard handles and wonky shelves in the kitchen were miraculously getting fixed, and the doorbell worked again. Marie was trying to source a new shower for the boot room, as the one in there still couldn't distinguish between hot and cold and every shower was a naked lottery.

'I know that's what we talked about,' said Marie. 'But in case you've forgotten, you've got a baby due in March. Where are you going to go, exactly?'

'I hadn't thought about it,' lied Bel, who'd spent a lot of time thinking about it in the early hours when the baby was hoofing her major organs and she couldn't sleep.

'Well, it's only seven weeks away, so maybe you SHOULD think about it,' said Marie.

The truth was it was easier not to. Back to Bristol was the obvious option, but then what? She'd be a single mum with a bit of money in the bank, but no job or long-term prospects. It all felt too huge and terrifying, so she'd been brushing it under the rug as something to worry about later.

'What about you?' Bel asked Marie, deploying her usual deflection plan. 'What are you going to do?'

'I'd like to stay in Moxham. I really like it here. Maggie has offered me and Jenna her cottage to rent.'

Bel looked at Marie, then Maggie, who flushed red. She turned to Nick, who shook his head. This was also news to him, clearly.

'What, Jenna's moving up here?'

Marie nodded happily. 'We both like it. She's going to see out the school year in Bristol, then move here over the summer. Apply for a job at one of the local primary schools, or work as a supply teacher.'

'Wow,' said Bel. 'I mean, I'm delighted for you, but . . .'

'I've been offered a full-time job as Manager at the pub. Proper salary and benefits, everything.'

'Shit. Why didn't you tell me?'

Marie shrugged. 'I'm telling you now, it's why I called this meeting. Pete and I only talked about it last week, so I've been going through the details with Jenna and Maggie and seeing if we could make it work. We've decided that's what we want to do, if it's OK with you.'

'Why would you need my permission?' snapped Bel.

Marie sighed. 'Because it impacts you. Whether we sell this place or not, I'll be moving out.'

'Of course we have to sell this place,' said Bel. 'In eight weeks Lily's estate stops paying the bills. We've got about two grand to our names, plus a few hundred quid in a bis-cuit tin. That doesn't even cover a year's council tax.'

'Not without making this house pay, no,' said Maggie, a glint in her eye.

'What do you mean?' said Bel.

'You could run it as a B&B,' said Maggie. 'Like your grandmother did.'

'Why would I do that?'

'Because it's what you do best,' said Marie, like this was

303

the most obvious thing in the world. 'Feed people, make them welcome.'

'Since when?' laughed Bel. 'I generally hate people, and people hate me.'

'That's not true,' said Nick softly. 'I quite like you.'

'And anyway,' said Maggie. 'Maybe you could focus on a certain type of person.'

'Like who?' asked Bel.

'You could run it as a retreat. For women.'

Bel looked between them all, wondering how much this had all been discussed in her absence and trying not to be furious about it.

'What do you mean? What kind of women?'

'Women who need a break,' said Maggie, reaching out to cover Bel's hand with her own. She was wearing green fingerless gloves, her nails painted scarlet. 'For whatever reason. To swim, or walk, or just get their head together.'

'And how do I run a B&B whilst looking after a new-born baby?' She avoided Nick's gaze, wondering what he was thinking. Asking himself when she was going to kick him out, probably. He'd been there over a month now, quietly working away on the house and being as unobtrusive as possible. He went with her to the beach each morning and held her coffee and dryrobe while she swam, never taking his eyes off her while she was in the water. A few times a week she went to his room for bump time, where she rested against him for half an hour and he rested his hands on her bump. Sometimes they talked, and sometimes Bel slumped against him and had a nap. Sometimes the baby kicked, and sometimes it didn't. But Bel loved the feeling of comfort and safety, and he'd never once tried to make it anything other than that. Most of the time that felt like a good thing, although occasionally she wondered if Nick just found her physically repellent.

'We'll all help,' said Marie. 'Me, Jenna, Maggie . . .' The word *Nick* hung in the air like a question mark.

'But how would that work financially, Mar? If I'm living here, I need to pay you rent, the house will be half yours. How do we work out the money?'

'I don't care about the money,' said Marie. 'But if it makes you feel better we'll get Dan to help us work out a plan. If I'm settled with Jenna with a job that pays the bills, I don't need a lot.'

'But I'd be here on my own, with a baby.' Nick cleared his throat and disappeared into the kitchen, and Bel wondered if he was angry or upset. In his shoes, she'd probably be furious.

'Hardly alone, we'll be living a hundred metres away. We'll see you all the time. And if you start hosting paying guests, you'd never be on your own. You could set up one of the front rooms downstairs as your bedroom, make the bathroom in the boot room yours, then rent out all five bedrooms upstairs.'

'Yeah, I guess,' mumbled Bel, imagining the house full of women who needed space and sea air and the healing power of cold water. Women who'd been on a journey and were trying to find themselves again. Women like her.

'You don't have to decide now,' said Marie. 'We've got until March. But it seems mad for you to move out the minute you've had a baby, and we've got enough to pay the bills for a few months. There's no hurry.'

'Really?' said Bel sceptically. 'And you won't be upset if I say I want to sell up?'

305

'Of course not. There's no pressure. I just wanted to float it out there so you can give it some thought. It's just an idea.'

'A good idea,' said Maggie. 'I've done a reading and the cards say—'

'Seriously, Mags,' Bel interrupted. 'I love you, but I'm not making life-changing decisions based on your bloody cards.'

'Fine,' said Maggie, pressing her lips together. 'But for what it's worth, the tea leaves say the same thing. I checked.'

'So how are you feeling?' asked Nick, his hands clamped either side of her belly like he was holding a giant egg.

'Fat,' said Bel.

'I mean, about what Marie said this morning. The retreat idea.'

Bel twisted her head to look at him, her lips so close to his stubbly jaw she could kiss him. Probably not a great time, to be honest. 'Did she talk to you about it? Were you part of that little conspiracy?'

'No,' said Nick, shaking his head emphatically. 'It was the first I'd heard of it.'

'I don't know,' she said with a sigh. 'It's a great idea, obviously. But right now it all feels a bit much, to be honest. How do I look after a newborn baby and run a B&B?'

'You wouldn't be alone,' said Nick quietly.

Bel gave him a hard look.

'I meant Marie and Jenna,' he said quickly. 'And Maggie and Bill and Dan. You have friends here. Family.'

'And what about you?' The elephant in the womb, again. They hadn't mentioned it for weeks, but maybe now was a good time.

'What about me?'

'When are you leaving?'

'Do you WANT me to leave?' asked Nick, an edge in his voice.

No was the answer, but Bel couldn't bring herself to say it out loud. 'I just don't want things to be difficult further down the line. Or for you to feel any obligation.'

Nick gave a hollow laugh. 'I don't, Bel. In fact I've taken a leaf out of your book and have stopped feeling anything at all. Just tell me when I've outstayed my welcome, OK?'

The baby kicked, as if feeling left out. Bel winced and tried to relax, but it felt like her head was full of noise.

'What does it feel like?' asked Nick. 'Being pregnant?'

'Strange,' said Bel, glad of the change of subject. 'I don't recognise my body any more. It feels like it's been subject to a hostile takeover.'

'So not blooming and serene, then,' said Nick. Bel couldn't see his face, but she could hear the smile in his voice.

'No. My pelvis hurts, I need to wee about a hundred times a day, and I've got a fat fanny.'

'A fat fanny?' laughed Nick. 'What the hell is that?'

'Like, down below,' said Bel, trying not to laugh. 'It's all puffy, like a couple of labial pillows.'

'How would you know? Can you even see it?'

'You're very funny,' said Bel, rolling her eyes. 'I used a mirror, just to check my flaps hadn't gone green and were about to fall off.'

'Christ. They don't tell you about this in the new dad guidebook.'

'I bet they don't. All the women in that book have glossy hair and massive tits. Not a swollen minge in sight.'

'I think the word you're looking for is *engorged*,' said Nick.

Bel covered her mouth to suppress a tiny vomit. 'Oh God, please don't ever say that word again.'

Nick laughed, and Bel tried to remember a time when she and Edward had ever hung out this way; whether she'd ever felt this relaxed in his company. She couldn't think of an example right now, but surely there must have been good times? Otherwise why would she have married him? Minutes ago the conversation between her and Nick had been making her feel tense, but between them they'd defused it. No hard feelings, no lingering resentment, no simmering discontent that would carry over into tomorrow. Was this what a normal, healthy relationship between a man and a woman felt like? She had nothing to compare it to. Nothing good, anyway.

'On that boak bombshell, I think I'll call it a night,' she said, clutching her belly as she levered herself upright, holding her breath so she didn't make 'oof' noises like an old lady and clenching her buttocks so she didn't break wind in Nick's face. It all felt deeply undignified, but right now her only priority was getting upstairs to the bathroom before she wet herself.

'Night, Bel,' said Nick softly. 'Sleep well.'

'I'll do my best,' she said, waddling out of the room. She considered looking back and giving Nick a smile that somehow communicated how much she appreciated his friendship, but she had egg on her jumper and her hair needed a wash, so maybe it was better just to go to bed and hope he could still remember what she'd looked like before they'd got themselves into this mess.

CHAPTER THIRTY-FIVE

February

'I have news,' said Dan, leaning on the kitchen counter. 'Good news, I think. And also sausages from Dad – he bought too many and thought you could use them for sausage rolls.'

'Thanks,' said Bel, stirring the vegetable curry on the stove. Not too spicy, because even though she was thirty-six weeks gone and felt roughly the size of a hot air balloon, this baby needed a little longer in the oven before it was fully cooked.

'I've got a new job.'

'Really?' Bel dropped the spatula into the pot and turned to face him. 'Where? Doing what?'

Dan grinned. 'Bristol, funnily enough. A big legal firm there.'

'What's in Bristol?' Jenna asked, wandering into the kitchen from upstairs. It was their last day spending half-term at Orchard House, and Marie had taken Cerys to say goodbye to Maggie. Nick was upstairs, fixing a loose tap in one of the bathrooms. He'd been up there far longer than seemed necessary, but the occasional clang of metal, and the odd distant shouting of 'fuck', told Bel that plumbing definitely wasn't Nick's speciality.

'*I* will be, soon,' Dan explained. 'I've got a new job down there.'

'Wow, that's amazing,' said Jenna. 'I'm moving up here, and you're moving down there.'

'When are you going?' asked Bel, suddenly bereft. Yes, she'd told Dan he should spread his wings and leave, but that was weeks ago and she'd never thought he'd actually DO IT. Her world was feeling pretty wobbly right now, and Dan was one of the only stable and dependable things in it.

'Not for another month. I'll see this job through.'

'Which job?' asked Bel.

Dan rolled his eyes. 'This job. The one where I have to check you and Marie live together for a year, so you can inherit this house.'

'Oh yeah.'

'I've been doing it for eleven months, remember?'

'I'd just forgotten you were still doing that. You stopped feeling like our lawyer ages ago.'

'Probably the first week, when I got a massive crush on your sister and invited myself for Friday night dinner.'

'Wait, what?' exclaimed Jenna. 'You had a crush on Marie? I didn't know about that.'

'I assumed Marie had told you,' muttered Dan, blushing a little. 'I kept finding excuses to come over, until she had to tell me she was gay and let me down gently.'

'Aww, that's sweet,' said Jenna, clearly delighted. 'She never said a word.'

'Anyway, I still need to wrap up your mum's estate,' Dan continued. 'There's paperwork and legal stuff to do, so I'll finish that before I leave at the end of March.'

'So you'll be here for when the baby comes,' said Bel.

Dan nodded. 'Yeah. That seemed important too.'

'Shit, Dan,' said Bel, pulling him into a hug. 'We'll really miss you.'

'I can't believe you're going to Bristol,' said Jenna. 'Where are you going to live?'

'Not sure yet. I need to start looking for somewhere. It's a big practice in Temple Quay, so near the station.'

'You can crash at mine for as long as you like,' said Jenna. 'Until you find a place. I'm a fifteen-minute walk from there.'

'Wow, really? That would be incredibly helpful while I'm looking.'

'Or you can just stay with me until July and take over the tenancy. I know the landlady would be thrilled not to have to deal with applications from creeps and weirdos.'

Dan glanced at Bel, unsure.

'It's a nice flat,' she said, nodding enthusiastically. 'I used to live in the same building.'

'I don't know what to say,' said Dan, gazing gratefully at them both. 'I'm heading down in a couple of weeks to meet the rest of my team – can I come over then and have a look?'

'Sure,' said Jenna. 'Just let me know when, I'll make up the sofa bed. Well done.' She gave Dan's arm a squeeze, then grabbed a basket of clean laundry from the boot room and headed back upstairs to finish packing.

'Will that be the first time you've been down there?' asked Bel.

'No, I've been twice,' said Dan, blushing furiously again. Bel couldn't see how he was ever going to make it as a lawyer when basic lying and subterfuge was so difficult for him. 'I just didn't tell you, because I didn't know if I'd get the job.'

'Well, I'm delighted for you. Gutted for me, obviously.'

'It's a big practice. Lots of career opportunity. Your Christmas Day pep talk definitely hit home.'

'I'm really glad.'

Dan paused for a moment, then took a deep breath. 'Talking of which, what about my pep talk, about Nick? How's that going?'

'It's not, Dan,' she said, unable to meet his gaze. 'He and I were never meant to be.'

Dan nodded thoughtfully. 'Does he know that?'

'What?' asked Bel, looking at him sharply. 'Of course he knows.'

'Does he, though? Have you told him that explicitly? Like, totally ruled out all other possibilities?'

Bel went back to aggressively stirring the chilli. 'I don't know. But I haven't given him any encouragement either, so I'm assuming it's pretty obvious.'

'I work in the field of clarity, Bel. Nick doesn't say much, but he's collecting his evidence and preparing his case. You need to be ready for that.'

'What evidence? Ready with what?'

'Your verdict. When he dumps his heart on the table and begs for mercy.'

'God, Dan,' laughed Bel. 'You're such a drama queen.'

Dan sighed and rolled his eyes. 'And you, Bel, are an idiot.'

'So,' said Jenna, turning to Bel in the coach station. 'I won't see you again before the baby comes.' Cerys was already on the coach, pulling faces at them both out of the window. Marie had said her tearful goodbyes to them both at the house before getting on her bike to head off to serve Sunday lunches at the King's Head, so Bel had wedged herself behind the wheel of her car to take them to Norwich. Nick had offered, but she'd wanted some time alone with Jenna and he'd taken the hint. The seatbelt only just fit, and jiggling around on the country roads made her want to wee.

'No,' said Bel, arching an eyebrow. 'I'm so sorry I didn't time the birth for the Easter holidays. Obviously I'd have scheduled my random one-night stand better if I'd known.'

'It's so typical of you,' said Jenna with a grin. 'Bloody selfish.'

'You're both back in April, though, right?' asked Bel, trying not to sound needy. Having a baby was scary enough, but life on the other side of that was currently a terrifying mystery. Knowing her best friend would be close by was, at least, something tangible and positive to hang on to.

'Obviously,' said Jenna, stroking her arm. 'You couldn't keep us away. And then in July we're coming back for good.' Tears welled in Jenna's eyes, and Bel laughed as she swiftly wiped hers away.

'I'm really made up for you, you know. I know me and Marie have had our ups and downs, but I can see how happy she makes you.'

Jenna beamed. 'We've been talking about maybe getting married. At some point.'

'Really?' said Bel, pushing aside the instinctive flare of hot, liquid jealousy. 'That's amazing.'

'Not this year though,' said Jenna quickly. 'Wouldn't want to piss on your baby parade, and we need to live together properly for a bit. Maybe next summer, once we're all settled and I've got a job.'

'We'll have sold Orchard House by then,' said Bel. 'So Marie will have some money.'

Jenna shook her head. 'I don't think you should, Bel. I think you could make something of it. The retreat idea.'

The baby kicked, making Bel wince. Hard to know if it was communicating *Jenna's right, listen to her*, or *don't be daft, you'll be up to your ears in baby puke and shit soon*.

'I don't know. Under different circumstances, maybe, but I can't see how I can make it work.'

Jenna pulled her into a hug. 'You're the strongest person I know. You can do anything.'

Bel said nothing, trying not to cry again.

'Just don't make any crazy decisions, OK?' Jenna continued. 'Give yourself a bit of time. Promise me that, at least.'

Bel nodded furiously. 'I will, I promise.'

'Am I allowed to talk about Nick?'

'No.'

Jenna sighed. 'What are you going to do?'

'There's nothing TO do,' said Bel, turning up her palms. 'He knows where my head is at.'

'Does he?'

Bel huffed in frustration. 'God, you sound like Dan. Can you see my problem, Jen? I've got my own emotional wellbeing to think about, and that of a baby. I can't take on his as well. He's as messed up as I am.'

'Right,' said Jenna. 'But what if it works the other way round? What if he actually makes your life better? Lightens the emotional load?'

Bel shook her head furiously. 'I can't take the risk. You know that.'

'God, you're such a fucking martyr,' flared Jenna,

throwing up her arms in frustration. 'You had one terrible marriage and now every man on the planet is out to hurt you. You'd rather raise a child ALONE than take a chance on a man who is CLEARLY crazy about you.'

'YOU did it,' said Bel, trying not to lose her cool in Norwich coach station. Cerys was watching them both carefully, trying to read lips. 'You raised a child alone.'

'You think that was my choice?' shrieked Jenna. 'Do you honestly think if Matt had been a semi-functioning adult I wouldn't have accepted his help? You think being a single mum is the easy option?'

'Of course not. But it's the safe option.'

'My God, Bel,' Jenna snapped. 'Get some help. Book some therapy or something, sort your shit out. How the hell are you going to build any kind of future otherwise?'

CHAPTER THIRTY-SIX

Bel went for a walk after waving Jenna and Cerys off, needing a little time alone to think things through. She found a public loo in Chapelfield Gardens, then sat on a bench and turned her face into the milky winter sun. It had been her favourite kind of day for a winter swim earlier – dry, cold and crisp. There'd been a stillness on the beach, just seagulls and the other sunrise swimmers for company. And Nick, of course; he was never far away these days.

Bel looked down at her phone, at the number for Nick's therapist she'd tapped into her phone eight months ago. She never thought she'd actually use it, but Jenna's words had stung – there was something about hearing it from her best friend that had made the point hard to ignore. She'd never thought of herself as the kind of person for therapy or counselling – all that self-affirmation and soul-searching, all that chat about *feelings*. Her soul was a dark, cold place that she definitely didn't want to visit, let alone search. And feelings just got in the way of the important business of getting through the day in one piece. She smiled to herself and shook her head, considering the tiniest possibility that she might be a prime candidate for therapy.

She took a deep breath, then hit the green button to make the call before she changed her mind. What had Nick said, on their walk to the windmill back in June?

Keeping baggage from the past leaves no room for happiness in the future. She'd dismissed his words at the time, but they'd apparently stayed with her anyway. If she couldn't make this call for herself, she could do it for her baby.

'Hey Bel,' said a woman's voice. 'You took your time.'

'Wha . . .?' said Bel, thoroughly confused. 'How did you know who I was?'

'Nick gave me your number last summer. Said you might call. So I saved you in my phone as *Bel Nick Buckley's friend.* I'm Jo.'

'Hi,' said Bel, feeling thoroughly on the back foot. 'What else did he tell you?'

'Not much,' said Jo happily. 'Just that you were someone he cared about, and if you ever called I should do everything I could to help.'

'Right,' said Bel, adding it to her mental dossier of nice things Nick had done for her in exchange for very little reward. 'I'm not really sure what I need, to be honest. Or what I can afford.' How much did therapy even cost? She'd never even considered it before today.

'Well, that's the easy bit. Nick was a founding investor in my business, so he can refer a couple of clients a year as VIPs. There's no charge.'

'Really?' asked Bel, hating that her first thought was that Nick and Jo had probably slept together. She sounded young and attractive, at least on the phone; Bel could practically hear how good her teeth were. 'How many other people has he referred?'

'Actually, you're the first in three years. So you get full VIP treatment.'

'Right,' muttered Bel, trying to process all this new

317

information whilst distracted by a Labrador who was curling out an enormous poo on the grass a few metres away. Its harassed-looking owner fished a poo bag out of her pocket as a baby wailed from inside an expensive-looking pram. A pale green Bugaboo one; even Marie hadn't been able to bag one of those. Instead she'd found an off-road one with three sturdy wheels, so they could take the baby down to the beach. It was old, but had cleaned up nicely and only cost thirty pounds. 'What does that involve, exactly?' Bel asked.

'Let's start by having an informal chat, so I can get to know you a bit, and understand what you need. Then we can take it from there.'

'OK,' said Bel, pushing aside the urge to end the call and run to the nearest wine bar. 'When can we do that?'

'Hang on,' said Jo, tapping away on a keyboard. 'Looks like I don't have another client until twelve, so how about now?'

'Oh shit,' said Bel, suddenly terrified. 'Is what we talk about confidential? You won't share it with Nick? It kind of . . . involves him. And a baby.'

'I know,' said Jo gently. 'He and I talk every week. Nothing either of you tell me is ever shared.'

'OK,' said Bel, unsure where to begin. 'Sorry, I feel a bit blindsided. I hadn't expected our conversation to go like this.'

Jo laughed. 'The secret to getting ahead is getting started,' she said, making Bel wonder what other framed motivational quotes she had on her office wall. 'You made the call, and I just so happen to be free to listen in a pretty packed week. Shall we take that as a sign?'

Bel took a deep breath and pulled her coat tightly around her. 'OK. Let's do it. Where do we start?'

'I'm going to wander downstairs to my kitchen and make a coffee while you tell me what happened today that prompted you to call me.'

Bel thought for a second, about the earlier conversations with Dan and Jenna and the swirling thoughts in her head. *Keeping baggage from the past leaves no room for happiness in the future.* 'My friend Dan came over,' she said, tucking herself into the corner of the bench and burying her hands in her pockets. 'With a bag of sausages.'

'I'm all ears.'

CHAPTER THIRTY-SEVEN

'How are you feeling?' asked Nick, as she leaned back into him. The baby didn't kick as much now, presumably because there wasn't much room in there. But she'd kept the bump-time sessions up with Nick anyway, mostly because he seemed to enjoy it and she found it comforting to have some kind of human contact. Sometimes it felt like the only time she truly relaxed.

'Huge. Tired. Uncomfortable. My fanny pillows are now king-sized.'

Nick laughed, and Bel wondered for the umpteenth time if he knew that she and Jo were talking, or that they'd had two therapy sessions this week alone. Jo had said she wouldn't tell Nick about their conversations, but she hadn't explicitly said that she wouldn't tell him she'd taken Bel on as a client. Surely that counted as a confidence too?

'It's hard to imagine. What it must be like to have a tiny human living inside you.'

'Some days it feels magical. Like, the most extraordinary and incredible thing. Other days I feel like I've been possessed by our alien overlords.' Jo was encouraging her to talk more openly about how she felt, both physically and emotionally. Physically was proving to be easy, but emotions were a whole other can of worms.

'I think *you* are extraordinary and incredible,' said Nick softly. 'I'm really glad I'm here.'

'I'm really glad you're here too,' said Bel, without even thinking. She felt Nick's body tense at the same time as her own.

'Really?' he asked, his voice tentative.

'Yeah, you're more comfortable to lean against than the wall.' She was trying to get the conversation back on track, but instead she just sounded dismissive. Still, it wasn't like that was breaking news.

'Wow, thanks,' said Nick.

Bel laughed, hating herself for not being nicer to him. 'Well, you did ask.'

'I was going to tell you that you smell nice today, but now I won't bother.'

'What do you mean, I smell nice?' asked Bel. 'What do I smell of?'

'I don't know,' said Nick, gently trailing his fingers along the curve of her neck. 'You just smell good.' His voice had changed to something deeper and more seductive, and she could feel his soft breath on her neck. It felt so warm and exquisite, and for a minute she closed her eyes and let herself melt into it.

'God, Bel,' he whispered, pulling her into him as he gently slid the neck of her jumper to one side and kissed her bare shoulder.

The sound of her name snapped her out of her state of bliss. 'What are you doing?' she asked weakly, her voice catching in her throat.

'I'm doing what feels right,' Nick murmured, gently stroking her arm. 'You look so incredibly beautiful and I—'

'No,' said Bel, leaning forward and turning to look at him. 'This isn't right. This isn't what I want from you.'

Nick's eyes widened in surprise and confusion. 'OK, I've read this all wrong then. Because I thought—'

'Why are you still here?' she asked, giving in to the rising tide of panic. 'Why haven't you left?'

'Because I said I would stay until you told me to leave,' he said calmly.

'What? When?'

'Last month. We were sat right here, and I told you to tell me when I'd outstayed my welcome.'

Bel shook her head, trying to make sense of it all. 'So wait – you've just been here all this time waiting for me to tell you to leave?'

Nick laughed softly, and Bel could see the tears glistening in his eyes. 'No, Bel. I've been here all this time hoping you would ask me to stay.'

She took a few deep breaths and heaved herself off the bed, feeling confused and anxious. She walked to the window and leaned against the wall, noting how cold this room was when she wasn't wearing Nick as a blanket. It was the only time she ever came in here, really. 'Stay in what capacity?'

'Your partner,' said Nick pleadingly, and now it was his turn for his voice to crack. 'The father of your child. The person who loves and supports you through the hardest fucking thing you are ever going to do.' Bel started to interrupt, but he held up his hand. 'The person who you want to wake up next to every morning. The person who actually makes you laugh, and stands in the fucking SEA every day through fucking WINTER like a *Baywatch* icicle so you don't drown.'

'That's what you want? For us to be together, here?' Of course in some ways she'd always known it, but she'd filed the idea under 'impossible' for a thousand different reasons. And hearing him say it out loud still took her by surprise.

'Yes, of course. It's what I've wanted since the day you sat outside my tent and listed Márquez books at me.'

'And what did you think, that it was just a waiting game? If you hung around long enough I'd just fall in love with you? Just like that?'

Nick threw up his hands in a gesture of exasperated surrender. 'I figured spring was coming, and you might thaw, and I had nothing to lose.'

Bel gave a hollow laugh but couldn't find a response.

'I have nothing, Bel, without you,' he continued, his voice weak and helpless. 'I am free as a bird to travel the world, do anything I like. I have money and time and zero ties, and yet I'm here, every day, praying that you will one day see that I am a decent man who loves the living fuck out of you.'

'I . . .' said Bel, but there was nothing she could say in response. She wanted him to repeat what he'd just said, and yet also wished he would un-say it.

Nick pulled his knees up and pressed his fingers into his eyes. He looked pale and exhausted, and she wondered which one of them was sleeping worse right now. 'What are you scared of?' he asked, looking up at her. 'Be honest.'

Bel thought for a moment, her heart racing as she tried to find the words. 'Fine. You really want to know? I'm scared of letting you in. I'm scared of making even the tiniest hole in my heart for you or any other man to get into. I've built myself this safe place, Nick, but it's only safe for as long as I'm the only one with the key. I'd resigned myself to you being part of the baby's life, but not mine. I can't. I just can't. I'm sorry.'

Nick shook his head and stood up. 'You don't have to apologise. This is my fault. I've been so fucking stupid.'

'No, you—' said Bel, but he was already heading for the door.

'I need some air,' he muttered, and then he was gone.

When Bel came down ten minutes later, her face red and blotchy from crying, she found Marie in the kitchen making tea for both of them.

'How much of that did you hear?' she asked, taking the mug and levering herself onto a stool by the breakfast bar.

'Most of it,' shrugged Marie. 'I should think the whole village did.'

'Please don't tell me I'm an idiot.'

'Fine,' said Marie. 'I won't. What do you need instead?'

Bel looked at her sister for a long moment, feeling like another wave of tears wasn't very far away. 'You know what, Mar? I just need a hug.'

Marie smiled and walked round the breakfast bar, gathering Bel into her arms from the side because she couldn't get close enough from the front. They stayed like that for a while, Bel crying softly into Marie's jumper and letting her sister support her weight.

'You should go and talk to him,' said Marie, and for once Bel didn't argue.

'Where is he?' she asked.

'I'd guess he's where he always is,' said Marie. 'The same place you both go when the shit is hitting the fan.'

Bel nodded and extracted herself from Marie's grasp. She pulled on her coat and picked up the mug of tea, then headed for the beach.

'I brought you some tea,' said Bel, holding out the mug. It was half empty and tepid at best, but Nick took it anyway, watching her carefully over the rim as he drained the mug. He was wearing his black padded coat and a grey scarf that matched the colour of his eyes and the sea and sky beyond. Everything was just shades of grey today.

'Thanks. Did you want to talk?'

'I need you to leave,' said Bel.

'Right,' said Nick, nodding grimly at the horizon. 'Great.'

'No, listen. I need to think about what you've said, and to do that I need space. I need to have this baby and get my hormone shit together without you here. And then we can talk.'

Nick looked at her carefully. 'You'll think about what I said?'

'Yes,' said Bel, who had been wholly honest with herself and accepted this inevitable conclusion somewhere between the beach car park and the slipway. 'But I can't make a decision that huge right now. I'm a blubbing mess and I need to focus on getting this baby out. But once that bit's over, you can come back and we can talk about . . . us.'

'Can I be here for the birth?'

'I don't know,' said Bel. 'I haven't even thought about that yet. But I absolutely promise that when it's all over, you can come back.'

'Really?'

'Yes. Spend some time with the baby, feed me snacks while I'm an unwashed dairy cow.'

Nick nodded. 'OK.'

'But listen, Nick. I can't promise my answer will be what you want to hear. I CAN do this alone.'

'I know. That was never in any doubt.'

'But if we're baring our souls and laying all our shit on the table, I will concede that I have feelings for you. I don't know what they are yet, and how much of what I feel is fear and loneliness and guilt and hormones, and how much of it is actual love.'

Nick opened his mouth to speak, then closed it again when Bel held up her hand. 'So I need you to give me the space to work that out. In the sea, in February, with a bunch of witches and random relatives.'

Nick breathed out slowly. 'Well, that's better than I expected, so OK.'

'Thank you.' Bel resisted the temptation to run into his arms and snog his face off. She'd taken the first step to understanding how she felt, just like Jo had told her. But there was still a long way to go.

'Are you going to be OK?'

Bel smiled. 'I'll be fine. I've got Marie and Maggie and the Sunrise Swimmers. Somehow I've ended up with a whole bunch of amazing women in my life. And Dan and Bill, obviously.'

'It takes a village,' said Nick with a smile. 'But listen, I will come back at any time. Will you promise to call me if you need anything?'

Bel nodded. 'I promise. And I really appreciate everything you've done while you've been here.'

'Don't say that,' said Nick. 'It sounds like goodbye.'

'It is goodbye,' said Bel. 'But not for long, I promise.'

Nick nodded. 'I'll go and pack up my stuff and say good-bye to Marie.'

'You want me to come and help?'

'No,' said Nick quickly. 'It will be easier if you don't. I'll be gone in half an hour.'

'OK. I'll go for a walk.'

'Not too far though,' said Nick, his face worried. 'Not if you're on your own. Please.'

Bel resisted the temptation to roll her eyes. 'Fine. I'll walk to Maggie and Bill's, check in on them.'

Nick hesitated for a moment, then crossed the gap of sand between them and pulled her into a hug. 'Please look after yourself, Bel. And please look after our baby.'

Bel leaned into him, letting his warmth and safety envelop her. She did love Nick, she knew that now. In fact, in this moment she felt awash with love for him. But she was also exhausted and emotionally unhinged, so their future needed to wait until she could be confident enough in that decision to live without fear.

'I'll miss you,' she said. 'Thank you for understanding.'

'I'll be back. Just tell me when. Even if the answer's no.'

'I will.'

'But I just want to say one thing, before I go.' He gave her a hard, blazing look, his hands resting gently on her shoulders. 'If you decide we can't be together, I'll accept that. And I'll still be a good dad.'

'I know,' said Bel with a soft smile. Christ, he was hand-some. What had she ever done to deserve someone this good in her life?

'But if you'll give me a chance, I will make the effort,' he continued. 'I will do everything I can to make sure you never regret it.'

Bel nodded, blinking back tears. 'Thank you. Now please leave, before I do something stupid and totally mess this up.'

Nick laughed, then briefly pressed his lips to her forehead. Then he strode away towards the slipway and didn't look back.

CHAPTER THIRTY-EIGHT

'How do I know this isn't all made up?' asked Bel, as Maggie carefully shuffled her pack of tarot cards. Nick had been gone for a week, and Maggie had taken to coming over while Marie was at work so Bel wasn't on her own. Dan was hanging around more often too, and Bel suspected that they had some kind of rota. Like the volunteers who watched over the fat, blubbery seals on the beach at Winterton during breeding season, making sure their fluffy babies arrived safely without tourists trampling all over them.

'What do you mean?' asked Maggie, putting the pack down on the table and straightening it. Some days she brought a book for Bel to read, other days something healthy and vitamin-rich that she'd baked. Maggie wasn't much of a baker and most of it tasted like dust, but she appreciated the gesture.

'Well, you could tell me anything and I'd be none the wiser,' said Bel, sliding a card off the top and turning it over. It featured three swords piercing a heart, with what looked like a raging thunderstorm in the background. 'Like, you could say this one is a sign that I'm going to win the lottery.'

'That's not how it works,' said Maggie, snatching the card and shuffling it back into the pack. 'The three of swords is actually about disentangling yourself from bad relationships and starting afresh.'

'Brilliant,' said Bel, trying not to roll her eyes. 'And I'm supposed to make big life decisions off the back of this?'

'That's not how tarot works either,' said Maggie, trying and failing to disguise the edge in her voice. 'It doesn't give you instant answers, it's not a fortune cookie. Tarot encourages you to connect with your higher self.'

Bel shook her head. 'Sorry, Mystic Mags, but that sounds like woo-woo hippy bullshit to me.'

Maggie sighed and gave Bel a withering glare that was startlingly like the one Lily had gifted her on many occasions. It said, *I'm not angry, just disappointed*. 'You have very bad energy,' said Maggie. 'Did you know that? A negative aura. Your friend Jenna is the same – Marie is the only one of you with ANY kind of spiritual quality.'

'I didn't know that,' Bel laughed. 'But I can't say I'm surprised.'

'Nick's aura was confusing,' Maggie continued. 'It suggested hidden depths, but clouded by a dark past.'

'That doesn't surprise me either.'

'Hmm,' said Maggie, observing Bel thoughtfully. 'Maybe we'll do this another day.'

'Probably best.'

Maggie pushed the cards to one side and sipped her tea. 'How did your midwife appointment go this morning?'

'Fine. All shipshape down below. Baby's the right way round, but the head isn't engaged yet. Whatever that means.'

Maggie rolled her eyes. 'Have you read ANY of the books I gave you?'

'I skimmed a couple of them,' muttered Bel, who inevitably fell asleep within minutes of trying to read anything.

'I think you should go to some parenting classes in Yarmouth. Do a tour of the hospital, talk to a proper midwife about your birth plan. It's not too late to organise something, I can pull a few strings.'

'YOU'RE a proper midwife,' said Bel.

'I'm retired. I've been retired for seven years.'

'Right, and has anything fundamentally changed in the field of childbirth during that time? Do they come out of a different hole now?'

Maggie laughed, unable to stay annoyed at Bel for long. 'No. They still come out of the same hole. Unless they come out of the sunroof, but we'll worry about that if and when it happens.'

'Good.' Bel heaved herself up to rinse her mug and check the fridge for snacks. There were never enough snacks, no matter how many she bought. 'I've been to all my antenatal appointments at the surgery, and all my wee samples have passed with flying colours. I feel fine, but you're welcome to check my vagina any time you like.'

'Thank you, I'm all good for now.'

'But just to be clear, my only birth plan is to give birth to a healthy baby in whatever way works best on the day, then keep it alive until it's a functioning adult.'

Maggie nodded. 'That's a very sensible plan. Have you thought about a birth partner?'

'Yes, actually,' said Bel. 'I would like YOU to be my birth partner, please.'

'Really? Not Marie?' She sounded delighted, but Bel could still feel the *or Nick?* hanging in the air.

'No, I want you. I can't think of anyone better, and it's what Lily would have wanted.'

'Oh, don't,' said Maggie, her eyes swimming with tears. 'It's such a shame she won't be here to meet her first grandchild.'

'Perhaps you can send her an invite, bring her over from the other side for a visit,' said Bel.

'See? Negative aura,' huffed Maggie.

Bel gave her aunt her warmest smile, blinking back the inevitable tears. 'I'm also sorry Lily isn't here, I can't tell you how much. But you are, and you're the next best thing.'

'Well,' said Maggie, pressing her bejewelled hand to her chest. 'That's a lovely thing to say.'

'See? I'm not all bad,' laughed Bel.

'Have you thought about names?'

Bel grabbed an apple from the bowl and chopped it into quarters with a vegetable knife. 'For a girl, yes. I've been through a website of flower names and I've got a short-list. But if it's a boy, I'm screwed.'

'There are flower names for boys,' said Maggie.

'Like what?'

'William, that's a flower name. As in Sweet William.'

Bel honked with laughter. 'I'm not naming my baby after your husband, Mags. You've only been married five minutes – what if it doesn't work out, and my child is a lifetime reminder of your ill-advised marriage to the local postmaster?'

'Well, I don't think that's going to happen; William and I are very happy. But there are other options that work for boys too. Like Florian. Or Oleander.'

Bel choked on her apple. 'OK, have we met? Do I really strike you as the kind of person who would punish a child for life by calling them OLEANDER? He's already going to be a bastard, let's not make things worse.'

'Don't say that. Your baby has a father. A good one, I should think.'

'Yeah, but we're not married.'

'Who is, these days? If we still called babies born out of wedlock bastards, you'd be talking about half the population.'

'There's still no guarantee he's going to be involved. Not in the long term, anyway.' Bel was still unravelling her feelings for Nick, having made the conscious decision to prioritise getting this baby out first. Hopefully it would all make more sense on the other side.

'And whose choice is that?' Maggie demanded. 'Nick would be here in a heartbeat if you asked him.'

'Right now it's the best choice. For me, for Nick, and for Baby Oleander.'

'Are you sure about that?'

'No. But Nick has agreed to give me some space while I'm hormonally insane and can't think straight. It's too big a question to answer just like that.'

'Well, the hormones are only to be expected,' said Maggie, picking up the tarot deck. 'But maybe the cards can help, if you're open to what they have to say. Shuffle.'

Bel tentatively took the pack of cards and shuffled them slowly. They were bigger than normal playing cards and felt awkward and unwieldy in her hand. Also there were loads of them – how many possible fortunes were there?

She concentrated on the careful movement of her hands, as if dropping them all on the floor might unleash some kind of evil curse.

'We won't do a full spread,' said Maggie. 'You're not in the right frame of mind for that. Let's try a one-card reading for a simple answer to a simple question.'

'What question?' Bel asked warily.

Maggie nodded and gave her a significant look. 'Really? The question you've been asking yourself for months.'

Bel nodded, feeling suddenly anxious.

'Ask it in your mind while you shuffle,' said Maggie, her voice deepening as she slid from no-nonsense former midwife into spiritual mystic mode. 'Stop whenever it feels right, then turn over the top card.'

Bel slowly shuffled, getting into the rhythm of it. *Shuffle shuffle shuffle cut, shuffle shuffle shuffle cut.* She formed the question in her mind, like she was painting it in huge letters on the inside of her eyelids. *Should I let Nick into my life?* She was momentarily reminded of being in the playground at school, playing one of those games with a carefully folded paper pyramid that opened and closed on fingers and thumbs. *Does Darren Roberts fancy me?* Counting out the letters of his name in a blur of moving digits. She resisted the urge to laugh and tried to focus. Much as this was clearly all fairground fortune-teller nonsense, it meant a lot to Maggie so she should at least *try* to play along.

Bel's fingernail caught on the corner of a card, forcing her to stop and push them back into line. She ran her hand over the smooth surface of the pack, wondering if this was the one.

'Ready?' asked Maggie.

Bel nodded and put the pack down on the kitchen table, turning the top card over. It pictured a woman and man facing each other, both in some kind of medieval costume. Each held a large golden goblet.

'That's the Two of Cups,' said Maggie, smiling in a way that Bel couldn't quite fathom. Triumphant, or mildly panicked?

'What does it mean?' asked Bel.

'Look it up online, after I've gone home.'

'Why can't you just tell me?'

Maggie handed her the card. 'Because I want you to carry the card with you for a while first, let it settle. Look it up later.'

Bel's brow furrowed, wondering why Maggie was being so enigmatic and also annoying. A family trait, clearly. 'Don't you want it back?'

Maggie shrugged. 'When you're ready, you can give it back. But keep it for as long as you need.'

'OK, I will,' said Bel, sliding it into the breast pocket of her shirt. 'Ow.' She winced as the muscles around her belly contracted. 'I've been having these stupid fake contractions all day. When do they stop?'

'When they become proper contractions,' Maggie said. 'It's a good sign, it means your body is getting ready.'

'See, I did read SOME of the book,' laughed Bel. 'Do you fancy a walk on the beach? I need to move about.'

Maggie sighed. 'Is there any point me telling you to rest and put your feet up?'

'No,' said Bel. 'It's more comfortable to walk around; the minute I sit down the baby squashes my bladder and

I need a wee. We'll go slowly, just for half an hour. The midwife said I should keep active.'

'Fine. I'm surprised you don't build a house on that beach, the amount of time you spend there.'

Bel grinned. 'I don't need a house on the beach, Mags. Not for as long as I've got this one.'

She grabbed her coat and woolly hat and waited as Maggie layered on cardigans, coats and scarves. *How long will I have this house?* she thought. Just another question to add to the pile of unknowns. She patted the card in her breast pocket to check it was still there, then headed out into the cold.

Two of Cups tarot. Bel typed it into the search bar, then clicked on the first link.

> *The Two of Cups shows a man and woman exchanging cups and pledging their love for each other. Above them floats the Caduceus of Hermes – a winged staff with two snakes wrapped around it – this is the ancient symbol of commerce, trade and exchange. At the top of the caduceus is a lion's head which signifies passion – there may be a lot of fiery sexual energy between these people.*

Bel picked up the card and peered at it closely, having previously not noticed the winged staff with the lion's head floating between the couple. There was no denying the fiery sexual energy between her and Nick, but that was hardly a reason to let him into her life. The fiery sexual stuff had been there for her and Edward too, at least in the beginning. In the end she'd had no energy at all.

She clicked back to the search page and picked another link.

The Two of Cups is one of the most positive relationship cards in the tarot deck. When you pull this card in a reading, it stands for togetherness, harmony and working as a team to build a strong partnership.

Bel read the words a few times, then closed her laptop and took the card upstairs to her room. She opened the bottom drawer, sliding the card inside Nick's copy of *One Hundred Years of Solitude* and tucking them both under the hoodie. *It doesn't mean anything,* she told herself. *It's just superstitious clap-trap, like astrology and crystals and reiki. I have bad energy, anyway.*

She thought back to the playground again, and how seriously they'd taken the fortune-telling origami game. She definitely remembered it telling her that Darren Roberts fancied her, and he'd ignored her for three years, then come out as gay. What the hell did the universe know?

CHAPTER THIRTY-NINE

March

'So, the baby is due today, then,' said Dan, looking worriedly at Bel's bump as if it might split in half any second. Caroline, Joy, Roz and Janine were there too, along with Claire of the wolf fleece. All of them lined up at the edge of the water like a row of ducks by a pond, seagulls wheeling and screeching overhead.

'Yep,' said Bel happily, clutching her immense belly with both hands. She'd overstretched her swimming costume weeks ago, so more recently she'd been wearing a black bikini with a crop top that properly restrained her enormous mum-boobs. The chilly air on her skin felt invigorating, and it gave her a small thrill to see the horrified looks of dog walkers as she walked in and out of the sea in sub-zero temperatures with a belly like a space hopper.

'I'm here as official carer today,' said Dan, who was very much still wearing his clothes. He was holding Bel's towel and dryrobe and a thermos cup of hot decaf coffee, even though there was a touch of warmth in the air today. After what had felt like the longest winter ever, spring was finally on its way.

'I don't need a carer,' Bel said firmly. 'I'm absolutely fine, I couldn't drown if I tried. I'm basically a buoy in human form.'

'I know, but—' Dan began.

'And anyway, only four per cent of babies are born on their due date,' said Bel, who had made it through at least two more chapters of Maggie's baby book.

'I'm not here to stop you drowning,' said Dan. 'I'm not getting in that water for anyone, sorry. I'm just here to make sure you get home.'

'Jesus,' muttered Bel. 'I'm not an invalid.'

'I know that,' said Dan, demonstrating the extent of his lawyerly restraint. 'But as we've previously established, you ARE an idiot. Marie and Maggie and I have discussed it and agreed that there's every chance you'll just decide to go hiking on a whim, for some stupid reason. Like, I don't know, to forage mushrooms, or check if a nice horse you once met in a field three miles away is still there. So we have a rota.'

'There's an actual rota?' Roz laughed. 'On a spreadsheet and everything?'

'No, we just have a WhatsApp group.'

'What's it called?' asked Bel, her eyes narrowed.

'Oh,' said Dan, grinning awkwardly. 'It was Marie's idea.'

'What is it?'

'BabyBel Watch.' He pulled out his phone and swiped around until he found the WhatsApp group, which featured a photo of Bel that had been photoshopped to obscure her belly with a giant red cheese.

'That's SO Marie,' said Bel, focusing on holding in her pelvic floor as she laughed. One of the many things she loved about sea swimming was that you could just go for a wee whenever you liked, without having to heave yourself

339

off to the loo. Funny how something that had given her the ick in the local pool as a child was entirely acceptable in the sea.

'Shall we get in then?' asked Caroline. 'We wanted to make this one special, just in case it's your last for a while.'

'Give me a minute,' said Bel. The other women nodded and hopped forward into the water, as Bel stood in the shallows and closed her eyes. *Deep breath. In . . . and out. What hurts, today?*

Physically, lots of things, thought Bel, but there wasn't time to catalogue them all. What about emotionally? She thought about it for a minute, working her way through her usual list. Edward felt distant today, like he was firmly outside her fuck-you forcefield. Jo's therapy sessions were helping a lot with that – they still spoke for an hour twice a week, and every session left Bel feeling like she was closer to some kind of understanding. Nick felt much closer than Edward, but still out of reach – that burden felt lighter too, like a tangle of mental wool that she was slowly starting to unravel. Marie wasn't an issue today either – the two of them were in a good place at the moment, with only a week to go until the end of their year together. Lily was still gone, but Bel was slowly starting to make peace with that too.

'Are you OK, Bel?' asked Dan. She turned to face him, conscious that he'd never witnessed her pre-swim pain audit before and probably had no idea what was going on.

'Do you know what?' she said. 'I'm pretty fucking great, actually. Thought I might go for a swim. What do you think?'

Dan smiled and shook his head, wafting her away. She

quickly waded through the water towards the others, letting the cold wash over her like it was nothing. Today she felt like she could swim to . . . whatever country was over there, somewhere beyond the passing cargo ships. The Netherlands, maybe? Belgium? Geography had never really been her strong point.

'Here she is,' said Caroline, who was waiting with the others in chest-deep water. They fell into line and started breast-stroking towards the sea defences, each of them breathing through the cold in different ways. Joy and Roz both made tiny gasping noises for a minute or so; the rest of them were all slow, controlled breathers. In through the nose, out through the mouth. 'It's not going to be the same without you.'

'I won't be gone for long,' said Bel. 'If everything goes OK, I'll be back in the water in six weeks.'

Joy laughed. 'You should probably focus on giving birth before you start thinking about swimming again.'

Bel ignored her. 'And I can still come down and stand in it. Like, up to my knees. I just can't swim properly for a bit.'

'Don't you think you'll be too knackered?'

'Why? Babies need fresh air. I can't stay indoors all day. Marie has found me one of those baby sling things, like a massive stretchy scarf. I've been practising tying it, using a cushion as a fake baby.'

'The other Sunrise Swimmers will be glad to see you,' said Roz. 'Summer season starts again in a couple of weeks.'

'Have you told them all that the Coffee Hut is only going to be open three days a week for a bit?' asked Bel.

'Not yet,' said Caroline with a nervous laugh. 'I don't want an early mutiny.'

'As soon as I'm ready, I'll be back. It's too much to ask Marie to do my shifts alongside her pub job. She's home late most nights as it is.'

'Marie needs to learn to drive,' said Janine. 'It's not safe, cycling those lanes at night.'

'It's only three miles,' said Bel, trying to imagine what a menace Marie would be behind the wheel of a car. 'She does it in about fifteen minutes.'

'I know, but still. It's not safe.'

They fell into their usual easy rhythm, Roz and Janine taking the lead and Caroline and Joy staying either side of Bel, like grey-haired bodyguards. She thought about Dan waiting on the beach, and assumed this unarmed guard wasn't a coincidence either. It was definitely nice to have people looking out for her, though, and for a fleeting moment she wondered where Nick was. Had he gone for good, or would he come back when she was ready? She imagined various scenarios for their future as they swam around the buoy and headed back towards the beach, including one where Nick fell in love with another woman, who only barely tolerated weekends looking after Nick's baby. The thought of it gave her a feeling a lot like grief, and she spent the rest of the swim back picking apart what, if anything, that signified.

'All done?' asked Dan, handing Bel her towel. She patted down her arms and legs, then wrestled the dryrobe over her head. It got stuck on her bump, so Dan pulled it down for her.

'Thanks,' she said. 'And thanks for waiting. I know I've been bitching about it, but I really appreciate you guys looking out for me.'

'No problem,' said Dan. 'It's been years since I've stood on this beach and thought about stuff. It's made me realise how much I'm going to miss it here.'

'You'll come back, though, right?' said Bel, towelling off her hair. 'To see your dad and hang out with us?'

'Yeah, course,' said Dan. 'How could I stay away from a party town like this?'

Bel laughed and took a sip of coffee. 'So did you come to any conclusions? Standing on the beach, thinking about stuff?'

'Just that fate is a weird thing,' said Dan. 'I wasn't supposed to have the Orchard House probate case, I didn't really have the experience. But my mentor was off sick when your mum died, so one of the other partners asked if I wanted to take it on, with her supervision. If that hadn't happened, we'd never have met.'

'Yeah, but you'd have met someone else, on another case,' said Bel. 'I don't know, like some glamorous American divorcee who took a fancy to you.'

'In Yarmouth?'

'OK, maybe not. Maybe you'd have met her in London or something. Right now you'd be her trophy husband, lying by her pool in Palm Springs.'

'Wait, am I marrying her for a Green Card?' asked Dan, folding his arms and settling into the playful conversation.

'Absolutely. Then you can be a hotshot California lawyer. Making megabucks doing Hollywood divorces. Or plastic surgery malpractice cases for women who look like they're trapped in a wind tunnel.'

'Honestly, I'd rather be in Moxham,' said Dan. 'I am going to miss you, you know.'

'Me too,' said Bel.

'Even though you can be a spiky cow.'

'Ha,' laughed Bel. 'Nick called me that once, and asked me who had hurt me. In this exact spot, actually. Or maybe we were already in the water, I can't remember.'

'What did you say?'

'Something dramatic, probably. I think it was "too many people to count".'

'Ouch. How's that going for you these days?'

'Better,' said Bel. 'I'm working through it. Speaking to a therapist, but not one of the crystal healing ones.'

'And reading the tarot, I hear,' said Dan with a grin.

'Christ, is there anything you don't know?'

'I told you, we've got a WhatsApp group, I know everything.'

'Did Maggie tell you what the card was? Did you look it up?'

'Marie and I both asked, but Maggie wouldn't tell us. She just said that it was an important one, and she was leaving it with you.'

'Good work, Mags,' muttered Bel. 'Nice to know I still have SOME secrets.'

'You seem so much happier,' said Dan. 'And you look lighter, which is remarkable considering you're basically the size of a small car.'

'Thanks,' Bel grinned. 'Just so you know, if my sister hadn't been gay, I'd have loved having you as a brother-in-law.'

'That's the nicest thing you've ever said to me,' said Dan, glancing at his watch. 'You've got an hour before you need to be at the pub for life drawing. I'll drive you if you like – are you sure you can stand for that long?'

Bel rolled her eyes. 'I've agreed with Pippa that I'll lie on a chaise longue, then it doesn't matter if I fall asleep. Apparently your dad has one.'

'He does,' said Dan. 'It used to belong to my mum's family. She once told me that I was conceived on it, so that's something nice for you to think about.'

'Great,' said Bel. 'I'll just lie there for two hours thinking about Pete and your mum going hell for leather. Forgive me if I assume your giant penis was handed down from father to son, just for the purpose of the daydream.'

'Jesus. You know that was just a joke, right?'

'No, you can't backtrack now,' Bel cackled, gathering up all her stuff. 'You're Huge Dick Dan for evermore.'

'Great,' said Dan. 'Talking of which, are there any sausage rolls in your freezer? I'm starving.'

Bel slid her feet into her flip-flops and started walking up the beach. 'I have no idea what lies ahead, Dan, but I promise you faithfully that, no matter what, there will always be sausage rolls in my freezer.'

CHAPTER FORTY

'So, we did it,' said Marie. 'One whole year.' They strolled side-by-side on the beach, treading the same path under the curving wall holding back the dunes they'd first covered over a year ago, the day they came to Moxham to check out Orchard House for the first time. Although today they were walking considerably more slowly, and Bel was arguably not walking at all. It was a waddle, at best.

'One year,' said Bel. 'It's been quite a big one, to be fair. Any regrets?' The effort just to move her hips left her breathless, and she itched to get in the water for the second time today. In there, she was weightless.

'Hmm,' said Marie thoughtfully. 'I regret painting the smaller bathroom blue. It makes it feel gloomy. I might re-do it next week.'

Bel rolled her eyes. 'OK, anything other than paintwork.'

'No,' said Marie. 'Actually, yes.' She turned to face Bel and took a deep breath. 'I regret not being a better sister. After we both left home. I selfishly did my own thing, thinking you were happier without me in your life. I wasn't there for you when you needed me. And I wasn't there for Lily either.'

'I feel the same,' said Bel, her eyes swimming with tears. 'So maybe we're not as different as we thought.'

Marie gave a half-laugh, half-sob. 'But we're both here now, right? Just like Lily wanted.'

Bel smiled through the tears, wondering if there was anything Marie could say that wouldn't make her cry right now. She'd dropped a fork yesterday and couldn't bend down to pick it up – by the time Marie came into the kitchen she was slumped on the kitchen floor, unable to pull herself back up or do anything but sob the word *fork* into the stone tiles.

'Do you think Lily would be proud of us?' asked Marie.

Bel nodded. 'We've lasted the full year without killing each other.'

'I think not killing each other was a low bar,' said Marie. 'There are whole days when I actually really like you.'

Bel laughed. 'Shall we head back? I need the loo.'

Marie looked down at Bel's swollen belly. 'Will you have to be induced? If the baby hasn't come in the next few days?'

'Theoretically yes, but I think it will be fine.'

'How do you know that?'

'I just think it's going to come today,' said Bel with a shrug.

'Based on what?'

'Based on the fact that I started having contractions about two hours ago.'

Marie was silent for a moment, her jaw hanging open. 'What? Are you fucking kidding?'

'Nope,' said Bel with a nervous smile. 'I'm pretty sure I'm in labour.'

'Jesus, Bel. Why didn't you say anything?'

'I wasn't one hundred per cent sure, but now I am. It's

fine at the moment, not too painful and they're quite far apart. First labours take ages, apparently.'

'Yours didn't,' shrieked Marie. 'I remember Lily telling me that you were born in about three hours.'

'Really?'

'YES. I took ages, apparently, but you arrived like a rocket.'

'Oh crap,' said Bel, grabbing Marie's arm and looking down as a warm, clear fluid flowed down her legs, turning her pale grey leggings jet black.

'Oh bollocks,' said Marie. 'Fuck and cock and arse. We need Maggie.'

'I can't believe you didn't say anything,' said Maggie, fussing and flapping around Bel like a mother hen. 'How could you just go off to the beach like that?'

'I thought I'd be OK,' said Bel, gripping the counter of the Post Office and focusing on her white knuckles. Thankfully it was closed for lunch, otherwise half of Moxham would be clutching their parcels and enjoying the show. 'I watched this YouTube video of a woman who did a yoga class while she was in labour. I thought I'd do the same, but on the beach. Just a nice walk and a few stretches before I went to the hospit—OWWWWW.'

'That was a bloody stupid idea,' hissed Maggie.

'I know that NOW. God, why does it hurt so much?'

'Because you're having a baby, you silly cow. Right, let me get my bag.'

'Special delivery, is it?' Bill appeared at the top of the stairs, grinning as Maggie pushed past him and disappeared.

'You're very funny,' Bel winced, clutching her belly.

'I'm here to collect my order for a WITTY FUCKING POSTMASTER.'

'Got it.' Maggie was ushering Bill down the stairs as fast as possible, waving a battered canvas bag with multiple pockets. 'My nursing bag.'

'Is that thing still stocked?' asked Marie doubtfully.

'Of course it's still stocked,' said Maggie, clearly offended. 'I might be retired, but you never know when somebody in this village might need a nurse. Come on, I'll make a phone call to the hospital as we go.'

'Good luck,' shouted Bill as Maggie and Marie took an arm each and steered Bel up the road. She clutched her belly like the baby was going to fall out any second, trying to focus on her breathing. Christ, this HURT. The sight of Orchard House helped her relax a little – at least she wasn't going to have this baby in the street.

'I thought this bit was supposed to take HOURS,' she gasped as Maggie and Marie helped her up the steps to the front door.

'I need to see how dilated you are before we decide whether we've got time to take to you to the hospital,' said Maggie, suddenly all business-like and a million miles away from tarot-reading Mystic Mags. 'Let's get you into the house.'

'Please don't make me climb the stairs,' wept Bel.

'There's still a mattress in The Grotto,' said Marie. 'The one Nick slept on.'

'Fine,' said Maggie, steering Bel towards the front room. Nick's mattress lay on the floor by the wall, looking cold and forlorn.

'Shouldn't we put some towels down?' asked Marie, as

they helped Bel out of her coat and lowered her onto the mattress by her armpits.

'I'm just going to take a look down below,' said Maggie. 'If all's well, we'll be putting her in my car. If not, she'll be having a baby here and there isn't a towel in the world that will save that mattress. You'll need to burn it.'

'I'm so sorry,' wailed Bel.

'Never mind,' said Maggie. 'Marie, I'm just going to wash my hands. Can you get Bel's bottom half off?' She hurried off to the kitchen, leaving Marie to peel off Bel's wet leggings and underwear.

'Sorry,' said Marie as Bel's knickers caught on her foot. 'I've undressed a few women in my time, but not my sister.'

Bel snorted with laughter, reminding herself that she was at home and in safe hands, and everything wasn't entirely out of control. Marie covered her thighs with Nick's old blanket so she didn't get cold as Maggie hurried back into the room.

'There we are,' she said, kneeling down on the mattress and pushing back the blanket. 'Just pop your knees up.'

Bel watched silently as Maggie rummaged around down below, trying to breathe even though it felt like her belly was being compressed through a rubber tube. Marie sat beside her and took her hand.

'Seven or eight centimetres dilated, so things are moving fast,' said Maggie.

'What does that mean?'

'It means there's no time for me to drive you to Yarmouth. I think we're going to have to call an ambulance.'

'What? NO! Why can't you do it?' She clutched Marie's

hand as her body was gripped by another contraction. 'OWWWWWWW.'

'Did you do this on purpose?' asked Maggie. 'Leave it until it was too late, so you could have this baby at home?'

'Of course not,' shrieked Bel. 'I'm not fucking MAD. Is there really no time?'

'This baby is definitely arriving within the hour. I've got no pain relief, and I haven't delivered a baby in seven years.'

'It will be fine,' said Bel pleadingly. 'PLEASE, do not make me have a baby in the back of an ambulance. I beg you. We can do it here. Together.'

Maggie shook her head as Bel looked at her beseechingly. 'Please. Marie will help, and I'll do everything you tell me. I promise.'

'Well, that would be a first. My God, you're your mother's daughter.'

Bel laughed through the pain. 'That's not a compliment, is it?'

'Right now, no.' Maggie pressed her lips together and took a deep breath. 'Fine. I'll call the hospital now and tell them what's happening, get them to send someone over. Marie, can you get me half a dozen towels, a clean washing-up bowl and some water?'

'What, hot water? Like on *Call the Midwife*?'

'No, of course not,' huffed Maggie. 'Some cold water for me and Bel to drink. Delivering a baby is thirsty work.'

Maggie pulled out her phone and made a call, holding Bel's hand and reminding her to breathe through the contractions as she spoke to someone in the maternity unit. Bel could only hear one side of the conversation, but Maggie didn't seem to be panicking.

'OK, no ambulance,' she said, ending the call and pulling a fresh pair of surgical gloves out of her bag. 'They seem happy you're in good hands, and the on-call midwife is on her way. But any issues, and I'm calling 999. OK?'

Bel nodded. 'Whatever you say.' Marie returned, carrying a plastic bowl containing a stack of towels, upon which she'd balanced a jug of water and three glasses.

'Marie, can you help me sit Bel up a bit? Pop a towel under her bum so she's warm and comfy, then she can lean against the wall. It will make it easier to push when the time comes.'

'No,' said Bel. 'No, this is all wrong.'

'What?' said Maggie, her face aghast. 'I can't push it back up now, and there's no time to get you to hospital.'

'No, I mean leaning against the wall. I need Nick. I lean against Nick. That's where I lean.'

'Jesus,' muttered Marie through gritted teeth. 'NOW she fucking wants Nick.'

'I do,' wailed Bel. 'He should be here. I need him to be here. I need him NOW.'

'You sent him away, you stupid cow,' hissed Marie.

'I KNOW THAT. And now I need you to get him back. Please. I can't do this without him.'

'What? Give birth to a baby? Or raise a child?'

'Marie, I don't think now is the time for that conversation,' said Maggie calmly. 'Could you please call Nick?'

'What if he's gone?' gasped Bel. 'What if he's too far away?'

'He's living in a static caravan about four miles down the coast,' said Marie, pulling out her phone. 'He's been there ever since you kicked him out. I've been texting him daily progress reports.'

'Are you serious?' panted Bel. 'A static caravan?'

'It was all he could get for a long stay at short notice, and he didn't want to be too far away.'

'I offered him my empty house,' said Maggie, pulling various tools out of her bag and laying them on a clean towel, 'but he thought you might be upset if you spotted him skulking around the village, pretending not to be here.'

Bel started to laugh, imagining Nick, with his expensive shoes and his fancy BMW, moving into a static caravan on the Norfolk coast in February. If there was ever a sign that he really, truly loved her, and the things he'd said weren't just words, this was it.

'Hey,' said Marie into her phone. 'It's me. Bel's in labour, and it's moving fast. We're at home, Maggie's delivering, and she's raving on about needing to lean on you.' A short pause. 'Yeah. OK.' She ended the call and smiled at Bel. 'He'll be here in ten minutes.'

Thank God, sighed Bel. 'It's all going to be fine.'

Nick was already pulling off his coat as he came through the door to The Grotto, his face full of concern. 'Hey,' he said, leaning down to kiss Bel and brush the damp hair from her forehead, then looking at Maggie and Marie. 'How are we doing?'

'Not long now,' said Maggie. 'She's fully dilated, so we're ready to push.'

'OK,' said Nick, crouching down beside Bel and taking her hand. 'I'm here. Tell me what you need.'

Bel looked at him, so handsome and clean and gorgeous while she was a wailing, red-faced mess. 'I need you to sit behind me. So I can lean on you. Like we used to.'

'OK,' said Nick. 'Shirt on or shirt off?'

'Off,' said Bel through gritted teeth. 'This is going to get sweaty, and not in a good way.'

Nick yanked his jumper and T-shirt over his head, dumping them on the radiator by the window. He hesitated for a moment, then kicked off his trainers and pulled off his socks and jeans too. He padded back to the mattress wearing nothing but a pair of black boxer shorts, helping Marie ease Bel forward so he could slide in behind her and lean against the wall.

'I thought you preferred commando,' said Bel, earning a wide-eyed *what the fuck?* from Marie.

'I do,' said Nick. 'But I've been living in a caravan for five weeks and it's bloody freezing. Underwear is definitely the way forward.'

Bel laughed through the pain, letting herself fall back into Nick's arms and feeling a moment of blessed relief even as the next contraction began to build.

CHAPTER FORTY-ONE

'I can see the baby's head,' said Maggie triumphantly. 'I need a gentle push from you now, Bel. Just pant for me, like I showed you.'

'That's it,' said Nick soothingly as Bel gripped both his thighs, her sweaty back pressed into his naked chest. 'Come on, you've totally got this.' He held a glass of water to her lips so she could take a sip, then gently wiped her hair off her forehead.

'PFFT PFFT PFFT PFFT PFFT WHEEEEAAAAA WWWWW,' panted Bel, as agonising pain squeezed through her entire being. It felt like trying to shit a water-melon, but there was not a chance in living hell she was moving from this mattress and taking an ambulance ride through the wilds of Norfolk, so she was just going to have to grit her teeth and dig deep until this baby came out.

'I can see it!' squealed Marie, holding her phone down so the camera was pointing between her legs. 'It's coming!'

'Marie, are you actually filming?' gasped Bel. 'Seriously?'

'Jenna's watching live,' said Marie. 'She's giving updates to Year Six. They've binned off World War Two for human biology. Would you rather I filmed the screaming end?'

'Jesus,' muttered Bel through gritted teeth. 'I'll just keep calm and carry on, shall I?'

'That's it,' said Maggie. 'The head's out and the next

contraction is coming, so I want another big push. You're nearly there, I promise.'

'Oh my God,' shrieked Marie. 'This is the most intense thing I've ever watched.'

'Here we go,' said Bel, feeling the pressure and pain starting to build again. She closed her eyes tightly and felt every muscle in her body contract, imagining herself being sucked through a dark tunnel to the light beyond. The pain was excruciating, like she was somehow made of it, but the tunnel was passing by so fast she couldn't think about it. She clutched Nick with her left hand and reached out to grab Marie with the other, then the three of them howled and pushed, supported by Jenna, who she could hear cheering her on from Marie's phone. And then suddenly the searing pain was gone, as Maggie gently eased the baby onto a waiting towel.

'That's it!' exclaimed Maggie. 'You've done it. The baby's here.'

'Is it OK?' said Nick as the baby emitted an indignant howl.

'She looks absolutely perfect to me,' said Maggie, beaming at them both. 'You have a beautiful little girl. A good eight pounds, I'd say.'

Bel laughed with relief, then dissolved into exhausted, euphoric sobs as Nick buried his face in her sweaty hair. 'You are a fucking warrior,' he whispered. 'I can't believe you just did that. I love you so much.'

'I love you too,' sobbed Bel, as the doorbell rang.

'That will be the midwife,' said Maggie, nodding to Marie to get the door as she clamped and snipped the umbilical cord.

Marie walked away, yelling into her phone. 'I'll call you back in a bit, everyone's fine!'

At the same time, Maggie placed a scaly, purple creature into Bel's arms, wrapped in a clean towel. 'Congratulations.'

'Thank you,' said Bel, smiling up at her aunt through puffy eyes. 'Seriously, though, Mags. You were amazing.'

'I did the easy bit,' said Maggie. 'I'll just keep an eye down below for a minute until the midwife comes in, then I'll get Marie to make us some tea. We've still got an after-birth to deliver, so just relax for a bit.'

'OK,' said Bel, staring down at the little girl in her arms. She had piercing grey–blue eyes and a fuzzy head of red hair.

'Hello, little one,' whispered Nick, reaching down to stroke her tiny hand. The baby scrunched up her eyes, like she wasn't entirely sure what had just happened and would quite like to speak to the manager. 'She's gorgeous. I can't believe we made something that beautiful.'

'We did,' said Bel, turning to smile at him. 'Well done us.'

'Well done you, more like,' he said, kissing her hair. 'I did the easiest bit of all.'

'I don't think I have ever felt so tired in my life,' said Bel.

'Why aren't you in hospital, anyway?' asked Nick. 'How did you end up giving birth here?'

'It's a long story,' said Bel, glancing at Maggie. 'And it mostly makes me look like an idiot, so I'll tell you another day.'

A woman's face appeared around the door. 'Have I missed all the fun?' She came in and gave the baby a quick glance before kneeling down next to Maggie and pulling on some gloves. 'I'm Kate.'

'Hi,' said Bel weakly.

'I hear you've been an absolute champion,' said Kate. She gave Bel a warm smile, then turned to Maggie. 'And you too, by the sounds of it. Anything we need to stitch up?'

'No,' said Maggie happily. 'Afterbirth is on its way, and everything else looks shipshape.'

'That's just what I like to hear,' said Kate. 'You go and get cleaned up, and I'll take over from here.'

Maggie stood up and pulled off her gloves, looking like it might be some time before her back recovered. She knelt down next to Bel and gave her a kiss on the forehead.

'You were incredible, Bel,' she said, her eyes full of tears. 'Lily would have been so proud of you. Well done.' She pushed herself back onto her feet, then shuffled stiffly out of the room.

'I'm just going to press on your tummy, if you can give me a little push,' said Kate as another contraction rippled through Bel's body and something warm and slimy flowed out between her legs. 'There we go, that's the afterbirth.' She smiled up at the pair of them. 'All looks present and correct. I'll just check everything over and clean you up, then I'll take the baby and get her weighed.'

'Would you like to hold her?' Bel asked, turning her head to look at Nick.

'I'm happy here for a minute,' he said. 'Holding both of you.'

'Thank you for coming,' she said weakly.

'Today, or back in June?'

Bel laughed. 'Both. But now I'd really like you to stay.'

Nick paused, then looked into Bel's eyes. 'In what capacity, Bel?'.

'As my partner. In parenting, life, whatever.'

'Really?' asked Nick, holding her gaze. 'This isn't just euphoric post-birth insanity?'

Bel shook her head. 'No, I mean it. When it all came down to it, you were the only person I wanted.'

Nick's brows knitted, and Bel didn't think she'd ever seen him look so serious. 'And just so I'm one hundred per cent clear, are you talking about a parenting partnership, or the kind of partnership where we sleep in the same bed, naked?'

'The latter,' said Bel, smiling at the tiny hand gripping her little finger. 'But you might need to give it a while before we do the naked stuff. I'm guessing it looks like a slaughterhouse down there.'

'I've seen a hell of a lot worse,' said Kate, dropping what looked like a slab of liver into the washing-up bowl. She put a fresh towel between Bel's legs, then came round to the side of the mattress to take the baby. Bel leaned back into Nick, closing her eyes as people fussed and talked around her. She heard the words 'cup of tea' and 'get you feeding' and 'shower', but she wasn't really paying attention. There wasn't a single part of her body that didn't ache, and she felt like she could sleep for a week. But that aside, her body was fizzing with relief and pride and a strange kind of euphoria, like right now she could leap out of this bed and move mountains.

'Eight pounds four ounces,' announced Kate a few minutes later. 'Bel, would you like to hold her again, or shall I give her to your partner so you can get cleaned up ready for your first feed?'

My partner, thought Bel. *That feels nicer than I thought it would.*

'I'll take her,' said Nick, edging himself out from behind Bel and helping Marie pad the space with pillows. He wobbled around for a minute on dead legs, then almost lost his balance as he tried to wrestle his jeans back on. Bel was reminded of him naked on the beach on New Year's Eve, trying to extract himself from wet jeans, and smiled to herself. She'd seen so many versions of Nick since they'd first met – the brooding, wary version who liked to read and walk and swim alone; then the awkward, open and dryly funny version who she'd found so incredibly sexy. It was hard to imagine him as a loud, coked-up City banker drowning in booze and women – Nick had laid that version of himself to rest for good. Watching him cradle their baby by the window, his face a picture of wonder and besotted devotion, Bel realised that she wasn't the only one who had been on an epic journey this year.

'Look at her,' he whispered, squatting down beside her so she could watch the baby sleep, her fat fist pressed against her cheek. Bel could see Marie on the other side of the room, holding up her phone to video them both, presumably for Jenna's benefit. But she didn't have the energy to protest, so she did the only thing that made sense and tilted her face towards Nick for a kiss.

'Any ideas on names?' whispered Nick, like they were the only two people in the room.

Bel looked up at Maggie and Marie, both now pretending to look the other way so as not to interrupt their moment. *Different flowers, but from the same garden.*

'I'd like to call her Jasmine,' she said. 'Jasmine Lily Diane Grey. What do you think?'

'Diane?' said Nick, his eyes wide. 'Really?'

'Yes,' said Bel, blinking away tears. 'So she'll always have a little bit of both our mums with her.'

Nick let out a sob, followed by the biggest smile Bel had ever seen. 'It's perfect,' he croaked, mopping his face with the sleeve of his jumper. 'Well, almost. Can I put in a request for Buckley-Grey?'

'I'll think about it,' said Bel with a grin.

When Bel hobbled down to the kitchen several hours later after the best shower of her life, having drunk two mugs of tea, eaten some cheese on toast and successfully managed a first feed and baby bath under Maggie's expert tutelage, she and Nick found a kitchen unexpectedly full of people.

Marie and Maggie were both by the table, where Maggie had set up a makeshift changing station so she could give Marie her first lesson in how to change a nappy. Dan was in charge of Marie's phone, showing Jenna and Cerys close-ups of Jasmine, who was kicking happily on her changing mat in a yellow babygrow and tiny mittens. Bill the Postie was making a pot of tea and slicing up a cake, whilst Dan's dad Pete was folding towels that smelled like they'd just come out of the tumble dryer.

'What the hell is happening?' asked Bel.

'If I had to guess, I'd say the people in your life are rallying round,' said Nick, putting his arm around her shoulder.

'Why?' asked Bel, wondering if there was enough tea in that pot for her.

'Because that's what families do, Bel. Don't knock it till you've tried it.' Bill looked up and made the 'T' symbol with his fingers, and they both nodded.

'OK, I'll try it,' said Bel. She wandered over to pick up Jasmine, sniffing her fluffy head. She smelled of baby shampoo and milk and tumble-dried clothes, and Bel couldn't ever imagine tiring of it. It felt good, this family, this future. Solid, dependable, safe. Exciting, even.

'I'll take her,' said Marie quickly. 'You drink your tea.' Bel passed her over and took two mugs from Bill, then headed back to Nick.

'It's going to be amazing, you know,' said Nick. 'You, me, Jasmine. These guys. We're all here to support you.'

'And not going anywhere.'

'Definitely not going anywhere. I promise. Unless you need snacks, in which case I'll go anywhere you like.'

'Ooh, snacks,' grinned Bel. 'Now you're talking.'

'Let's not make any big decisions,' said Nick, reaching out to take her hand. 'Let's just enjoy the summer. Then in a few months we'll talk about what's next.'

'But you've got ideas, right?'

'Yeah, a few. I've had lots of time to think about it, in my shitty caravan. About the women's retreat, and how I could help support that. We'd need to convert the barn on the driveway, but I think it could work.'

'Convert it into what?'

Nick grinned and shook his head. 'We'll talk about it later, you've literally just had a baby. Let's just take some time to be a happy family, then see how we go.'

A happy family, thought Bel. *I have no idea what that feels like.* But actually, the whole of this past year had been about building this family – this jumble of people who were in her kitchen; people who would walk over hot coals for her. And now they'd do the same for Jasmine.

362

She looked up at Nick, smiling. 'It's enough.'

'What's enough?' he asked, his brow furrowing.

'It is enough for me to be sure that you and I exist at this moment,' she replied.

Nick pulled her into a hug, burying his face in her hair. Bel closed her eyes and breathed him in, letting his goodness and strength warm her veins. When she opened them a minute later, Marie was waving Jasmine's tiny fist at her phone, laughing at Cerys waving back. She turned and caught Bel's eye, giving her a look that said *I'm so proud of you*. Bel smiled back, hoping it might in some way communicate the depth of her love and appreciation for her sister, and how glad she was that they'd found their way through this year together.

What a year, thought Bel, resting her head on Nick's shoulder and weaving her fingers into his. *What an amazing, life-changing, incredible year. Why not try for another one?*

CHAPTER FORTY-TWO

One Year Later

'Welcome to Orchard House,' said Bel, as the woman climbed out of the taxi and blinked in the spring sunshine. 'I'm Bel.'

'Aisha,' said the woman. Her voice was a whisper, like she'd forgotten how to use it. She was younger than Bel, maybe twenty-five or so. Thick, dark hair wrapped into a tight bun, her eyes ringed with dark shadows. Faded jeans and old trainers, an oversized black cardigan covering up how thin she was. The women who stayed at Orchard House were usually one end of the spectrum or the other. Pain could be starved, or it could be fed.

'Come on in, and I'll give you a quick tour,' said Bel. 'We'll do upstairs first, because Jas is having her lunch and probably decorating the walls.' The doors to the two west-facing rooms were closed – these were now a self-contained flat for her, Nick and Jas, complete with two small bedrooms, a bathroom and an open–plan lounge, kitchenette and diner. Chris, Sophie and Alice had all returned to Moxham the previous August and helped Nick complete the work in six weeks, in exchange for food, board and unlimited baby cuddles. The two east-facing rooms were largely unchanged – a communal dining room and guest lounge that was still called The Grotto, both with new patio doors that opened out onto the terrace and garden. Above the sofa in the lounge was a set of eight framed drawings of Bel, charting the second half of her pregnancy in pencil and charcoal.

'Is Jas your daughter?' asked Aisha, turning her head towards the sound of laughter as she climbed the stairs with her suitcase. Nick was probably doing the flying broccoli game again.

'Yeah, short for Jasmine. She's a year old,' said Bel with an indulgent smile. 'Yesterday, actually. That's why we asked you not to come until today; we thought a party for a one-year-old might be a bit overwhelming.'

'That's OK, I love babies,' said Aisha. Bel didn't ask if she had any, because it was better not to ask too many questions. If Aisha wanted to talk, she'd do it in her own time.

'So this will be your room,' said Bel, opening the door to the green bedroom. Marie had worked her magic on all the rooms, adding artwork and lighting and decorative touches that made them feel peaceful and calming.

'Oh wow, it's lovely,' said Aisha, putting her suitcase down and heading over to the window. 'What an amazing view.'

'I've put the heating on, in case you feel the cold,' said Bel, who had learned in the past few months that if there was one thing that her guests had in common, it was that they all felt the cold. 'And there are spare blankets in the wardrobe.'

'Thanks.'

'Bathroom's next door,' said Bel. 'You have to share, but there are only five of you and two bathrooms, and you can use as much hot water as you like.'

Aisha nodded and sat down on the edge of the bed, her face turned towards the window. She looked exhausted.

'There are a few more things you need to know, but if you're tired we can do it later,' said Bel, edging towards the door.

'No, tell me now,' said Aisha. 'Sorry, my mind is a bit blown. This is a lot.'

Bel sat on the chair by the door and leaned forward with her hands clasped. She'd seen this many times before too – relief wrestling with guilt and anxiety. Sometimes it was easy to forget to breathe.

'So look,' she said gently. 'There's no pressure to do anything while you're here. Just take whatever time you need.'

Aisha nodded, but said nothing.

'There are books in the lounge downstairs, loads of lovely walks and we've got bikes you can use if you fancy a cycle.'

'It's nice to be near the sea.' Aisha turned her face to the window and the tantalising strip of blue beyond the fruit trees. 'Is the beach nice?'

'It's lovely, all sand, and you can walk there in five minutes.'

Aisha smiled softly. Maybe there were good memories associated with the beach; a place where she'd found calm in the past.

'Can you swim?' asked Bel.

'Yeah,' said Aisha proudly. 'I did it a lot as a kid. Had badges and everything.'

Bel nodded. 'A group of us go sea swimming at sunrise every day. Nice people.'

'Is it cold?'

'Yes, but in a really good way. We can ease you in gently, we've got lots of experience.'

'That sounds cool, actually.'

They were both quiet for a moment, Aisha watching the seagulls swooping overhead and Bel waiting, not wanting to overwhelm her.

'Are you married?' asked Aisha.

'No, but my partner Nick lives here. He runs workshops for guests.'

'Really? What kind of workshops?'

'Basic DIY, carpentry, plumbing, that sort of thing. The kind of stuff it helps to know if you're getting by on your own.'

'Wow. That's amazing.'

'My sister teaches painting and decorating – that wooden barn you passed by the gate is their teaching workshop.'

'Your sister lives here too?'

Bel nodded. 'She lives in the village with her girlfriend – well, fiancée now – they're getting married in June. My aunt lives down the road too, with her husband. This house used to belong to my grandmother.'

'Wow,' whispered Aisha. 'Must be so nice having family who care about you.' There was a note of bitterness in her voice – a family issue, then. Usually it was abusive relationships that brought women to Orchard House, but she'd met a few who'd been kicked out of toxic families for being gay or trans, or had suffered at the hands of an arranged marriage. Orchard House didn't have specialist staff for addicts or people with serious mental health issues, so their guests were women who had been through the wringer and needed some time away to regroup, but were far enough along the healing journey to look after themselves.

'As I say, there's no pressure,' Bel continued. 'There's a list of classes on the blackboard in the kitchen; you can sign up for any you like.'

'Do I have to pay?' asked Aisha, unable to meet Bel's eye.

'No, they're free.'

Aisha sniffed and wiped her nose with the back of her hand. 'I feel bad, being here for two weeks and not paying.'

'It's fine, lots of our guests can't pay, for lots of reasons,' said Bel gently. 'We're a charity, so some of our spaces are funded by donations. Nick used to work in the City, years ago. One of his old firms sponsors us, and we get other grants and donations. You're really welcome here.'

Aisha was quiet again, taking it all in. Bel waited, settling into the pace of the conversation.

'Are you open all year round, then?' asked Aisha.

'We close for the whole of December and June, but we're open the rest of the year. We take women with kids in the school holidays, and women without the rest of the time.'

'It's such an amazing house. It feels, like, really calm.'

Bel smiled, remembering the first time she'd come to Orchard House and discovered a dead rat in the toilet. 'Just take time to rest and decompress for a day or two, then let me know what you need. We can hook you up with a therapist if you want to talk. She's called Jo, and she's amazing. You don't need to remember any of this, it's all on the blackboard in the kitchen.'

Another pause as Aisha processed each chunk of information before asking for the next. 'How does the food work?'

'Breakfast and lunch are self-serve, the fridge has loads of options so you can just help yourself to whatever you like. I serve dinner at seven p.m. every day, although you're welcome to take a turn at cooking if that's your thing.'

'I'm a good cook,' said Aisha quickly. 'I'd really like that, actually.' At first Bel had been quite protective about letting guests loose in the kitchen, but she quickly realised that cooking dinner for everyone was a way for these women to feel like they were giving something back. It prompted communal conversations about different cultures and recipes and traditions, and was often the thing that helped the quieter guests to open up. Everyone had a story to tell about food.

'Great, just make me a list of what ingredients you need and we'll put you in the schedule. You can eat in the dining room with everyone else, or find a quiet corner in the kitchen or the lounge. No judgement either way, we just ask that you do your share of cleaning up and don't take food upstairs.'

'I guess you've seen it all, right?' said Aisha with a hollow laugh. 'Women who are all kinds of messed up.'

Bel shrugged. 'I've seen it, and I've been there myself. Some people come here for company, and others come for space. We can offer both.'

'Thanks, Bel.' Aisha smiled, and Bel saw a flicker of the beautiful young woman she once was, before someone stole every ounce of her joy and zest for life.

'Get unpacked and settled, then come down and have a cup of tea. I'll give you a tour of the kitchen and the laundry room.'

'OK,' said Aisha quietly. 'Just one more question. You

369

said you'd been there — how long did it take you? To come out the other side?'

Bel thought for a moment. 'From when I started letting go of the past, to when I felt like myself again? It was less than a year.'

'Wow,' said Aisha. 'That gives me hope, I guess.'

Bel smiled from the doorway. 'The way I look at it is this — the next twelve months is going to happen either way. It can be nothing much, just another year. Or it can be everything. Depends what you decide to do with it.'

She closed the bedroom door gently and headed down-stairs, smiling at the sound of Nick making aeroplane noises and Jas squealing with laughter.

'Hey, Bel?' said a voice. Aisha was leaning over the ban-ister at the top of the stairs, standing a little straighter than when she'd got out of the taxi.

Bel looked up at her. 'Yeah?'

'I think I'm ready for everything.'

Bel grinned. 'Then you're definitely in the right place.'

Acknowledgements

Same Time Next Year is mostly a book about discovering the power and strength of family – losing those you love, finding your way back to those you've drifted away from, and building new families from scratch. I wanted to write about a sibling relationship because they're often complicated and messy and bring out the best and worst in all of us, so I guess a good place to start would be to thank my sister Ange and my brother Jon for always being there for me. We are different flowers from the same garden, but we've always loved and supported each other and I feel very lucky to have you both.

I'd also like to celebrate two very special mothers – my mum Joy, and Pip's mum Eva. You've both been such huge supporters of my writing career, and I can't thank you enough. Thanks also to Sam and Emma for being the best kids a mum could ask for, to my stepdad Brian for being the dad I never had, and of course to Pip for being my partner in every sense of the word. I also appreciate your patience in teaching me how to plaster a wall – book research takes many different forms, and I now know how to make beautiful dinosaur turds.

As ever this book wouldn't have happened without my incredible publishing family – my indomitable agent Caroline Sheldon, my extraordinary editor Bea Grabowska at Headline Accent, and the publishing team who make it all happen – thanks to Rhys Callaghan, Felicia Hu, Sarah Bance, Jill Cole and Versha Jones.

Friends are the family you choose, and mine are the absolute best. Huge thanks to my ride-or-die mates, my tennis girls, my Eurovision and *Strictly* WhatsApp support crew, my bookshop cheerleaders and the friends old and new who've kept me going over the past few years.

And finally, I'd like to thank my extended family of readers who continue to make this journey an absolute joy. Your loyalty and generosity of spirit never fails to swell my heart, and I can't wait to bring you many more happy-ever-afters.

**Discover more utterly irresistible
novels from Heidi Stephens . . .**

Hannah has been married to Graham since they were eighteen – a union of desperation to escape their strict families. He's the only man she's ever kissed and honestly, she's not sure he's any good at it. But fourteen years of washing his underwear is more than enough to kill the romance.

Well, that and the fact that he's got a work colleague pregnant.

Hannah's new-found freedom is an opportunity to finally put herself first, and a trip to Spain sounds like the perfect start. Yes, it might be with three near strangers, but it's also a chance to play tennis every day under the Spanish sun, before heading off on a solo road trip and starting the next phase of her life.

Then Hannah meets Rob, who has kissed ALL the women and is 100% not her type. And besides, she's *really* not looking for love right now. But if there's one thing Hannah knows about tennis, it's that sometimes taking a risk can pay off – and when you fault on your first serve, you get a second chance.

Available to order

ACCENT

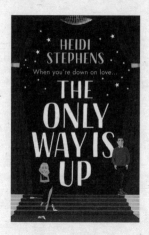

Twenty-five years in showbiz is a good run,
right? Because after tonight, when her small (read: huge)
wardrobe malfunction was broadcast to the nation's
living rooms, Daisy's time in the spotlight might be over.

It's all about damage control now, and Daisy needs
an escape route. Fast. Especially when her sporting hero
boyfriend publicly announces their engagement – the one
she hasn't actually agreed to tell the world about.

All she needs is space from prying eyes and time for the press to
get bored and move on. But the only place she can run to at such
short notice is the Cotswolds cottage she used to own with her
ex-husband. Not ideal, but at least it's in the middle of nowhere
and close to her teenage daughter.

Seems like a perfect plan, apart from the person selling stories to
the tabloids about her and Tom, the local headmaster.

But that's just a rumour, right?

Available to order

ACCENT

Emily Wilkinson has lost everything. Literally. In a hair-straightener fire. Oh, and her boyfriend (and boss) has announced he's going back to his wife. So, she needs a new job, a new plan, and somewhere to live that isn't her childhood bedroom.

Charles Hunter is looking for a live-in PA to help run Bowford Manor and Emily thinks she's the perfect fit. Well, she's spent ten years propping up demanding men, so she can definitely handle some tricky characters – like Charles's eldest son and heir, who's got plans for the estate that might raise a few eyebrows.

No one's mentioned Jamie though. The stable hand – and youngest Hunter. Dashing, of course, but totally unsuitable. And Emily's not about to make that mistake again.

Definitely not. No, really.

Available to order

ACCENT

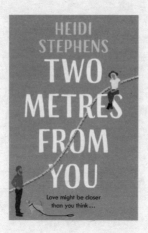

Gemma isn't sure what upsets her more.
The fact she just caught her boyfriend cheating,
or that he did it on her *brand-new* Heal's cushions.

All she knows is she needs to put as many miles between
her and Fraser as humanly possible. So, when her
best friend suggests a restorative few days in the
West Country, it seems like the perfect solution.

That is, until the country enters a national lockdown
that leaves her stranded. All she has for company is her dog,
Mabel. And the mysterious (and handsome!)
stranger living at the bottom of her garden . . .

Available to order

ACCENT

HEIDI
STEPHENS

Discover more

𝕏 @heidistephens

◉ @heidistephens

www.heidistephens.co.uk